Het Tolstoj gevoel

Van Gayle Lynds zijn verschenen:

De Hades factor (samen met *Robert Ludlum*)
De Armageddon machine (samen met *Robert Ludlum*)

Gayle Lynds

HET TOLSTOJ GEVOEL

Uitgeverij Luitingh ~ Sijthoff

Voor meer informatie: kijk op **www.boekenwereld.com**

© 2001 by Gayle Hallenbeck Lynds
Published in agreement with the author,
c/o Baror International, Inc., Armonk, New York, U.S.A.
All rights reserved
© 2002 Nederlandse vertaling
Uitgeverij Luitingh ~ Sijthoff B.V., Amsterdam
Alle rechten voorbehouden
Oorspronkelijke titel: *Mesmerized*
Vertaling: Marjolein van Velzen
Omslagontwerp: Rob van Middendorp
Omslagfotografie: The Image Bank

ISBN 90 245 4554 4
NUR 332

Voor mijn zoon, Paul Stone, en zijn verloofde, Katrina Baum
Voor de liefde, voor de jeugd, voor de toekomst
Veel geluk in jullie huwelijk
– 8 april 2000

De mensheid maakte de beste kans om aan de toorn van de godheden die in die tijden heersten te ontkomen door middel van een soort magische rite, zinloos maar krachtig, of in een offerande die ten koste van pijn en verdriet gebracht werd.
– EDITH HAMILTON, *Mythology*

Zoek naar dingen die er niet zijn. Als we te snel een conclusie trekken, sluiten we ons af voor mogelijke antwoorden.
– Opleidingsfunctionaris van de inlichtingendienst CIA, die anoniem wenst te blijven

PROLOOG

Ze was een ster.

Koningin van de kosmos.

Zij was Beth Convey, moordmachine met mededogen.

Ze bevond zich in zaal 311 van het Hooggerechtshof voor het district Columbia. De lucht was bedompt en verschaald, maar dat was te verwachten. Wanneer een geruchtmakende rechtszaak achter gesloten deuren tegen zijn einde liep, waren er in de betreffende rechtszaal te veel uren van lichaamswarmte geweest, te veel woede, walging en gesublimeerd geweld. Dan kon de lucht niet meer fris zijn. De tl-balken aan het plafond gaven een genadeloos schel licht en er waren geen open ramen die het soelaas van buitenlucht brachten; het was een winderige maartmiddag. De zaal op de tweede verdieping van het dertig jaar oude gerechtsgebouw vormde een claustrofobische, met hout afgetimmerde sarcofaag.

Toch gaf het dicht opeengepakte publiek geen enkel blijk van ontevredenheid over de omstandigheden in de zaal. Het leek wel of men die zelfs niet opmerkte. Zwijgend en geboeid zaten de mensen te kijken, want Beth Convey was bezig met haar ondervraging tijdens een geruchtmakende scheidingszaak, en het ging om honderden miljoenen dollars. Niemand wilde er dus een woord van missen – de pers al helemaal niet.

Beth wendde zich tot de rechter. 'Mag ik even naar de getuige toe lopen, edelachtbare?' Ze stond bekend om haar ijzige kalmte, die ze naar ze vermoedde geërfd had. Tenslotte was zij de dochter van Jackie-Messer Convey, de allerbeste strafpleiter van heel Los Angeles. Tot haar ergernis merkte ze dat ze transpireerde.

Rechter Eric Schultz was een grote man met een roestige stem en borstelige wenkbrauwen. Hij wierp haar een strenge blik toe. Beth had de getuige al de hele dag ondervraagd, en er klonk iets scherps door in de stem van de rechter toen hij antwoordde: 'Prima. Maar maakt u een beetje voort met de ondervraging, mevrouw Convey.'

Ze beende naar voren, haar pumps onhoorbaar op de vloerbedek-

9

king. Achter zich voelde ze de bezorgde blik van haar cliënt, Michelle Philmalee, en voor haar zat het lijdend voorwerp van haar ondervraging: Michelles echtgenoot, groot-industrieel Joel Mabbit Philmalee. Boven zijn witte overhemdkraag was een donkere blos te zien en de woede flitste in zijn ogen.

Vóór de rechtszaak hadden zijn advocaten een schikkingsvoorstel gedaan dat ze zelf 'redelijk' noemden. Vijftig miljoen dollar, een schijntje van de waarde van zijn bedrijf, waarvan hij zelf alle aandelen in handen had. Het was een beledigend laag bedrag en Michelle had het geweigerd. Daarom moest Beth nu een bijzonder riskante tactiek volgen: ze moest ervoor zorgen dat Joel Philmalees agressieve karakter tot uiting kwam in de rechtszaal. Daarom had ze hem zo lang in de getuigenbank laten zitten.

Ze dacht dat ze dit alles achter zich gelaten had. Hoewel ze haar praktijk was begonnen als advocaat voor familierecht, was ze tegenwoordig gespecialiseerd in internationaal recht. Ze had een grondige kennis van de Russische en Oost-Europese politiek, sprak redelijk vloeiend Russisch en Pools en bezat een keihard zakeninstinct. Daardoor had ze het bij onderhandelingen namens Michelle Philmalee met de eindeloze bureaucratie in de voormalige communistische landen zó goed gedaan dat Michelle erop had gestaan dat Beth haar ook bij de scheiding zou vertegenwoordigen.

Inwendig slaakte Beth een zucht. Ze zou de zaak doorgeschoven hebben naar een van de andere juristen van haar firma, als de belangrijkste vennoot zich niet met de toestand had bemoeid en zijn absolute veto had laten klinken. De firma, Edwards & Bonnett, wilde Michelle koste wat kost als klant behouden. En dat betekende dat ze Michelle tevreden moesten houden. Als Michelle Beth wilde, dan kreeg ze Beth. En als Beth goed haar best deed en een stevige alimentatie voor Michelle in de wacht sleepte, zou ze als beloning een sprong maken op weg naar een directiepositie in de firma. Beth wist wat goed voor haar was en had de zaak aangenomen.

Anderhalve meter voor Joel Philmalee bleef ze staan. Er steeg een sterke geur van dure aftershave op toen hij ging verzitten. Hij wierp haar een kwade blik toe. Hij begon nu echt woedend te worden.

Ze onderdrukte een glimlach – en voelde zich misselijk worden.

Ze haalde diep adem en drong de misselijkheid naar de achtergrond. Ze gaf haar stem een vlakke, barse toon. 'Is het niet zo dat u de hotelketen aanvankelijk aan mevrouw Philmalee in beheer hebt gegeven omdat u meende dat dit een kleine investering was en u dacht dat het haar niet zou lukken? Ja of nee.'

Hij keek haar recht aan. 'Ik dacht...'

Ze tikte met haar voet op de grond. 'Ja of nee?'

Door de zaal heen wierp hij Michelle een blik vol haat toe. 'Nee!'

'Is het niet zo dat u haar wilde ontslaan, maar dat zij u overhaalde om te wachten tot het vierde kwartaalrapport, waarin het welslagen van haar expansiestrategie werd bevestigd? Ja of nee.'

'Misschien zou je inderdaad kunnen stellen...'

'Ja of nee?'

'Beslist niet. Is dat duidelijk genoeg? Nee! Absoluut níét.'

Beth wist dat hij loog, maar ze kon hem niet dwingen om hier zijn getuigenis te wijzigen. Het belangrijkste was dat de rechter haar de vragen had horen stellen en dat Joel Philmalee razend op haar werd. In zijn ogen was ze een zoveelste opdringerig, onbeleefd en irritant vrouwspersoon, net als zijn echtgenote.

Beth had getuigenissen overlegd: notulen van vergaderingen en financiële analyses waaruit bleek dat Michelle meer dan eens een doorslaggevende rol had gespeeld bij de groei van de Groep. Nu hoopte ze iets overtuigends te kunnen toevoegen zonder dat met zoveel woorden te hoeven uitspreken: Joel sloeg zijn vrouw. Er gingen geruchten, en Beth wist dat die op waarheid berustten. Het probleem was dat Michelle niet openlijk wilde toegeven dat ze het slachtoffer was geweest van huiselijk geweld, ook niet als dat haar een half miljard dollar kon opleveren. Op het slagveld van de commercie had ze geleerd dat hun oorlog om een financiële overeenkomst eruitzag als een strijd tussen twee titanen. In zaken, meende Michelle, mocht je je nooit zwak tonen.

Daar was Beth het mee eens, en hoewel die strategie haar werk er beslist niet makkelijker op had gemaakt, was dit hun enige hoop. In tegenstelling tot staten waar gemeenschap van goederen gebruikelijk was, ging men er in het district Columbia niet van uit dat bij een scheiding de bezittingen eerlijk verdeeld zouden worden. En dat was nu juist wat Michelle wilde. Binnen de wetten van Columbia speelden rechters een belangrijke rol bij de boedelverdeling. Beth onderdrukte een nieuwe golf van misselijkheid en ging door.

'Meneer Philmalee, is het niet zo dat uw vrouw in- en verkocht, dat ze in de raad van bestuur zat, dat ze lange reizen ondernam om kapitaalgoederen te taxeren en dat ze helemaal in haar eentje Philmalee International uit het niets heeft gecreëerd? Ja of nee?'

Hij leunde voorover. 'Nee! Dat deed ze allemaal in opdracht van míj. Philmalee Group, dat ben ík!'

'Niet meer dan ja of nee graag, meneer Philmalee.' Het leek wel of ze geen adem kreeg. Haar hart bonkte. Vorige week had haar internist vastgesteld dat ze af en toe ademnood kreeg vanwege stress. Hij had gezegd dat ze het rustiger aan moest doen. Pas tweeëndertig en het nu al rustiger aan gaan doen? Nonsens. Deze zaak was té belangrijk.

Joel Philmalee wendde zich met een boos gezicht tot de rechter. 'Móét dit allemaal, edelachtbare?'

Rechter Schulz schudde zijn hoofd. 'U hebt ruimschoots de gelegenheid gekregen om tot een schikking te komen.'

'Maar dat ondankbare mens wil de helft van mijn bedrijf, goddomme!' Hij wierp Michelle een blik vol ziedende haat toe.

Michelle trok met een grimmig gezicht haar lippen strak. Ze was klein van stuk, strak en modieus in een doorgestikt Chanel-pakje en met een rode Armani-bril op haar neus. Ze gaf geen enkel uiterlijk blijk van de ontzetting en de eenzaamheid waarvan Beth nu en dan een glimp had opgevangen. Michelles eenzaamheid was iets dat Beth begreep. Zij en Michelle hadden hun werk tot het middelpunt van hun leven gemaakt. Beth had daar nooit spijt van gehad, en Michelle zo te zien ook niet.

Beth ging door: 'Wat u hier had moeten zeggen was óns bedrijf, meneer Philmalee. Uw bedrijf én dat van mevrouw. *Ons* bedrijf. De Groep. U hebt béíden gewerkt...' Ze onderdrukt een kreet. Een doffe pijn sneed door haar borst en onder haar pakje droop het zweet heet en plakkerig omlaag. Néé. Ze mocht nu niet ziek worden. Ze was zo dicht bij de overwinning...

Joels kneep zijn handen samen. 'Mijn vrouw heeft geen ruk uitgevoerd!'

De rechter zei: 'Meneer Philmalee, ik had u gewaarschuwd over uw taalgebruik. Beheerst u zich. De volgende keer klaag ik u aan wegens minachting van het hof.'

Met grote inspanning dwong Beth zich om rustig verder te spreken. 'Zij deed alles. Is het niet zo dat u zonder haar nergens geweest zou zijn? Zij heeft u het geld gegeven waarmee u kon starten. U hebt haar ideeën geclaimd...'

'Protest, edelachtbare!' donderde Joels advocaat.

'Afgewezen,' zei de rechter onverstoorbaar. 'Gaat u door, raadsvrouwe.'

Beth ging verder. 'Zij plande de tactieken, zij vertelde u hoe u die moest implementeren. Neem bijvoorbeeld de Wheelwright-transactie. Oak Tree Plaza. Philmalee Gardens...'

'Nee! Nee! Néé!' Joel Philmalee sprong overeind. De blos die tot nu toe niet verder was gekomen dan zijn oren, kroop nu als een rode vloedgolf over zijn tanige wangen.

De rechter beukte met zijn hamer.

'Zelfs Philmalee International,' hield Beth vol, waarbij ze riskeerde zelf berispt te worden.

Op dat punt werd het Joel Philmalee te veel. 'Kútwijf!' Hij sprong over het hek van de getuigenbank heen, recht op Beth af.

Beths hart leek te exploderen van de pijn. Ze had het gevoel dat haar ribbenkast verbrijzeld werd. Het was een rafelige, zwarte pijn die stoten elektriciteit naar haar brein zond. Ze probeerde adem te halen, overeind te blijven, bij bewustzijn te blijven. Haar hele leven lang was ze een vechter geweest. Michelle verdiende het, de helft van Philmalee Group te krijgen. Beth moest verder strijden...

In plaats daarvan zakte ze op het tapijt ineen.

Joel Philmalee merkte niets. Langs Beth heen draafde hij op zijn vrouw af.

Met een van angst vertrokken gezicht draaide Michelle zich zo snel om dat haar bril van haar neus vloog. Er klonken kreten en gegil vanuit het publiek. Vloekend greep Joel Michelle van achteren beet. Net toen zijn handen zich rond haar keel sloten, leek een tiental journalisten in het publiek tot bezinning te komen. Als een waterval stroomden ze naar het gangpad. Enkele seconden later hadden twee van hen Michelle bevrijd.

De bewakers stormden de zaal binnen, en toen de orde min of meer hersteld was en Joel Philmalee met handboeien om was afgevoerd door een zijdeur, zag iemand dat Beth Convey nog steeds lag waar ze was neergevallen.

'Is ze gewond?' vroeg de rechter geschrokken. 'Kijk eens even, Kaeli!'

De parketwacht holde naar de bewusteloze vrouw toe, liet zich op zijn hurken zakken en voelde haar pols. Met een bezorgd gezicht legde hij zijn vingers op een andere plek. 'Niets, edelachtbare.'

Terwijl er een verbijsterde stilte viel in de rechtszaal, bukte hij zich nog verder en bleef met zijn wang vlak voor haar mond zitten wachten op een ademhaling. Hij bleef een hele tijd zo zitten.

Uiteindelijk keek hij op naar de rechter. Zijn ogen waren groot van schrik. 'Ze is dood. Het is vreselijk, edelachtbare, ik snap ook niet hoe het kan, maar mevrouw Convey is dood.'

DEEL EEN

I

Een maand later, op een mooie, maanverlichte aprilnacht, werd er om twaalf over tien gebeld naar het alarmnummer in Washington DC. Er had een motorongeluk plaatsgevonden in Rock Creek Park, waarbij kennelijk een gewonde was gevallen. De beller vertelde waar het was.

Nog geen vier minuten later arriveerden ambulance en politie ter plekke, net op het moment dat er een nieuwe Lexus wegreed. De Lexus maakte met een scherpe bocht rechtsomkeert in de berm en kwam met piepende remmen tot stilstand. Het door de achterwielen losgewerkte grind spatte tegen een metalen vangrail. Een gedistingeerde man met een duur pak sprong van achter het stuur te voorschijn en haastte zich terug naar de nachtelijke schaduwen, waar het ambulancepersoneel zich over de gevallen motorrijder bukte.

Met een ontsteld gezicht ratelde de bestuurder van de Lexus, die met een licht accent sprak: 'Gelukkig dat iemand u gebeld heeft. Kunt u mijn vriend helpen? Ik wist niet wat ik doen moest en ik heb geen mobiele telefoon, dus het leek me het beste om hulp te gaan halen. Ik was al zo laat, ziet u. Ik reed zo hard ik kon naar huis, want ik had een afspraak met hem. En toen, vreselijk, zag ik hem met zijn motor langs de weg liggen.' Met stemverheffing ging hij verder: 'Altijd en eeuwig op die motorfiets. Hoe vaak heb ik hem niet gezegd dat hij een helm op moest. Maar nee, hoor. Hij was buiten kennis toen ik hem vond. Komt het nog goed met hem?' Hij haalde diep adem. Met trillende lippen keek hij hoe de verplegers het slachtoffer op een brancard tilden. Hij zag eruit als een diplomaat of een rijke zakenman, zoals de verplegers opmerkten.

Beleefd zei het hoofd van het team: 'Wilt u uit de weg gaan, meneer? Hij heeft ernstig hoofdletsel en we moeten hem naar een ziekenhuis brengen. U kunt achter ons aan rijden, als u wilt. Hoe heet hij?'

'Ogust. Michaïl Ogust,' zei de man snel. 'Naar welk ziekenhuis

brengt u hem? We kennen elkaar al jaren, hij en ik. Op vele continenten zijn we met elkaar opgetrokken. U zou nooit geloven...'
De verpleger knikte. Kennelijk had de man het niet gemakkelijk met de verwondingen van zijn vriend. Terwijl hij hielp om het bewusteloze slachtoffer in de ambulance te tillen, noemde hij tegen de man de naam en het adres van het ziekenhuis.
Op dat moment kwam er een agent aanlopen, die de slipsporen op de weg had gemeten. 'Ik heb een paar vragen, meneer.'
De man draaide zich om. 'O. O, ja. Natuurlijk. Zeker.'
Terwijl de ambulance met zwaailicht en sirene wegreed, noteerde de agent de naam van de man, verzocht hem te vertellen wat hij had gezien en vertelde hem dat ze zouden proberen de barmhartige Samaritaan op te sporen die het ongeluk had gemeld. Het zag ernaar uit dat er geen andere voertuigen bij het ongeval betrokken waren.
Zodra de politieman hem liet gaan, klom de man in zijn Lexus en reed linea recta naar het ziekenhuis. Daar vernam hij dat Michaïl Ogust bij aankomst al was overleden. Iedereen was beleefd en vriendelijk – Michaïl Ogust was immers zijn vriend geweest.
De man boog zijn hoofd. Er gleden twee tranen langs zijn wangen. De verpleegkundigen condoleerden hem en zeiden dat hij naar huis moest, dat hij niets meer kon doen. Hij knikte sprakeloos en verliet het ziekenhuis.
Een halfuur later arriveerde hij op zijn landgoed van vele miljoenen dollars in Chevy Chase, diep in het bos verscholen en vanaf de weg onzichtbaar. Gezien de ingrijpende gebeurtenissen van die dag en de radicale actie die hij als gevolg daarvan had moeten ondernemen, had hij tot op het merg vermoeid moeten zijn. Maar hij was juist opgetogen.
Bij de zij-ingang van het huis, de ingang die het dichtst bij de garage lag, tikte hij zijn persoonlijke code voor het beveiligingssysteem in. Hij opende de deur, beende door de keuken en de gang naar zijn studeerkamer, tevens thuiskantoor. Toen hij de slaapkamer passeerde, ving hij een glimp van zichzelf op in de lange spiegel van zijn garderobekast.
Hij bleef in de deuropening staan en bekeek zijn spiegelbeeld. Een knappe, wat oudere man met een donker maatpak en een zijden das. Hij bewoog zijn pols, en zijn gouden manchetknoop en het Rolex-horloge glinsterden even in het licht uit de hal. Zijn gezicht zag er welgedaan en rijk uit, met een geheven kin, alsof de rijkdom van het leven iets was dat hem toekwam. Zijn houding was eerder positief en zelfverzekerd dan arrogant. Hij zag er solide uit, een

man van zijn tijd die niet voor verrassingen zou zorgen en die door en door betrouwbaar was. Dat was het beeld dat hij zich had aangemeten in deze nieuwe wereld. De ooit zo machtige functionaris – nu de geslaagde zakenman, de heer die een rijke filantroop zou kunnen zijn en die beslist een steunpilaar van de samenleving was. Tevreden liep hij verder de gang door. Hij rechtte zijn rug zodat hij nog langer, rechter, slanker en atletischer werd. Daarvoor moest hij de innerlijke pretenties van zijn huidige rol afschudden. Als een volleerd acteur hoefde hij niet in een spiegel te kijken om te zien hoe hij hierdoor veranderde. Hij wist precies hoe hij er in werkelijkheid uitzag. En wat belangrijker was, hij wist wie hij was, ondanks de verschillende uiterlijken die hij aan de verschillende soorten publiek presenteerde. Dit was een realiteit die hij alleen degenen die hem het naast stonden, liet zien. Dat waren er maar een paar, zijn ware vrienden en compagnons. Dat was altijd zo geweest. Ieder jaar werden het er minder. Een man die zulke grootse dingen deed, kon geen vrienden hebben.

Hij glimlachte in zichzelf toen hij zijn studeerkamer in liep, de telefoon pakte en een nummer koos. Zodra zijn compagnon antwoordde, sprak hij in rad Russisch: '*Da*, ik ben het. Die idioten slikten het hele verhaal. Alles is geregeld. We kunnen verder.'

Het hart bonkte als een machtige vuist tegen haar ribben. Door het aanhoudende beuken moest ze wel vanuit de duisternis omhoog zwemmen. Even was ze gegrepen door doodsangst en had ze geen idee waar ze was. Ze vocht tegen de verwarring en dwong zichzelf op te letten. Ze hoorde het gezoem en geklik van een groot aantal machines. De lucht was koel en haar neus prikte van de geur van ontsmettings...

Er drong een mannenstem door in haar duizeligheid: 'Mevrouw Convey? Wakker worden. U bevindt zich op de afdeling hartbewaking. Weet u nog hoe u heet? Mevrouw Convey?'

Haar woorden waren niet meer dan een gefluister. 'Jazeker. Maar dat is een geheim. Sst... eerst moet u úw naam zeggen.'

De transplantatiechirurg grinnikte. 'Ik ben Travis Jackson. Weet je nog? Je hebt de operatie glansrijk doorstaan, Beth. Je hebt een gezond, nieuw hart gekregen. Doe je ogen maar open. Wat vind je hiervan?'

Ze was zich bewust van pijn, gedempt door morfine. Ze drukte het gevoel van verdwaald zijn naar de achtergrond... en concentreerde zich op haar borst: de cadans van haar oude hart, onregelmatig en soms niet meer dan een zwak pulseren, was verdwenen en had plaatsgemaakt voor een slag die zo sterk als een donderklap was. Overmand door uitputting en vreugde bleef ze glimlachend en roerloos liggen. Ze had een nieuw hart!

Ze opende haar ogen en liet een lange stroom lucht ontsnappen. Ze werd zich bewust dat ze plotseling weer gemakkelijk kon ademhalen. 'Fantastisch hart, Travis. Goed ritme. Dit wil ik voorgoed houden.'

'Zo mag ik het horen.' Hij was ergens in de zestig. Hij had een gerimpeld gezicht en hij glimlachte op haar neer van achter de montuurloze bril op het uiteinde van een iets gebogen neus. 'Dit is een gezond hart, een hart dat uitstekend bij jou past. Het had niet eens een shock nodig om op gang te komen. En je eerste biopsie vertoont geen spoor van afstoting.'

Haar hoofd begon helder te worden, en de duizeligheid nam af toen een somber besef doordrong van wat er wat gebeurd.

'Hoe kan ik je ooit genoeg bedanken?'

'Het klinkt misschien banaal, maar het antwoord luidt: door een lang en gezond leven te leiden. Dat is belangrijk voor mij, en dat is mijn beloning.' Zijn stem klonk warm. 'Je bent nog jong. We hebben dit zo snel ondervangen dat de rest van je lichaam er niet onder geleden heeft. Ik denk dat je een normale levensverwachting hebt.'

'Het spijt me van mijn donor. Dat hij dood is. Maar tegelijkertijd ben ik zo verschrikkelijk dankbaar...'

'Weet ik. Natuurlijk.'

Haar glimlach vervaagde toen de morfine haar weer meesleepte naar de bewusteloosheid. Toen haar oogleden dichtvielen, bleef de chirurg naar haar staan kijken met het gevoel van eerbied en triomf dat hem zo bleef inspireren voor deze zware tak van de medische wetenschap. Een maand geleden was Beth Convey amper in leven geweest. Ze was vanuit de rechtszaal binnengebracht door ambulanceverplegers die een draagbare defibrillator hadden gebruikt om haar hartslag weer op gang te krijgen. Aangezien ze nooit eerder hartproblemen had gehad, was haar internist slordig te werk gegaan; hij had een onjuiste diagnose van stress gegeven als verklaring voor haar kortademigheid en haar versnelde hartslag. Maar in werkelijkheid waren haar hartkleppen beschadigd en bevond ze zich in de laatste fase van hartfalen, waarschijnlijk door een virusinfectie die zij en haar internist de vorige winter hadden afgedaan als een wat langdurig koutje.

Hij herinnerde zich hoe bleek ze had gezien toen hij haar voor het eerst had onderzocht. Dodelijk bleek. Maar dat was niet het ergste geweest. Naarmate de weken verstreken was haar huid galachtig geel verkleurd, was ze verward geraakt en was ze verzwakt totdat ze moeite had met eten. Allemaal als gevolg van een hart dat geen kans meer zag, de juiste hoeveelheden bloed en zuurstof rond te pompen.

Maar nu, luttele uren na de operatie, bleek uit hun gesprek dat haar verstand weer werkte. En dan die kleur van haar huid: een gezonde perziktint. Voor buitenstaanders was dit het bewijs van het zogenoemde wonder van een harttransplantatie, maar voor hem was dit gewoon wat er gebeurde als alles goed ging.

Hij glimlachte van opluchting en vond dat ze er bijzonder levendig en vitaal uitzag, zoals ze daar lag te dommelen in het ziekenhuisbed. Ze was lang, een meter vijfenzeventig, en slank. Een beeldschone vrouw met een rechte neus, schitterende jukbeenderen en een kroon van kort, goudblond haar. Te oordelen naar haar uiterlijk op de dag dat ze was binnengebracht droeg ze weinig make-up en hechtte ze niet veel waarde aan een aantrekkelijk uiterlijk. Dat vond de arts intrigerend – een vrouw die wilde worden beoordeeld op iets anders dan haar schoonheid.

De afdeling hartbewaking rook altijd naar ontsmettingsmiddelen. Beth was in de loop van de drie dagen na haar operatie zo aan die geur gewend, dat ze hem amper meer opmerkte. Daar lag ze aan te denken omdat de dubbele deuren zojuist waren opengezwaaid en de geur van verse koffie naar binnen dreef. Het water liep haar in de mond.

Toen vertrok ze haar gezicht van de schrik. Er schoot een steek van angst door haar heen, en al haar spieren verstrakten. Verbaasd keek ze naar wat niets meer was dan een eigenaardige aanblik, hield ze zich voor: twee ziekenverzorgers, van top tot teen in chirurgisch groen gehuld, reden een ouderwetse hometrainer haar high-tech intensive-carekamer in. Maar de eerste verzorger had iets waarvan ze was geschrokken. Dat haar angst aanjoeg. Ze keek naar hem, naar zijn zelfverzekerde gebaren, zijn agressieve schouders. Nu herinnerde ze zich hem van voor de operatie. Dave, een zachtmoedig man. Hij was nooit anders dan vriendelijk tegen haar geweest.

Haar angst sloeg nergens op. Ze dwong zichzelf te glimlachen. 'Dit kun je niet menen, Dave. Een hometrainer? Voor míj?' Ze bleef hem aankijken, nog steeds niet op haar gemak.

'Jazeker, mevrouw. Deze is voor u.'

Terwijl hij het toestel samen met de andere verzorger op zijn plaats zette, arriveerde haar arts, Travis Jackson. 'Je nieuwe biopten zien er goed uit.' Ze had hem overgehaald om haar zodra hij arriveerde, de uitslag van het onderzoek te komen brengen. Geduld was niet haar sterkste kant. 'Geen spoor van afstoting of infectie. Temperatuur, hartslag en ademhaling zijn normaal. Alles gaat zoals het moet.'

'Goddank,' ademde ze. Ze wierp een achterdochtige blik op de hometrainer. 'Dave zegt dat die voor mij is.'

'Ja, dat was de afspraak: jij krijgt een nieuw hart, maar dan moet je er wel heel goed voor zorgen. Vooruit. Hij is gedesinfecteerd. Wij helpen je wel even in het zadel.'

Ze keek ongelovig. 'Nu meteen? Maar het is pas drie dagen geleden. Ik bedoel...'

'Weet ik. Iedereen denkt altijd dat het weken duurt voor je sterk genoeg bent om aan je conditie te gaan werken. Misschien zelfs maanden. Niet waar. Drie dagen is de standaardperiode voor geslaagde transplantaties, en de jouwe is bijzonder goed geslaagd. Kom op, overeind. Dit is het begin van je dagelijkse training.'

Nerveus hees ze haar benen over de rand van het bed. De tweede verzorger schoof een paar ontsmette tennisschoenen aan haar voeten. Ze stond op, aan de leiband van allerhande slangen en buizen en vol elektroden en zendertjes die een signaal moesten geven als haar hart ermee ophield. Verborgen onder haar nachthemd had ze een lange operatiewond in haar borst. Die straalde een scherpe pijn uit, even later weer gedempt door de morfine.

De arts nam haar ene arm, en plotseling stond Dave naast haar om de andere arm te pakken. Weer schrok ze van hem. Ze gedroeg zich wel heel vreemd, vond ze. Langs haar naakte rug streek een tochtvlaag. Ze deed haar best om achter zich te reiken, zodat ze het ziekenhuishemd kon dichttrekken.

'O, wat een vernederende toestand,' zuchtte ze.

'Dan weet je weer dat je leeft,' grinnikte dr. Jackson. 'En daarmee ben je altijd nog beter af.'

Ze hielpen haar de fiets op. Het simpele feit dat ze twee meter moest lopen was al heel wat, maar tot haar verbazing voelde ze zich onverwacht fit. Toen ze eenmaal in het zadel zat, begaf Dave zich naar de deur. Ze keek hem na, opgelucht dat hij wegging.

'Laat nu maar eens wat zien,' zei de arts.

Ze trapte langzaam, en het zweet brak haar uit. 'Is het zo genoeg?' hijgde ze. 'Wou je mij, in mijn conditie, de Mount Everest op laten trappen? Ben je soms vergeten dat ik bijna dood was geweest?'

'Maar je bent niet doodgegaan. Je doet het prima.' Zijn blik schoot van haar naar zijn horloge en terug. 'Oké, stop maar. Zo is het genoeg.'

Zwetend leunde ze achterover. Ze liet de pedalen tot stilstand komen en keek toe terwijl hij de gevolgen voor haar hart analyseerde. Uiteindelijk gaf ze toe aan haar bezorgheid en vroeg: 'Hoe is het?'

'Goed. Prima, zelfs. Als ik niet zo bescheiden was, zou ik mezelf gelukwensen.'

'Ik waardeer die bescheidenheid. Die siert je.'

Hij lachte. 'Dat zegt mijn vrouw ook altijd.' Zijn bril glinsterde in het tl-licht toen hij een notitie maakte op zijn klembord.

'Ik weet dat het eigenlijk nog te vroeg is, maar ik wil graag weten wat me te wachten staat.' Ze aarzelde. Het leek wel of ze als een feniks uit haar as verrezen was en ze had er een eigenaardig, ongemakkelijk gevoel bij, alsof ze veranderd was. Ze had een overweldigend verlangen naar haar vroegere leven. 'Wanneer kan ik weer aan het werk?'

'Mis je je werk? Nou, dat kan ik je niet kwalijk nemen. Dat zou ik ook hebben. Maar eerst moeten we ervoor zorgen dat je medicijnen helemaal ingesteld zijn en dat je op een regime van training-voedsel-slaap zit, zodat je op krachten kunt komen. Daarmee voorkomen we problemen in de toekomst. En als je dan weer aan het werk gaat, ben je in optimale conditie. Dan hoeven we ons geen zorgen meer te maken over afstoting, infectie of wat voor akeligheden dan ook.' Hij schonk haar een begripvolle glimlach. 'Dat betekent dat je rekening moet houden met minstens een jaar revalidatie.'

Ze was geschokt. 'Een jáár? Maar dan weten ze op kantoor niet eens meer wie ik ben!'

'Dat betwijfel ik. Ik heb gehoord dat je behoorlijk goed moet zijn.'

Ze sprak hem niet tegen, maar kennelijk wist hij weinig over dure advocatenfirma's in Washington. Je kon de straten plaveien met de lijken van mensen die vorig jaar veelbelovend hadden geleken.

Toen hij haar, samen met de tweede verzorger, van de hometrainer af en terug naar bed hielp, vroeg de arts: 'Is er iets waar je momenteel bijzondere trek in hebt?'

Ze knikte. 'Een borrel. Wodka. Stolichnaya.' Ze aarzelde. Waar kwam dat vandaan?

De arts lachte. 'Wodka is momenteel een beetje te veel van het goede. Bovendien dacht ik dat jij een wijndrinker was.'

Verbijsterd voegde ze daar zwakjes aan toe: 'Dat is ook zo. Misschien dacht ik gewoon dat we het moesten vieren met iets sterkers. Dan neem ik maar een sapje. Mango.' Ze dronk überhaupt geen sterke drank meer. De laatste keer dat ze wodka had gedronken, was tijdens haar studie. Toen was dat een van haar favoriete drankjes geweest. Maar toen de chirurg en de verzorger weg waren, kon ze het withete vuur in haar mond proeven alsof ze net een glas in haar keel gekiept had.

2

Het was een pikdonkere nacht en ze rende, ze zweette, haar voeten beukten. Ze was op zoek naar een adres. Toen ze de cijfers op een smeedijzeren brievenbus zag, bleef ze staan. Voor haar lag een stenen pad dat langs een treurwilg naar een langgerekt huis in ranch-stijl met een vrijstaande garage leidde. De donkere vensters leken zwarte gaten en het dure huis zag er griezelig verlaten uit.
Behoedzaam liep ze de oprit op. Toen ze bij de gebouwen aankwam, ging de garagedeur omhoog en hoorde ze een motorfiets tot leven komen. Er rolde een enorm gevaarte naar buiten, zonder berijder, dat rechtop en badend in het maanlicht bleef staan. Net als een sculptuur van Robert Rauschenberg bleef het in volmaakt evenwicht staan: een uitnodiging tot speculaties. Het chroom glansde. Uit de uitlaat dampten de gassen in een glanzende wolk omhoog. Bijna een halve minuut lang bleef ze ernaar staan staren, geboeid door de bizarre aanblik van de machtige machine, die er zo trots bijstond alsof hij zijn favoriete berijder aan boord had.
En plotseling zat ze zelf in het zadel. Instinctief greep ze het stuur en de motor scheurde de oprit af. Terwijl ze haar best deed om het ding onder bedwang te krijgen, dook er een man voor haar op. Hij staarde haar stokstijf aan en riep iets voordat hij wegrende.
De motorfiets vervolgde zijn dolle rit, nu recht op de man af. Ze gilde. Ze wilde remmen, maar dat lukte niet. En ze kon het stuur niet omgooien. Met een dreunende slag reed de motorfiets tegen de rug van de man aan.
Ze gilde nogmaals. Door de klap werd hij in een achterwaartse salto de zwarte lucht in geslingerd. Ze kon haar blik vol afgrijzen niet afwenden van het van pijn vervulde gezicht. Hij had een breed voorhoofd, een stompe neus en een bos grijs haar dat wild in de rondte vloog. Met een misselijk gevoel zag ze hoe hij op zijn hoofd op het asfalt sloeg.
Ze werd badend in het koude zweet wakker, huiverend en met een schuldig gevoel. De nachtmerrie had een metaalsmaak in haar

mond achtergelaten. Ze wist dat ze die stakker had vermoord. Waar was hij vandaan gekomen, die afgrijselijke droom die zo echt had geleken?

In sommige opzichten kende ze zichzelf niet meer. De ziekenverzorger, Dave, maakte haar nog steeds nerveus, hoewel hij nog nooit iets had gedaan of gezegd dat ook maar in de verste verte als bedreigend kon worden opgevat, voor haar of voor iemand anders. Maar ze merkte dat ze tegenwoordig heel veel mensen met achterdocht bekeek, vooral mannen, alsof zij de enige verdediger was van een belegerd kasteel of daar misschien gevangengehouden werd in afwachting van marteling. Haar onrust raakte kant noch wal. Het was een irrationeel gevoel en ze moest zichzelf regelmatig voorhouden dat ze niets te vrezen had.

Er waren andere dingen die niet klopten. Hoewel ze altijd koffie gedronken had, ontwikkelde ze nu een voorliefde voor sterke, zwarte thee. Daarvan dronk ze verscheidene koppen per dag. Ze leek niet genoeg te kunnen krijgen van verse plakjes tomaat en at die zowel met zout als met suiker. De diëtiste had haar lachend gevraagd hoe ze aan zo'n aparte smaak kwam. Dat wist ze niet.

Op een dag verscheen er in de deuropening een verpleegster met een grote draagtas van Saks Fifth Avenue. De naam van de de exclusieve winkelketen stond in witte letters op de zijkant, een winkel die ze zelf kende van honderden winkelexpedities. Vanuit haar bed kon ze niet zien wat er in de tas zat.

'Goedemorgen, mevrouw Convey.' De verpleegster had een opgewekt gezicht met roze wangen en helderblauwe ogen. Haar manier van doen was bruusk maar vriendelijk. 'Ik heb hier iets voor u.' Ze hield de tas in haar rechterhand. Haar rechterschouder hing lager dan de linker: er zat dus iets zwaars in de tas.

Het klamme zweet brak Beth uit.... *Een straat in een stad, rond zonsondergang, het plaveisel nat en glanzend van een zojuist gevallen regenbui. Rijk versierde ijzeren lantaarnpalen die plassen trillend licht op het asfalt toverden, en daardoorheen liep een vrouw met een lange jas, een slappe hoed en versleten tennisschoenen. Ook zij droeg een grote, uitpuilende draagtas die zo te zien zwaar was. Terwijl ze opging in de overige voetgangers, holde een man achter haar aan om haar niet uit het gezicht te verliezen. Ze was bang, maar ze keek geen moment om. Nonchalant slenterde ze een druk busstation binnen.*

Voordat haar achtervolger de stationsdeur had bereikt, had zij haar snelheid opgevoerd en was ze de damestoiletten binnengegaan. In

een van de hokjes haalde ze een rechte speld uit haar hoed. Ze trok
het toilet door om het geluid te overstemmen toen ze de drie bal-
lonnen doorprikte die ze in haar tas had gestopt om de indruk te
geven dat er iets in zat. Terwijl ze haar sportschoenen uitschopte,
haalde ze het enige uit de tas wat er nu nog in zat: een paar nieu-
we pumps. Ze stapte erin en rukte met een geoefend gebaar haar
hoed van haar hoofd. Ze trok haar lange jas uit en stopte hem sa-
men met de hoed in de tas. Er kwamen vaak arme mensen op dit
station, en ze duwde de tas achter de toiletpot als een soort schen-
king.
Buiten waste ze haar handen. Ze keek in de spiegel. Zonder hoed
en met het moderne jack dat ze onder de lange jas had gedragen,
met keurige make-up en haar pruik op zijn plaats, was ze een vol-
ledig andere vrouw. Alleen was ze geen vrouw. Deze vermomming
had hij al heel vaak gebruikt.
In zelfverzekerd evenwicht op zijn pumps wachtte hij tot de vol-
gende vrouw de toiletruimte verliet. Hij liep achter haar aan, vroeg
haar hoe laat het was en al kletsend over het weer liepen ze de hal
van het bomvolle station in als twee goede vriendinnen, waarbij hij
met verstolen blikken om zich heen keek.
Hij was niet verbaasd maar wel opgelucht toen de blik van de moor-
denaar over hem heen gleed, hem even vluchtig aftastte en verder
speurde op zoek naar zijn prooi. Zijn dekmantel, de vrouw naast
hem, liep nog steeds te praten. Hij nam beleefd afscheid van haar
en liep nonchalant de deur uit, de veilige nacht in...
'Mevrouw Convey?' De verpleegster staarde haar bezorgd aan.
'Gaat het wel?'
Ze slikte. Knipperde met haar ogen. 'Ja, natuurlijk. Prima. Ik lag
een beetje te dagdromen, meer niet. U zei dat u iets in uw tas had.'
Ze aarzelde even. 'Toch geen ballonnen?'
De verpleegster rechtte haar rug en lachte even. 'Ballonnen? Nee,
nee. Het idee, zeg. Nee, ik had gehoord dat u zo van lezen houdt.
Iemand heeft ons zojuist een aantal boeken geschonken, dus ik
dacht dat u er misschien een zou willen lenen. We hebben van alles.' Terwijl ze de boeken uit de tas haalde om te laten zien, zei ze:
'Westerns, romantische boeken, detectiveverhalen, spionagethril-
lers. Zeg maar wat u het liefst hebt.'
Beth zuchtte even, haalde haar vingers door haar haar en lachte
nerveus. Ze leek wel gek. Volslagen paranoïde. 'Hè ja, een lekker
boek. Doe maar een detectiveverhaal. Net wat ik nodig heb. Een
detective waarbij aan het einde alles duidelijk wordt.'

Na twee weken op intensive care mocht ze naar een zonnige privé-kamer. De bloemen begonnen binnen te stromen. Er was een enorm boeket van een bijzonder dankbare Michelle Philmalee. Telkens wanneer Beth daarnaar keek, moest ze grijnzen: de rechter had uitspraak gedaan en had Michelle nog veel meer gegeven dan waar Beth om gevraagd had – de meerderheid van de aandelen van Philmalee Group. Uiteindelijk had Joel Philmalee zelf zijn zaak verpest met zijn onbeheersbare woede, zoals Beth ook gehoopt had. Hij deed niet meer mee en Michelle had nu, ondanks een paar probleempjes hier en daar, de leiding over het hele miljardenbedrijf Philmalee Group.

Het was een verbijsterende overwinning geweest, een overwinning waardoor Beth nog meer haast kreeg om terug te gaan naar Edwards & Bonnett vanwege de belofte van een versnelde promotie. Het ging haar niet alleen om het geld, hoewel dat natuurlijk ook meetelde. Ze had anderen hetzelfde horen beweren, zonder daar al te veel geloof aan te hechten. Tenslotte was een gegarandeerd jaarsalaris van vierhonderdvijftigduizend dollar plus bonus geen kattenpis. Maar in dit onzekere leven, waarin je niet eens kon vertrouwen op de werking van je eigen hart en waarin je je gedachten niet in de hand kon houden, vormde de firma meer dan ooit een ankerplaats. Daar, aan Sixteenth Street, maar vier straten van het Witte Huis verwijderd, had ze geweten wie ze was.

Als het nodig was, stond ze vierentwintig uur per etmaal klaar voor haar cliënten. In plaats van te gaan tennissen of afspraken te maken met vrienden en vriendinnen, bracht zij haar spaarzame vrije weekends door met onderzoek naar een juridische vraag van een van de Edwards & Bonnett-filialen op andere continenten. Die tijd kon ze niet in rekening brengen, die uren leverden haar geen enkele vorm van officieel krediet op, want het was een professioneel gebaar van hoffelijkheid. Andere juristen wrongen zich in alle mogelijke intellectuele bochten om redenen te vinden om dergelijke verzoeken te weigeren. Maar zij had zulk onderzoek juist leuk gevonden.

En dan haar dossiers, die altijd keurig in orde waren, alsof het kinderen waren die orde en regelmaat nodig hadden. Bij Edwards & Bonnett had ze alles gegeven, tot en met haar hartstochtelijke toewijding. Misschien was dat de reden voor haar enorme succes – ze won negentig procent van haar processen – en de reden waarom ze het soort rijke, machtige cliënten aantrok die de ruggengraat van de firma vormden. Dat alles in overweging nemende vond ze dat het tijd werd dat de firma iets terugdeed: ze had haar benoeming tot vennoot verdiend. Ze was er klaar voor. Ze wilde erbij horen. Maar nu maakte ze zich zorgen. Omdat ze een jaar lang afwezig zou zijn, had Zach Housley, de hoogste vennoot, haar klanten toegewezen aan andere juristen binnen de firma. Dat was uiteraard correct, want daarmee waren zowel de cliënten als de firma gediend.

Maar als te veel van haar voormalige cliënten besloten om bij hun nieuwe juristen te blijven, kon haar machtsbasis verzwakken. Terwijl ze daarover nadacht, leek er iets in haar te verschuiven. Ze had altijd een kalm, gelijkmatig humeur gehad, maar nu barstte de woede in haar los. Ze stond te trillen op haar benen. Het zweet stond op haar voorhoofd. Met gebalde vuisten sloeg ze haar armen om zich heen toen ze een plotselinge drang tot geweld voelde opkomen.

De donkere, vroege uren van de ochtend. Ze had een oud Russisch machinegeweer in haar handen, een AK-47. *Het voelde geruststellend aan. Niet ver van haar vandaan werd de stille nachtlucht aan flarden gescheurd door het geluid van geweervuur, als een lang aanhoudende donderslag.*

Toen ze naar de grond dook om dekking te zoeken, klonken er schreeuwende stemmen vanuit de schaduw, en ditmaal kon ze ze verstaan. Verbaasd ontdekte ze dat er Russisch gesproken werd. Ze onderdrukte haar angst en dwong zichzelf te luisteren. Ze waarschuwden elkaar, Joeri, Michaïl, Aleksej, Ivan, Anatoli, en ze maakten ruzie over wie het telefoontje moest gaan plegen dat hun levens kon redden. Ze gilden een nummer, keer op keer... 703... 703... Het was een netnummer in Virginia, maar de rest kon ze niet horen. Ze drukte haar handen tegen haar oren om de stemmen te laten zwijgen.

En werd plotseling wakker met haar handen voor haar oren en zenuwachtig hijgend. Ze ging rechtop zitten in haar ziekenhuisbed en schudde haar hoofd om helder te worden. Het begon nu wel heel eigenaardig te worden. Dat was een uitzonderlijk levensechte droom geweest: Russische mannen die Russisch spraken. En zij was een van hen. Ze huiverde en probeerde te begrijpen of er een betekenis was die ze over het hoofd had gezien.

Die middag kwam dr. Jackson haar thuiszorgprogramma bespreken. Ze was dankbaar om hem te zien. Ze staarde naar zijn geruststellende, gerimpelde gezicht met de ietwat gebogen neus met de bril in wankel evenwicht op het puntje. En toen keek ze over zijn schouder.

'Waar is Dave?' vroeg ze. 'Ik dacht dat hij mee zou komen om een paar oefenschema's te laten zien.' Dave was de verzorger met de zelfverzekerde gebaren en de agressieve schouders die haar kort na de operatie zo had laten schrikken. Sinds die tijd had ze haar argwaan naar de achtergrond gedrongen en was ze gaan uitkijken naar zijn vele vriendelijke attenties.

De arts zuchtte. 'Die hebben we moeten ontslaan. Ik had niet aan die schema's gedacht. Ik zal ze door iemand anders laten brengen.'

'Is Dave ontslagen? Maar waarom dan?'

'Jij was op hem gesteld. Bijna iedereen was op hem gesteld. Het spijt me, maar ik kan je net zo goed vertellen dat hij vanochtend is gearresteerd omdat hij de patiënten bestal.'

'Gearresteerd!' Ze was verbijsterd, ongelovig. Maar toch... in feite... vanaf het begin had ze het gevoel gehad dat er iets niet helemaal klopte met Dave, dat hij iets oneerlijks had. Ze had naar die intuïtie moeten luisteren. Maar het had zo'n krankzinnig idee geleken.

De arts was verder gegaan. Hij zei: 'Wat voor oefeningen je ook doet, zorg ervoor dat er een opbouw is naar minstens vijf maal per week een uur. Je zei dat je vroeger marathons liep. Je zou weer kunnen gaan lopen.'

'En karate?' Ze leunde huiverend achterover. Waar kwam dat nou weer vandaan?

'Dat is een prima manier om aan je conditie te werken. Geen probleem.'

'Kan ik zoiets inspannends als karate doen, als ik dat wil?' Er begon een idee post te vatten.

'Natuurlijk, zolang je het maar niet overdrijft. En als je er maar voor zorgt dat je strikt op tijd je medicijnen neemt, dat je goed eet en dat je voldoende slaap krijgt. Dat schema waar we het over hadden. Als jouw hart niet zo prima bij je paste, zou ik niet zo enthousiast zijn over karate. Maar ik heb intussen voldoende successen gezien om veilig te kunnen stellen dat jij een geslaagd geval bent. Een van mijn andere patiënten is bijvoorbeeld een triatleet. Dat is een heel wat inspannender sport. Iemand anders, in de zestig al, danst de jitterbug. Een derde is eigenhandig een huis aan het bouwen. Denk eens aan al het gesjouw en gehamer dat daarbij komt kijken.' Hij sloeg nadenkend zijn armen over elkaar. 'Een van mijn collega's heeft een patiënt die tien maanden na haar transplantatie de Half Dome in Yosemite heeft beklommen. Daarna is ze naar de toppen van Mount Whitney en de Fuji-berg geklommen. Stel je voor, klimmen naar die hoogtes. Dat is al een hele inspanning voor hart en longen als je je eigen organen nog hebt.'

Ze knipperde langzaam en peinzend met haar ogen. 'Vertel nog eens over mijn donor.'

Hij aarzelde. 'Je nieuwe hart is afkomstig van een man. Begin veertig. Een sporter met een goed, gezond hart. Je weet dat ik niet mag zeggen wie het was.'

'Was het een Rus?'

De arts fronste zijn wenkbrauwen. 'Ik heb je zijn leeftijd en geslacht gegeven, en verder kan ik je nog zeggen dat hij is overleden bij een motorongeluk, nog geen vier uur van het Witte Huis af. Vier uur inclusief vliegtijd, uiteraard. Langer kan een hart niet buiten het lichaam overleven, wil je bij transplantatie optimale resultaten behalen. Maar meer kan ik je niet vertellen. Het transplantatiecentrum heeft ijzeren regels ter bescherming van zijn en jouw privacy. Je hebt een overeenkomst ondertekend waarin je toezegde dat je niet zou proberen om zijn identiteit te achterhalen of zijn familie op te zoeken.'

'Ik ben jurist, ik dien de wet. Natuurlijk houd ik me aan een getekend document. Maar je kunt me toch zeker wel zeggen of het een Rus was? Gezien de overige zaken lijkt me dat een miniem stukje informatie. Er wonen hier tenslotte tegenwoordig duizenden Russen.'

Travis Jackson keek haar vorsend aan. 'Waarom wil je weten of het een Rus was?'

Ze zweeg even. 'Het is moeilijk uit te leggen... maar ik heb nooit echt nagedacht over Russische poëzie. Ik kan me zelfs niet herinneren, ooit een Russisch gedicht uit m'n hoofd geleerd te hebben. Maar de afgelopen week begonnen er plotseling flarden boven te komen – in het Russisch. Ik heb nooit echt van Russisch eten gehouden, maar nu snak ik er soms naar. Zo bestel ik regelmatig plakjes tomaat met suiker en zout. Een van de verpleegsters zei dat dat een Russische lekkernij is. Ik heb nooit veel zwarte thee gedronken, maar nu kan ik er niet meer buiten. In sommige delen van Rusland wordt dat veel meer gedronken dan koffie.' Ze herinnerde hem aan haar verzoek om wodka en zei dat ze zelfs had gezegd welk merk ze wilde – Stolichnaya, het grootste merk in Rusland. Ze vertelde hem over haar nachtmerries. 'In het begin kon ik niet verstaan wat ze zeiden. Maar nu weet ik dat het Russisch is.' Ze zweeg nogmaals. 'En er is een liedje dat ik maar niet uit m'n hoofd krijg. Volgens mij komt het uit een Russische film.' Ze zong het simpele, proletarische melodietje: 'Oogst, onze oogst is zo rijk...'

'Interessant.' Hij keek haar bevreemd aan.

'Weet jij waar dit citaat vandaan komt?' Ze sloot haar ogen en citeerde: '"Als je liefhebt, heb dan lief zonder reden. Als je dreigt, dreig dan niet als spel." '

'Nooit van gehoord.'

Ze slaakte een zucht van teleurstelling maar zei koppig: 'Volgens mij is dat uit het Russisch vertaald.'

De arts pakte een stoel en schoof die tot vlak bij haar bed. Met een strenge uitdrukking op zijn gezicht ging hij zitten. 'Ik heb wel vaker verhalen gehoord van patiënten die beweerden de smaak, ideeën en zelfs onomstotelijke herinneringen te hebben geërfd van het hart van hun donor, maar daarvoor heb ik nooit enig bewijs kunnen ontdekken.'

'Dus ik ben niet de enige? Dan ben ik dus niet gek aan het worden. Wat is dan wél de verklaring? Ik snap er niets van. Ik wil niet geloven dat ik aan het veranderen ben door mijn nieuwe hart, dat ik dingen te horen krijg van mijn hart. Dit is krankzinnig.'

'Nee, je bent niet gek. Maar je bent natuurlijk wel helemaal hyper doordat je een levensgevaarlijke toestand hebt overleefd en door alle medicijnen die je gebruikt. Je moet terdege beseffen dat je, zeg maar, een soort wondermiddelen gebruikt om te voorkomen dat er een infectie bijkomt en dat er afstoting plaatsvindt. Als je ook maar twee dagen oversloeg, zou er waarschijnlijk onherstelbare schade ontstaan. Enerzijds houden die medicijnen je in leven, anderzijds zijn het paardenmiddelen die in feite dodelijk kunnen zijn. Dat spul heeft invloed op je stemming. Op de smaak van je eten. Op je herinneringen. Je dromen, al je zintuiglijke waarnemingen. Maar je mag nooit ook maar één keer overslaan. Die bijwerkingen zijn een kleinigheid in vergelijking met het alternatief: je dood.'

'Bedoel je wat er in mijn hoofd omgaat? Dat ik dit verzin door de medicijnen? Want als je dat soms denkt, dan zit je verkeerd. Je was er zelf bij toen ik die wodka wilde.'

'Precies. Ik wil je best geloven. Maar dat wil nog niet zeggen dat je dergelijke dingen hebt "geërfd" van je donor. Misschien heb je als kind ooit iemand horen zeggen dat wodka goed is voor het hart. En misschien is die herinnering vanuit je onderbewustzijn komen opzetten nu je problemen hebt met je hart.'

Ze kneep haar lippen samen. 'Oké. Dat klinkt logisch. Maar ik heb ook nachtmerries gehad over Russen, en ik wil maar steeds Russisch eten.'

'Tja, je hebt voor Russen gewerkt. Je hebt langdurig rondgereisd in Rusland en je spreekt de taal.'

'Redelijk, ja. En Pools.'

'Waarschijnlijk heb je jaren geleden een film gezien, zonder dat je dat nog weet. Misschien is de herinnering geactiveerd door de Russische woorden die je hebt gehoord, en misschien is die herinnering de oorzaak van je nachtmerries. Zie je wel? Van het een komt het ander.' Hij klopte geruststellend op haar hand. 'Als je uiteindelijk tot rust komt, en dat moment komt echt, en als je gewend bent aan je nieuwe hart, dan kalmeer je wel. Je lichaam zal zich aanpassen en dan houden al die eigenaardige verschijnselen vanzelf op.'

Ze slaakte een zucht van verlichting. Ze was jurist, het was haar werk om onbewogen te blijven. Voor haar was logica bijna iets religieus. Haar rationele verstand wist dat hij gelijk had. Wanneer ze iets anders dacht, wendde ze zich daarmee af van haar verleden en van alles waarvoor ze zo hard gewerkt had, inclusief de persoon die ze van zichzelf gemaakt had.

'Dank je.' Ze glimlachte. 'Als iemand tegen mij had gezegd wat ik net tegen jou zei... dan zou ik gezegd hebben: "Meteen naar de psychiater, je draait helemaal door." Maar omdat ik het zelf was, leek het allemaal zo echt.'

'Het ís ook echt. Alleen komt het door iets anders.' De chirurg stond op. 'Geloof me, dit komt allemaal door een combinatie van je eigen verbeeldingskracht, je verleden en de medicijnen. Maak je geen zorgen. Je nieuwe hart spreekt echt niet. Dat geef ik je op een briefje.'

Ze knikte gerustgesteld. Hij was de expert die haar leven had gered. Ze vertrouwde hem blindelings. Natuurlijk had hij gelijk.

Bevrijd van de machines en slangen die haar hadden bewaakt, kon ze eindelijk wanneer ze maar wilde haar kamer uit. De wereld was een nieuwe, spannende plek geworden. Met een dankbaar gevoel ging ze op bezoek bij andere patiënten die op een transplantatie lagen te wachten. Die waren aan het doodgaan, net als zij een tijdje geleden. Hun angst en pijn raakten haar tot diep in haar ziel. Ze zat aan hun bed en informeerde naar hun gezinnen, waar ze woonden, hun toekomstdromen. Er heerste in het transplantatieziekenhuis een diepe band tussen diegenen die doodgingen en diegenen die gered waren, en dag na dag reikte ze over die kloof heen en betaalde ze, op de enige manier die haar inviel, haar donor en diens gezin terug voor hun geschenk.

Toen ze sterker en minder kwetsbaar werd, sprak ze niet meer over haar eigenaardige ervaringen van kort na de operatie. Zodra er

33

weer iets bovenkwam, zodra er een nieuwe droom verscheen, deed
ze die resoluut af als waanzin.

In mei, een maand na de operatie, tekende ze haar ontslagpapie-
ren. Ze mocht naar huis, waar ze thuiszorg zou krijgen tot ze weer
voor zichzelf kon zorgen. Toen de verpleegster met de documenten vertrok, draaide Beth zich opgewonden om naar het raam.
Daarachter was een lentedag te zien, met een blauwe hemel en een
sappig gazon met hoge bomen en perken vol bloeiende irissen. De
zon scheen met een warm, heiig licht en het leek wel of de wereld
haar terugriep. Haar oude, vertrouwde wereld, waarin de toekomst
was gevuld met belangrijke contracten en moeizame onderhandelingen, chique feesten op de ambassade en zakenreizen naar Sint-
Petersburg en Gdańsk, interessante mensen met accenten en andere culturele achtergronden die haar nodig hadden bij het bouwen
aan een nieuw Oost-Europa.
Ze glimlachte in zichzelf. Haar collega's op de zaak hadden haar
de bijnaam de IJsprinses gegeven vanwege haar constante streven
naar succes, maar zij wisten niet hoeveel vreugde Beth beleefde aan
kleine momenten: de smaak van een gloeiend heet suikerbroodje in
de vroege ochtend in Kraków na een conferentie die de hele nacht
had geduurd. De aanblik van herstbladeren op een straat van kin-
derhoofdjes in het oude centrum van Moskou, terwijl ze nog maar
een etmaal geleden aan het werk was geweest op het futuristische
glas-met-chromen hoofdgebouw van Edwards & Bonnett in Washington. Nooit zou ze het moment vergeten dat ze voor het eerst
die haveloze conferentietafel had gezien in een voormalige communistische vergaderzaal van Warschau. Die was gebouwd voor
vergaderingen van de apparatsjiks, maar vormde nu de geboorteplaats van een nieuw, particulier bedrijf dat het telefoonstelsel van
Polen op revolutionaire wijze moest hervormen.
Plotseling werd haar dagdroom verstoord door een stem. 'Mag ik
een paar minuten van uw tijd, mevrouw Convey?'
Beth draaide zich om naar de deuropening. Daar stond een vrouw,
achter in de veertig met achterover gekamd roodbruin haar dat grijs
begon te worden.
'Mijn naam is Stephanie Smith,' zei de vrouw. 'Ik ben bezig met
een onderzoek voor wetenschappelijk instituut Walters. Hebt u weleens van ons gehoord?'
Beth glimlachte en gebaarde naar een stoel. Haar wereld begon nu
al interessanter te worden. 'Nee, het spijt me. Komt u binnen.'
Stephanie ging naast het bed zitten en legde een leren map op haar

knieën. 'U hebt een harttransplantatie ondergaan. Hoe voelt u zich?'

'Prima, dank u.' Ze ging natuurlijk niet zeuren over haar pijntjes, haar klachten, haar zorgen. Dat had geen zin. Vanaf nu kon het alleen maar beter worden. 'Wat is dat voor onderzoek?'

'Hebt u ooit gehoord van cellulair geheugen?'

'Nog nooit.'

'Dat verbaast me niets. Er zijn maar weinig mensen buiten de wetenschappelijke wereld die ervan hebben gehoord. En binnen die wereld is het een omstreden begrip. Ik ben psychoneuro-immunoloog, dat wil zeggen dat ik bevoegd psycholoog ben en dat ik de relatie bestudeer tussen het immuunstelsel, het brein en onze ervaringen in de wereld. Ik heb toestemming gekregen om patiënten op hun laatste dag in het ziekenhuis te ondervragen, omdat wordt aangenomen dat men zich dan goed genoeg voelt om enkele vragen te beantwoorden over de ervaringen sinds de transplantatie.'

Beth was verbaasd. Behoedzaam vroeg ze: 'Wat voor ervaringen bedoelt u?'

'Hebt u ongebruikelijke dingen meegemaakt? Gedachten, of misschien smaakveranderingen?'

'Ik weet niet zeker of ik u begrijp.'

Het gezicht van dr. Smith bleef neutraal. Ze opende haar map. Beth zag een aantal dossiers.

De vrouw pakte een document, las iets en keek op. 'Aha, u bent jurist. Vandaar. Een sceptische geest. Mooi zo.'

'Hebt u een dossier over mij?'

'Inderdaad, ja. Ik ben wetenschapper – ik heb ook een sceptische geest. Dat is een gezonde houding, vooral als het om onderzoek gaat, vindt u ook niet?'

'Jazeker. Hebt u mijn chirurg gesproken, dr. Jackson?'

'Wilt u dat ik dat doe? Misschien weet u al dat hij geen waarde hecht aan ons onderzoek.'

'Hij zal het wel geldverspilling vinden.'

'Inderdaad. Maar de financiering komt vanbuiten en het is een legitiem wetenschappelijk onderzoek dat door andere artsen wordt ondersteund. Wat vindt u zelf? Vindt u het waanzin?'

Even verkeerde Beth in de verleiding om iets te zeggen. Iets in haar wilde haar bezorgdheden uiten. Maar ze geloofde in de logische verklaring van de chirurg en ze vertrouwde op zijn jarenlange successen. Hij had niets gezegd dat niet logisch klonk.

Dus sloot ze een compromis. 'Travis had het erover dat sommige patiënten na de operatie eigenaardige ervaringen hebben, maar hij zei dat die werden veroorzaakt door de zware medicijnen en door de enorme veranderingen in het leven. Wat vindt u?'

Dr. Smith haalde haar schouders op. 'Dat proberen we nu juist uit te zoeken. Ik zal u een verhaal vertellen. Misschien kan dat helpen te verklaren waarom wij deze vragen onderzoeken.' Ze zweeg even. 'Paul Pearsall, een andere psychoneuro-immunoloog, is al jaren werkzaam op dit terrein. Hij heeft een boek geschreven, *Het geheugen van het hart*. Daarin beschrijft hij het geval van een achtjarig meisje dat het hart van een tienjarige krijgt. Toen het kind nachtmerries kreeg en begon te gillen dat ze wist wie haar donor had vermoord, ging de moeder met haar naar een psychiater en die psychiater belde de politie. Ze kwamen erachter dat haar donor inderdaad vermoord was. Het kind kon een beschrijving geven van het tijdstip, het wapen en de plaats van het misdrijf. Op basis van die informatie kon de politie nieuwe bewijzen achterhalen. De moordenaar is gearresteerd.'

Beth zweeg. Ze voelde zich als verdoofd. 'Dus in haar nachtmerries zag ze hoe iemand vermoord werd.' Het was een constatering, geen vraag. Voor haar geestesoog zag ze de motorfiets weer de garage uit komen. Ze keek hoe ze zelf in het zadel sprong, met de motor de man aanreed en hem vermoordde. Ze huiverde. Telkens als ze die nachtmerrie had, kreeg ze het gevoel dat ze die arme onbekende persoonlijk had vermoord.

Dr. Smith sprak verder: 'Inderdaad, ja. Dat is wel opzienbarend, vindt u ook niet? Ik neem aan dat het kan worden beschouwd als een samenloop van omstandigheden. Maar de wetenschap tast niet graag in het duister, en we hebben onszelf in de loop der eeuwen vaak genoeg te schande gemaakt door onze vooroordelen te beschouwen als feiten. Vijfhonderd jaar geleden geloofden de grootste geesten ter wereld dat de zon en alle planeten rond de aarde draaiden. Fout. In de negentiende eeuw waren onze beste medici van mening dat het "volslagen nonsens" was dat onzichtbaar kleine "kiemen" ons ziek konden maken. Alweer fout. En wat vroeger vergezochte science-fiction was, is intussen een feit geworden doordat we een schaap hebben gekloond. Je kunt moeilijk naar die lammetjes kijken en blijven volhouden dat er niet meer "onmogelijkheden" zijn die we zeer binnenkort kunnen verwezenlijken.'

Stephanie Smith hield haar hoofd schuin, alsof ze wachtte op een reactie van Beth.

Maar Beth keek zonder iets te zien uit het raam. Harde logica was het fundament van haar bestaan. Deze vrouw probeerde haar door middel van een pseudo-wetenschappelijke manier van denken in verwarring te brengen. Het was onmogelijk dat het goede, sterke hart dat haar leven had gered, haar nu dwars kon zitten. Inwendig aarzelde ze. Ze evalueerde de situatie. De waarheid was... het deed er niet toe. Een hart was neutraal. Een orgaan, meer niet. Het werkte niet vanuit een morele of intellectuele gedachte.

Dr. Smith zei zachtjes: 'We houden onszelf graag voor dat we grote vooruitgang hebben geboekt in vergelijking met dergelijke onwetende tijden. Maar is dat ook zo? Als we weigeren vragen te stellen omdat we denken dat we de antwoorden al kennen, wat bereiken we dan? Wat leren we dan?'

Beth zweeg. Ze wist wat haar te doen stond. Op ieder terrein kwam je gekken tegen, en sommigen konden heel overtuigend zijn. Deze vrouw was gek. Zo gek als een deur. Ze keek op haar horloge. 'Je kunt het ook anders bekijken: waarom zou je vragen stellen als de antwoorden al bewezen zijn? Onderzoeken wat al bekend is, is niets meer dan een verspilling van tijd, moeite en geld dat zou kunnen en moeten worden aangewend voor zaken die echt nodig zijn. Er zouden heel wat levens gered kunnen worden als u en uw collega's al uw tijd en onderzoeksgeld zouden besteden aan betere doelen, bijvoorbeeld om mensen te overtuigen dat ze donorkaarten moeten ondertekenen.'

Dr. Smith glimlachte begripvol en sloot haar map. 'Aha.' Ze pakte haar portefeuille, opende die en haalde er een visitekaartje uit. 'Dan zal ik niet langer beslag leggen op uw tijd.' Ze legde het witte kaartje op het nachtkastje. 'Mocht u ooit meer willen weten over cellulair geheugen... over al die inspirerende nieuwe wetenschappelijke ontdekkingen die het bestaan daarvan bewijzen... als u wat voor vragen dan ook hebt... dan kunt u mij bellen.'

'Dank u,' zei Beth beleefd. 'Tot ziens.'

De vrouw stond op en liep zonder nog iets te zeggen de kamer uit. Een halfuur later arriveerde Beths thuiszorghulp om haar naar huis te brengen. Ze was zo blij, dat ze haar tassen al gepakt had. Toen ze opstond, zag ze het kaartje op het nachtkastje liggen. Even stond ze in tweestrijd, toen haalde ze haar schouders op. Ze greep het kaartje en liet het in haar tas glijden. En daarna ging ze naar huis om te beginnen aan de eindeloze, strikte routine van haar revalidatie.

3

De meizon was een vuurbal met stralen die schitterden op de voor-
ruiten van de pas gewassen auto's van het verkeer op de rondweg
rond Washington op een gewone werkdag. Het was bijna twee uur
en de mensen haastten zich na een late lunch terug naar kantoor,
of naar dure scholen om kinderen op te halen. Of misschien, dacht
Jeffrey Hammond terwijl hij in zijn snelle Mustang zat, gingen ze
net als hij nergens heen.
Dagelijks leek hij meer genoeg van zijn leven te krijgen, maar hij
wist niet precies waarom. Vandaag voelden zijn zenuwen rauw en
gespannen aan. Over een paar uur zou hij iemand zien die hij in
geen negen jaar gesproken had. Misschien was deze ontmoeting een
vergissing. Maar hij had er zelf om gevraagd: Michaïl Ogust was
al meer dan een maand dood en hij had nog geen kans gezien een
nieuwe bron van Ogusts kaliber aan te boren. Hij hoopte dat deze bespreking hem iets bruikbaars zou opleveren.
Terwijl hij zijn Mustang door het drukke verkeer manoeuvreerde,
keek hij uit of hij ergens al te nieuwsgierige blikken zag, of een auto die van baan veranderde om hem te volgen. Hij zag er niet anders uit dan het overige verkeer, maar het was een feit dat hij dingen begreep, dat hij dingen had gezien en gedaan, waarvan anderen
zich geen voorstelling konden maken. Hier in Washington, dat wist
hij maar al te goed, was niets onmogelijk. Kon alles. Bezorgd schudde hij zijn hoofd.
Wanneer hij niet uitkeek naar achtervolgers, las hij de verkeersborden waar hij langsracete. Alexandria, Arlington, Langley, Bethesda, Silver Spring. Nog maar een paar jaar geleden waren dat
gehuchten geweest op de kaart van de agglomeratie Washington,
maar nu waren al die namen over de hele wereld bekend. Sinds de
val van het communisme was dit het land van de wereldwijde mogelijkheden geworden – onaantastbare rijkdom, immense macht en
geheimen waardoor regeringen konden vallen. En dat alles op een
schaal van ongekende omvang. Geen wonder dat burgers uit alle

Amerikaanse staten hier samendromden. Geen wonder dat er zoveel buitenlanders legaal en illegaal immigreerden dat de naturalisatiedienst geen schijn van kans had om de statistieken bij te houden. En ook dat vond Jeff Hammond een reden voor bezorgdheid. Hij reed nog een uur door, al zijn zintuigen op scherp. Hij had al de hele dag het gevoel dat hij weer in de gaten gehouden werd. Daarom had hij de ringweg genomen. Zijn blik zwierf naar rechts, en twee banen verderop zag hij een witte Ford Escort die net wilde afslaan naar Oxon Hill. Niet de auto zelf trok zijn aandacht, maar degene achter het stuur. Die was ofwel moe ofwel overmoedig. Hij keek nieuwsgierig tussen de andere auto's door naar hem. Geen vergissing mogelijk. Wat een kluns.

Hammond minderde vaart en schoof een baan naar rechts, zodat hij de man beter kon bekijken. Meteen maakte de man een tweede fout: hij wendde zijn hoofd af. Hij droeg een breedgerande hoed, uitdagend schuin op zijn hoofd gezet, zodat een deel van zijn gezicht verborgen was. Maar Hammond herkende hem. Hij was deze zelfde man kilometers terug gepasseerd, ergens in de buurt van Silver Spring. Hij had een geoefend geheugen en hij wist het zeker. Dat betekende dat de bestuurder, die nu de afslag op reed, hem had gevolgd totdat zijn opvolger de achtervolging volgens plan overnam. Hammond had dus gelijk, maar dat bood hem geen troost. Hij minderde nog meer vaart. Na een blik in zijn achteruitkijkspiegel keek hij voor zich, schoof nog een baan naar rechts en kwam terecht in de buitenste baan. Terwijl de bomen en verkeersborden als een vage vlek voorbijschoven, zag hij een blauwe sedan een halve kilometer achter zich ook twee banen opschuiven om op dezelfde baan terecht te komen als hij. Toen gaf een pick-up tussen zijn auto en de blauwe sedan gas, schoot de rechterbaan op en kwam vlak achter hem rijden. Intussen was een derde auto, een gele Mazda, ook naar rechts geschoven.

Hij glimlachte grimmig terwijl hij een blik wierp op de bestuurder van de pick-up, die wat achterop was geraakt. Hij prentte zich het lange gezicht en de donkere wenkbrauwen van de man in. En toen, op het laatste moment en zonder snelheid te minderen, sloeg Hammond scherp rechtsaf en stuurde zijn Mustang de afslag op.

Hij remde en zag in zijn achteruitkijkspiegel hoe zowel de pick-up als de blauwe sedan achter hem aan kwam. Als je de Ford Escort meetelde, zag het ernaar uit dat degene die hem zo belangrijk vond dat hij gevolgd moest worden, ook besloten had voor het traditionele achtervolgingsteam van drie auto's. Daaruit bleek een verontrustende mate van organisatie.

Hij minderde nogmaals vaart toen hij bij de dwarsweg aankwam. Het licht stond op groen. Hij kon recht de kruising oversteken en proberen de achtervolgers ergens in de buitenwijken van Oxon Hill af te schudden, maar hij kende de omgeving niet. Bezorgd wierp hij eerst een blik op het verkeerslicht voor hem en toen, via de binnenspiegel, op de twee auto's die hem op de hielen zaten.

Hij had nog maar weinig tijd voordat het licht op rood zou springen. Hij moest een beslissing nemen. Hij fronste zijn voorhoofd terwijl hij razendsnel nadacht. Wat hij van plan was, kon alleen slagen als hij iedere beweging heel zorgvuldig kon timen. Het was riskant, maar als het lukte...

Hij voelde de adrenaline stromen toen het verkeerslicht van oranje op rood sprong. Hij trapte het gaspedaal tot de bodem in en reed met krijsende wielen het kruispunt op. Achter hem hoorde hij banden knersen over het plaveisel toen een auto die alvast door rood was gereden, moest uitwijken om hem niet te raken. Het zweet stond op zijn voorhoofd toen hij de Mustang naar voren dwong. Hij keek in de achteruitkijkspiegel: de achtervolgende pick-up en de blauwe sedan hadden aanvankelijk even gas gegeven, maar stonden nu op de rem en lieten dikke strepen rubber achter op het wegdek toen ze al slippend tot stilstand kwamen om de muur van auto's te ontwijken die waren bevrijd door het groene licht.

Terwijl het verkeer rakelings langs Hammonds achterbumper reed, sloeg hij veilig linksaf. Met een grijns stelde hij vast dat zijn hart als een razende tekeerging. Sommige dingen veranderden nooit – bijvoorbeeld zijn lichamelijke gesteldheid. Hij keek over zijn schouder en zag dat zijn twee achtervolgers klem stonden op de middenberm en pas weg konden als het licht weer op rood sprong. En zo hoorde het ook.

De afgelopen week had hij naar hij meende een paar achtervolgers afgeschud van wie hij meende dat ze op zichzelf stonden, maar gisteren was hem duidelijk geworden dat hij inderdaad systematisch in de gaten werd gehouden en bleken de achtervolgers minder gemakkelijk te lozen. In zekere zin was dat goed nieuws: het was een bevestiging dat hij zijn doel naderde, en dat was spannend. Maar ook gevaarlijk. Hij had jarenlang kans gezien zijn werk ongemerkt te doen, maar zo te zien waren de belangrijkste medespelers nu alert geworden.

Uitgerekend vandaag mocht hij niet gevolgd worden. Deze bespreking móést geheim blijven.

Met gefronst voorhoofd keerde hij terug naar het snelverkeer op de ringweg. Ditmaal reed hij naar het noorden. Op zijn hoede voor reserveachtervolgers reed hij een kilometer of zestig door, totdat hij weer een afslag nam. Ditmaal ging hij op weg naar het plaatsje Olney, waar Route 108 overging in een rustige landweg met bomen aan weerszijden. Toen de weg steil omlaag liep tussen twee heuvels, reed hij een beboste plek op die hij wel vaker had gebruikt. Hij zette de motor uit en rolde zijn raampje omlaag. Er ritselde een briesje uit het westen door de bladeren van eiken en esdoorns. Ergens in de verte klonk een koeienbel, een eenzaam geluid temidden van de verlaten heuvels. Het rook er naar schimmel van het water dat door dit laaggelegen stukje land liep. Hij keek naar de lucht en naar de weg. Toen er geen helikopters verschenen en er slechts een tractor voorbijschommelde, begon hij te geloven dat hij zijn achtervolgers inderdaad afgeschud had.

Dit extra voorzichtige gedrag maakte deel uit van zijn natuur; het was een van de redenen waarom hij de afgelopen tien jaar een dubbelleven had kunnen leiden. Maar voor alle zekerheid bleef hij nog vijf minuten zitten waar hij zat, onzichtbaar: ook ervaren achtervolgers wisten hoe nuttig het was om geduld te oefenen.

Toen het hem uiteindelijk veilig leek, reed hij terug naar de weg, maakte snel rechtsomkeert en reed in zuidelijke richting terug naar Washington. Er was nu minder verkeer op de weg. Hij bleef uitkijken naar achtervolgers, nam nogmaals een afslag en reed het parkeerterrein van het winkelcentrum van Aspen Hills op. In de achterste hoek van het terrein stopte hij, zodat hij kon bekijken wat er rond de supermarkt Giant Foods gebeurde zonder zelf al te zeer op te vallen. Daar was de bewaking van het winkelcentrum het scherpst, daar werd door ridders zonder vrees of blaam gewaakt tegen jongeren die hier wilden kopen.

Om vier uur leek er een soort winkelwoede te ontstaan. Op dat moment reed een stoffige Plymouth de lege plek naast de Mustang op. Hammond had een beschrijving gekregen van de FBI-auto, en toen hij alleen *special agent* Elias Kirkhart zag zitten, gekleed in het verplichte saaie, donkere pak met het gesteven witte overhemd, leunde hij opzij om zijn rechterportier te ontgrendelen.

Eli Kirkhart was ooit zo mager geweest, werkelijk vel over been, dat Jeff en hij de bijnaam Jeff en de Bonenstaak hadden gekregen. Maar nu was Kirkharts gestalte voller geworden. Hij had gespierde schouders en een vol, bijna vierkant gezicht. De simpele blauwe stropdas van de FBI-er zat benauwend strak tegen zijn keel aan en zijn zware wenkbrauwen stonden gefronst boven zijn pilotenzonnebril toen hij omkeek naar Hammonds jaren oude Mustang. Dat buldog-gezicht met de brede jukbeenderen deed Hammond

41

denken aan de Engelse pachtboeren die volgens Kirkhart zijn voorvaderen waren geweest, nog in de Middeleeuwen.

Ongeduldig wachtte Hammond terwijl zijn voormalige partner nogmaals de omgeving bestudeerde voordat hij zijn portier opende en gebukt naast hem kwam zitten.

'Geen problemen onderweg?' vroeg Hammond.

'Nee. En jij?'

'Niets noemenswaardigs.' Hij was beslist niet van plan om de FBI-agent informatie te geven die hem zou weerhouden van toekomstige ontmoetingen. En bij een georganiseerde achtervolging zou dat beslist het geval zijn.

'Mooi.' Kirkhart trok het portier dicht en keek naar de man die ooit zijn beste vriend en zijn collega was geweest. Hij deed geen poging tot een glimlach, hij stak geen hand uit. Snel nam hij Jeff Hammonds bekende hoekige trekken in zich op, en de zonnebril, even donker en ondoorzichtig als zijn eigen bril. Maar tegenwoordig droeg Jeff ook een gouden oorringetje in zijn rechteroor, en was zijn lichtbruine haar veel te lang, in de nek samengebonden tot een paardenstaart. 'Je bent veranderd. Je lijkt wel een hippie-professor uit de jaren zestig. Ze waren bij *The Washington Post* zeker wanhopig?'

Hammonds ogen kregen rimpels van plezier. Hij knikte. 'Dat kan best, ja. Maar jij zou daarentegen weleens iets mogen doen aan dat Britse accent van je, Eli. Drie seconden aan de telefoon en ik wist dat jij het was. Die aardappel in je keel laat zich niet onderdrukken. Kom op zeg, je bent hier geboren en getogen. In Chicago, als ik me niet vergis. Er is niets mis met de manier waarop ze daar praten. Doe dat dan ook.' Hij wachtte op een reactie, wetend dat Kirkhart ooit gevoel voor humor had gehad.

De FBI-man grinnikte even. 'Hallo, Jeff.'

De mannen schudden elkaar de hand, maar Eli Kirkhart voelde geen enkele neiging tot vergeven en vergeten. Zijn gezicht bleef vriendelijk staan terwijl hij Jeff aanstaarde, die lang en slungelig was in zijn visgraat-blazer en spijkerbroek. Jeff was nog steeds een indrukwekkende verschijning, en niet alleen lijfelijk. Alleen straalde hij tegenwoordig iets berekenends uit, had hij iets gespannen. Hij leek niet meer op de driftkop die Eli zo goed gekend had. Jeff had, vond Eli, iets ontwijkends. Iets lichtelijk geheimzinnigs dat hem niet verbaasde.

'Dat is lang geleden, Eli.' Jeffs stem klonk hemzelf vreemd en gedwongen in de oren. Hij had geen enkele band meer met zijn verleden, en nu zat hij naast een belangrijk deel van dat verleden.

'Veel te lang. Hoe is het?' vroeg Eli.

'Kon beter.'

'Dat is naar. Het moet wel belangrijk zijn wat je wilt, gezien het feit dat je zo hechtte aan die hele toestand met die parkeerplaats.'

'Dat was meer voor jouw veiligheid dan de mijne.'

'Ja, ja.' Eli glimlachte weer even, ditmaal ongelovig.

Jeff negeerde hem. 'Jij weet even goed als ik dat jouw uitstekende reputatie bij de FBI een lelijke knauw zou krijgen als ze erachter kwamen dat je privé-contact had met iemand die om disciplinaire redenen op non-actief is gesteld.'

'Aha, dat heb je dus gehoord. Dat vroeg ik me al af.'

'Natuurlijk heb ik dat gehoord.' Toen ze hem op straat gezet hadden, had de FBI-leiding hem moeten beschuldigen van iets anders dan een 'weigering om het officiële beleid te volgen', en *non-actief om disciplinaire redenen* was het soort psychologische term dat – in zijn dossier ingevoerd en dus al snel uitgelekt via de FBI-tamtam – een eigen leven was gaan leiden. In zijn geval was het de code voor iemand die onbetrouwbaar was, geen teamspeler, een eenling en misschien zelfs lichtelijk sociopathisch.

Vol afgrijzen had hij geaccepteerd dat dit onvermijdelijk en noodzakelijk was. De FBI werkte net als de maffia: je ging op de afgesproken leeftijd na een afgesproken dienstperiode eervol met pensioen, of je ging dood. Fysiek dood bij de maffia; meestal slechts dood als metafoor bij de FBI, hoewel er geruchten gingen dat er de afgelopen tijd weleens iemand per ongeluk werkelijk de dood gevonden had.

Nee, het Bureau kende geen gewone ontslagen. In plaats daarvan moest iemand in diskrediet worden gebracht, vooral onder de collega's. Anders zouden er misschien vragen gesteld worden over wat er gebeurd was, vragen over de beslissing van iemand met een hogere rang, misschien zelfs vragen over bepaalde FBI-beslissingen. En dat zou natuurlijk schade aanbrengen aan de monolithische discipline van die muur van zwarte pakken. Dus hadden zijn voormalige vrienden het na zijn laatste ontslaggesprek te druk gehad om ergens te gaan eten of zelfs maar koffie te drinken. Hij zweeg, verbaasd dat hij na al die jaren nog zo boos was.

Eli zei op vlakke toon: 'De zesde verdieping zou nooit toestemming hebben gegeven als er geen gegronde reden was. Je zat fout, Jeff, en dat weet je. Je zat er mijlenver naast.'

Jeff zweeg en vroeg zich af wat hij moest geloven van wat Eli zei. Hoewel hij het grootste deel van zijn leven had doorgebracht in de Verenigde Staten, had Eli Kirkhart niet alleen de Engelse zinsbouw en het Engelse accent van zijn vader behouden, maar had hij ook nog steeds dat overdreven gevoel dat de overheid onfeilbaar was – althans, zolang het anderen betrof. Tegelijkertijd had Eli een al even Engels gevoel van superioriteit ten opzichte van andere mensen en landen, vooral als het ging om oorlog en spionage. Zijn collega's hadden zich daar vaak aan geërgerd, maar Jeff had het wel amusant gevonden.

'Tja, misschien zag ik het niet helemaal goed.' Jeff haalde zijn schouders op alsof hij het er niet verder over wilde hebben. 'Toch moet ik toegeven dat ik bepaalde dingen mis. Jou en Aida, bijvoorbeeld.' Even kreeg hij, toen hij daar zo in de auto zat, de aanvechting om overal de brui aan te geven en een borrel te gaan drinken met Eli. Dan konden ze over vroeger praten en kon hij horen hoe Eli's leven er tegenwoordig uitzag. Jemig, Eli en Aida waren zijn beste vrienden geweest, amper een paar weken na hun afstuderen hadden ze kennisgemaakt op de FBI-academie van Quantico. Ze waren uiteraard elkaars concurrenten, maar ze hadden elkaar ook geholpen met tactiek, talen en vechtsporten, waarin vooral Aida had uitgeblonken. Als Eli niet was getrouwd met Aida Devine, was Jeff zelf achter haar aan gegaan. En dat zou niet eens zo gek geweest zijn, gezien de akelige afloop van zijn eigen huwelijk.

Jeff speurde nogmaals het parkeerterrein af, maar zag geen spoor van moeilijkheden. 'Hoe is het met haar, Eli?'

'Dood, Jeff. Kanker van de alvleesklier. Vijf jaar geleden is ze gestorven.'

Met een ruk draaide Jeff zich om naar Eli. Hij had het gevoel alsof iemand hem een klap in het gezicht had gegeven. 'Dood? Eli... dat wist ik niet. Wat vreselijk. Jezus. Wat ontzettend erg.'

Eli's gezicht was een masker achter zijn zonnebril. 'Bedankt.' Hij zweeg. 'Maar het is goddank snel gegaan. De pijn was niet te harden.'

Even heerste er een onbehaaglijke stilte in de auto. Voor Eli was het verdriet over het verlies van Aida nog even rauw alsof ze pas gisteren gestorven was. Hij miste haar, en het viel hem zwaar om over haar te praten. Dus deed hij wat hij altijd deed: hij duwde zijn gedachten aan haar weg en concentreerde zich op zijn werk. In dit geval was dat Jeff.

Terwijl hij Jeff onderzoekend opnam, dacht hij terug aan de tijden dat er op het werk geen twee mensen elkaar nader gestaan hadden dan zij. Ze waren elkaar heel wat verschuldigd geweest. Maar nu was Jeff niet alleen persona non grata, maar was hij ook nog eens als verslaggever en nieuwsanalist gaan werken voor *The Washing-*

ton Post. En in die hoedanigheid had hij hoogstpersoonlijk de zoek-
lichten van die krant gericht op vergissingen en onderzoeken die de
FBI geheim wilde houden. Natuurlijk hadden ze Jeff op de zesde
verdieping geen andere keuze gelaten dan op te stappen, maar was
het nou echt nodig geweest om zo'n scherpe kritiek te leveren, en
vanaf zo'n belangrijke kansel? Jeff leek zich te hebben afgewend
van alles waarin hij ooit geloofd had.

Eli keek demonstratief op zijn Timex, het favoriete horlogemerk
van de onderbetaalde FBI-mensen. 'Zo, vriend, laten we het nu eens
over jou hebben. Wat was er zo belangrijk dat we elkaar op deze
manier moesten treffen?'

Jeff staarde naar Eli's brede gezicht en besefte dat hij hier inderdaad zat om zaken te doen. 'Ik wil je om een gunst vragen.' Hij
had al twee punten gescoord door Eli te bellen en hem over te halen om hem te ontmoeten, en vervolgens om juist hier af te spreken, op een lokatie die Jeff had gekozen. Tijden geleden al had
hij geleerd dat mensen datgene steunden waaraan ze zelf hadden
meegewerkt. Door in te gaan op beide verzoeken had Eli al een
kleine psychologische stap gezet in de richting van hulp aan Jeff.
Maar misschien was dat niet genoeg. Met Eli wist je dat nooit zeker.

De FBI-man was meteen alert. 'Wat voor gunst?'

'Niet zenuwachtig worden. Iets kleins. Volgens mijn bronnen maakte jij deel uit van het team dat werkte aan dat enorme, geheime
KGB-fonds dat vorig jaar is ontdekt. Er wordt gezegd dat het onderzoek afgelopen april is afgesloten.'

Jeff had gehoord dat de FBI de afgelopen negen jaar honderden geheime bankrekeningen in de Verenigde Staten had ontdekt, die afkomstig waren uit het oude Kremlin in de dagen van de koude oorlog. Alles bij elkaar stond er meer dan een miljard dollar op die
rekeningen, geld dat de KGB clandestien vanuit Moskou had verzonden om te worden witgewassen door respectabele banken – met
name in Zwitserland – totdat het niet meer te traceren viel. Toen
dat doel bereikt was, was een groot deel van het geld ondergebracht
op Amerikaanse rekeningen met verhullende namen als European
Natural Resources, North Sea Excavating & Mining en International Import Institutes. Met dit fortuin moesten de geheime operaties van de KGB tegen Amerikanen en hun regering gefinancierd
worden.

Sindsdien was er in Zwitserland een nieuwe wet van kracht geworden, waardoor de uiterst discrete bankinstellingen verplicht
konden worden om informatie vrij te geven over bewezen misda-

digers of misdrijven. Zo had de FBI een groot aantal geheime tegoeden kunnen achterhalen. Het laatst ontdekte vermogen, het grootste en het best bewaarde geheim, was het vermogen waar Jeff het over had.

'Aha.' Eli Kirkhart glimlachte niet direct, maar hij voelde de opwinding door zich heen stromen. Hoewel de rekening was leeggehaald voordat zijn team haar had gevonden, hadden financiële experts het geld getraceerd tot in Moskou. Op de een of andere manier was Jeff erachter gekomen dat het onderzoek was afgesloten, en daarom vond hij dat hij ernaar kon informeren. Maar wat Eli bezighield, was Jeff zelf – vanwaar die belangstelling voor deze speciale geheime rekening?

Eli verborg zijn spanning door om zich heen te kijken op het parkeerterrein... en hij herinnerde zich dat dit ooit een geheime ontmoetingsplaats van de KGB was geweest. Bedachtzaam zei hij: 'Interessant eigenlijk dat je juist dit winkelcentrum hebt gekozen. Je wist dat ik nog zou weten dat dit vroeger een *javka* was, neem ik aan? Ironisch wel, vind ik, om me eraan te herinneren hoe de KGB in die gloriedagen alomtegenwoordig was in Amerika.'

'Ja, en ze zijn nog steeds actief in Washington,' bracht Jeff hem in herinnering.

Daar ging Eli niet op in. 'Aangezien je al weet dat het onderzoek is afgesloten, moet je ook weten dat die rekening nergens toe leidde. Het geld is veilig terug in Rusland. Het verhaal is uit. Niets te halen voor *The Washington Post*.'

'Ik heb het gevoel dat het geld misschien niet in Rusland is. Ik had een naam... het doet er niet toe hoe ik daaraan gekomen ben. Dat hoort bij mijn werk, informatie vergaren. Maar die naam is vorige maand een lijk geworden. Een motorongeluk in Rock Creek Park. Motor te pletter gereden, man dood. Nu ben ik terug bij af.' Hij schudde zijn hoofd.

'En wat voor naam was dat dan?'

'Michaïl Ogust.'

Eli sloot zijn ogen alsof hij in slaap viel. Opzettelijk gaf hij zijn stem een boze, vermoeide klank. 'Alweer generaal Berianov, Jeff?'

Jeff keek hem strak aan. 'Michaïl Ogust had toegang tot dat geld. Volgens mij hebben Berianov en Joerimengri...'

De FBI-man sperde zijn ogen open. Hij viel Jeff abrupt in de rede: 'We hebben nooit ook maar de geringste hint gevonden dat kolonel Ogust of wie dan ook in dit land aan dat geld gezeten heeft. Misschien zou ik dit niet moeten zeggen, maar vanwege het verleden zal ik je een dienst bewijzen. Ogust is onschuldig bevonden.

46

Inderdaad, ja. Volslagen onschuldig. En wat meer is: generaal Berianov en kolonel Joerimengri zijn ook clean. Antiseptisch clean. Er is geen enkele aanwijzing meer dat een van hen een of ander heroïsch meesterplan verbergt, evenmin als op het moment dat jij je baan in de steek liet.'

Hoewel hij bezorgdheid over Jeffs welzijn veinsde, begon Eli te geloven dat Jeffs maniakale achtervolging van ex-KGB-generaal Aleksej Berianov een dekmantel was geweest voor een hele hoop andere activiteiten. Hij vroeg zich af wat er werkelijk was gebeurd toen Jeff zijn ontslag had ingediend, en wat hij al die jaren verder nog had gedaan, afgezien van zijn werk als *Washington Post*-expert voor Rusland en Oost-Europa.

Eli had zijn bedenkingen, en daarom had hij ingestemd met deze bespreking. 'Ik geef je een welgemeend advies,' vervolgde hij. 'Je maakt jezelf kapot met die eindeloze jacht op spoken. Hoeveel jaren wil je nog verspillen aan de obsessie dat Berianov is betrokken bij de een of andere kongsi om Amerika te gronde te richten? Luister goed naar me, vriend: dat geld uit dat geheime fonds is intussen terug in het Kremlin en die drie Russen hadden er niets mee te maken. En ook niet met andere heilloze zaken. De zaak is gesloten, Jeff. Je moet verder. Ga iets nuttigs doen.'

Jeff Hammond zat roerloos achter het stuur, zijn lange lichaam gespannen. 'Dat is niet waar. Ik weet dat ze zijn overgelopen vanwege heel wat meer dan pure doodsangst toen Jeltsin aan de macht kwam. Ik voel het.'

'Verdomme nog aan toe. Hou nou toch eens op! Je hebt je carrière om zeep geholpen en je vrouw is bij je weggelopen vanwege die obsessie. Wat wil je verder nog kwijtraken?'

'Het gaat er niet om wat ik kwijt ben. Kun je me helpen?'

'Waarmee?'

'Geef me nog een naam. Iemand die toegang had tot het geld.'

Inwendig moest Eli glimlachen. Dus dáár ging het hem om. Hij hield zijn gezicht in de plooi en deed alsof hij nog bozer werd. 'Ik héb geen andere namen. Ik zei het je toch, niemand in dit land...'

'En buiten dit land dan?'

Een naam buiten Amerika. *Yes.* Eli knikte. Rusland, bedoelde Jeff. En als Eli Jeff een naam gaf, zou Eli hem in de gaten houden... en met enig geluk de connectie terug traceren naar de mol die al jarenlang bezig was FBI-missies te ondermijnen en het moreel te ondergraven. Dit kon weleens de eerste doorbraak zijn in de mythe van onoverwinnelijkheid rond de supergeheime agent die de FBI had misbruikt als zijn of haar eigen, hoogstpersoonlijke goudmijn.

Die mol te vinden was zijn geheime opdracht, die hij in het grootste vertrouwen had gekregen van regeringsinstanties op een nog hoger niveau dan de FBI.

Eli liet zijn adem langzaam ontsnappen. 'Goed dan... we zijn nog één andere naam tegengekomen. Vok.'

Behoedzaam informeerde Jeff: 'Ivan Vok? Die topmoordenaar van de KGB?'

De FBI-man knikte. 'Ja, en die zit nog in Rusland. Wordt het nu duidelijk, of ben je zo volledig gehypnotiseerd door die obsessie van je dat je niet meer normaal kunt denken? Vok zit in Rusland. Het geld is in Rusland. Hier gebeurt helemaal niets. Dáár gebeurt het. Heel, heel ver weg in wat ooit de Sovjet-Unie was. Dat is het verhaal. Einde.'

Jeff schudde zijn hoofd. 'Je kunt er niet zeker van zijn dat het geld in Rusland is, evenmin als je zeker kunt weten waar Vok zit.'

'Jawel, dat kunnen we wél. Hun regering houdt gevaarlijke mannen als Vok scherp in de gaten. Dat weet jij net zo goed als ik.'

Jeff zweeg. 'Bedankt, Eli.' Hij startte de motor van de Mustang. 'Het duurt niet lang meer. Ik voel het. Ik zit die klootzakken zo dicht op de hielen dat ik ze zowat kan ruiken, de smeerlappen.'

Volgens hem moest die goed georganiseerde bewaking vandaag het werk geweest zijn van de voormalige KGB-groep onder leiding van generaal Berianov.

Op dat moment begon Eli, tegenover Jeffs overtuiging die plotseling wel heel aannemelijk leek, te twijfelen aan zichzelf en aan zijn conclusies. 'Wacht eens even. Heb jij ook iets voor míj?'

Jeff schudde zijn hoofd. 'Daarvoor is het nog te vroeg.'

'Als jij op de hoogte bent van een of ander staatsgevaar, Jeff...'

'Ben ik niet.'

Geïrriteerd en bezorgd zei Eli op harde toon: 'Dus zo werken verslaggevers? Pakken wat je pakken kunt en niks teruggeven? Geen wonder dat journalisten qua betrouwbaarheid maar net boven tweedehandsautoverkopers uitkomen.'

'Als ik iets te melden heb, bel ik jou als eerste.'

'Verdomme, ik neem een risico door hier te komen. Zeg me waar je mee bezig bent, waarom je denkt dat generaal Berianov en...'

Jeff schudde nogmaals zijn hoofd. 'Intuïtie, Eli. Meer niet. In de gaten houden. Tips nagaan, zoals dat geheime fonds. Meer heb ik nooit gehad. Maar daardoor wordt de kans niet minder reëel. Jij en ik hebben zaken opgelost met minder aanwijzingen dan nu het geval is, maar we weten allebei dat je met intuïtie niet naar de radja's van de FBI kunt gaan. We moesten de zaken altijd keurig inpakken, met bewijzen en al. De enige keer dat ik dat niet gedaan heb, werd ik eruit gewerkt.'

Als dat inderdaad zo is, dacht Eli. Hij opende het portier. 'Goed om je weer eens gezien te hebben, Jeff. Laten we contact houden, oké? We moeten het verleden begraven,' zei hij, zonder het te menen.

'Oké, Eli.'

Eli Kirkhart knikte ten afscheid en stapte weer in zijn dienstauto. Het liep tegen etenstijd, en het werd minder druk in het winkelcentrum. De zon stond laag aan de hemel, zodat de glanzende boomkruinen lange schaduwen wierpen over het parkeerterrein. Alsof ze een stilzwijgend pact hadden gesloten reden beide mannen weg zonder nog een laatste keer naar elkaar te kijken. Ze namen elk een andere uitrit.

Toen Jeff Hammond de ringweg weer op reed, werd hij allengs achterdochtiger. Die slotopmerking van Eli, over warmte en kameraadschap – laten we contact houden, we moeten het verleden begraven – was niet in overeenstemming met Eli's woorden of gedrag. Ondanks zijn pokerface was Eli wantrouwig en niet vergevensgezind, en hij had zo zijn eigen bedoelingen. Er moest een andere reden zijn geweest waarom hij was komen opdraven. Wat dat ook was, het was zeker niet het simpele verlangen om Jeff te helpen of even onschuldig bij te praten. Jeff fronste zijn voorhoofd.

Terwijl Jeff op weg was naar zijn kantoor in Washington, reed Eli Kirkhart naar huis; naar zijn lege huis in Bethesda. Het was een lange, eigenaardige dag geweest, met als hoogte- maar tegelijkertijd als dieptepunt het weerzien met Jeff. In zijn hoofd speelde hij hun gesprek keer op keer af, tot hij plotseling begreep wat er gaande was. Hij balde zijn vuist. *Verdomme.*

Het inzicht was als een flits gekomen: de werkelijke reden waarom Jeff had willen praten was misschien helemaal niet dat hij informatie wilde over zijn hopeloze kruistocht om verband te leggen tussen generaal Berianov en het geheime fonds. Nee, natuurlijk niet. Eli had een sterk gevoel dat Jeff juist had willen bevestigen dat de FBI het onderzoek had afgesloten. Misschien was de hele gedachte, Jeffs achterliggende beweegredenen, de behoefte geweest om zeker te weten dat de Amerikaanse regering geen onderzoek meer deed, dat iedereen die met het geld te maken had, veilig was. Jeff dus ook.

4

Met haar AK-47 *machinegeweer op borsthoogte holde ze een in de rotsen uitgehouwen tunnel door. Haar hart bonsde van de angst. Na een tijd bereikte ze een grijze metalen deur, die ze openrukte. Daarachter zag ze een ladder. Ze keek even over haar schouder en klom toen snel de lange, smalle schacht in. Boven aangekomen hees ze zich omhoog, de maanloze nacht in. Hijgend staarde ze naar drie mannen rond een kampvuur, die Russisch spraken. Het schijnsel van de vlammen flakkerde over hun gezichten en ze herkende de twee die naar haar toegewend zaten. Dat waren haar kameraden, en ze begroetten haar:* S priëzdom! *De derde wendde zich naar haar toe en vroeg hoe het ging.* Kak vy pozjivajete? *Ze verstijfde van schrik: dat was de man die ze met de motorfiets had vermoord. Hoe kon dat nou? Verbijsterd schudde ze haar hoofd in de wetenschap dat het er niet toe deed. Niets deed er meer toe. Ze staarde hem aan. Hij leefde nog!*

In de verte verstomde geweervuur en ze ging op haar hurken, met haar kalasjnikov in haar armen geklemd, bij het drietal zitten. Ze glimlachte niet. Dat hoefde ook niet. Dit soort mannen glimlachte niet. Dit waren keiharde, door de wol geverfde mannen. Zij was een van hen.

Beth Convey schrok wakker. Ze voelde een ader achter haar oren kloppen. Dit was een nieuwe nachtmerrie, maar met diezelfde drie Russen en met hetzelfde gevoel van gevaar en geweld. Ze dwong zich om langzaam en diep in te ademen. Het was een jaar na de transplantatie. Een heel jaar, en tot gisteren waren de nachtmerries en de andere verontrustende gedachten en gevoelens langzaam weggeëbd, zoals de chirurg al voorspeld had. Ze aarzelde en dacht kritisch na. Misschien was ze langzamerhand van alles gaan negeren. Maar ditmaal niet. Dit was een levensechte, griezelige droom geweest. Angstig keek ze in haar slaapkamer om zich heen, naar de foto's van haar familie aan de wanden, naar het zonlicht dat door het raam naar binnen stroomde, naar de verse narcissen op haar bureau. Ze haalde diep adem, gerustgesteld door de bekende omgeving van haar negentiende-eeuwse huis.

Toen kwam het heden weer terug en wist ze plotseling dat vandaag een belangrijke dag was. Heel belangrijk. Ze sprong uit bed en holde de badkamer in om haar ochtendmedicijnen in te nemen en zich aan te kleden.

Gisteren, maandag, had de ramp toegeslagen. Het was haar eerste dag terug op kantoor geweest en haar baas, Zach Housley, had haar iets vreselijks verteld: de meesten van haar cliënten hadden verkozen om bij de juristen te blijven die Zach hun vorig jaar had toegewezen. Ze had wel enkele overlopers verwacht, want alle juristen bij de firma waren goed, maar dat het er zoveel waren, had haar de adem benomen. Maar het ergste, het meest onverwachte nieuws, was geweest dat ze Michelle Philmalee kwijt was. De vrouw voor wie Beth zo'n spectaculaire overwinning had behaald in de scheidingszaak die haar bijna haar leven had gekost.

Natuurlijk, het was een 'zakelijke beslissing' van Michelle, maar het voelde aan als verraad. Beth voelde haar borst verkrampen van de zorgen. Het enige dat haar moed had gegeven tijdens de lange reis terug naar gezondheid was de verwachting geweest dat ze weer aan het werk kon en dat ze een snelle promotie zou maken.

Ze poetste haar tanden, haalde een kam door haar haar, stiftte haar lippen en keek in de spiegel. Hoewel ze maar drie uur geslapen had – ze had het grootste deel van de nacht op kantoor zitten zinnen op manieren om Michelle terug te winnen – glansde haar huid en stonden haar blauwe ogen helder. Ze zei een stilzwijgend schietgebedje van dankbaarheid jegens haar hartchirurg en haar donor.

Maar zo robuust als ze eruitzag, voelde ze zich niet. Ze trilde zowat van de stress, en ze vroeg zich zelfs af of de nieuwe nachtmerrie misschien te wijten was aan de plotselinge, hevige druk. En dan was er dat netnummer in Virginia, dat gistermiddag plotseling weer was komen bovendrijven. Gelukkig was het niet meer dan een gevoel op de achtergrond, lastig maar niet overweldigend.

Vandaag was het precies een jaar geleden dat ze haar nieuwe hart had gekregen. Het was een moment om haar nieuwe leven te vieren en de man te eren wiens krachtige hart in haar borst klopte alsof het er altijd gezeten had. In plaats daarvan moest ze haar carrière zien te redden. En om het allemaal nog erger te maken was de jurist die Michelle had uitverkoren een voormalig vriendje van Beth, Phil Stageman. Het was een korte kantoorromance geweest, en na afloop kon Beth zich niet voorstellen waarom ze ooit iets met hem begonnen was. Een geval van verstandsverbijstering, besloot ze uiteindelijk. Hormonen die de teugels overnamen. Nu wist ze het zeker.

Met een zucht dacht ze aan alle mannen die ze had verlaten of verloren. Maar mannen waren altijd op de tweede plaats gekomen, na het werk. Vagelijk herinnerde ze zich dat ze zichzelf plechtig had beloofd om na haar herstel op zoek te gaan naar een serieuze relatie. Maar nu ze moest vechten om haar positie binnen de firma te behouden, vond ze dat geen aantrekkelijk idee meer.

Vandaag kon weleens haar enige kans worden bij Michelle, en ze was wakker geworden met een nachtmerrie. Maar daar mocht ze nu niet over denken. Ze moest zich concentreren op haar plan, want al haar inspanningen waren beloond met de ontdekking dat Phil Stageman nonchalant te werk was gegaan bij de bescherming van Philmalee International. Met die informatie kon ze Michelle terugwinnen, wist ze. Ze vertrouwde op haar intellect en haar capaciteiten.

Ze speelde hoog spel.

Koningin van de kosmos.

Zij was Beth Convey, moordmachine met mededogen, terug in het strijdperk.

Ze vouwde haar handen op de lange, gepolitoerde tafel. Haar keel voelde droog aan. De bespreking met Michelle en Phil had al begonnen moeten zijn, het was halfacht 's avonds, maar ze zat nog steeds in haar eentje in Edwards & Bonnett-vergaderzaal B. Bovendien had ze de laatste benodigde documenten niet ontvangen: een belangrijke lijst met eigendommen.

Om kwart voor acht was ze lichtelijk geïrriteerd. Ze waren een kwartier te laat, hoewel dat haar niet echt verbaasde. Vervelend, maar niet verbazend. Daarvoor kende ze Phil Stageman te goed. Waarschijnlijk was dit weer eens een van zijn machtsspelletjes om haar onderuit te halen. Plotseling werd ze kwaad bij die gedachte. Zo razend dat ze zin had om te gaan slaan. Daar was die onverwachte woede weer, die sinds de operatie deel van haar uitmaakte. De afgelopen anderhalve dag had haar woede onder de oppervlakte gesmeuld. Ze had de emotie weggedrongen. Haar stem gemoduleerd. Haar trekken gekalmeerd. Zichzelf ingeprent dat dit simpelweg de medicijnen waren, die haar emoties opzweepten bij de vernederende toestand op kantoor. Soms leek het wel of er twee mensen binnen in haar aan het ruziën waren: de Beth van vroeger, ongenaakbaar en koel. En een onbekende, heethoofdig en gepassioneerd. *Als je liefhebt, heb dan lief zonder reden. Als je dreigt, dreig niet dan als spel...* Daar waren die Russische zinnen weer. Bijzonder enerverend, allemaal.

Om acht uur begonnen er fragmenten van het mysterieuze telefoonnummer in haar oren te klinken en waren Michelle en Phil er nog steeds niet. Ze strengelde haar vingers ineen en keek boos naar de deur van de vergaderzaal. En toen, als door haar wil, zwaaide die open.

Vol opluchting drukte ze de gedachten aan het hinderlijke telefoonnummer naar de achtergrond en stond ze met een professionele glimlach op. 'Goed om je te zien, Michelle.' Ze pakte Michelles hand en bestudeerde haar voormalige cliënte met een geoefende blik. Michelle was begin vijftig, klein en aantrekkelijk, ieder haar van haar gitzwarte coiffure op zijn plaats. Het chocoladebruine Armani-pakje dat ze droeg, moest minstens vijfduizend dollar gekost hebben en toonde al haar rondingen, terwijl het tegelijkertijd een uiting was van haar smaak en invloed, waardoor ze steevast kreeg wat ze wilde. Maar daardoor werd Beths aandacht niet getrokken. Eén blik op Michelle vertelde Beth al dat haar voormalige cliënte niet alleen om zakelijke redenen bij Phil Stageman bleef. Het gerucht bleek dus waar te zijn: Michelle en Phil hadden een verhouding. Michelle zag er stralend, bijna gelukkig uit en haar karakteristieke strengheid had plaats gemaakt voor een zachte, sensuele uitstraling.

'Je ziet er goed uit,' zei Michelle beleefd.

'Dank je. Jij ook.' Beth voelde zich somber worden. Als dit inderdaad een relatie was, dan zou ze Michelle nooit kunnen overtuigen dat ze de verkeerde jurist had gekozen.

Michelle hield haar hoofd schuin. 'Ze ziet er weer uit als de oude Beth, vind je ook niet?'

'Beth ziet er altijd goed uit,' zei Phil galant. Hij was knap op een filmsterachtige manier, met bruin haar dat in krullen over zijn voorhoofd viel. Zijn vierkante schouders zagen eruit alsof hij de juridische lasten van de hele wereld aankon. En hij was twintig jaar jonger dan Michelle. Zijn blik gleed naar Beth. 'Michelle en ik hebben niet veel tijd, dus misschien kun je meteen ter zake komen.' In zijn toon klonk een zweem van verwijt door, alsof het haar schuld was dat de bespreking te laat van start ging en alsof hun plannen voor de rest van de avond veel belangrijker waren.

Beth glimlachte om zijn onvolwassen poging. 'Natuurlijk.'

Toen ze tegenover haar gingen zitten, leunde ze achterover in haar stoel. Michelles transactie die dreigde te stranden vormde een belangrijke schakel in een plan van de Amerikaanse regering om zo'n twaalf miljard dollar aan verrijkt uranium te verwijderen uit het Russische bommen- en granatenarsenaal, zodat die dodelijke wapens nooit meer een bedreiging konden vormen. De Verenigde Staten zouden het uranium opkopen en omvormen tot onschadelijke brandstof voor Amerikaanse kernreactoren. Rusland zou worden terugbetaald in dollars en in niet-verrijkt uranium. Als onderdeel van deze deal, en onder het waakzaam oog van de Amerikaanse regering, had Philmalee International een contract getekend met het Russische bedrijf Uridium om niet-verrijkt uranium te kopen voor export naar Rusland.

Snel nam Beth de feiten door. 'Maar Uridium heeft zich teruggetrokken en je moet ze op de een of andere manier overhalen of dwingen om de overeenkomst na te leven. Anders verliest Philmalee circa een half miljard dollar aan verwachte inkomsten.'

Michelle knikte grimmig. 'Dat klopt, de feiten zijn bekend. Dus waarom wilde je ons spreken?'

Beth leunde voorover. 'Phil heeft een aanklacht ingediend en de kantonrechter verzocht om een voorlopig gerechtelijk bevel om te voorkomen dat Uridium contractbreuk pleegt. Dat is inderdaad de traditionele juridische benadering, maar...'

Phil voelde het gevaar en vertrok zijn gezicht. 'Kom nou niet aanzetten met lof voordat je me gaat afkraken, Beth. Die rechtszaak en het verzoek om naleving van het contract zijn niet zomaar "traditioneel". Die dingen zijn nodig. Dit valt onder de geschillenwet.'

'Misschien wel. Maar zoals jij de zaken hebt aangepakt, ga je verliezen.'

'Paniekzaaierij.' Phils stem klonk snijdend. Hij keek naar Michelle. 'Dit is pure tijdverspilling. Iedere andere jurist zou zich neergelegd hebben bij jouw besluit om verder te gaan, Michelle. Ik vind het beneden peil dat ze je deze vertoning aandoet.'

Beth keek Michelle strak aan. Nu moest ze bluffen. Als de zaak nog steeds zo'n belangrijk deel van Michelles leven vormde, maakte Beth een kans. 'Het is voor ons beiden lucratief als je naar mijn voorstel luistert, Michelle. Ik heb in het verleden al heel wat juridische wonderen voor je verricht. En de zaak is simpel: als ik nog steeds beter ben dan alle anderen, dan moet je bij mij zijn. En momenteel is dat zeker het geval. Ik meen het. Phil kan niet winnen.'

'Beth!' protesteerde Phil.

Maar Michelle hief haar slanke hand op. 'Ik wil horen wat ze te zeggen heeft.'

Beth glimlachte, maar haar stem klonk ernstig. 'Ik ben de afgelopen twee dagen die zaak eens nagegaan.' Het verschil tussen een goede en een uitstekende jurist was de bereidheid om onconventioneel werk te verrichten. Phil had de klassieke route genomen, maar Beth had rondgespit in de achtertuinen en afvalbergen van de regering. 'En dit is wat jij niet weet, Michelle: een vriend bij Buitenlandse Zaken gaat jou aanklagen met het verzoek om je gerechtelijk bevel af te wijzen omdat Uridium soevereine onschendbaarheid heeft als buitenlandse rechtspersoon, geleid door de staat,' – hier wachtte ze even voordat ze haar bom liet neerkomen – 'en omdat jouw regeling strijdig zou zijn met het landsbelang.'

Achter haar rode brilmontuur werden Michelles ogen groot. 'Lándsbelang?' herhaalde ze.

Beth knikte. 'Dat betekent dat je moet vechten tegen de federale overheid. Daar zit iemand met veel macht, die wil dat het contract naar je concurrent gaat, en wie dat ook is, hij of zij heeft de macht om de dekmantel van "landsbelang" over de transactie te leggen. Dat betekent dat je gaat verliezen. Tegen de tijd dat Phil jouw zaak eindelijk voor de rechter krijgt, is het te laat. Het uranium dat je had willen kopen is dan allang opgekocht door je concurrent en bij Uridium afgeleverd. En dan heeft Philmalee geen atoompoot meer om op te staan, zelfs al win je.'

Michelle verbleekte. 'Dat is een hele smak geld. Heb jij een oplossing?'

'Natuurlijk. Ken jij dat andere bedrijf dat Uridium heeft aangewezen om in jouw plaats het uranium te kopen?'

'HanTech. Hoezo?'

'Van een andere contactpersoon hoorde ik dat HanTech niet langer in handen van een Amerikaanse familie is. Het bedrijf is opgekocht door een groep geëmigreerde Russische investeerders die nu in de Verenigde Staten wonen en nauwe banden onderhouden met Minatom. Een van die lieden is de zoon van de directeur van Minatom.' Minatom was het Russische ministerie voor atoomenergie, dat toezicht hield op Uridium. Minatom was verschrikkelijk machtig, bijna een staat binnen de staat, en Uridium zou altijd doen wat Minatom wilde.

Michelles ogen flitsten van verontwaardiging en emotie. 'Dan kunnen we naar de pers met een klacht over belangenverstrengeling. Een afgesproken deal tussen een Russische staatsinstelling en Russen die naar Amerika zijn geëmigreerd maar nog steeds connecties hebben met Minatom. Of het nu burgers zijn of niet, dat doet er niet toe. Waar het nu om gaat, dat is hoe het eruitziet. Hoe dan ook, met een gunstige pers kunnen we in ieder geval tijd winnen totdat we weten wie er achter al die nationale-veiligheidsonzin zit.

Maar ik moet weten wie nú de eigenaar is van HanTech. Wie zíjn al die Russen? Ik moet námen hebben!'
'Ik heb de complete lijst nog niet, maar die komt eraan.'
'Prima. Morgen?'
Beth knipperde met haar ogen. De lijst zou beslist vanavond nog aankomen. 'Uiteraard. Morgen.'
'Morgenochtend tien uur?'
De herrie in Beths oren begon weer. Ze dwong zich te knikken. 'Morgenochtend, tien uur, hier.'
Phil trok een grimas. 'Ik waarschuw je, Beth, als dit weer zo'n handige truc van je is om tijd te winnen in de hoop dat je iets reëels kunt vinden, dan zal die vlieger niet opgaan.'
'Bedankt, Phil,' zei ze droog. 'Ik stel de waarschuwing op prijs.' Ze keek Michelle aan en zei oprecht: 'Je kunt op me rekenen, Michelle. Ik krijg die lijst. We weten allebei dat ik een hoop in jou en in Philmalee heb geïnvesteerd, en het enige wat ik wil is jouw succes.'
Michelle wendde schuldbewust haar ogen af en knikte. Phil sprong overeind en trok haar stoel achteruit, zodat ze elegant kon weglopen. Ze pakte zijn hand en samen, naar elkaar toe gebogen als een stel, liepen ze naar de deur.
Michelle bleef nog even staan en keek achterom. 'Ik weet niet of ik nou meer hoop dat je gelijk of dat je ongelijk hebt, Beth.'
Beth begon hoofdpijn te krijgen. Het netnummer uit Virginia was terug, sterker dan ooit. 'Je hoopt dat ik gelijk heb. Anders verlies je een hele hoop geld.'
Phil had staan kijken. 'Dan kun je maar beter over de brug komen, anders vertel ik het aan Zach en gelooft Michelle je nooit meer. Zo is het toch, Michelle?'
Michelle fronste haar wenkbrauwen. 'Ik vrees dat hij onder de huidige omstandigheden gelijk heeft.'
Beth had het gevoel dat haar glimlach op haar gezicht vastgelijmd was. 'Maak je geen zorgen. Je krijgt wat je nodig hebt. Dat garandeer ik.'
Toen het stel de vergaderzaal uit liep, stond Beth op. Door de stille hal liep ze naar haar kantoor, met een misselijk gevoel door dat eindeloos aanhoudende netnummer. *703... 703... 703...* Alsof iets, of iemand, wilde dat ze dat nummer draaide. Goddank wist ze niet het complete nummer. Ze kreunde hardop.
In haar kantoor knipte ze het licht aan en keek ze op haar horloge. Het was tijd voor haar medicijnen. Soms nam het probleem daardoor af. Trillend trok ze haar bureaulade open, greep haar pillen en haar waterfles en slikte de middelen. Het was al laat, bijna

halfnegen, en haar kantoor lag bijna schaduwloos in de glans van het tl-licht aan het plafond, bijna surrealistisch. Michelle had het zo druk gehad, althans volgens haar secretaresse, dat ze alleen om halfacht nog een momentje voor Beth kon vrijmaken.

Toen ze zich iets beter voelde, keek ze op haar computer of er nieuwe e-mail was. Misschien was de informatie over HanTech gearriveerd. Daar zou ze van opknappen. Het scherm kwam tot leven en haastig bekeek ze de nieuwe berichten. Niets. *Verdomme.*

Er werd aan haar deur geklopt. 'Binnen.'

Zachariah Housley werd zichtbaar, met zijn smalle schouders, zijn veel te grote hoofd en zijn hangende buik. Zijn peervormige gestalte was in juridische kringen in Washington zo bekend dat tegenstanders, wanneer hij bij een vergadering binnenkwam, hun hoofd tussen hun schouders trokken in zinnebeeldig respect, alsof hij zojuist een bal op de man had gespeeld die ze moesten zien te ontwijken. In een van zijn slecht zittende confectiepakken zag hij eruit als een onnozele plattelander. Dit was een van de trucs die hij gebruikte om tegenstanders in juridische vallen te laten lopen, zodat hij hun koffers kon leegroven en hun bankrekeningen plunderen voordat ze het gevaar opmerkten. Hij was al minstens dertig jaar lid van de directie.

Hij kwam meteen, bot als altijd, ter zake. 'Phil zegt dat HanTech volgens jou tegenwoordig door Russen wordt geleid. Is dat zo?'

Ze aarzelde. 'Ja, Zach. Russen die misschien wel, misschien geen Amerikaanse staatsburgers zijn.' Ze was razend. Phil met zijn smerige streken. Ze onderdrukte de behoefte om haar hand tegen haar voorhoofd te drukken. De fragmenten van het telefoonnummer speelden nog steeds door haar hoofd.

Zach bestudeerde haar kritisch. 'Kun je dat bewijzen?'

Ze legde een klank van vertrouwen in haar stem. 'Ik verwacht van wel. Morgenochtend.'

Hij schraapte zijn keel. 'Interessant. Dat zal heel wat oprakelen. Maar ja, als je geen gelijk hebt... of als je het niet kunt bewijzen...'

'Duidelijk.'

Dat zou beslist in haar nadeel werken bij Edwards & Bonnett. Het was er net een bak vol haaien, en men had er een lang geheugen en een geringe vergevensgezindheid. De afzonderlijke vennoten en associés waren te belangrijk voor de firma om tijd en aandacht te kunnen besteden aan rehabilitatie, vooral wanneer cliënten niet langer riepen om de diensten van die bepaalde jurist. Ze speelde een agressief spel om een belangrijke cliënt terug te winnen, en als dat niet lukte omdat haar argument op leugens berustte, zouden ze haar

– na zo'n geslaagde harttransplantatie – niet direct ontslaan, want dat zou geen goede indruk maken in het glazen huis van de juridische wereld van Washington. Maar ze zou haar status als senior associé kwijtraken en terug moeten naar het niveau van een eerstejaars jurist, allerlei kleine klusjes moeten opknappen die gemakkelijk te controleren waren. Vanuit haar buik kwam de verontwaardiging opzetten.

Hij tuurde naar haar. 'Hoe voel je je, nu je terug bent?'

Ze verstijfde, plotseling argwanend dat hij haar wilde uitlokken. 'Fantastisch,' zei ze opgewekt. 'Wist je dat ik al bijna mijn zwarte band in karate heb?' Het beschrijven van atletische prestaties was een typisch mannelijke manier om fitheid aan te geven. Ze wist niet waar die opmerking vandaan gekomen was, en het kon haar ook niet schelen. Ze gebruikte wat ze maar kon.

Hij grinnikte koeltjes. 'Moderne vrouwen. Waar zijn die goede oude tijden, toen meisjes nog geen broeken droegen? Ze durfden niet eens te roken in het openbaar. En als er een probleem was, kregen ze een zenuwtoeval en vielen ze in katzwijm.'

Ze keek hem aan, zich plotseling bewust van iets dat ze tijdenlang had ontkend: Zach Housley hád het niet op vrouwelijke juristen. 'Die tijden zijn voorbij,' zei ze vastberaden. 'Wij moeten onszelf net zo te kijk zetten als jullie.'

Toen ze weer on line was, keek ze nogmaals of er nieuwe e-mail was. Zachs kon naar de pomp lopen met zijn bedekte dreigementen. De energie stroomde haar ledematen binnen terwijl ze op zoek was. Aangezien HanTech particulier eigendom was, hoefde het geen gegevens over de eigenaren bekend te maken. Maar ze kende een accountant die waarschijnlijk wel aan die informatie kon komen: Carly King, studiegenote aan de Universiteit van Virginia, tegenwoordig topanalist bij het gigantische Toole-Russell Inc. en – sinds haar dagen als computernerd – een bijzonder geslepen cyberspeurder.

Toen Beth er tijdens haar onderzoek achter kwam dat Toole-Russell al jaren het jaarverslag voor HanTech schreef, belde ze Carly. Carly, nieuwsgierig als ze van nature was, had al een programma gestart dat ze had geschreven om stiekem de versleuteling te kraken en het wachtwoord voor het systeembeheerdersbestand van Toole-Russell te achterhalen. Daarmee had ze ook het internet-protocoladres en de blauwdrukken voor het complete computernetwerk ontdekt. Dus kon ze nu op zoek: ze had toegang tot alle computerbestanden van Toole-Russell en kon alle gegevens naar believen wijzigen, verwijderen en traceren. Ze was oppermachtig. Maar Carly zou zich nooit inlaten met fraude of verduistering. Het ging haar niet om geld. Wat haar aandacht trok en vasthield, waar haar hart sneller van ging kloppen en wat haar buiten zinnen van vreugde bracht, was een uitdaging. Dus toen Beth haar op basis van de informatie van haar contactpersoon bij Buitenlandse Zaken om hulp vroeg, reageerde Carly weliswaar aanvankelijk geërgerd (het was belastingaangiftetijd en ze had het erg druk) maar uiteindelijk had ze toegezegd, te zullen proberen de complete lijst van HanTech-eigenaars te vinden.

De enige vraag was, wanneer. Tot haar grote vreugde zag Beth Carly's codenaam staan. Met een provider die een hoge prijs vroeg voor dergelijke anonieme dienstverlening, waren de route en de afzender van de e-mail geblokkeerd, zodat niemand bij Edwards & Bonnett achter Carly's identiteit kon komen.

Haastig las Beth Carly's klachten over de werkonderbreking. 'Bingo.' Triomfantelijk selecteerde ze de lijst en drukte ze op AFDRUKKEN. 'Verdomme!'

Ze keek naar het scherm. Carly bevestigde dat HanTech niet alleen niet meer uitsluitend eigendom was van Earl Hansen, die de handelsfirma jaren geleden had opgericht, maar dat de nieuwe grootaandeelhouders Russische namen hadden. En nu had Beth dan eindelijk de complete lijst. Allemaal Russische namen – op één na, Caleb Bates. Die Bates had het grootste aandeel, vijfentwintig procent. Ze vroeg zich af wie hij was en hoe hij in het plaatje paste. Aangezien geëmigreerde Russen een sterke neiging hadden om zaken binnen de familie te houden, was Bates misschien een Amerikaan van Russische afkomst.

Maar dat was geen belangrijke vraag. Even zat ze te peinzen. Of was het nou wél belangrijk? Ze stuurde een e-mail terug om Carly's gespannen zenuwen te kalmeren, en voegde er een verzoek aan toe om verder te kijken wat deze uiterst discrete groep van plan was met het Amerikaanse bedrijf. Toen wiste ze beide berichten en volgde ze terug naar de beveiligde database waarin de firma de oude e-mails bewaarde. Ook daar wiste ze de berichten. Nu kon niemand er ooit nog achterkomen dat Carly haar bron was geweest. Daarna greep ze de pagina's uit de printer, liet ze in haar aktetas vallen en greep haar tasje en haar waterfles. Ze ging naar huis om het te vieren. Ze zou haar rituele *kata*-training doen, iets lekkers koken en de lijst alvast bestuderen als voorbereiding op de bespreking van morgenochtend. En dan zou ze een nacht goed slapen.

Plotseling daverde het telefoonnummer weer door haar hoofd. 703... 703! Elk cijfer klonk als een explosie. En nu kwamen er meer cijfers. Een compleet telefoonnummer. Was dat echt? Ze liet zich achterover in haar stoel zakken. Ze was bang. Ze had in het kader van haar revalidatie alles gedaan wat ze haar gezegd hadden – behalve dan de afgelopen anderhalve dag – maar die onbegrijpelijke episodes bleven terugkeren.

Hoe kon dat nou? Ze was uitgeput. Volkomen uitgeput. Het was belachelijk dat zij iets te maken zou hebben met dat telefoonnummer. Zodra ze dat dacht, bonkte het weer door haar hoofd. Haar brein zou opensplijten. Ze greep naar haar oren en kneep haar ogen dicht.

Meteen klonk het hele nummer weer, alle tien cijfers. Het koude zweet brak haar uit. Ze kon er niet meer tegen. Ze moest het weten. Ze kon niet geloven...

Grommend greep ze de telefoon en draaide ze het nummer. Met een hand die glibberig was van het zweet drukte ze de hoorn tegen haar oor, als de dood dat er iemand zou opnemen. En tegelijkertijd als de dood dat er niemand zou opnemen.

De telefoon ging tweemaal over. Toen zei een man met een zwaar Russisch accent: 'Ja? Wie daar?'

Ze hapte even naar adem en dacht snel na. Ze herinnerde zich een naam uit haar nachtmerries. 'Michaïl. Ik wil Michaïl spreken.' Haar hart bonsde.

'Kan niet.' De man zweeg. 'Wat is uw naam? Wie bent u?'

'Een vriendin van Michaïl. Wanneer komt hij terug? Dan bel ik...' De verbinding werd verbroken.

In het lage, bedompte kantoortje in Arlington, een voorstad van Washington, bleef Ivan Vok roerloos en verbaasd staan. Zijn hand lag als bevroren over de neergeklapte hoorn.

Wie was dat geweest? Hoe was ze achter dit geheime nummer gekomen? Er waren maar een paar mensen die dit nummer hadden, en Vok kende alle stemmen. In zijn blazer en katoenen broek leek zijn korte, gespierde gestalte een schoolvoorbeeld van beheerste kracht. Hij klemde zijn dikke lippen opeen en tuurde naar de hoge stoel waarin zijn baas achter het grote mahoniehouten bureau zat.

'En, Vok?' wilde hij weten. Hij had donker haar, een koel, symmetrisch gezicht en blauw-bruine ogen. Hij zag er jonger uit dan zijn circa vijfenvijftig jaar. Hij had het afgetrainde lichaam van een afstandszwemmer. Maar wat iedereen altijd het meest opviel, was zijn enorme zelfvertrouwen. Dat lokte de mensen aan en, als ze er eenmaal waren, kreeg hij ook meestal wat hij wilde.

In het Russisch zei Vok: 'Misschien hebben we een probleem.' Hij herhaalde het gesprek.

'En ze vroeg naar Michaïl?' Even verbaasd vloekte hij in het Russisch, voordat hij antwoordde: 'Misschien een verkeerd nummer gedraaid. Of misschien was het een kennis van Michaïl waar jij niets van wist.'

'En dan zou Michaïl zo iemand dit nummer geven? Onmogelijk, Aleksej.' Van zijn exotische, Mongoolse gezicht tot zijn brede voeten drukte hij kil ongeloof uit.

'Nee, waarschijnlijk niet.' De baas zuchtte, eerder geïrriteerd dan bezorgd. 'Misschien had ze het nummer van iemand anders gekregen.'

'Dat kan,' knikte Vok.

'We moeten het weten. Ga jij maar op zoek. Vis zo veel mogelijk uit.'

'Moet ik dat zelf doen?'

Hij vertrok zijn gezicht. 'Nee, jou heb ik hier nodig. Stuur er je beste mannetje op af.'

Zonder aarzelen zei Vok: 'Nikolaj Fjodorov.' Hij had Fjodorov ooit zelf in Moskou opgeleid.

Zijn baas knikte en keek naar een vlieg die over de rand van zijn bureau liep. Net toen de vlieg ervandoor ging, reageerde hij. Hij greep het insect in de vlucht, verbrijzelde het in zijn hand en liet het dood op de grond vallen. Hij glimlachte, tevreden met zichzelf en zijn onvoorstelbaar snelle reflexen. 'Prima. Maar zeg wel dat hij voorzichtig doet, Ivan. Eerst kijken of ze echt gevaarlijk is, voordat we iets doen. We hebben geen behoefte aan onnodige complicaties. Als ze echt een probleem blijkt te zijn, rekenen we met haar af. Maar eerst zeker weten. En neem een ander telefoonnummer. Waarschijnlijk hebben we dit toch al veel te lang.'

'*Ladno*.' Oké. Vok drukte op een knop. Het nummer van de vrouw die gebeld had, verscheen op de digitale display naast de telefoon. Hij begon het te traceren.

5

Jeffrey Hammond liep haastig het gebouw van *The Washington Post* uit, het stadsrumoer van die avond in. De maan was opgekomen en er stonden sterren aan de hemel, maar hij lette uitsluitend op het verkeer. Lang, mager en hoekig liep hij snel over het trottoir naar de hoek, af en toe even op een drafje. Onderwijl deed hij zijn lange haar weer in een paardenstaart en bond er een elastiekje omheen. Zijn hele lijf straalde ongeduld uit en zijn rusteloze blik speurde het bumper aan bumper staande verkeer op Fifteenth Street af met meer belangstelling dan een normale voetganger.

Achter hem klonk een luide stem: 'Hé, Jeff. Loop niet zo hard. Je weet donders goed dat ik je wil spreken!'

Nate Heithoff. In zichzelf vloekend bleef Hammond staan. Hij draaide zich om. 'Morgenochtend Nate. Ik heb nu even geen tijd.'

'Vanwaar die haast?'

'Een afspraakje, oké? Ik ben al aan de late kant.' Dat was een leugen die Nate zou slikken, wist hij.

'Eén vraag. Poetins persattaché was beledigd dat ik niet wist wat *raspoetitsa* was, de botte hond. Wat...'

Hammond, die de hele dag al vragen van collega-journalisten had beantwoord over het ophanden zijnde staatsbezoek, onderbrak hem: 'Dat is wat ze in Moskou lente noemen – hun "modderseizoen". Sorry, Nate, maar ik moet echt verder. Je mag een dame niet laten wachten. Tot morgen.'

'Geen probleem.' De andere journalist grijnsde. 'Dat moet wel heel wat zijn. Veel plezier.'

'Bedankt.' Hammond hield een passerende taxi aan, sprong erin en klapte het portier dicht.

De chauffeur keek om. 'Waarheen, meneer?'

'Gewoon rijden. Nu.'

Hammond keek door de achterruit. Nate stond hem nog met de nieuwsgierigheid van alle goede verslaggevers na te kijken. Toen Hammond de chauffeur opdracht gaf de volgende bocht te nemen, bleef hij achteromkijken. Zodra bleek dat zijn collega de achtervolging had opgegeven, zei Hammond dat de chauffeur naar de kant moest. Hij betaalde, stapte uit en liep behoedzaam verder. Af en toe bleef hij staan om in etalages te kijken en om zich heen te spieden.

Hij was geïrriteerd en gespannen, en hij wist het. Achter iedere lantarenpaal en in iedere duistere portiek zag hij een achtervolger. Het afgelopen jaar waren er steeds meer van die periodes van observatie geweest, en hij was die gaan beschouwen als een graadmeter: kwam hij dichter bij zijn doel, of dwaalde hij er juist van af.

Toen hij geen teken zag dat iemand hem volgde, haastte hij zich een andere hoek om en riep weer een taxi. Hij stapte in en liet de chauffeur heen en weer rijden, van de ene straat naar de andere, om huizenblokken heen, tot hij uiteindelijk opdracht gaf, naar de kruising van Columbia Road en Eighteenth Street te rijden. Daar, in het hart van het multiculturele district Adams Morgan, betaalde hij de chauffeur en stapte hij uit.

Sitarmuziek en de kruidige geur van wierook dreef vanuit een van de trendy muziekclubs de straat op. Zonder zijn waakzaamheid te verliezen liep hij tussen de vele cafés, buurtkroegen, winkels in nieuwe en tweedehands boeken, muziekwinkels, tweedehands-kledingwinkels en dure boetieks door. Van zijn bezorgdheid was niets te zien. Zijn onregelmatige gezicht stond strak als een masker.

Na een laatste blik om zich heen liep Hammond een drukke koffieshop binnen. Aan de bar bestelde hij een dubbele espresso en kocht hij een *Washington Post*. Nonchalant keek hij naar de dicht opeengepakte tafeltjes. Hij nam de espresso en de krant mee naar een leeg tafeltje helemaal achterin. Daar ging hij zitten, dronk van zijn koffie en las zijn krant. Hij keek niet op, ook niet toen er een oudere man onuitgenodigd aan zijn tafeltje kwam zitten.

Hammond draaide zijn hoofd iets opzij, opende zijn krant wijder en bestudeerde de nieuwkomer vanuit zijn ooghoek: achter in de vijftig, ingevallen wangen, dun, grijs haar dat van links naar rechts over zijn schedel was gekamd om een kale plek te verbergen.

Hammond sloeg, kennelijk verdiept in zijn krant, een blad om en zei zachtjes in het Russisch: 'Dat is een hele tijd geleden.'

'We weten het altijd als je er bent,' antwoordde de kalende man in het Russisch. 'Vanavond. Halfelf.'

'Waar?'

'Meteor Express. Een transportbedrijf – vrachtwagens, treinen, vliegtuigen, dat soort zaken.' Hij noemde een adres in Arlington. 'Kom wel op tijd.' Met die waarschuwing vertrok de Rus, zijn koffie onopgedronken, de grijze damp opkrullend als een spook. Hammond, die zijn krant geen moment had laten zakken, dronk zijn espresso op. Eindelijk vouwde hij de krant dicht, legde hem keurig op tafel en slenterde de avondlucht weer in.

Beths keel verstrakte en ze verstijfde, haar hand nog op de telefoon. Wie was die Rus die had opgenomen? Ze had een moment van blinde paniek voordat de angst vervloog en er een eigenaardige rust over haar kwam. Er moest een echte Michaïl zijn. Dat was het. Waarschijnlijk puur toeval. Michaïl was een heel gewone Russische naam. Michaïl Gorbatsjov, de laatste leider van de Sovjet-Unie. Michaïl Glinka, de vader van de Russische muziek. Er waren honderdduizenden mannen en jongens in Rusland, en intussen ook heel wat in Amerika, die Michaïl heetten.
Maar nu hoorde er een stem bij het telefoonnummer. Er moest een simpele verklaring zijn voor het feit dat zij dat nummer had gekend, en daarnaar ging ze op zoek.
Omdat Edwards & Bonnett ooit een aantal opdrachten voor de huidige regering had gedaan, had de firma toegang tot een omgekeerde on line-telefoonlijst, waarmee telefoonnummers en adressen konden worden opgezocht – ook als het om geheime telefoonnummers ging. Ze typte haar code in en zocht het nummer in Virginia op. Het bleek te horen bij een adres in Arlington en de naam van een bedrijf, Meteor Express. Er stond een korte verklaring bij. Meteor Express was een internationaal transportbedrijf.
De naam kwam haar niet bekend voor, en dat was eigenaardig. Ze zocht in de database van Edwards & Bonnett, maar volgens die gegevens hadden noch zij, noch een van de andere juristen ooit iets gedaan voor Meteor Express. Het telefoonnummer en het adres stonden niet in haar persoonlijke adressenlijst of in haar Rolodex. In het verleden had ze met meerdere transportbedrijven gewerkt bij transacties in voormalige oostbloklanden. Ze had gewerkt voor bedrijven die vertegenwoordigd waren in vroegere communistische landen – bedrijven voor olieboringen, verzekeringen, verkeersvliegtuigen, spraak- en gegevenscommunicatie en zelfs franchises voor winkels in de Moskouse metrostations. Voor haar hartaanval was ze op de hoogte geweest van ieder internationaal handels- en transportbedrijf in de Verenigde Staten, niet alleen in Washington. Maar van Meteor Express had ze nog nooit gehoord.
Ze liet zich achteroverzakken in haar stoel. De hele toestand bezorgde haar een hol gevoel. Wat moest ze doen? Haar eigen stem antwoordde: *Naar huis gaan en aan je gezondheid werken, raads-*

vrouwe. Dat ga jij doen. Het is laat, en je zit niet op schema.

Ze greep haar aktetas, deed het licht uit en ging op weg naar de lift, die haar naar de ondergrondse parkeergarage bracht. Toen ze door de verlichte metropool naar de historische buitenwijk Georgetown reed, waar aan N Street haar negentiende-eeuwse, lavendelkleurige huis stond, probeerde ze haar gedachten op een rijtje te zetten. Ze dacht aan het telefoonnummer en vroeg zich af wie die Russische onbekende kon zijn. Toen ze haar Mercedes had geparkeerd en haar huis binnenging, werd haar brein niet langer belaagd door het nummer in Virginia, maar nu was er een eigenaardige leegte in haar hoofd, alsof er een kies getrokken was maar de kiespijn er nog zat.

Ze smeet haar aktetas op het bureau in haar werkkamer. Met een gekooid gevoel at ze, staande bij de koelkast. Toen liep ze de gang door en de trap op. Onderweg trok ze haar mantelpakje uit. Ze liep langs de schitterende, met de hand bewerkte lambrizering, onder gewelfde plafonds door, over glanzende houten vloeren. Dat waren enkele van de redenen waarom ze zo was gevallen voor dit schitterende, oude huis. Maar vanavond was ze in gedachten verzonken en zag ze niets. In haar slaapkamer kleedde ze zich om en trok een witte katoenen broek en een blo es aan. Voor de honderdste keer vroeg ze zich af wat Meteor Express was.

Beneden, in de fitnessruimte in de kelder, deed ze haar work-out voor een rij spiegels die ze had laten plaatsen om haar karate te verbeteren. Als de endorfinen eenmaal vrijkwamen, zou haar stemming wel beter worden, dus schopte en stompte ze energiek om zich heen. Het zweet glinsterde op haar gezicht. Haar wangen kleurden rozig. Haar korte, blonde haar plakte tegen haar hoofd. Haar handen en voeten zwiepten door de lucht. In de spiegel was ze een blonde dynamo in het wit, zo te zien volkomen vrij van zorgen.

Ze was dol op karate en had de techniek snel aangeleerd. Ze had altijd al hardgelopen, en ze merkte dat haar ritmische tred zich snel had laten vertalen in de soepele bewegingen die ze voor deze nieuwe sport nodig had. Na de eerste maand begon ze ook met gewichtheffen, zodat haar bovenlichaam even sterk zou worden als haar benen. Karate was haar favoriete sport geworden en, zoals ze Zach Housley had verteld, binnenkort kreeg ze haar zwarte band. Een uur later voelde ze zich gewichtloos en euforisch, hoewel ze nog steeds geen antwoorden had en hoewel het een feit bleef dat het niet 'zomaar' een onbekende was geweest die de telefoon had aangenomen: het was iemand met een Russisch accent geweest.

Ze hield op en ging met een griezelig gevoel van onvermijdelijkheid de trap op. Ze kon de situatie niet langer negeren. Ze moest alle lastige gedachten en eigenaardige ideeën van na haar operatie eens en voor al de kop indrukken. Ze kon niet langer leven alsof ze continu belegerd werd. Dat kon niemand. Niet als je een bevredigend, interessant leven wilde leiden. Plotseling kreeg ze een idee: als ze het gebouw van Meteor Express zag, zou ze het misschien herkennen. Vastberaden nam ze een douche, trok iets anders aan en pakte haar tas. Ze ging naar Meteor Express toe.

Special agent Elias Kirkhart had slechts enkele seconden de tijd om te beslissen wie hij vanuit de koffieshop in Adams Morgan zou volgen: Jeff Hammond of Anatoli Joerimengri.

Het was allemaal enkele uren geleden begonnen, toen Kirkhart plotseling een lege parkeerplaats had gevonden tegenover *The Washington Post*. Daar had hij een tijd zitten wachten en kijken, tot Hammond de vooringang van de krant uit was komen rennen. Na een kort gesprek met een andere man had Hammond een taxi aangehouden.

Kirkhart ging achter de eerste taxi aan, maar zag geen kans de tweede bij te houden, die hij na enige tijd kwijtraakte in het drukke verkeer. Hij vloekte van frustratie. Hammond was nog steeds verdomd goed, dat moest hij toegeven, maar handelde hij zo omdat een opgeleide FBI-agent die automatische voorzorgen nooit meer kwijtraakt, of zat er meer achter? Had Hammond hem gezien? Hij schudde zijn hoofd. Nee, besloot hij. Hij had maar één fout gemaakt, en dat was dat hij voor de zoveelste keer nul op het rekest kreeg. Dat was een kant van spionagewerk die je nooit te zien kreeg in films en boeken: de monotonie, de routine, het eindeloze wachten. Allemaal onmisbaar voor het welslagen van een operatie.

Kirkhart reed door het centrum in de hoop dat hij als door een wonder zijn prooi zou terugvinden. Sinds hij en Hammond elkaar een jaar geleden hadden getroffen in het winkelcentrum, was hij doorgegaan met het verzamelen van informatie. Hij had de FBI-archieven doorzocht op zoek naar mislukte missies en ontslagen agenten, en voor het geval dat Hammond contact maakte, had hij de leden van zijn kleine undercover-team opdracht gegeven om van tijd tot tijd controles uit te voeren op generaal Berianov en diens bondgenoot, kolonel Joerimengri. Er was ook geen nieuws over Ivan Vok, die kennelijk nog steeds veilig in Rusland zat. Een dergelijke operatie – het zoeken naar de verrader die de FBI jarenlang, misschien zelfs tientallen jaren lang van binnen uit had verziekt – kon nog wel een paar jaar duren. Maar de mol moest boven water komen.

Kirkhart vatte de opdracht zeer persoonlijk op. Dat deed hij trouwens altijd. Het fenomeen 'emotionele betrokkenheid' kwam af en toe voor bij spionageactiviteiten, voornamelijk bij agenten in het veld. Twee jaar geleden had hij de waarschuwing gekregen dat hij hieraan kon lijden. Een psychiater van de FBI had hem uitgelegd dat sommige agenten een diepe behoefte voelden om ergens bij te horen, om ergens in te geloven. Wanneer je daar dan gevaar en ontberingen aan toevoegde, konden dergelijke agenten de draad kwijtraken. Dan gingen ze extreme zaken ondersteunen en onhaalbare doelen nastreven. Ze zeiden dat dat profiel op hem van toepassing was, en dat hij zich door hen moest laten helpen om daar overheen te komen.

Hij had erom gelachen. Die idioten wilden hem een borderline-psychose aanpraten, alleen omdat hij gefrustreerd was. Hij vroeg zich af wat ze nu van hem zouden vinden, want hij stond op het punt om te barsten van de ergernis. Waar was Hammond in jezusnaam heen gegaan?

Lukraak reed hij in het rond, nog steeds in zichzelf vloekend, toen iemand hem belde op zijn mobiele privételefoon.

'Met Caligari, Eli. Die kolonel Joerimengri waar ik achteraan moest, zit met een andere gozer in een koffieshop in Adams Morgan. Ze praten niet zichtbaar, maar het lijkt me een geheim treffen. Volgens mij is die andere vent Jeff Hammond.'

Terwijl Eli luisterde naar Carlos Caligari's plattelandsaccent, dacht hij terug aan Jeffs klachten over zijn eigen spraakje, met die lichte Engelse tongval. Jeff was altijd al kritisch geweest. Misschien had die houding zich intussen tegen de Verenigde Staten zelf gekeerd. 'O ja? Ik kom eraan.' Zo kwam je aan successen, hield hij zichzelf tevreden voor. Voorbereiding. Grondig werk. Volharding. Want omdat hij zijn agenten eropuit had gestuurd om zowel Berianov als Joerimengri vanavond in de gaten te houden, boekte hij nu resultaat. Misschien niet wat hij verwacht had, maar als het even meezat werd het misschien iets nog beters.

Enkele seconden voordat Joerimengri naar buiten kwam, arriveerde hij bij de koffieshop in Adams Morgan. Hij had net genoeg tijd om vast te stellen dat de ander inderdaad Jeff Hammond was, voordat hij moest beslissen wie hij zou schaduwen. Als het waar was wat hij vermoedde, zou Hammond informatie hebben gegeven aan Joerimengri, niet andersom. Nu moest hij weten waar Joerimengri met die informatie heen ging.

'Ga jij achter Hammond aan,' beval hij Caligari. 'Ik neem Joerimengri.'

Tot Kirkharts verbazing bleek de laatste tamelijk eenvoudig te schaduwen. Hij had nog nooit een KGB-man meegemaakt die makkelijk te volgen was. Ofwel Joerimengri vond dat hij niets te verbergen had, ofwel Kirkhart had de situatie verkeerd ingeschat. Beide mogelijkheden baarden Kirkhart zorgen, want dit suggereerde dat zijn prooi niets meer was dan wat hij zelf beweerde – een Amerikaanse zakenman. En dat kon betekenen dat Jeff Hammonds band met de voormalige sovjetfunctionaris simpelweg zijn jarenlange obsessie was.

Kirkhart volgde Joerimengri de Potomac over, een industrieterrein bij Arlington op. Daar reed hij een oprit op langs een gebouw met aluminium muurplaten. In de voorgevel zaten twee grote ramen en een glazen deur. Op het naambord stond METEOR EXPRESS INC. Beide vensters en de deur waren van rolgordijnen voorzien, zodat Kirkhart niet naar binnen kon kijken. Op de deur hing een bordje met het opschrift GESLOTEN. Hij parkeerde in de diepe schaduw van een boom, zette zijn motor uit en ging zitten wachten. Behalve Joerimengri kwam er niemand in de buurt van het gebouw. Er kwam niemand naar buiten.

Twee uur later besloot hij met zijn informatie naar het Hoover-gebouw te gaan, zodat hij Meteor Express kon natrekken. Terwijl hij wegreed, rinkelde zijn mobiele telefoon weer.

Het was Carlos Caligari die rapport uitbracht: 'Hammond is als een speer teruggegaan naar zijn kantoor.'

'En daar zit hij nog, neem ik aan?'

'Hij is niet naar buiten gekomen.'

'Blijf zitten waar je zit. Ik kom er zo aan.'

Toen hij arriveerde, stuurde hij Caligari naar huis. Een uur later kreeg hij daar spijt van. Het was na achten en Kirkhart had nog niet gegeten. De beveiligingsbeambte bij de balie controleerde zijn badge en zei dat Hammond zich afgemeld had. Kirkhart vloekte opnieuw, maar niet zo hard meer. Hij had tenminste een aanwijzing: Meteor Express.

Die dinsdagavond scheen het maanlicht met een onwereldlijke zilveren glans over de drukke snelweg naar Virginia. Hoewel het al laat was, bijna halfelf, leek het eindeloze ritme van de Amerikaanse hoofdstad te bonzen in de voorbijschietende witte en rode autolichten. In haar groene Mercedes CLK 320 reed Beth Convey weg van George Washington Memorial Parkway. Ze zette koers naar het zuiden en passeerde met haar kleine, maar sterke auto een aantal kleurige winkelcentra, bars met neonverlichting, motels met stoffige uithangborden, donkere rivieroevers en felverlichte benzinestations die haar aan schilderijen van Edward Hopper deden denken.

Ze was vastbesloten. Genoeg was genoeg. 'En weet jij nu waar je bent?' vroeg ze aan haar bonzende hart. Ze verkeerde in een verdrietige, onbehaaglijke stemming. Ze kon zich niet herinneren ooit in dit deel van het uitgestrekte, buiten de stad gelegen Arlington geweest te zijn. En toch had ze het gevoel dat ze hier eerder geweest was.

Ze passeerde een houthandel en toen zag ze het: een gebouw met aluminium muurplaten en een geschilderd bord boven de voordeur. Ze had Meteor Express gevonden. Ze parkeerde de auto op de rustige weg voor het gebouw, in de hoop dat ze het gevoel zou krijgen dat ze hier eerder was geweest, dat er een flits van herkenning zou komen.

Maar ze voelde niets dan nieuwsgierigheid. Ze zag het gebouw voor het eerst, dat wist ze zeker. Terwijl ze ernaar staarde, zag ze een vaag lichtschijnsel rond het gordijn voor de deur en de twee ramen. Misschien een schoonmaakploeg of een ambitieuze werknemer. Wie het ook was, het deed er niet toe. Ze zou met iemand gaan praten. Ze moest weten of zijzelf iets had met Meteor Express, en zo ja wat.

Ze parkeerde, stapte uit en deed de auto op slot. Dit was een gebied met lichte industrie, waar andere grote, magazijnachtige gebouwen aan de straat stonden. De straat zelf was halfduister en het verkeer klonk als gegons in de verte. De voorjaarslucht rook naar dieselwalmen, als een verlaten vrachtwagenpleisterplaats midden in de nacht en midden in de Mojave-woestijn.

Een angstig voorgevoel maakte zich van haar meester, maar dat schudde ze af. Ze moest iets te weten komen. Ze liet haar sleutels in haar schoudertas vallen en liep naar het gebouw toe, in de richting van de betonnen plantenbakken met zielige jeneverbesstruiken onder de ramen. Ze klom een paar betonnen treden op en ging op zoek naar een bel. Die was er niet, dus klopte ze op de glazen deur. Ze wachtte. Geen reactie.

Ongeduldig tikte ze met haar voet, voordat ze nogmaals klopte. Nog steeds geen reactie. Door een spleet van de gordijnen zag ze iets wat op kantoormeubilair leek. Na een tijd duwde ze tegen de deur. Die zat niet op slot.

Ze duwde hem open. 'Hallo!' In de deuropening bleef ze even staan. 'Is daar iemand?' riep ze.

Ergens klikte een digitale klok. De kleine, gekleurde lichtjes van de communicatieapparatuur glansden op de bureaus in de schaduw achter de balie. Met ontspannen passen liep ze verder, zoals ze op karate geleerd had, op weg naar een streep licht aan het eind van de middengang. Ze passeerde een aantal gesloten deuren en kwam terecht in een grote, zwarte kamer met nog twee bureaus. Deze waren van hout, veel duurder dan de metalen bureaus voorin. Ook hier waren deuren te zien. Twee bureaulampen goten ivoorwitte trechters van licht op stapels papier waaraan kortgeleden nog gewerkt was.

Het voelde vreemd aan, alsof het vertrek op stel en sprong ontruimd was. Ze voelde een koude rilling. Net wilde ze nogmaals roepen, toen ze een zacht, gepijnigd gekreun hoorde. Er was iemand gewond. Toen zag ze een paar schoenen, met de tenen omhoog, de benen gespreid. Ze onderdrukte haar zenuwen en haastte zich om het eerste bureau heen om te kijken of ze kon helpen. Achter het bureau lag een man in een plas bloed. Zijn witte overhemd bedekte een rafelige, rode wond. De oergeuren van bloed en zweet bereikten haar in een schokgolf. Op de een of andere manier kwam de combinatie haar bekend voor. Primitieve geuren die ze eerder geroken had. Wanneer? Waar?

Snel hurkte ze naast de man. Ze dacht terug aan dat moment, een jaar geleden, toen onbekenden in het gerechtsgebouw haar leven hadden gered. De man was achter in de vijftig, met ingevallen wangen en grijs haar dat aan de ene kant lang gelaten was, zodat hij het over zijn kale plek kon kammen. Ze wist zeker dat ze hem nog nooit gezien had. En ze wist even zeker dat ze hem herkende.

Weer kreeg ze kippenvel. Misschien was dit iemand uit haar nachtmerries. Ja. Dat was het. Hij was een van die mannen bij het kampvuur geweest. Er schoot haar een naam te binnen. *Joeri.*

'Joeri?' fluisterde ze.

Toen ze zijn naam uitsprak, vlogen zijn ogen open. Glazig en waterig waren ze, met een indringende blik. Hij greep haar arm en kneep erin. 'Ik... wist het... niet.'

Op het moment dat er bloed opborrelde in zijn mondhoek, hoorde ze in de verte zwakke voetstappen. Meteen was haar trance voorbij. Op de een of andere manier was ze in een gevaarlijke situatie beland. Misschien was de schutter nog in de buurt.

'Ik ga iemand bellen, Joeri. Je moet naar de dokter.' Ze probeerde zich los te trekken, maar de man pakte haar nog steviger beet.

Zijn bleke ogen stonden dwingend, hij eiste dat ze naar hem luisterde. Hij leek enige kracht te verzamelen. Met moeite wist hij uit te brengen: 'Ik wist niet van... Stone Point... West Virginia.' Het klonk als een verontschuldiging. Alsof hij begrip of vergiffenis vroeg van degene voor wie hij haar hield.

'Wat wist je niet?' vroeg ze.

Zijn hand viel weg. Zijn ogen waren nog open, maar het licht er-in was gedoofd. Helemaal weg, alsof er een schakelaar was over-gehaald. Met een deel van haar verstand besefte ze dat hij zojuist overleden was. Roerloos van ontzetting keek ze naar hem... en toen bedacht ze geschrokken wat ze had gedaan door hier zomaar binnen te lopen. Hoe kon ze zo onbezonnen geweest zijn? Zo stom? De man was vermoord, en als ze niet uitkeek, kon zijzelf ook wel vermoord worden. Was ook deze waanzin veroorzaakt door haar medicijnen, of kwam het door haar nieuwe, gevaarlij-ke hart?

Ze sloot zijn ogen en had even medelijden met hem omdat hij dood was. Toen sprong ze overeind. En meteen veranderden al haar vra-gen in angst, want de voetstappen kwamen terug. Ditmaal klon-ken ze veel dichterbij. De deur rechts naast haar – achter het bu-reau waarnaast de dode man lag – zwaaide open. Toen ze zich omdraaide om te vluchten, ving ze een glimp op van iemand die vanuit de schaduwen van de duistere deuropening kwam aanlopen. Met getrokken pistool. De moordenaar!

Doodsbang rende ze de gang in, dezelfde weg terug als ze gekomen was. Achter zich hoorde ze bonkende voetstappen. Haar borstkas kromp ineen van angst. Ze kreeg amper lucht. Ze sprintte om de bureaus heen, scheurde langs de balie en ramde met alle kracht die ze in zich had op de metalen balk van de voordeur. Die klapte open en toen stond ze buiten. Ze rende naar haar auto, rende voor haar leven.

Ze hoorde hem achter zich aan komen. Ze deed een beroep op al haar nieuwe spieren en rende harder dan ze ooit gedaan had. Ach-ter haar klonken opeens allerlei vreemdsoortige geluiden. Geluiden die ze niet goed kon thuisbrengen. Misschien een vechtpartij, of misschien was haar achtervolger gestruikeld en gevallen.

Toen ze bijna bij het trottoir was, keek ze even achterom. In het zilveren maanlicht was zijn profiel duidelijk te zien. Ze prentte zich zijn gezicht in. De moordenaar. Hij had een recht voorhoofd, een adelaarsneus en een uitstekende kin. Hij had een soort honkbal-petje op zijn hoofd. Nooit zou ze...

Ze groef in haar tas naar haar sleutels en draaide zich om om haar auto in te vluchten. Maar haar voet belandde net naast de stoep-rand. Ze struikelde, ze viel. Het asfalt leek omhoog te springen.

Het raakte haar met de snelheid van een raceauto. Ze viel ten prooi aan heftige, bonzende kleuren. Enorme vellen oogverblindend groen, explosies van rood, misselijkmakend paars en zwart... diep-zwart... eindeloos zwart...

6

Badend in het zweet schrok Beth wakker. Ze probeerde een zoveelste nachtmerrie te vergeten. Ze sloeg een arm voor haar gesloten ogen. Ze zag de hele afgrijselijke toestand nog voor zich: de donkere nacht, maar ditmaal een kantoor. Weer een Rus, zijn gezicht verwrongen van de pijn terwijl hij op de grond lag dood te gaan. Een gevoel van dreiging, overal. Het geluid van voetstappen herinnerde ze zich, en het besef dat dat de moordenaar kon zijn. Ze was op de vlucht geslagen. En hij was achter haar aan gekomen, sneller en sneller. Ze huiverde. Waarom waren die nachtmerries niet opgehouden, zoals dr. Jackson had beloofd?

Ze zuchtte en draaide zich op haar zij. Wat voelde haar bed hard aan. Ze verstijfde. Dit was haar bed niet. Het was overdreven stevig, met die stevigheid van goedkope matrassen die amper echte steun bieden en slechts rugpijn en stijve ledematen in de ochtend opleveren. Haar ogen vlogen open en ze ging rechtop zitten. Haar mond werd droog van de schrik. Ze kende deze kamer niet.

Twee strepen zonlicht aan weerszijden van de gordijnen doorsneden de schemerige duisternis. Er kwam een chemische bloemengeur uit een open deur rechts naast haar – de badkamer. Waar was ze? Ze had overal pijn. Dat kon gebeuren als ze haar medicijnen niet op tijd innam – een bijwerking en haar persoonlijke waarschuwing dat ze haar tabletten tegen afstoting en ontsteking nodig had. Geschrokken keek ze om zich heen. Hoe laat was het? Hoeveel te laat was ze met haar pillen?

Ze wierp het dekbed van zich af en ging in de schemerige, onbekende kamer op zoek naar haar schoudertas. Daarin bewaarde ze haar medicijnen, hoewel ze als voorzorgsmaatregel thuis nog een tweede serie had. Maar ze was niet thuis.

Plotseling zag ze haar tas, op een laag tafeltje bij het raam. En op het bureau stond een digitale klok. Het was drie over acht 's ochtends. Ze telde een aantal pillen uit en holde naar de badkamer. Op het planchet boven de wastafel stond een aantal in plastic verpakte kunststof drinkglazen. Met haar tanden scheurde ze de verpakking open. Ze vulde een glas met water en slikte een voor een al haar pillen door. Terwijl ze daarmee bezig was, zag ze zichzelf in de spiegel.

Uitgelopen mascara onder haar ogen gaf haar smalle gezicht een pafferige, geobsedeerde aanblik. Haar blauwe ogen stonden donker, bijna alsof ze gekneusd waren. Op haar voorhoofd had ze een donkerrode bult. Ze staarde naar haar spiegelbeeld. Voorzichtig raakte ze de zwelling aan. Het deed vreselijk pijn.

En toen kwam de herinnering terug. De dode man. Het kantoor. Haar wanhopige vlucht en haar val. Het was geen nachtmerrie geweest. Ze was echt weggerend van Meteor Express en van de dode man op de grond. *Joeri*. Ze had willen ontkomen aan de moordenaar die haar door het gebouw heen achternagezeten had. Ze had omgekeken om zich zijn profiel in te prenten en toen... was ze gevallen. Tegen het asfalt geklapt en...

Waar was ze nu? Hoe was ze hier gekomen?

Ze ging terug naar de slaapkamer en trok het gordijn opzij. Ze zat op de eerste verdieping van een motel – Biden Rest, volgens het bord aan de hoge paal. Op de straat aan haar voeten schoten de auto's voorbij, als onophoudelijk symptoom van een metropool die nooit volledig tot rust komt. Het verkeer draaide op volle toeren. Kort na acht uur op woensdagochtend was het spitsuur in volle gang op de ringweg rond Washington.

Met een onbehaaglijk gevoel bleef ze even staan kijken. Ze moest gisteravond het bewustzijn verloren hebben bij haar val tijdens de vlucht. Maar waarom had hij haar niet vermoord? Ze haalde diep adem. Ze moest kalm blijven. Aan de rand van haar bewustzijn voelde ze een enorme, heftige woede opkomen. Die mocht niet de overhand krijgen. Ze moest rationeel nadenken.

Ze liep terug naar het bureau en opende nogmaals haar schoudertas. Alles zat er nog in: lippenstift, poeder, tissues, een kam, haar portefeuille met creditcards en geld. Er was niets gestolen.

Ze keek omlaag. Ze had nog dezelfde kleren aan als gisteravond – een beige linnen broek, een wit katoenen T-shirt en een selderijgroen jack met een rits. Ze zag er verfomfaaid en smerig uit, maar degene die haar hierheen had gebracht, had haar Nikes uitgetrokken en netjes naast het bed gezet, de lakens opengeslagen, haar volledig gekleed op bed gelegd en haar toegedekt. Ze was niet verkracht en niet bestolen. Dankbaar haalde ze diep adem.

Onder de heldere aprilhemel liep Beth over het parkeerterrein van het motel naar haar Mercedes. Die had haar vijftigduizend dollar gekost. Een krachtige zescilinder-motor, een kruissnelheid van honderdtachtig kilometer per uur en een lederen interieur dat rijk en uitnodigend als de zomerregen rook. De Mercedes was een logisch doelwit voor dieven, vandalen en mensen die verslaafd waren aan dure importauto's. Ze bestudeerde de auto van voor- tot achterbumper en keek voor- en achterin. Niets gestolen. Geen krasje of deukje als teken dat er ruw mee omgesprongen was. Iemand had hem zorgvuldig geparkeerd en op slot gedaan.

Opgelucht, maar nog verbaasder deed ze het portier dicht. Haar maag rammelde, maar ze had een missie. Ze speurde het motel en het parkeerterrein af. Een grote ruit gaf uitzicht op de weg en op het bord boven de deur daarnaast stond KANTOOR. Zo te zien aan het gebarsten beton, de afgebladderde verf en de goedkope aankleding bevond dit motel zich aan de onderzijde van de voedselketen voor toeristen in Washington, maar haar kamer was schoon geweest, het slot werkte en de geluidsisolatie was in ieder geval zo goed dat ze de hele nacht rustig had kunnen doorslapen. Ze liep naar het kantoor toe.

Binnen zat een vrouw met grijs haar achter een balie met een formicablad aan een computer te werken. Ze keek op toen Beth binnenkwam. Ze had het soort vriendelijke gezicht dat bij uitstek geschikt is voor een baan in de dienstverlening. Ze glimlachte traag, waarbij een hoop grijsmetalen tandartswerk zichtbaar werd, en verblikte noch verbloosde toen ze Beths verkreukelde kleren zag.

'Wat kan ik voor u doen?' vroeg ze.

Tja, hoe moest Beth beginnen? 'Ik heb hier vannacht geslapen. Ik vroeg me af of u mij herkende.'

De vrouw knipperde met haar ogen. 'Dat hangt ervan af, meisje. Wanneer ben je binnengekomen?'

'U herkent mij niet?'

'Moet dat dan?'

Voor de receptioniste was Beth niet meer dan een zoveelste gezicht in een oceaan van gezichten. Kennelijk had haar aankomst niets bijzonders gehad, anders had de vrouw het wel gehoord of geweten.

'Ik ben gisteravond tussen halfelf en halftwaalf gekomen,' zei Beth. 'Kamer twee-vierendertig. Iemand heeft me hier gebracht.'

'Iemand?' Met een schuin gehouden hoofd keek de vrouw haar aan. 'Weet je dat echt niet meer?'

'Nee. Maar ik zou het wel graag willen weten. En nee, ik ben niet aan de drugs en ik drink nog niet genoeg om een mus aan het wankelen te brengen. Ik dacht dat u het misschien zou waarderen als ik mijn rekening betaalde.'

Bij die woorden brak diezelfde, natuurlijke glimlach weer door op het gezicht van de vrouw. 'U maakt mij ook nieuwsgierig. Ik ben pas om acht uur vanochtend begonnen. Maar onze nachtwaker moet u ingeschreven hebben. Weet u uw eigen naam nog?' Ze draaide zich weer om naar de computer en rammelde op een paar toetsen.

'Goddank wel, ja.'

'Hm-mm.' Toen de gegevens op het beeldscherm stonden, boog de vrouw zich met een grommend geluidje van verbazing voorover. 'Weet je dat zeker, van dat kamernummer, meisje?'

'Ja. Twee-vierendertig. Op welke naam staat die?'

De vrouw keek op en voor het eerst stond de twijfel op haar gezicht te lezen. 'Niemand. Volgens ons systeem is die kamer vannacht niet bezet geweest.'

Beth reed een tijdje rond door de straten van Arlington. Ze keek om zich heen en vroeg zich af wie er kon weten wat er afgelopen nacht werkelijk gebeurd was.

Voordat Beth het motel had verlaten, had de receptioniste de nachtwaker gebeld. Die had bevestigd dat er de afgelopen nacht niemand in kamer 234 had geslapen. Toen de vrouw opgehangen had, vertrouwde ze Beth toe dat de man nogal stevig dronk en dus waarschijnlijk tegen halfelf niet meer bij kennis was geweest. Hij werd alleen wakker als iemand op de bel ging staan leunen.

Op dat moment realiseerde Beth zich dat ze in haar hele kamer geen sleutel had gezien. Maar het slot was niet geforceerd geweest. Degene die haar daar had achtergelaten, had op de een of andere manier een sleutel bemachtigd, waarschijnlijk uit het kantoor. Toen hij vertrok, had hij de deur op slot gedaan en de sleutel meegenomen.

Ze kon maar één plek verzinnen waar ze het antwoord kon gaan zoeken: bij Meteor Express. Waarschijnlijk moest de politie daar al minstens een uur zijn, na een panisch telefoontje van de medewerker die vanochtend de dode man had aangetroffen. Ze moest gaan vertellen wat ze gezien had. En in ruil daarvoor zou ook zij informatie krijgen. Gespannen en bezorgd keek ze op haar horloge. Het kon nog net, voor de bespreking met Michelle Philmalee om tien uur die ochtend.

Tijdens het rijden kwam het haar bijna voor alsof ze een vreemdeling in haar eigen leven was. Razend werd ze daarvan: 'Hart, luister je? Als je ooit het hart van de een of andere griezel bent geweest, bedenk dan dat die er nu niet meer is. Je bent nu van mij. En als jij achter die hele toestand zit, hou daar dan onmiddellijk mee op!'

Onvoorstelbaar. Ze praatte tegen haar eigen hart. Haar verstand ging op zoek in het verleden, op zoek naar aanwijzingen. Ze probeerde de logica van het onmogelijke boven te halen. Een jaar lang had ze haar arts geloofd. Maar nu was er de samenloop van omstandigheden van die Rus die de telefoon had aangenomen, met de vermoorde man, die had gereageerd op de naam 'Joeri', ook al had hij misschien niet zo geheten.

Ze schudde haar hoofd. Dit was absurd. Belachelijk. Anderzijds was er Stephanie Smith, die haar een maand na de transplantatie in het ziekenhuis had bezocht en die het niet onmogelijk had gevonden dat de ontvanger van een donorhart bepaalde zaken kon erven van de donor. Misschien had ze dr. Smith niet zomaar moeten wegsturen.

Met een zucht reed ze de straat van Meteor Express in. Ze herinnerde zich hoe zeker ze geweten had dat de nachtmerries en de hinderlijke gedachten zouden verdwijnen. Ze voelde een sterke behoefte om de Rus te spreken die gisteren de telefoon had opgenomen. Er moest een logische verklaring zijn voor de hele toestand. Met grote snelheid reed ze door de straat. Plotseling besefte ze dat ze Meteor Express voorbijgereden was. Geërgerd maakte ze rechtsomkeert en... ontdekte dat het lage gebouw met de aluminium muurplaten, het gebouw dat gisteravond nog Meteor Express was geweest, nu een nieuw naambord droeg: RENAE TRUCKING SERVICES. Ze trapte op de rem, parkeerde, sprong de auto uit en holde erheen. Op de oprit stond een verhuiswagen en er waren mannen bezig om bureaus, stoelen en lampen naar binnen te sjouwen.

Ze drong zich naar binnen. 'Wie is hier de baas?' De balie stond nog waar hij gisteravond had gestaan, maar aan de andere kant stonden nieuwe bureaus.

'Ik.' Er kwam een vrouw op haar af lopen vanuit de gang die naar achteren leidde, waar gisteravond Joeri's lijk had gelegen. Ze was ergens in de veertig. Ze had een klembord bij zich en was gekleed in een spijkerbroek, een coltrui en een lange katoenen stofjas. 'Mijn naam is Cass Joneson. Ik ben de eigenaar van Renae Trucking Services. Wat kan ik voor u doen?' Ze draaide zich op haar hiel om en corrigeerde een man die een bureau wilde neerzetten: 'Nee, Sam. Iets meer naar rechts. Juist. Dáár. We hebben ruimte nodig. Daar komt het kopieerapparaat.'

Ze bewoog zich bruusk en zelfverzekerd. Ze had bruin haar in een efficiënte knoet op haar achterhoofd. Haar hoekige, eigenaardig lange gezicht werd niet gesierd door enige make-up. Ze zag eruit alsof het voedsel dat ze tot zich nam, niet lang genoeg in haar lichaam bleef om haar werkelijk te voeden.

Ze keek naar Beth en naar haar kreukelige kleding. 'U ziet er niet best uit. Hebt u hulp nodig? Of is dit een zakelijk bezoek? We zijn nog niet helemaal op orde, maar ik kan vragen beantwoorden en een kleine order aannemen. Vanmiddag zijn de computers weer on line.'

Verbijsterend. Even wist Beth het ook niet meer. Maar algauw had ze haar twijfel in bedwang. 'Ik ben hier gisteravond geweest. Toen heette het hier Meteor Express. Ik heb gesproken met ene Joeri. Waar is die nu?' *Waar was zijn lijk?*

Cass Joneson fronste haar wenkbrauwen. 'Die naam ken ik niet. Wij hebben het gebouw een maand geleden gehuurd, en sinds die tijd heb ik de verhuizing gepland. Vandaag is de grote dag. We zijn om vijf uur vanochtend begonnen. Niemand kan het zich permitteren om lang gesloten te zijn. Ik zei al, binnenkort werken onze computers weer. Als u vrachtvervoer nodig hebt, bent u hier aan het juiste adres.'

Beth staarde haar sprakeloos aan. Toen drong ze voorbij de vrouw. Op een drafje liep ze de gang in.

'Hé.' Cass Joneson kwam achter haar aan. 'Dat mag niet! Dat is privéterrein!'

Beth bleef staan op de lege plek waar ze naast de stervende Joeri had geknield. Verdriet om zijn gewelddadige dood kneep haar keel dicht. Maar toen ze omlaag staarde en besefte wat ze daar zag, maakte haar verdriet plaats voor woede en frustratie. Ze stond op gloednieuw linoleum dat eruitzag als oude plavuizen maar in feite glanzende vloerbedekking was. Daaronder zat lijm. En die lijm zou alle bloedsporen van Joeri's dodelijke schotwond verbergen.

Snel keek ze om zich heen, maar natuurlijk was er geen lijk te bekennen. Bijzonder handig, die verhuizing. Ze geloofde haar ogen niet.

'Waar is hij?' vroeg ze op hoge toon. 'Waar is Joeri's lijk?' De woede borrelde op in haar borst.

Cass Joneson staarde haar aan. 'Waar hebt u het in godsnaam over? Bent u nou helemaal? Volgens mij bent u zwaar gestoord. Wegwezen!' Ze liep naar Beth toe. 'Sam! Kom eens hier! Problemen!'

Beth werd overspoeld door withete woede. Ze deed geen moeite om zich ertegen te verzetten. Ze zag een stukje van een mobiele telefoon uit de jaszak van de vrouw steken. Je hoefde geen Einstein te zijn om één en één op te tellen.

Met een snelle *haishu* naar de borstkas van de vrouw duwde Beth haar opzij en greep ze de telefoon.

'Sam!' brulde de vrouw. Maar ze begon angstig te kijken. Ze deed geen poging om de telefoon terug te pakken. De vrouw was bang voor haar, besefte Beth. 'Snel!'

Er klonken naderende voetstappen in de gang.

Beth draaide zich om en stond tegenover twee mannen. 'Staan blijven!' beval ze. Ze spreidde haar voeten in een karatehouding met gebogen knieën, klaar voor de aanval of de verdediging. 'Blijf met je poten van me af. Dit is een zaak voor de politie!'

Toen ze het alarmnummer draaide, zag ze de uitdrukking op de gezichten van de mannen veranderen. Kennelijk hadden ze in haar iets herkend dat hen bezorgd maakte. Dat hen bang maakte. Ze had nog nooit iemand lijfelijk geïntimideerd, maar nu deed ze dat dus. Met een akelig gevoel merkte ze dat haar hart opgewonden bonsde in haar ribbenkast.

7

Als je als jurist in Washington een moord wilde rapporteren, kon je snelle service verwachten. Als doorsneeburger kreeg je waarschijnlijk ook de nodige aandacht, maar de mantel van de Wet – en de naam van een beroemde firma als Edwards & Bonnett – hield een soort garantie in. Dus kwam vijf minuten na Beths gesprek met een telefoniste van het alarmnummer een blauw-witte patrouillewagen met gierende remmen tot stilstand, vlak voor wat minder dan twaalf uur geleden nog Meteor Express had geheten.

Nog voordat de zwaailichten gedoofd waren, arriveerden er nog twee patrouillewagens. Beth vertelde de agenten alles wat er gebeurd was. Ze luisterden geduldig en stelden enkele vragen, maar daarna liep alles scheef.

Cass Joneson beweerde dat zij de deur eigenhandig had geopend, nog voor zonsopgang. Ze had niets aangetroffen, alleen een verlaten gebouw. Haar medewerkers waren geschokt dat iemand beweerde dat er een bloedend lijk voor hen was achtergelaten. Er was uiteraard nergens een dode aanwezig geweest.

Beth wist niet eens zeker of het slachtoffer wel echt Joeri geheten had. Om haar een plezier te doen, belde een van de agenten uit Arlington naar het hoofdbureau. Het antwoord kwam als een onplezierige schok: er was de afgelopen vierentwintig uur in het hele land geen Joeri X met een schotwond in de borst gevonden, dood noch levend. Hij informeerde naar andere mannen met vergelijkbare wonden. Weer niets.

Onvervaard haalde Beth hen over om zowel Meteor Express als Renae Trucking aan een antecedentenonderzoek te onderwerpen. Beide bedrijven bleken geheel legitiem te zijn, met alle benodigde vergunningen. Een van de agenten belde naar Meteor, maar degene die de telefoon aannam ontkende ooit op dat adres in Arlington gehuisd te hebben. De dame vergiste zich.

Daarmee had ze al haar kruit verschoten. De politie verliet het pand. Twee agenten schudden vol afkeer hun hoofd.

De laatste, een wat oudere politieman, nam Beth even apart. 'Het spijt me, mevrouw.' Hij probeerde neutraal te blijven. 'U weet zelf hoe het zit met bewijzen. Zolang u de enige getuige bent, hebben we een lijk nodig om het onderzoek voort te zetten.' Met samengeknepen ogen keek hij haar even strak aan voordat hij haar van top tot teen opnam. Zijn stilzwijgende blik bracht haar in herinnering hoe verfomfaaid ze erbij liep. 'Gaat het wel?'

'Prima. Echt waar.'

'U moet dit niet verkeerd opvatten, mevrouw, maar valse aangifte doen is een misdrijf. En u hebt mevrouw Joneson en haar mensen de stuipen op het lijf gejaagd. Ze voelden zich bijzonder bedreigd. Ze hebben toegezegd voorlopig geen aanklacht te zullen indienen. Ik voor mij ben ervan overtuigd dat u naar eer en geweten gehandeld hebt, en dat uw gedrag gerechtvaardigd was. We zullen de hele toestand dus maar als een misverstand beschouwen. Maar, en ik bedoel dit niet onbeleefd, misschien moet u toch even naar een dokter. Of een psycholoog.'

Haar bloed voelde ijskoud aan. Haar tong was dik van onbegrip. Ze verzamelde al haar krachten om moeizaam te kunnen glimlachen en hem te kunnen antwoorden zonder driftig te worden. 'Dank u wel, brigadier. En op uw beurt kunt u er dan misschien aan denken dat er ergens een lijk moet zijn van iemand die is doodgeschoten. Hij had een wit overhemd aan, en een donkere broek. Hij was kalend, met aan één kant van zijn hoofd een massa grijs haar dat hij over zijn schedel heen gekamd had. Misschien heette hij Joeri. Blijf naar hem uitkijken. Ik weet wat ik gezien heb.'

Tot het uiterste getergd schoof ze langs hem heen. Met grote passen liep ze naar buiten, naar haar auto. Ze rukte het portier open, ging razend achter het stuur zitten en... herinnerde zich Michelle Philmalee. Ze keek op haar horloge. Kwart over tien.

Angst benam haar de adem. Ze was te laat voor de bespreking met Michelle.

Beth racete plankgas door Arlington de brug op die naar het centrum leidde. Haar hart bonsde. Haar longen voelden aan als een knoop. Weer keek ze op haar horloge. Intussen was ze een halfuur te laat, en tegen de tijd dat ze het hoofdkantoor van de firma bereikte, niet ver van het Witte Huis, zou ze nog later zijn. Als ze ook nog naar huis ging om de aktetas op te halen met de papieren over de Russische eigenaren van HanTech Industries, maakte ze geen schijn van kans meer om Michelle terug te winnen. Het was namelijk uitgesloten dat Michelle nog veel langer op kantoor zou blijven wachten. Gezien Phils invloed was Michelle waarschijnlijk zelfs al weg.

Ze greep het stuur en wenste dat ze een mobiele telefoon had, zodat ze kon bellen dat ze eraan kwam. Met haar voet zwaar op het gaspedaal stuurde ze de Mercedes de brug over, het centrum in. Het laatste waaraan ze momenteel behoefte had, was een bekeuring wegens snelheidsovertreding. Maar ze reed zo hard mogelijk door. Ze moest zo snel mogelijk naar de bespreking.

Ze haalde de ene na de andere auto in, onderweg in haar achteruitkijkspiegel spiedend naar verkeerspolitie. Ze scheurde over de straten van Washington, continu op de uitkijk naar patrouillewagens, voetgangers op oversteekplaatsen en gaten in het verkeer. Nogmaals keek ze op haar horloge, en ze kreeg een naar gevoel in haar maag. Negen voor elf.

Hoe was het mogelijk dat ze zo afgeleid was dat ze de tijd vergeten had? Ze rukte aan het stuur en vloekte. Ze reed roekeloos, wat niets voor haar was, maar ze wist niets anders te verzinnen. En ze reed goed, met een vaardigheid die haarzelf verbaasde. Ze dook tussen auto's door, schoot met grote precisie van de ene naar de andere baan, trapte het gaspedaal in zodra er een verkeerslicht op groen sprong en was keer op keer als eerste weg bij een kruispunt. Toen ze bij het bewakershokje aan de ingang van de garage onder het kantoor kwam, rukte ze een ticket uit de automaat en reed brullend naar een plek dicht bij de lift. Het was geen officiële parkeerplek, maar dat maakte haar niet uit. Ze haalde het sleuteltje uit het contact, sprong de auto uit en wachtte vol ongeduld tot de lift haar vijftien verdiepingen omhoog had gebracht. Haar handen hingen stijf gebald langs haar lichaam.

Ze probeerde diep adem te halen. Met uiterste krachtsinspanning probeerde ze haar gedachten op een rijtje te zetten. Maar wat kon ze in godsnaam als excuus aanvoeren... hoe kon ze Michelle overhalen om haar nog een kans te geven... hoe kon ze die zelfgenoegzame grijns op het gezicht van Phil Stageman verdragen... hoe kon ze haar droom opgeven om vennoot te worden van Edwards & Bonnett...

De glanzende messing liftdeuren begonnen open te gaan, en ze zette zich schrap om naar buiten te springen en naar de vergaderzaal te rennen.

'Beth?' Daar stond Phil. Zijn knappe kin met het kuiltje zakte even omlaag van verbazing. 'Nou, daar ben je dan. Eindelijk.'

Met hun drieën stonden ze samen te praten in de foyer van het fraaie advocatenkantoor, een tot een foto verstild trio onder een enorme, messing kroonluchter. Phil stond tegenover Beth. Hij zag er tot in de puntjes verzorgd uit, echt een jonge jurist te Washington. Michelle stond half van haar afgewend. Vandaag had ze een sober zwart pakje van Yves St. Laurent aan, even geschikt voor een belangrijke zakenbespreking als voor een begrafenis. Zach Housley voerde een serieus gesprek met haar. Hij had zoals gebruikelijk een pak met uitpuilende zakken aan – zijn geheel eigen handelsmerk, het teken dat hij niet alleen op kantoor maar in heel Washington een machtig man was. Onder juristen konden alleen de allerbesten het zich veroorloven om erbij te lopen als een schooier. Zodra Phil Beths naam had gezegd, draaiden Zach en Michelle zich om.

'Sorry.' Beth stapte de lift uit.

'Wat is er gebeurd?' Zach Housley hield zijn kogelvormige hoofd even schuin. Zijn bevelende blik streek over haar kleren voordat hij haar met samengeknepen ogen aankeek. 'Je bent aan het verkeerde adres, Beth. De kanoclub is een eind verderop.' Hij was boos. Ze was niet alleen een uur te laat voor een bespreking met een belangrijke klant, maar ze had onacceptabele sportkleren aan, die bovendien ook nog eens smerig en gekreukt waren. Maar hij zou natuurlijk nooit een jurist van de firma afkatten in bijzijn van een klant – niet vanwege loyaliteit met de jurist, maar omdat dat geen goede indruk zou maken. In plaats daarvan had hij een grapje gemaakt. Ze snapte zijn bedoeling.

Beth probeerde te glimlachen. 'Dat is een lang verhaal. Amusant. Ik weet zeker dat jullie het zullen begrijpen als ik het uitleg. Maar eerst moet ik...'

Phil onderbrak haar bot: 'Michelle, we moeten ervandoor. Je hebt die afspraak met...'

Michelle wuifde met haar hand om iedereen het zwijgen op te leggen. 'Het maakt mij niet uit hoe ze eruitziet. Het maakt mij niet uit dat ze schandalig laat is. Ik wil weten of ze de info over Han-Tech heeft.' De scherpe blik achter de ronde brillenglazen concentreerde zich op Beth. 'Heb je wat je beloofd had?'

Beths schouders zakten omlaag. Als haar leven de afgelopen nacht normaal verlopen was, had ze de lijst met namen bestudeerd en zou ze rustig gepland hebben hoe ze die voor Michelle zou presenteren en gebruiken. Dan was ze vanochtend uren geleden al goed voorbereid op kantoor gekomen om nog wat werk te verzetten voor de bespreking. In plaats daarvan had ze een dode man aangetroffen, in een onbekende motelkamer geslapen zonder ingeschreven te zijn en had ze vervolgens vanochtend ontdekt dat niet alleen het lijk verdwenen was, maar ook het hele bedrijf dat het gebouw had gehuurd.

Zouden Michelle, Zach en Phil ook maar een woord geloven? De politie van Arlington had haar in ieder geval niet geloofd. Dat betekende dat ze niets anders kon doen dan verder ploeteren en hopen dat Michelle haar gunstig gezind zou zijn vanwege het voorbeeldige werk in het verleden. 'Ik zei al, het is een lang verhaal. Momenteel is er maar één ding belangrijk: en dat is dat ik de bewijzen heb.'

De hoeken van Michelles smalle lippen krulden omhoog in een glimlach. 'Mooi zo. Waar?'

'In mijn aktetas.'

'Niet hier?' Ze staarde veelbetekenend naar Beths schoudertas, het enige dat ze bij zich had.

'Helaas niet, nee. Ik moest meteen hierheen, anders had ik jou niet meer getroffen. Ik had geen tijd om nog naar huis te gaan. En daar heb ik gisteravond mijn aktetas laten staan.'

'Gisteravond?' vroeg Michelle met stemverheffing. 'Je hebt mijn lijst mee naar huis genomen, een lijst die mij honderden miljoenen dollars kan opleveren of kosten, en dan blijf je ergens anders slapen? Begrijp ik goed dat je mijn lijst vergéten hebt?'

'Vergeten niet, nee. Als ik je vertel wat er gebeurd is...'

Michelle schudde haar hoofd. 'Natuurlijk ben je hem niet vergeten. Daarvoor ken ik je te goed. Jij regelt altijd alles. Je wint ieder geschil, iedere zaak, wat er ook gebeurt. Jij maakt geen stomme fouten, jij vergeet geen bewijsmateriaal.' Ze kneep haar ogen samen en zei op beschuldigende toon: 'Jij zit de zaak te traineren. Jij hebt die lijst helemaal niet. Waarschijnlijk is er niet eens een lijst. Phil heeft gelijk. Dit is gewoon weer zo'n truc van jou om tijd te rekken totdat je iets verzonnen hebt, wat dan ook, om mij te overtuigen dat ik bij hem weg moet.'

Beth onderdrukte haar woede. 'Dat is niet waar. Denk nou eens even aan alles wat ik voor jou gedaan heb, Michelle. Je weet dat ik altijd fair speel. Dit ben je me verschuldigd. Ik ga nu meteen naar huis...'

Maar Michelles stem klonk scherp als een valbijl. 'Nee.' In zaken moest je weten wanneer je je moest terugtrekken. 'Phil, lieverd, je had gelijk. Ik ben inderdaad al schandalig laat. Laten we maar op pad gaan.' Ze knikte even met een ernstig gezicht naar Zach. 'Tot ziens, Zach. En ik wil je verzekeren, zolang Phil bereid is om nauw met mij samen te werken, voorzie ik een lange en lucratieve relatie met Edwards & Bonnett.'

Dat was het dan: nu maakte Beth geen enkele kans meer op een positie als vennoot. Phil lag nu op kop.

'Michelle...' begon Beth.

'Je hoeft het niet eens te proberen.' Michelle hief haar kin en stapte de lift in, met Phil in haar kielzog. Ze draaiden zich naar elkaar toe en begonnen met de hoofden dicht bijeen ernstig te overleggen. Toen de deuren dichtzoefden, lag er op Phils knappe gezicht een blik van volslagen triomf.

Langzaam draaide Beth zich om naar Zach. 'Dit ziet er niet best uit, ik weet het.'

Hij keek naar de receptioniste, die haar best deed om druk te lijken. Verder waren ze alleen in de foyer, die was ingericht met dure sofa's en stoelen, negentiende-eeuwse landschappen en antieke tafeltjes. Smaakvol en duur. Een toonzaal, maar dat was wat de firma verwachtte en eiste. Tenslotte hadden ze een internationale positie te handhaven. Voor het eerst zag Beth hoe die fraaie inrichting een oppervlakkige houding maskeerde.

Hij dempte zijn stem. 'Het ziet er inderdaad niet best uit. Helemaal niet. Rázend ben ik. Dit was een supereenvoudige situatie. Het enige dat jij hoefde te doen, is die gegevens ophoesten. Volgens mij heb je gelijk – Phil kon weleens in een politieke situatie beland zijn die ons Michelles zaak kan kosten. Die smoes van 'staatsveiligheid' is oud, maar hij werkt nog prima. En nu hebben we dus geen andere manier om te winnen. Dankzij jouw slordigheid. Je had de hele firma kunnen redden, en in plaats daarvan maak je er een janboel van.' Zijn blik was zwart van de woede, maar zijn toon was volledig beheerst, alsof hij een moeilijk pleidooi aan het houden was. 'Ik weet wat je met je ziekte hebt doorgemaakt, dus ik wil niet al te snel tot een beslissing komen. Ik ga mijn kantoor in, ik doe de deur dicht en ik ga over jouw toekomst nadenken. En na verloop van tijd zal ik natuurlijk de overige vennoten raadplegen.' Hij vergunde zich een frons. Ze had de zaak een bijzonder slechte dienst bewezen. 'Jij houdt je niet bezig met andere Edwards & Bonnett-zaken, tot ik contact met je opneem. Dat is een order.'

Zijn boodschap was helder: hij zou haar niet ontslaan, maar niet omdat hij slim of grootmoedig was. Zoals ze al had gedacht, zou hij haar een lagere functie geven en haar tot een voorwerp van medelijden maken, terwijl hij het in juridische kringen deed voorkomen alsof hij een arme, verwarde voormalige ster aanhield.

Ze deed geen enkele poging het staal in haar stem te verhullen. 'De informatie die we nodig hebben om Michelles onderhandelingen te redden, ligt bij mij thuis. Zoals ik daarnet zei. En desondanks ben jij bereid om mijn carrière naar de maan te helpen. Na alle onmogelijke onderhandelingen die ik met succes voor deze firma heb gevoerd, na alle breekbare overeenkomsten die ik heb gered, de klanten die ik heb aangetrokken, de nachten dat ik heb doorgewerkt, de gemiste vakanties... na dat alles dreig je me mijn werk te ontnemen omdat ik één fout gemaakt heb.'

Zach Housley wierp zijn hoofd in de nek en keek vanuit de hoogte op haar neer. Associés waren niet direct het schuim op de totempaal van de firmahiërarchie, maar al te ver daarboven stonden ze nu ook weer niet. Zijn stem klonk even bikkelhard als de hare: 'Als ik zeg dat de firma uw diensten niet langer nodig heeft, mevrouw Convey, dan heeft de beveiliging u binnen vijf seconden naar de deur geëscorteerd. Ik zie u morgen. Dan zal ik u laten weten of u een toekomst hebt bij Edwards & Bonnett.'

Terwijl hij haar boos stond aan te staren, werd duidelijk dat hij tenminste één ding begrepen had: haar prioriteiten lagen nu anders. Vanochtend had ze liever willen uitzoeken wat haar bizarre ervaringen inhielden en was ze dus niet naar de bespreking met Michelle gegaan. Het begon haar zelfs als vrij zinloos voor te komen dat ze zo graag vennoot had willen worden. Wilde ze nou echt deel uitmaken van een firma onder leiding van een hufter als Zach Housley?

Binnen in Beth knapte er iets. Ze had er schoon genoeg van. Haar stem klonk snijdend en ijzig als de poolwind. 'Je geeft me niet echt veel reden om daar nog waarde aan te hechten.' Laatdunkend krulde haar mondhoek omlaag. 'Wat ruik ik daar toch voor iets smerigs? Ach, nu weet ik het: bedorven principes. Oppervlakkigheid heeft een prijs. Je zou je riool eens wat vaker moeten uitbaggeren.'

Zijn wenkbrauwen schoten omhoog. 'Je bent ontslagen.'

Ze probeerde niet langer de woede van haar gezicht en uit haar stem te weren, en geschrokken deed de legendarische Zach Housley een stap achteruit. 'Dat had je gedroomd. Ik heb vijf minuten geleden zelf ontslag genomen, toen je me niet wilde steunen. Als je dat gedaan had, was ik allang op weg naar huis geweest. Dan had je over een uur de munitie gehad waarmee je Michelles zaak kunt redden. Wie zit hier de zaken nou te verpesten? Kijk maar eens goed in de spiegel, Zach. Je bent niet alleen een opgeblazen, hypocriete zak. Je bent incompetent.'

Zijn bolle gezicht stond verbijsterd. 'Ik...' Hij was sprakeloos.

Ze draaide zich abrupt om en liep met grote passen terug naar de lift. Haar voetstappen waren geruisloos op de dikke vloerbedekking en haar spieren spanden en ontspanden zich soepel.

Achter zich hoorde ze een boos keelgeluid en daarna de klap van de dichtslaande deur naar Zachs kantoorsuite. Zach was er nooit echt aan gewend dat hij vrouwen en minderheden had moeten toelaten. Zij had gedacht dat hij zijn vooroordelen naast zich had neergelegd, al was het alleen maar om praktische redenen. In de zwaar concurrerende juridische omgeving van Washington was er meestal maar één ding dat telde: resultaat. Als je genoeg zaken won, was je een winnaar. Verloor je, dan was je een verliezer. Of je nu een rok of een broek droeg, of je huid nu blank of zwart was, of je nu protestant of katholiek was, of animist. Uiteindelijk deden alleen je resultaten ertoe.

Zij was altijd een winnaar geweest. Nu probeerde Zach een verliezer van haar te maken vanwege een andere factor in juridische kringen: hij had de macht om zich naar believen te misdragen. Hij kón haar wat.

'Beth?'

Het was de zachte stem van de receptioniste, Joleen. Een vrouw met vaal rood haar, een behoedzame blik en een felroze gestifte mond. Ze leunde voorover over haar bomvolle bureau. Een hand lag naast de stapel kranten van die dag – elke jurist kreeg dagelijks een gratis exemplaar van *The Washington Post* van de zaak. Met de andere hand wenkte ze Beth.

Toen Beth dichterbij kwam, fluisterde Joleen: 'Heb je ontslag genomen? Goed, zeg! Maar ik zal je wel missen...'

Terwijl Joleen verder praatte, zag Beth een foto op de voorpagina van de *Post*. Ze greep de krant. Op de foto stond een man met een glas in zijn hand op een receptie of een feest. Hij had ingevallen wangen en grijs haar over zijn kalende schedel gekamd. Haar hart begon te bonzen van de opwinding. Ze wist het zeker: dit was de dode man van gisteravond. Snel las ze de kop en het onderschrift. Daar was te lezen dat zijn lijk was gevonden in het centrum van Washington – kilometers van Arlington, waar zij het had gevonden. Hij heette Anatoli Joerimengri. Die naam zette haar aan het denken: *Joeri*mengri.

Volgens het artikel was de politie van Washington bezig met een onderzoek naar zijn moord. Hij was tijdens een beroving neergeschoten. Het was een Russische overloper die in het Rusland van na de koude oorlog en in Amerika rijk was geworden met de handel in machineonderdelen. Het was een uitstekende, gedetailleerde analyse. Ze noteerde de naam van de journalist: Jeffrey Hammond. Ze hief haar blik op naar de receptioniste, die haar zwijgend aankeek. Ze schonk haar een verstrooide maar vriendelijke glimlach. 'Bedankt, Joleen, maar ik moet weg.' Met de krant onder haar arm liep ze weg. Toen ze tegen Zach had gezegd dat ze ontslag nam, had ze geen idee gehad wat ze moest gaan doen. Maar nu wel.

'Beth!' riep Joleen haar achterna. 'Ben je thuis, als meneer Housley wil praten?'

'Ik ga iemand aan de tand voelen over een dode Rus. Zeg maar tegen Zach dat hij een bericht kan inspreken. Iedereen weet dat hij dol is op zijn eigen stem.'

8

Langs de asfaltweg vol gaten die vanuit Stone Point in West Virginia naar het oosten kronkelde, waren hier en daar schemerige greppels en grijze, verweerde schuren met reclame voor pruimtabak te zien. Slechts een paar kilometer buiten het plaatsje steeg de weg langs een bos vol loofrijke beuken en oude esdoorns die zo dicht opeen stonden dat ze als een zeef tussen de zon en de aarde werkten. Uiteindelijk liep de weg dood bij een breed, metalen hek met een groot slot, dat aan de bovenzijde was voorzien van prikkeldraad. Er viel niemand te bekennen en er was geen teken van wat zich achter dat hek kon bevinden. Maar wie de juiste instelling had, zag algauw de verborgen camera's en de sensoren voor visuele en elektronische bewaking.

De plaatselijke bevolking wist dat het de afgelopen drie jaar bijzonder druk was geweest in dit afgelegen stuk van de Appalachen. Liefhebbers van de jacht waren af- en aangereisd, vaak met hele groepen tegelijk. Het heette hier de Bates Jachtclub.

De bergbewoners dachten dat de eigenaar van de ruim tweehonderd hectare bosgrond kolonel Caleb Bates – minstens miljonair moest zijn. Hij had zijn hele terrein omheind met een metalen hek met harmonicagaas, hoewel iedereen altijd vond dat het dichte loof meer dan voldoende privacy bood. Maar nog vreemder waren zijn uitgaven. In de twee concurrerende cafés van Stone Point werd door de dorpelingen geroddeld over de mogelijke bedragen die Bates kon hebben uitgegeven voor het landmeten, het ingraven van palen en het plaatsen van de omheining. Maar niemand vroeg ernaar. In dit deel van het land, waar men amper kon rondkomen van supermarktaanbiedingen en soms wat overheidssteun, was onthouding van inmenging in andermans zaken evenzeer ingeworteld als armoede.

Caleb Bates wist dat er gepraat werd. Over hem, over zijn terrein, en over die zwijgzame mensen die hij in zijn privévliegtuigen liet overkomen en weer terugbracht. Maar hij wist, met de zekerheid van iemand die niets aan het toeval overlaat, dat niemand iets zou vragen, dat niemand hem zou lastigvallen, dat niemand de privacy van zijn club zou verstoren en dat hij zolang hij de berg niet in brand stak of naakt door de hoofdstraat van Stone Point ging rennen, kon doorgaan met zijn belangrijke werk. Dat was de reden waarom hij deze landelijke buitenpost in West Virginia had gekozen.

Toen Bates die woensdag terugkwam uit Washington, merkte hij dat zijn mensen ten prooi waren aan een nerveuze energie. Ze hadden een flonkering in hun ogen. Hun tred was energiek. Voor zijn vertrek had hij aangekondigd dat de eerste grote operatie waarvoor ze hadden geoefend, waar ze al die tijd naar toe geleefd hadden, over drie dagen zou plaatsvinden. Zaterdag dus, en iedereen was opgewonden en klaar voor actie.

Ook Bates was vervuld van een zekere opwinding toen hij met zijn mensen praatte, hen adviseerde en tot spoed maande. Met de koele, klinische afstandelijkheid van een lange ervaring met dergelijke operaties, keek hij hoe ze de oefenscenario's doornamen die hij had opgezet op de open plaats midden op het grote terrein. Die plek had hij Little USA genoemd. Er waren enkele bomen gekapt en hij had een dorp met zestien gebouwen laten neerzetten. Er waren riolen, zodat de overvallers konden oefenen met het binnensluipen in een stad, en hoog boven het geheel waren camouflagenetten gespannen die het zonlicht doorlieten, terwijl Little USA er vanuit de lucht niet anders uitzag dan de rest van het bos in West Virginia. De laatste oefening was bestemd voor zijn zestien beste mensen. Op zijn commando gebruikten zij alleen handsignalen, geen radiocommunicatie. Dat vergrootte hun capaciteit voor overrompeling. Behoedzaam begonnen ze aan de infiltratie. Continu op de uitkijk naar mogelijke sluipmoordenaars veroverden ze het stadhuis en het postkantoor op de verdediging.

Maar plotseling ontplofte er in het postkantoor een boobytrap die een speciale rode kleurstof verspreidde. Een van de overvallers vloekte. Bespat met rood was hij nu 'dood'. Hij liet zich op zijn hurken zakken en sloeg met zijn vuist op de cementen vloer, vol afkeer dat hij zo roekeloos was geweest dat hij zich had laten 'doden' en nu dus voor de rest van de dag uitgeschakeld was.

Onder nauwkeurige observatie van Bates ging de traning verder met uitbarstingen van echt geweer- en machinegeweervuur. Zo bleef iedereen alert. Halverwege vond er een poging plaats om de overvallers in een hinderlaag te lokken. Uiteindelijk zagen de vijftien resterende overvallers kans om de meeste dorpsbewoners te 'doden'. Onder de rode verf bleven ze tussen de namaakgebouwen zitten of liggen. Aangezien ze geacht werden dood te zijn, mochten ze niet praten, roken of slapen. Bates had gemerkt dat die herinnering aan hun falen prima werkte.

In een laatste, triomfantelijke manoeuvre verzamelden de zegevierende guerrillastrijders de overlevenden en sloten hen op in het gasbetonnen blok dat een van de nepcafés was.

Maar toen de sergeant aan het hoofd van de invalpatrouille naar voren stapte om zijn overwinning aan te kondigen, zag Caleb Bates achter hem en de anderen een magere gestalte naar een hoog gelegen venster sluipen. Het raam zat zo hoog in de muur dat niemand het ooit had gebruikt als vluchtroute.

Verbaasd zag Bates de jongeman soepel op zijn voeten landen en dekking zoeken bij de muur van het gebouw. Bates fronste zijn wenkbrauwen, maar gaf geen teken dat hij de jongen had gezien. Intussen was in de ogen van overwinnaars en verliezers de strijd gestreden, en begonnen de 'doden' en 'krijgsgevangenen' Bates' kant uit te komen, samen met het triomfantelijke winnende team. De sergeant aan het hoofd van de agressor salueerde. 'Little USA ingenomen, commandant!' Sergeant Aaron Austin, midden dertig, met gemillimeterd haar en bloemkooloren, had de smalle taille, de brede schouders en de gespierde dijen van een man die wist dat spieren en spierkracht ertoe deden. Net als alle anderen was hij gekleed in camouflagekleuren.

'Mooi. Goed gedaan, sergeant.' Bates beantwoordde het saluut. 'Zijn we zover, denkt u?'

'Volgens mij wel, commandant,' knikte Austin.

Bates keek naar de anderen.

'Op de plaats rust, patriotten.'

Zo te zien moest hij een jaar of zestig zijn. Met zijn forse uiterlijk leek hij op generaal Patton. Zijn metaalgrijze haar onder de zwarte baret, zijn lage, hese stem en zijn bruuske manier van doen maakten duidelijk dat hij wist wat hij waard was, wat hij wilde en hoe hij zijn doel moest bereiken. Hij wist dat zijn troepen daar behoefte aan hadden. Dat ze dat nodig hadden.

Vijftig manschappen waren bij de training betrokken geweest. Ze stonden hem nu strak aan te kijken. Zijn schorre stem klonk afgemeten en was tot op de achterste rij te verstaan. 'Deze oefening is een volmaakt voorbeeld van een stadsguerrilla zoals we die besproken hebben. Precisie en coördinatie. Zodra je binnen bent, moet je overgaan op acties met kleine groepen onder leiding van een sergeant. Iedere patrouille werkt als een guerrillagroep...'

Tijdens het spreken hield hij de katachtige jongeman die uit het raam was gesprongen steels in de gaten. Hij had hem intussen herkend, het was Martin Coulson. Coulson, gewapend met een automatisch pistool, liep snel om de groep heen. Hij was een jaar of twintig en had nog wat pukkels op zijn magere gezicht. Hij had smalle heupen en spieren als staalkabels. Temidden van de verdedigers werden een paar hoofden omgedraaid, maar de aanvallers voor in de menigte waren nog vol van hun overwinning en hadden Coulson niet opgemerkt.

Net toen Bates het programma voor de komende twee dagen uiteen begon te zetten, dook Marty Coulson op. Hij hief zijn geweer en schoot de invallers met grote precisie vol verfkogels.

Verbaasd begonnen de overwinnaars te vloeken en razend te protesteren, terwijl onder de verliezers gejuich en gelach opging. Twee invallers probeerden Marty te overmeesteren, maar het was al te laat. Alle overwinnaars vertoonden de rode vlekken die dood of verwonding betekenden.

'Dat is niet eerlijk!' klaagde een van hen op luide toon.

'Je kunt verdomme niet meer aanvallen, Coulson,' vloekte sergeant Austin. 'De operatie is voorbij!'

'Kolonel Bates,' hijgde Marty ernstig. 'U zegt altijd dat het om initiatief gaat. Ze hebben me niet gezien. Ik hield me dood en ze zijn me glad voorbijgelopen. Dat betekent toch zeker dat voor mij de aanval nog gaande was? Ik bedoel, tijdens een oorlog is er geen pauze.'

Iedereen in de militiegroep nam aan dat Bates een Amerikaanse legerkolonel in ruste was. Al te ver bezijden de waarheid was dat niet. Als zijn volgelingen echte soldaten waren geweest, had hij Coulsons initiatief toegejuicht. De knaap had gelijk en dat gelijk was soms een harde les, zoals hij maar al te goed wist uit bittere ervaringen een heel eind van West Virginia verwijderd. Maar wat hem zorgen baarde, was dat hij toch al had gedacht dat de jongen te slim was voor zijn eigen veiligheid. Door die slimheid kon hij Bates' plannen in gevaar brengen. Maar dat kon hij de Hoeders niet laten merken.

Bates knikte dus. 'Inderdaad, Coulson heeft gelijk. Hij heeft het goed gedaan. Laat dit een les voor ons allen zijn.' Plechtig liet hij zijn blik over de manschappen glijden, waarbij hij hen stuk voor stuk aan zich bond met zijn persoonlijke magnetisme. Ze bogen zich naar hem over, begerig om het geringste woord van hem op te vangen. 'In een oorlog zijn de dingen nooit echt áf. De "dode" soldaat die bloedend op de grond ligt kan nog net genoeg leven in zich hebben om een kogel tussen je ogen te plaatsen. Dat dure horloge dat je naast het pad vindt, is waarschijnlijk een boobytrap. Soldaat Coulson heeft ons zojuist weer duidelijk gemaakt wat de basiswaarheid van oorlog is: we zijn allemaal, continu kwetsbaar. Je zwakste moment kan zijn wanneer je net denkt dat je gewonnen hebt.'

Toen Bates hen vier jaar geleden gevonden had, was het een stuurloze, ongedisciplineerde bende twistzieke dissidenten en regeringshaters geweest, gewelddadig vanuit woede jegens een wereld die hun niet had willen geven wat ze naar eigen mening verdienden. Van tijd tot tijd pleegden ze daden van agressie, maar zonder plan of richting. Ze hadden echter één essentiële beweegreden: een eeuwenoud nationalisme dat tot op het merg ging. Daarom had hij zich bij hen aangesloten, had hij hen deelgenoot gemaakt van zijn militaire kennis en had hij, zodra ze hem tot leider kozen, dit geheime trainingskamp opgericht.

Hij had hen voorzien van de allerbeste uitrusting en had hen opgeleid tot een klein, maar krachtig leger. En daarbij had hij iedereen uitgewied die te zwak, te timide, te slim of te hoog opgeleid was, en alle leden verwijderd die onvoldoende toewijding toonden, te eenzelvig waren of die zeurden. Degenen die overbleven waren keiharde fanatiekelingen met een monomane obsessie voor alles wat ze hadden 'verloren' sinds de dagen van 'ware patriotten' als de Minutemen die in 1776 de Revolutie gered hadden. Waar de stommelingen niet bij stilstonden, was het feit dat de zo geroemde Revolutie in werkelijkheid was gered door het reguliere leger van generaal George Washington, de kortstondige dominantie van de Franse vloot van admiraal De Grasse en Engelands bezorgdheid over de veel problematischer politieke toestand in Europa.

Hij had hen Hoeders van de Waarheid gedoopt, en ze kwamen op zijn leiding af als insecten op een hypnotiserende vlam. Hij had zijn kans waargenomen en hen opgetrommeld, een heroïsch plan uiteengezet en hun een aantal opfriscursussen gegeven in wapentraining, vechtsporten en loyaliteit aan de Zaak. Nu waren ze klaar, en hij ook.

Een golf van optimisme stroomde door hem heen. Hij was een product van zijn verleden, en dit was zijn belangrijkste oorlog.

'Nog één ding,' zei hij op grimmige toon. 'Eén enkel lek betekent het einde; niet alleen van de missie, maar ook van de Hoeders. D-day is al over twee dagen, dus niemand verlaat meer de jachtclub. Vragen?'

Er waren geen vragen. De Hoeders liepen met plechtige en vastberaden gezichten weg, hun stappen energiek en doelbewust. Ze hadden hier heel lang op gewacht. Dit was hun kans om hun land te redden en er de posities in te nemen die hun toekwamen.

De blokhut van Caleb Bates, waar hij woonde en werkte als hij zich in het geheime trainingscentrum bevond, stond op een terpje in het bos, een halve kilometer ten westen van Little USA. Vanuit zijn voorraam had hij uitzicht op een twintigtal identieke hutten, in keurige rijen. Twee daarvan waren grote slaapzalen, alleen voor mannen, en een paar andere bevatten slaapvertrekken voor echtparen. De hele opzet was simpel en doelmatig, van de garages voor voertuigen en voorraden tot het kookhuis met de grote eetzaal, tevens vergaderzaal. Bates had de omheining laten aanleggen door externe aannemers, die ook funderingen en wegen hadden aangelegd, muren hadden opgetrokken en septic tanks hadden geplaatst. Maar om het einddoel van zijn kamp geheim te houden, hadden de Hoeders zelf het werk afgemaakt.

Bates stond voor zijn raam en overzag het werk van zijn handen. Hij was tevreden, trots zelfs. Lang geleden had iedereen altijd gezegd dat zijn grootste kracht lag in het motiveren, opleiden en inspireren van rekruten. Misschien had hij een loopbaan in het reguliere leger moeten kiezen. Dan had hij de top kunnen bereiken, had hij de troepen ten strijde kunnen voeren. Maar hij had geen spijt van zijn keuzes. Hij was wat hij was en dat was het beste voor wat hem nu te doen stond, voor zijn grootse visie voor de toekomst van zijn land.

Hij stond nog na te denken over het verloop van zijn leven en hoe dat de richting van de wereld voor de komende tijden zou bepalen, toen hij sergeant Austin gespannen zijn kant uit zag hollen. Hij had de sergeant een opdracht gegeven, en de resultaten waren al af te lezen aan de sombere uitdrukking op Austins gezicht.

Hij stapte de veranda op om Austin op te wachten. Amper hijgend bleef de sergeant voor hem staan. Bates wist dat hij een heel eind hardgelopen moest hebben, wilde hij ook maar een heel klein beetje buiten adem raken.

'Weg?' vroeg Bates.

'Ja, kolonel,' knikte Austin. 'Met een motorfiets, zonder de motor aan te zetten, zodat we hem niet zouden horen. Hij is op weg naar Stone Point.'

Bates liet niets blijken van zijn woede. 'Dan is het dus het vriendinnetje. Maar dat vermoedden we al, nietwaar, sergeant?' De jongen, Coulson, die zo slim was geweest om aan het einde van de guerrilla-oefening uit een raam te kruipen en te ontsnappen, was uiteraard ook creatief genoeg om uit te vinden hoe hij nog een laatste, hete nacht tussen goedkope lakens kon doorbrengen met een meisje van wie Bates voetstoots aannam dat het de dorpsslet was. De sergeant keek verontschuldigend. Hij was een man van actie, maar nu had Bates hem opgedragen niets te doen. 'Waarschijnlijk, kolonel. Ik mocht niet achter hem aan gaan.'

'Je hebt het prima gedaan. De rest doe ik. Ga weer aan uw normale plichten, sergeant.' Hij zag Austin even aarzelen voordat hij rechtsomkeert maakte en op een drafje terugliep naar het centrale kamp.

Bates liep zijn hut in. Hij keek om zich heen om zeker te weten dat hij alleen was, en ging toen naast het raam staan vanwaar hij het kamp in de gaten kon houden en kon zien wie er zijn kant uit kwam.

Hij haalde een mobiele telefoon uit zijn zak. Hij was geen computergenie, maar hij had mensen die dat wel waren. Die had hij opgedragen om voor alle telefoons scramblers te zoeken waarvan de code niet te kraken was. En nu zaten er dus twee siliciumchips in zijn digitale telefoon die de gesprekken zo effectief codeerden, dat er geen overheidsinstelling was die ze kon ontcijferen. Kortgeleden had de nationale veiligheidsinstantie nog toegegeven dat deze chips kans hadden gezien om de coderingscomputers in Amerika uit te schakelen, want het waren Japanse chips die overal, dus ook in de Verenigde Staten, konden worden geïmporteerd. De Amerikaanse regering kon hier niets tegen doen.

'Je bent laat met je rapport,' snauwde hij in de microfoon. Zijn stem klonk anders. Geen spoor meer van de zachte, hese klanken van Caleb Bates. Zijn houding werd minder hoekig en stijf, werd soepeler.

Verontschuldigend antwoordde Ivan Vok in het Russisch: 'Fjodorov belde net, Aleksej. Ik heb hem goed op z'n kop gegeven.'

'Dergelijke vertragingen kunnen we ons niet permitteren, Ivan,' reageerde Aleksej Berianov in het Russisch. Terwijl hij zo met zijn voormalige KGB-kameraad praatte, voelde hij zich op en top zichzelf. Maar hij zag zijn eigen spiegelbeeld in het venster, en daar stond Caleb Bates hem aan te staren. Even duizelde het hem en leek hij rond te zweven, verdoofd, in een soort voorgeborchte, zonder tijd, plaats of identiteit. Boos schudde hij zijn hoofd. Een groot deel van zijn leven had hij doorgebracht in verschillende vermommingen, en dit was niet het moment om zijn twijfels in twijfel te trekken. 'Zeg dat Fjodorov voortaan rechtstreeks aan mij rapporteert. Jij hebt al genoeg te doen in Washington.'

'Oké, Aleksej.' Vok beschreef Nikolaj Fjodorovs rapport over Beth Convey, vanaf haar geboortedatum en haar ouders tot aan haar harttransplantatie en haar baan bij Edwards & Bonnett. Dankzij hun politieke contacten en hun uitgebreide zaken en databases konden Vok en Fjodorov bijna alle informatie opzoeken die Berianov verlangde.

Met stijgend onbehagen luisterde Berianov tot hij zou horen wat hij echt wilde weten. Uiteindelijk onderbrak hij Vok: 'En gisteravond? Ik snap het niet. Hoe kon ze geweten hebben van Joeri?'

Vok zweeg ongemakkelijk. 'Dat weet Fjodorov nog niet. Niemand van ons heeft haar ooit gezien, en niemand kende haar naam. Het lijkt wel of ze zomaar uit de lucht is komen vallen.'

'Een internationaal jurist. Misschien heeft ze gewerkt aan zaken waarbij wij op de een of andere manier betrokken waren. Zoek dat eens uit.'

'Natuurlijk. Geen probleem.'

Berianov zweeg even om na te denken. 'Wanneer had ze die transplantatie gehad, zei Fjodorov?'

'Op de dag af een jaar geleden, Aleksej.'

Berianov kreeg een eigenaardig gevoel in zijn maagstreek. Een gevoel dat hij de afgelopen dertig jaar was gaan respecteren. Dat gevoel vertelde hem dat die datum op de een of andere manier van belang was. Hij moest meer te weten komen. Hij vuurde een aantal instructies voor Nikolaj Fjodorov af.

'Prima. Komt voor elkaar,' zei Vok.

Gerustgesteld veranderde Berianov van onderwerp. 'Nog problemen gehad bij Meteor?'

'Niets.' Vok meldde dat het frontbedrijf Meteor Express volledig opgedoekt was en dat ze de naam van een ander bedrijf hadden aangenomen: E=Phrase, een klein softwarebedrijfje voor zakelijke dienstverlening. Die naam kwam op het bord van hun nieuwe lokatie te staan, in Reston, Virginia, de verzamelplaats voor de nieuwe hightechbedrijven rond Washington. De overgang naar E= Phrase was een succes geweest. Ze hadden nu een nieuw telefoonnummer en er waren geen verdachte telefoontjes meer gekomen.

Ze waren er de afgelopen vier jaar toe overgegaan om de namen van andere bedrijven in de dichtbevolkte en veranderlijke urbanisatiezone van Washington te gebruiken als dekmantel voor hun werkelijke doeleinden. De problemen bij hun niet-bestaande Meteor Express in Arlington waren hoogst ongebruikelijk. Maar ook dat incident was in de vroege ochtenduren verholpen – nadat het lijk van Joerimengri was afgevoerd – doordat ze op die lokatie Renae Trucking hadden ondergebracht. Dat was een legitiem bedrijf in handen van een van hun voormalige KGB-collega's.

Maar Berianov was al begonnen over iets anders dat hem dwars- zat: 'Nu valt er nog één ding te bespreken, Ivan...' Ze praatten ver- der, waarbij Berianov orders uitdeelde terwijl hij plannen maakte om nog iemand te elimineren, ditmaal een Amerikaan die hun ern- stige problemen kon gaan bezorgen.

9

Beth parkeerde haar auto en liep haastig door een chroomglanzend
zonneschijnsel naar een vierkant gebouw met zeven verdiepingen,
de belichaming van de zogeheten moderne architectuur. Hoewel
het gebouw de uitstraling van een betonnen gevangenis had, huis-
de in dit gebouw uit de jaren zeventig de befaamde *Washington
Post*. Hier hoopte Beth iets zinnigs te vinden over Anatoli Joerimengri. Ze wilde de journalist spreken die met zoveel inzicht over
zijn leven had geschreven.
Het artikel had haar geschokt en angst aangejaagd: ze had niet alleen heel dicht bij Joeri's naam gezeten, maar opnieuw was er die
Russische connectie. Misschien hadden anderen hem Joeri genoemd. Het kon een bijnaam zijn. De Russen gebruikten in de regel heel vaak bijnamen en verkleinwoorden.
Met het gevoel dat ze al veel te veel tijd had verloren, liep ze haastig naar de enorme deuren van de krant. Onderweg was ze gestopt
om een trui te kopen ter vervanging van haar smerige jack. Ze hoopte daarmee wat beter voor de dag te komen. Ook was ze bij een
broodjeszaak gestopt om wat te eten en haar medicijnen in te nemen. Ze was geïrriteerd geweest over dat oponthoud, maar anderzijds had ze nu tenminste de tijd gehad om het artikel in *The Washington Post* grondig te lezen.
De receptie van het gebouw was ruim en koel, met hoge plafonds.
Nu ze binnen was, had het gebouw iets indrukwekkends, alsof wat
hier werd afgewikkeld, belangrijke gevolgen kon hebben.
Ze liep naar de beveiligingsman achter de balie. 'Jeffrey Hammond,
graag.'
'Had u een afspraak?' De man had felle, grijze ogen onder zware,
lage wenkbrauwen. In de blauwe blazer en grijze broek van zijn
uniform zat hij strak rechtop, alsof hij nooit iets anders dan dienst
had.
'Nee, maar ik zou hem graag spreken. Zeg maar dat het over kolonel Joerimengri gaat.'

'En uw naam?'
'Beth Convey.'
Terwijl hij het nummer draaide, las ze nogmaals het begin van het artikel:

Een van de minst bewaarde geheimen van de nieuwe eeuw is dat de Verenigde Staten en Rusland elkaar nog steeds bespioneren, hoewel de koude oorlog al meer dan tien jaar geleden ten einde liep.

Gisteravond is een schijnbaar kleine pion uit die vervlogen dagen doodgeschoten in Washington. Deze moord geeft aan hoezeer de spionage tussen beide voormalige aartsvijanden van aard is veranderd en tegelijkertijd gelijk is gebleven.

Zijn naam was Anatoli Joerimengri en hij was overgelopen.

Joerimengri, een voormalige kolonel van de gevreesde sovjetinlichtingendienst KGB, was geboren en getogen in de kale taiga's van het Russische hoge noorden, en een halve eeuw later vond hij de dood op een warme voorjaarsnacht in een met urine bespatte steeg, op nog geen vijf kilometer van het Amerikaanse Capitool.

De buurt rond Orleans Square, waar hij volgens de politie is overleden aan een pistoolschot in de borst, bestaat uit rijtjeshuizen aan lange, smalle straten waar al jarenlang in drugs wordt gehandeld.

Wie geld heeft, koopt daar niets anders dan drugs. Daarom rijden er vaak auto's rond met nummerborden uit andere delen van Amerika.

Joerimengri's dure rode Jaguar had een nummerbord uit Virginia. De auto is een straat verderop aangetroffen, geheel kaalgesloopt.

Hij had armoede en communisme al geruime tijd achter zich gelaten, en hij stierf niet vanwege politieke idealen, maar door wat de politie voorlopig beschouwt als een ordinaire beroving.

Zijn gouden Rolex, zijn creditcards, trouwring met briljant en het geld dat hij op zak had, zijn verdwenen. Zijn weduwe Cheryl, een blonde schoonheid die hij hier ontmoet had, vertelde de politie dat hij die meestal bij zich had.

Hij is als rijk man gestorven, maar toen hij tien jaar geleden in de Verenigde Staten arriveerde had hij geen cent op zak...

'Mevrouw Convey?'
Ze keek naar de beveiligingsman.
'Meneer Hammond komt eraan.'
'Dank u.' In gedachten verdiept ijsbeerde ze door de receptie. Zonder iets te zien staarde ze uit het raam voordat ze weer terugliep om verwachtingsvol naar de lift te staren. De schrijver had met veel details en inzicht geschreven over Joerimengri en over de spionageactiviteiten van zowel de voormalige Sovjet-Unie als het nieuwe Rusland. Ze nam dus aan dat het een of ander stoffig, wetenschappelijk ogend type moest zijn, zo iemand die zijn leven lang tot zijn nek begraven zit in stapels knipsels, duistere rapporten en vlekkerige notaties van interviews. Voor haar geestesoog zag ze een kleine man met een groene journalistenklep op zijn hoofd, vol inktvlekken, en met ongestreken hemdsmouwen opgerold tot boven zijn magere ellebogen en een broek waar permanent de knieën in stonden door de lange jaren achter zijn bureau.
Ze kreeg kippenvel van wat die journalist, Hammond, had geschreven. Zij kon onmogelijk iets te maken hebben met Joerimengri of diens gewelddadige verleden. Zwijgend zei ze op beschuldigende toon tegen haar hart: 'Ga me nou niet zeggen dat jij hem of zijn moordenaar gekend hebt!'
Ze las verder:

> In augustus 1991 trachtte een paar communistische haviken de regering van Michaïl Gorbatsjov omver te werpen en de oppositie die rondom Boris Jeltsin aan het groeien was, de kop in te drukken.
> Deze staatsgreep liep uit op een volslagen mislukking en korte tijd later werd de KGB door hervormers ontmanteld. Een groot aantal functionarissen zat nu na een jarenlange baan zonder werk, en raakte op drift in een wereld die niet langer herkenbaar was. Het was het begin van het Nieuwe Rusland van vandaag.
> Bijna alsof hij dit had zien aankomen, was kolonel Joerimengri vlak voor de coup overgelopen. Daarmee voorkwam hij werkeloosheid en misschien zelfs zijn executie.
> Zowel de CIA als de FBI verwelkomden hem met open armen. Zonder dat de wereld dit geweten had, had hij een hoge positie bekleed binnen de Eerste Afdeling van het Tweede Hoofddirectoraat van de KGB, die in Moskou de contraspionage tegen de CIA leidde.

Hij had een groot aantal dingen gehoord en gezien die nuttig waren voor Amerika, en hij werd drie weken lang gehoord door de CIA en de FBI. Daarna kreeg hij het drieweekse standaardpakket voor immigranten: instructies over het functioneren van en in de Verenigde Staten, plus een bescheiden uitkering.

En toen werd hij losgelaten.

Hij wilde niet verdwijnen. Integendeel, hij behield zijn werkelijke naam en identiteit. Binnen een jaar was hij multimiljonair geworden met Wheels SovAm, het bedrijf voor machineonderdelen dat hij na zijn debriefing had gestart.

In zijn drukke, nieuwe bestaan vloog hij af en aan tussen Washington en Moskou, New York en Sint-Petersburg, Des Moines en Bratsk. Hij was een *biznesmen* met stapels dollars op zak en een nieuwe, beeldschone jonge vrouw.

Gisteravond is hij vermoord om zijn Amerikaanse geld, zijn Engelse auto, de Zuid-Afrikaanse briljant in zijn ring en zijn Zwitserse horloge. Niet vanwege zijn communistische ideologie. En daaruit blijkt eens te meer hoezeer niet alleen de spionagewereld, maar de hele wereld is veranderd.

Let bij zijn begrafenis over vier dagen eens op wie er allemaal niét komt. Verwacht niet dat zijn ex-collega's van de spionagedienst zullen komen. Een groot deel van hen is nog steeds onbekend en ondergronds. Opvallend genoeg is dit de grootste groep KGB ers 'in ruste' buiten Moskou.

En verwacht ook niet dat u vele bekenden van hem zult zien, mensen uit vroeger tijden die beweren geen spionageactiviteiten te hebben verricht, omdat ze niets meer willen weten van wat zich afspeelde tijdens die smerige oorlog.

Of misschien blijven sommigen weg om een heel andere, gevaarlijker reden: misschien zijn zij weer de loopgraven van de spionage in gedoken.

Moedertje Rusland is meer dan ooit gesteld op haar inlichtingenmedewerkers. Tot in de meest afgelegen uithoeken van het land is bekend dat Rusland steeds meer verlangt naar de verloren status van supermacht, naarmate ze langer in armoede en wanhoop gedompeld blijft.

En hoewel de KGB zelf niet meer functioneert, gedijen de gewelddadige geheime activiteiten nog steeds in de succesvolle opvolger van de KGB, de Federale Veiligheidsdienst FSB.

Dus terwijl kolonel buiten dienst Joerimengri – een herboren kapitalist en democraat – in vrede rust, hebben wij in het Westen alle reden om ons af te vragen wat er gaande is onder de oppervlakte van de stille wateren waaruit hij was komen opzetten... het neusje van de dodelijke KGB-zalm.

'Mevrouw Convey?'

Ze draaide zich als door een wesp gestoken om en probeerde niet verbaasd te klinken. 'Meneer Hammond?'

'In eigen persoon.'

Hij was de trap af gekomen, niet met de lift, en hij liep naar haar toe met een vage glans van zweet op zijn brede, knappe gezicht. Hij had een paardenstaart en een gouden oorring in zijn rechteroor. Zijn grote gezicht stond ongeduldig. In zijn strakke spijkerbroek en met zijn blauwkatoenen werkhemd had hij niets kleins of verfijnds. Dit was geen mannetje met zwakke, gebogen schouders en handen vol inktvlekken. Alles aan hem was buitenproportioneel groot en indrukwekkend, van zijn aristocratische neus tot zijn grote, vierkante schouders, zijn kolenschoppen van handen en zijn enorme voeten, gestoken in krokodillenleren cowboylaarzen met hoge hakken. Hij straalde een kracht en arrogantie uit die haar de adem leek te benemen.

Maar er was nog iets – een getergde uitdrukking rond zijn ogen. Die blik paste niet bij zijn ongeduldige mond. Ogen en mond bevochten elkaar, alsof de ongeduldige grijns was opgelegd, geforceerd, een façade die hij haar en misschien de hele wereld toonde. Hij verborg iets, hij acteerde, hij verstopte iets. Maar wat? Wat wilde hij verbergen?

Toen ze van de schok bekomen was, staarde ze hem met kille blik aan. Ze herkende de emoties: ze voelde zich tot hem aangetrokken. Bijzonder aangetrokken zelfs. En dat was de allerlaatste complicatie die ze nodig had in haar plotseling al te gecompliceerde leven. Ze kon niet bogen op een goede staat van dienst, waar het de mannen betrof. Neem bijvoorbeeld Phil Stageman, gigolo van de week. En dan die kwestie met haar hart. Ondanks dr. Jacksons geruststellende woorden was ze er niet gerust op. Ze was bang dat seks een te grote inspanning zou blijken voor haar hart. Als ze met dit hart problemen kreeg, maakte ze misschien geen kans meer op een nieuw hart. Hoe dan ook, één ding was zeker: Hammond was niet blij haar te zien. Dat bleek uit de norse begroeting en de no-nonsensetoon waarop hij zei 'Wat kan ik voor u doen?'. Hij voegde er nog net niet 'En snel een beetje' aan toe, maar hij straalde een en al ongeduld uit. Een paar seconden lang bestudeerde hij haar nog steeds kreukelige verschijning, maar toen lette hij ook daar niet meer op. Met gefronste wenkbrauwen keek ze naar hem op. 'Kunnen we ergens praten?'

'Hier.'

'Ik heb iets persoonlijks te bespreken. Iets over Anatoli Joerimengri.'

'Aha.' Hij knikte, en zijn oorring glinsterde in het kunstlicht. 'Ga uw gang.' Hij staarde over haar schouder heen.

Ze voelde haar spanning veranderen in woede. Het was een komen en gaan van mensen in de receptie. Ze herkende niemand, maar hij groette de een na de ander bij naam. Ze onderdrukte haar woede, want ze moest zijn aandacht zien te vangen.

Op gedempte toon zei ze: 'Waarom denkt u dat Joerimengri in die steeg bij Orleans Place is vermoord?'

Dat werkte. Hij kneep zijn ogen samen. 'Omdat de dienstdoende rechercheurs dat zeiden.'

Ze boog zich naar hem toe en zei op vertrouwelijke toon: 'En u gelooft alles wat ze u zeggen? Ik dacht dat u, als journalist, wijzer zou zijn.'

Hij knipperde met zijn ogen. 'Oké, ik luister.' Hij pakte haar arm en escorteerde naar naar de ingang van de receptie. 'Het is mooi weer. We gaan een eindje lopen. Oké?'

'Prima.'

Hij nam grote passen. Hij moest minstens een meter negentig lang zijn, misschien meer. Die laarzen maakten hem nog tien centimeter langer en zeer overheersend. Maar Beth verkeerde in uitstekende conditie en was niet veel kleiner dan hij. Bovendien had hij iets waardoor al haar instincten opriepen tot meedoen en winnen. Dus duwde ze de deur open en liet hem voorgaan.

'Bedankt.' Hij liep door, nonchalant, alsof hij dergelijke galante gebaren van vrouwen gewend was. 'Wie bent u, dame? En waarom zou Joerimengri niet in die steeg vermoord zijn?'

Op het trottoir, onder de wuivende boomkruinen, zette ze haar zonnebril op. Ze hield hem gemakkelijk bij. Om te voorkomen dat zijn aantrekkingskracht haar gedachten verduisterde, keek ze strak voor zich en besloot ze dat het uiteindelijk niet uitmaakte of hij nu wel of niet wist wie ze was. Ze wilde informatie, en dat betekende dat ze zelf ook iets moest loslaten.

'Zoals ik al tegen de receptioniste zei, mijn naam is Beth Convey. Ik ben jurist bij Edwards & Bonnett.' Dat was niet meer het geval, maar dat hoefde hij niet te weten. 'Voordat ik vertel waar Joerimengri werkeijk gestorven is, wil ik graag weten hoe het komt dat u zoveel over hem weet. Uw artikel leest eerder als een verhandeling over de man en zijn tijd. U ziet het grote beeld en zijn aandeel daarin.'

'Joerimengri hoorde bij mijn onderwerp. U leest kennlijk mijn serie niet, "Waar zijn ze gebleven?" Ik ben al jaren bezig informatie op te spitten en te vermelden over overlopers uit de Sovjet-Unie, die in en rond Washington zijn terechtgekomen. Zoals u waarschijnlijk weet, hebben we hier de grootste groep ex-KGB-medewerkers buiten Moskou.' Hij had zijn handen in de zakken van zijn spijkerbroek gestoken. 'Toen Joerimengri werd vermoord, had ik al heel wat over hem. Dus heb ik zijn weduwe gesproken, uit de achtergrond gelicht wat van belang leek, en mijn artikel geschreven.'

Dat waren meer woorden dan ze verwacht had. 'Ik ken de serie. Ik had die alleen niet in verband gebracht met uw naam.'

Hij haalde zijn schouders op. Volslagen desinteresse. Of was dat ook een houding? 'Uw beurt.'

'Gisteravond heb ik in Arlington een dode man gevonden. Toen ik vanochtend terugkwam om dat te melden, was het lijk weg. Toen zag ik die foto van kolonel Joerimengri in *The Washington Post*. Dat was 'm.'

Hij zweeg. 'Als u gelijk hebt, hebt u dat dan tegen de politie gezegd?'

'Uiteraard. Maar zoals ik al zei, het lijk was weg. De politie heeft navraag gedaan bij het hoofdbureau, maar er was die nacht niemand in de buurt dood of gewond aangetroffen met een pistoolschot in de borst.'

'Hebben ze de politie van Washington niet gebeld?'

'Ik denk van niet, anders hadden ze wel geweten van die kolonel Joerimengri van u. Dus wie heeft hem vermoord, en waarom? Had hij echt iets met drugs te maken, zoals de politie denkt?'

'Ik weet niet wie hem heeft willen vermoorden.' Hij leek sneller te gaan lopen. 'En ik weet niets dat drugs uitsluit. Het toxicologisch rapport zal duidelijk maken of hij drugs had gebruikt, maar dat is pas volgende week beschikbaar.' Hij zweeg even. 'Hij had natuurlijk vijanden uit zijn KGB-tijd, en niet alleen in het Westen. De Kremlin-politiek is altijd bijzonder barok en gewelddadig gebleven. Wat weet u verder nog?'

Ze dacht even na. 'Hij had het over West Virginia. Dat hij iets niet had geweten over Stone Point, West Virginia.'

Hij knikte nonchalant. Bijna té nonchalant. 'Leefde hij dan nog?'

'Dat mag je aannemen, ja, aangezien hij iets zei.'

Hammond klemde zijn lippen opeen en ze had het vermoeden dat hij een scherp antwoord inslikte. 'Wat zei hij verder nog?'

'Niets. Wat kan hij bedoeld hebben met West Virginia?'

'Op de eerste plaats was kolonel Joerimengri misschien niet de man die u kennelijk hebt gevonden.'

Ze kwamen bij de hoek. 'Dat is hij wel. Het was niet alleen zijn gezicht. Beide mannen waren in de borst geschoten. Probeer me nu niet aan te praten dat het zuiver toeval is dat twee identieke mannen op twee verschillende lokaties in de buurt van Washington op dezelfde nacht doodgaan aan schotwonden in de borst. Erg waarschijnlijk is dat niet.' Ze keek op toen ze rechtsomkeert maakten en terugliepen naar *The Washington Post*.

Ze struikelde bijna van de schok. En de angst. Ze bleef staan en staarde naar zijn profiel.

In zijn eentje liep hij verder, kennelijk zonder te hebben geluisterd naar wat ze zei. Hij vervolgde zijn eigen gedachtegang: 'En op de tweede plaats is het wel heel veel gevraagd dat ik zou moeten weten wat de een of andere onbekende bedoelt met een opmerking over West Virginia. Daar hebben ze genoeg bergen en jungles om alle misdadigers, mislukkelingen en politici uit het hele land te verstoppen.' Hij bleef staan en draaide zich om zodat hij naar haar kon kijken, en daarbij gaf hij haar ongewild een tweede gelegenheid om zijn profiel te bestuderen. 'Om nog maar te zwijgen van advocaten, want die verdienen hun eigen, speciale hel. Komt u nog mee? U was degene die dit gesprek wilde.'

Haar borstkas kromp ineen toen hij stond te wachten. Ze kreeg bijna geen lucht. Hij had dat rechte voorhoofd. Die adelaarsneus. Die uitstekende kin. Alleen het lange haar was anders. Gisteravond had de moordenaar die achter haar aan zat, kort haar gehad. Maar het profiel was hetzelfde, dat wist ze zeker. Hoewel ze het verschil in haardracht niet kon verklaren, wist ze dat deze Jeffrey Hammond – die *Washington Post*-journalist die op nog geen twee meter van haar vandaan naar haar stond te staren, die lange, gespierde man die iets te verbergen had, die ze aanvankelijk zo aantrekkelijk had gevonden – degene moest zijn die kolonel Joerimengri had vermoord en die haar met een pistool had achternagezeten. Het was een wonder dat hij haar gisteravond niet te pakken had gekregen en haar ook had vermoord.

Ze dwong zichzelf rustig adem te halen, maar haar angst veranderde in woede. Ze vocht ertegen en probeerde analytisch na te denken. Hij had haar gesproken met een koele afstandelijkheid die haar niet helemaal normaal was voorgekomen. Misschien had hij haar niet herkend. Of misschien wel, maar maskeerde hij dat met zijn machtsvertoon. Toen ze hem niet meteen in de receptie van *The Washington Post* had herkend, had hij waarschijnlijk gedacht dat ze zijn gezicht niet gezien had. Het was tenslotte nacht geweest, donker, en ze had als een razende gelopen om te ontsnappen.

Ze moest hem niet alarmeren. Ze had geen enkel bewijs, behalve wat ze gezien had. Voor de politie zou dat niet genoeg zijn, vooral niet na haar ongelukkige aanvaring die ochtend.

'Kom.' Hammonds gezicht leek te verstrakken. 'Waar wacht u op?'

Ze dwong haar gezicht in een nietszeggende glimlach. 'Nergens op. Wat een mooi weer, nietwaar? Vreemd, maar mooi.' Terwijl ze naar hem toe liep, voelde ze plotseling hoe onvermijdelijk alles was. Als ze moest sterven, wist ze nu tenminste de waarheid over Joerimengri's moordenaar... en wist ze door wiens hand ze zelf om het leven zou komen.

Hij wendde zich af en ging weer met grote passen op weg naar *The Washington Post*. 'Wat deed u daar trouwens?'

Ze voelde de zenuwen door haar keel gieren. Wat deed u dáár? Hij was een getrainde krantenman met een superieur gevoel voor details en hij had niet geïnformeerd wáár ze de stervende kolonel in Arlington gevonden had. Ze glimlachte even. Zo'n fout zou hij niet maken als hij niet de zenuwen had en als hij niet allang wist waar kolonel Joerimengri werkelijk vermoord was.

'Een van onze cliënten wilde het gebouw opkopen. Hij wilde dat ik er even langsging, maar ik had tot laat zitten werken en daarna was ik pas laat klaar met eten. Dus toen ik aankwam en de deur open vond, ben ik naar binnengegaan. En daar lag hij.'

'Wacht eens even. Wáár in Arlington was dat?'

Ja, ja. En als hij nou werkelijk dacht dat zij geloofde dat hij vergeten was om dat te vragen, dan wist zij nog een prima tweedehands karretje voor hem. Ze hield haar blik op de ingang van *The Washington Post* gericht, en wenste dat ze daar al stond. Ze speelde mee met zijn list en vertelde hem over Meteor Express en Renae Trucking. Maar daarna vroeg ze: 'Hoe hebt u zelf Joerimengri leren kennen? Van wat u schreef, leek het wel of u een soort persoonlijke band met hem had. Was Joerimengri uw vriend?' Ze aarzelde. 'Of uw vijand?'

Hij liep gewoon door, en ze zag niets meer dan een stijve minachting toen hij haar laatste opmerking negeerde. 'Ik zei het u al, hij hoorde bij mijn onderwerp. Ik heb hem de afgelopen jaren een aantal keren geïnterviewd. Mocht het u nog niet zijn opgevallen, dat is mijn baan. Een verslaggever moet zijn artikelen zo accuraat mogelijk maken. Ik vat uw vraag maar op als een compliment.' Daarna keek hij op haar neer.

'Aha.'

'Als ik u was, zou ik de hele zaak vergeten. U hebt het de politie gemeld. Meer kunt u niet doen.' Hij dempte zijn stem en vervolgde op redelijke toon: 'U weet toch hoe het in Washington werkt. Overal beveiliging en besprekingen achter gesloten deuren. Onderzoeksjournalisten zoals ik, en fanatiekelingen op het gebied van vrijheid van informatie. Verraders, doorsluizers en klokkenluiders. Het is hier een cultuur van geheimschrijverij, en daaruit ontstaan nieuwsgierigheid en een honger naar onthullingen. Maar dat zijn voor een burger beroerde redenen om mee te willen doen. Je kunt verstrikt raken in zaken die zowel de onschuldigen als de schuldigen mangelen. Die hele toestand met twee mannen die waarschijnlijk een en dezelfde zijn, lijkt van buiten bezien hartstikke interessant, maar waarschijnlijk is het gewoon toeval. De politie zal u voor gek verslijten als u hiermee doorgaat. En u kunt zichzelf een hoop problemen bezorgen.'

Hij waarschuwde haar, hij gaf haar redenen om haar belangstelling te verliezen.

'U zult wel gelijk hebben,' zei ze. 'Ik kan niets meer doen.'

'Mooi zo.'

Maar toen hij de deur in wilde lopen en ze al hoop kreeg dat ze kon ontsnappen, bleef hij plotseling staan. Zijn schouders verstrakten onder zijn blauw katoenen hemd. Toen hij zich naar haar omdraaide, hield ze haar adem in. Ze was bang en razend. Die twee emoties streden in haar. Zo voelde ze zich al sinds de transplantatie: verdeeld, in tweeën gescheurd.

'Er is minstens één man vermoord.' Zijn stem klonk afgemeten en hij legde een diepere betekenis in zijn woorden. 'Als u gelijk hebt, kan de moordenaar ook naar u op zoek zijn. Dit kan uw dood worden.'

Daar was het dan: dit kan uw dood worden. Hij bedreigde haar. Haar borst kromp ineen. Maar voordat de angst haar de baas kon worden, voelde ze een enorme woede opkomen. Die nieuwe, vreselijke razernij die was begonnen na de transplantatie. Ze balde haar vuisten.

Ze moest hem geruststellen, dus ze loog nogmaals: 'Ik heb wel wat belangrijkers te doen dan achter een fantoom aangaan.' Ze forceerde een glimlach. 'U hebt gelijk. Dank u voor dit gesprek.' Maar toen ze wegliep, voelde ze in haar rug zijn hete en argwanende blik. Ze kreeg er kippenvel van.

10

De lange arm van de Amerikaanse wet, het ministerie van justitie, besloeg de hele rij gebouwen tussen Constitution Avenue en Pennsylvania Avenue, van Ninth tot Tenth Street. Het lag recht tegenover het middelpunt tussen Capitol Hill en het Witte Huis, als teken hoe belangrijk dit ministerie voor beide instellingen was, maar die ligging maakte tegelijkertijd duidelijk dat er een politieke afstand en een weerstand tegen beïnvloeding heersten die weliswaar nodig, maar vaak al te ontwijkend waren.

Het gebouw, dat in 1934 uit bleke steen was opgetrokken, vertoonde de gebruikelijke neoklassieke zuilen, de bouwkundige art-deco-details en de verheven citaten in steen boven de ingangen. In de meeste grote en kleine steden in het hele land waren dergelijke openbare gebouwen te vinden, maar alleen in Washington vond deze woensdag een topbespreking plaats in het kantoor van procureur-generaal Millicent Taurino.

Taurino was een slanke, kleine vrouw. Ze was tweeënveertig jaar oud en droeg een conservatief jersey pakje met een kraag die nog net een blauwe vlindertatoeage onder haar linkeroor liet zien. Ze legde haar elleboog op de armleuning van haar bureaustoel, vlijde haar vastberaden kin op haar knokkels en keek peinzend naar het levensgrote portret van opperrechter John Marshall dat rechts naast haar bureau aan de wand van het kantoor hing.

Ze wuifde even met haar vrije hand, met vuurrode vingernagels, en besloot: 'Dus je hebt nog niets.' Het was een constatering, geen vraag.

FBI-directeur Thomas Earle Horn, een vierkante man met afhangende schouders en een brede nek, een voormalige football-speler voor de Buffaloes van de Universiteit van Colorado, zat in een leren fauteuil tegenover de procureur-generaal. Hij richtte zijn leisteengrijze blik op de derde aanwezige. 'Bobby?'

Bobby Kelsey, adjunct-directeur van de nationale veiligheidsdivisie van de FBI en in die hoedanigheid verantwoordelijk voor het buitenlandse contraspionageprogramma, zette zijn stekels op. 'Ik zou Ames, Nicholson, Groat, Pitts en Lipka van de NSA niet "niets" willen noemen. Stelletje verraders. Dat is wel het allerergste soort: je eigen mensen bespioneren. We hebben ze gepakt en ze zitten stuk voor stuk achter tralies, mevrouw Taurino. Dat is wél iets. Dat is zelfs heel wat.'

Millicent Taurino zat nog steeds naar het strenge gelaat van Amerika's schoolvoorbeeld van een opperrechter te kijken, alsof hij soelaas kon bieden voor het probleem waarmee ze worstelde. 'Ja, maar dat is alweer een tijdje geleden. Dat doet er nu niet meer toe.'

Ze hief haar hoofd en draaide zich in haar bureaustoel om naar de twee FBI-functionarissen. 'De FBI heeft in het hele land tweehonderd spionagezaken lopen. Dat zijn heel wat open dossiers. Tenslotte leven we in vredestijd. En wat nog erger is, we hebben al in geen tijden iemand kunnen veroordelen, althans niet meer dan een fractie van wat we nodig hebben. Nu we de hoogste prioriteit hebben gegeven aan het vangen van buitenlandse spionnen en het bestrijden van terroristische aanvallen, moet er serieus resultaat komen.'

Het einde van de koude oorlog had geen einde gemaakt aan de spionage. De Verenigde Staten waren, als laatste supermacht ter wereld, het favoriete doelwit, zowel in economisch als in militair opzicht. Daarom moest Amerika zich continu beveiligen tegen spionnen en terroristen. Dat was de officiële lezing. Onofficieel wist iedereen die ook maar enigszins op de hoogte was, dat spionage verslavend werkte. En al even onofficieel was Amerika van plan nummer één te blijven, en dat betekende dat Amerika niet alleen moest doorgaan met spioneren, maar er ook nog eens beter in moest zijn dan de anderen.

Taurino keek streng naar de mannen die ze had ontboden en die nu tegenover haar zaten. 'Waar blijven de resultaten, heren? Waar is die Grote Vis die jullie al aan de hengel zeggen te hebben? Die mol die zo diep in het binnenste van de FBI rondwoelt? Die moeten we vinden en uitschakelen!'

'Zulke dingen vergen tijd,' verkondigde Thomas Horn. De stem van de FBI-directeur had een uitgesproken belerende toon wanneer hij met hoger geplaatste burgers praatte. Dat scheen bij het ambt te horen, alsof de geest van J. Edgar Hoover instructies in de oren van de elkaar opvolgende directeuren fluisterde.

'Aha.' Taurino knikte filosofisch. 'Dat is een hele onthulling, meneer de directeur. Tijd. Zoals in *tempus fugit*. De tijd vliegt. Even kijken, wanneer zijn uw twee voorgangers ook weer begonnen met dat interne onderzoek? Negen jaar geleden? Nee, wacht even, dat was toen ik vorig jaar mijn aanstelling kreeg. Tien jaar dus alweer. Inderdaad, gezelligheid kent geen tijd.' Ze schonk Horn een verzengende glimlach. '"Zulke dingen vergen tijd." Is dat je enige commentaar na tien lange jaren, Tom? Dat zal ik in een memo aan mijn baas zetten. Die zal de president wel willen inlichten.'

'Dat sarcasme is niet op zijn plaats, Millicent,' grauwde Tom Horn. 'En traagheid is ook niet op zijn plaats. Weet je wel zeker dat het je echt iets uitmaakt of we die supermol van jou aan de kaak stellen? Misschien is hij of zij wel gewoon een smoes om de lekken en fouten van het Bureau te verhullen. Bij mijn weten lijkt het wel of iemand daar bij jullie informatie van jouw verrader heeft gebruikt om meer dan veertig FBI-missies te verkloten. Veertig! Dat kan geen toeval meer zijn, zelfs niet als je het normale spionagerisico meetelt. Misschien vind jij dat niet erg, misschien ben jij niet bang voor wat die Judas nog meer kan uitrichten, maar ik wel!'

De FBI-directeur sprong overeind alsof hij zich gebrand had. 'Zo is het genoeg, mevrouw Taurino. U kunt ons bellen als u weer in staat bent tot een redelijk gesprek. Kom mee, Bobby.'

Kelsey stond op en ging naast zijn baas staan.

'Ga zitten, míster Horn!' De procureur-generaal stak een slanke vinger met een rode punt uit naar de directeur. 'Je bent J. Edgar niet, maat. Die tijden zijn voorbij, en die komen voor de duvel niet terug. Tegenwoordig kunnen de president en de minister van justitie voor een schijntje een nieuwe FBI-sukkel vinden, en met adjunct-directeuren kun je de straten plaveien. Jullie werken voor óns. Ga zitten en vertel wat er aan de hand is.'

De twee mannen keken elkaar even aan voordat ze langzaam en met boze gezichten weer plaatsnamen. Hun gezichten waren rood aangelopen, maar vertoonden geen enkele uitdrukking.

'Dank u, heren,' zei Taurino. 'Bijzonder vriendelijk van u.' Na een laatste uitdagende blik werd ze weer helemaal zakelijk. 'Oké. De Sovjet-Unie is niet meer, de koude oorlog is voorbij, maar er wordt nog steeds informatie gelekt. De KGB is naar verluidt opgeheven, maar onze missies, agenten en plannen bloeden dood. Klopt dat?'

'Mijn excuses, Millicent,' zei Tom Horn, die zorgvuldig een verzoenende toon koos, 'maar toen ik het had over "tijd", bedoelde ik de problematiek van het geheel. Drie directeuren hebben al geworsteld met dit probleem. Een diepe mol die zo zorgvuldig is geplant of overgelopen en die zo behoedzaam wordt ingezet dat hij god weet hoe lang onontdekt heeft kunnen blijven, is de nachtmerrie van iedere vorm van contraspionage.'

'Tien jaar, Tom? Hoeveel mensen werken er nou helemaal tien jaar bij het Bureau?'

'De meeste hoger geplaatsten. De overgrote meerderheid van onze agenten zit tot aan het pensioen bij het Bureau. Maar wie zegt dat al die lekken afkomstig zijn van één persoon, Millicent? Misschien is er wel een hele serie mollen of verraders geweest, die de fakkel aan elkaar doorgaven wanneer ze het Bureau verlieten.'

'Was de KGB dan zo goed? Of de opvolger van de KGB, hoe die ook heten moge? Ik kan die Russische namen en afkortingen nooit onthouden.'

Bobby Kelsey onderbrak met: 'De afkorting is FSB. En ja, zo goed zíjn ze. Bijna even goed als wij. Maar er is nog iets: we weten niet zeker of onze mol wel een Rus is. Onze andere bondgenoten zijn hier ook heel goed in. Misschien zijn die lekken naar het Kremlin een dekmantel voor andere vormen van spionage waar we nog niet achter zijn.'

De FBI-directeur klemde zijn lippen op elkaar. 'Zoals ik al zei, Millicent, een echt eenvoudige opdracht is dit níét.'

'Oké,' stemde de procureur-generaal in, 'het is een hele klus. Dat geef ik toe. Maar wat heb jij gedaan om het gemakkelijker te maken?'

'Alle gebruikelijke interne maatregelen,' zei de FBI-directeur koppig. 'Achtergronden opnieuw nagetrokken, activiteiten buiten kantoor, veranderingen in gewoonten, houding of financiële omstandigheden. We zitten boven op nieuwe connecties en onverwachte reisjes. We trekken alle informatie na die naar Amerikaanse agenten in het buitenland wordt gelekt, en vervolgens kijken we wie er toegang had tot die info. We controleren alle aanwijzingen. We proberen al die stukjes en brokjes informatie zodanig in elkaar te passen dat we een schuldige vinden. Ik wil liever niet verder in details treden, maar ik wil wel kwijt dat we een heel stuk verder zijn.'

'Waarom heb jij daar meer vertrouwen in dan ik?' daagde Taurino hem uit.

'Kort geleden hebben we een doorbraak gehad. Daaruit bleek dat degene die de nieuwe gegevens doorgaf, tamelijk hoog in de organisatie moest zitten. Misschien iemand die nauw samenwerkt met een hooggeplaatste functionaris.'

'Wat voor doorbraak? Wat voor gegevens?'

Met een laatdunkende grijns antwoordde Tom Horn: 'Nee, Millicent. Ik ga een lopend onderzoek niet in gevaar brengen.'

'In gevaar brengen?' De kaaklijn van de procureur-generaal trok zo strak dat het bot uitstak. 'Bespeur ik daar een autoriteitsprobleem, Tom?' Haar donkere ogen leken wel kogels. 'Wou je nou echt dat ik de minister en de president vertel dat je hen als veiligheidsrisico's beschouwt, als mensen die jouw operatie in gevaar kunnen brengen?'

Horn tandenknarste, maar hij kon weinig anders doen dan naar Kelsey kijken. 'Bobby, leg jij het maar uit.'

Bobby Kelsey knikte en zei ernstig: 'Een van mijn mensen heeft een voormalige KGB-agent binnen de gemeenschap van voormalige sovjetoverlopers bekeerd. Dat bleek een bijzonder nuttig man te zijn. Kortgeleden heeft hij ons een tip gegeven over een nieuw, geheim fonds van de KGB, een enorm bedrag dat nog uit de sovjettijd stamt. Maar voordat we daar de hand op konden leggen, was de rekening geplunderd en het geld overgemaakt naar Rusland. Dat moet welhaast het werk van onze mol zijn.' Hij zette zijn vingers tegen elkaar en plaatste zijn wijsvingers tegen zijn lippen. 'Interessant genoeg was er bijna niemand op de hoogte van dat geld: de FCI, en bij ons alleen de mensen vanaf de adjunct-directeur.'

Dat liet Millicent Taurino even bezinken. 'Aha... het is dus een van jullie allerhoogste mensen. Hoe groot is die groep?'

'Groter dan je zou denken,' gaf Tom Horn toe. 'Alle huidige adjunct-directeuren en iedereen daarboven zijn al langer dan tien jaar in dienst. En voorzover we momenteel kunnen zien, zijn alle *special agents* die nauw met deze mensen samenwerken en die de informatie weloverwogen of per ongeluk hebben doorgegeven, ook veteranen met een lange staat van dienst. En bovendien moet ik zeggen dat alle mensen binnen het Bureau die de informatie hadden kunnen laten uitlekken, boven iedere verdenking verheven zijn.'

'Maar zo moet een mol toch juist overkomen, "boven iedere verdenking verheven"?' vroeg Taurino op ijzige toon. 'Je bent dus in feite geen stap verder.'

De directeur beantwoordde haar stalen blik. 'Nee, maar we vinden hem wel.'

'Of haar,' voegde Bobby Kelsey daaraan toe.

'O ja?' informeerde Millicent Taurino. 'Nou, dat hoop ik dan maar. Dat hoop ik echt.' Ze schudde bezorgd haar hoofd.

Toen ze weer alleen in haar kantoor zat, greep Millicent Taurino haar telefoon. Ze drukte op een knop en zei: 'Ze zijn weg. Je kunt binnenkomen.' Ze leunde achterover, kneep peinzend in haar kin en staarde nogmaals naar het portret van John Marshall in zijn toga. Dat was haar talisman, haar stilzwijgende mentor, en ze had zijn portret meegenomen naar iedere baan sinds ze bij de overheid was gaan werken. 'Tja, Johnny,' zei ze tegen het schilderij, 'zijn het nou idioten, schurken of paniekzaaiers? Is er wel een mol? Jij hebt zelf ook heel wat te maken gehad met sluwe streken. Wat raad je me aan?'

Ze wachtte alsof ze werkelijk verwachtte dat het schilderij antwoord zou geven. Toen verbrak ze de stilte met een lach, en bijna meteen ging de deur van haar privévertrek open. De twee mannen die binnenkwamen hadden geen sterker contrast kunnen vormen. Staatssecretaris van justitie Donald Chen, hoofd van de afdeling Misdrijven van Justitie, was een korte, gezette man met zwart haar dat een keurige zijscheiding vertoonde, en een vol, rond gezicht. Hij leek wel een boeddha in zijn grijze krijtstreeppak. Achter hem, onzichtbaar achter Chens omvangrijke gestalte, kwam een man die niet langer was dan Chen, met een bos pluizig grijs haar en een pafferig, bleek gezicht, een bril zonder montuur en een smalle, genadeloze mond. Zijn kleurloze ogen waren intelligent en meedogenloos.

Procureur-generaal Taurino stond op achter haar bureau en gebaarde de tweede man naar de stoel die het dichtst bij haar stond. Chen deed een stap opzij om hem te laten passeren. Chen en Taurino gingen pas zitten toen de slanke man had plaatsgenomen.

'Wat had Horn te vertellen?' vroeg Cabot Lowell, nationale veiligheidsadviseur van de president. Ooit had hij in het Congres gezeten, daarna was hij directeur van de CIA geweest en drie jaar geleden was hij de staatssecretaris van defensie geweest. Hij sprak op lichte, vriendelijke toon. Millicent Taurino had hem nog nooit met stemverheffing horen spreken, ook niet in woede of vreugde. Toch was het een dwingende, intense stem.

'Waar het op neerkomt is dat hun intern onderzoek niets nieuws heeft opgeleverd,' meldde ze. 'En dat betekent dat ze nog steeds niets hebben.'

De adviseur voor nationale veiligheid liet zijn blik neerkomen op Donald Chen. 'Ik hoop dat u meer dan niets hebt voor ons onderzoek, meneer Chen. Niets, daar kunnen we niet veel mee.'

'Ik heb geen flauw idee wat ik hier heb,' gromde Donald Chen. De onversneden Amerikaanse tongval klonk bijzonder onverwacht uit zijn boeddha-mond. Die tegenstelling viel ook Cabot Lowell op. Hij glimlachte. Chen ging door: 'Behalve dan dat Eli Kirkhart belde, helemaal opgewonden. Ik dacht dat we het nieuws maar beter rechtstreeks konden vernemen.'

'Inderdaad. Laat onze persoonlijke mollenvanger maar binnenkomen.'

Taurino leunde over naar haar intercom. 'Abby? *Special agent* Kirkhart kan binnenkomen.'

Toen er ondanks een jarenlang intern onderzoek bij de FBI nog steeds geen mol was gevonden, terwijl er informatie bleef uitlekken vanuit het Bureau, hadden de adviseur voor nationale veiligheid en het ministerie van justitie aan de bel getrokken. De president wilde de CIA er niet bij halen, dus had Cabot Lowell voorgesteld een supergeheim onderzoek te laten instellen door Justitie. Niemand binnen de FBI zou daarover worden ingelicht, want iedereen binnen het Bureau was verdacht.

Toch was Cabot Lowell ervan overtuigd dat de onderzoeker die de beste kansen maakte, een insider van de FBI moest zijn. Op zoek naar de juiste persoon had Lowell de persoonlijke dossiers van alle FBI-mensen bestudeerd. Elias Kirkhart was naar voren gekomen als de meest geschikte kandidaat: hij was een individualist, een eenling, een buitenstaander. Zijn vrouw was een paar jaar geleden gestorven en hij ging volledig in zijn werk op. Hij had geen vrienden, geen hobby's en geen familie in de nabije omgeving. En zijn Engelse achtergrond bezorgde hem een gevoel van professionele superioriteit ten opzichte van zijn Amerikaanse collega's, een gevoel dat hij combineerde met een houding die dateerde uit de tijden van Elizabeth I en Sir Francis Walsingham: behalve de monarch is niemand boven verdenking verheven. Zijn enige loyaliteit betrof de veiligheid van 'het rijk'.

Zoals Lowell wel had verwacht, had Eli Kirkhart de kans met beide handen aangegrepen. Een hooggeplaatste mol binnen de FBI opsporen was meer dan een uitdaging: het was zijn plicht.

'Ga zitten, *special agent* Kirkhart,' zei procureur-generaal Taurino. Kirkhart liep naar een van Millicent Taurino's leren fauteuils. Zoals gebruikelijk was hij gekleed in het FBI-uniform: een conservatief donker pak, een wit overhemd en een strak geknoopte blauw-met-grijze das. Zijn schoenen waren blinkend gepoetst en onder zijn jasje was de bobbel van zijn Smith & Wesson 10mm zichtbaar. Zijn vierkante buldog-gezicht vertoonde geen enkele uitdrukking. Taurino keek hem met schuin gehouden hoofd aan.

Met een zucht zei Cabot Lowell: 'Volgens mij is die zonnebril hier niet nodig, meneer Kirkhart. Een hinderlijke gewoonte uit de dagen van onopgevoede en half opgeleide piloten in de Tweede Wereldoorlog die helaas is blijven hangen.'

Eli zette zijn pilotenzonnebril af, vouwde hem op en stopte hem in een brillenkoker, die hij in zijn binnenzak stak. Hij verontschuldigde zich niet. Het welzijn van de natie rustte mede op zijn schouders, en hij was niet bereid zich te laten intimideren door zoiets als een adviseur voor nationale veiligheid. Millicent Taurino, die hem nog steeds zat te bekijken, moest haar glimlach onderdrukken.

'Dank u.' Lowell neeg even het hoofd. 'Wat hebt u voor ons?'

Eli beantwoordde de korte knik. 'Gisteravond heb ik gezien dat iemand die ik al meer dan een jaar in de gaten houd, een geheime bespreking had met een voormalige KGB-kolonel, Anatoli Joerimengri. Nadat ze uiteengegaan waren, heb ik Joerimengri gevolgd, terwijl een van mijn agenten achter mijn mannetje aanging. Joerimengri stak de rivier over en begaf zich naar een internationaal transportbedrijf in Arlington: Meteor Express. Mijn oorspronkelijke prooi ging terug naar zijn kantoor op *The Washington Post*. Meteor Express was gesloten, dus heb ik even gewacht en ben toen teruggekeerd naar het Hoover-gebouw om Meteor Express na te trekken. Interessant genoeg ziet het er tot nu toe legaal uit. Geen connecties met KGB, FSB of Rusland, maar het hoofdkantoor zit in Maryland.'

'Terzake graag, Eli,' beet Donald Chen hem toe.

Kirkhart keurde de staatssecretaris van justitie amper een blik waardig. 'Vanochtend heb ik vernomen dat Joerimengri later die nacht is vermoord en dat het misdrijf niet in Arlington had plaatsgevonden. Maar het was iets te veel toeval, en dus ben ik teruggegaan. Meteor Express was verdwenen. Spoorloos. Zomaar.' Hij knipte met zijn vingers. 'In de loop van de nacht had zich daar een nieuw bedrijf gevestigd. Dat leek me interessant, dus heb ik het nummer van Meteor Express gebeld. Ik vernam dat ze nog wel zaken doen, en ze beweren dat ze nooit in Arlington hebben gezeten.'

'Een façade,' stelde Millicent Taurino.

'Inderdaad,' bevestigde Kirkhart. 'En daarmee kreeg de moord op onze voormalige sovjetspion een nieuw aspect, net als zijn bespreking met mijn oorspronkelijke doelwit. Het bedrijf dat nu in het gebouw is gevestigd, Renae Trucking, ziet er trouwens ook legitiem uit. De eigenaar zegt dat ze midden in de nacht is gebeld met het bericht dat ze het kantoor mocht huren, mits ze er meteen introk. Ze wilde het allang hebben, dus ze heeft al haar kennissen gebeld om razendsnel te kunnen verhuizen, en de rest is helaas historie.'

'Wie is diegene die jij in de gaten houdt, en waarom zit je al meer dan een jaar achter hem aan?' wilde Cabot Lowell weten.

'Hij heet Jeffrey Hammond. In het begin van de jaren negentig was hij een van onze topagenten. Gespecialiseerd in sovjetzaken en een waardevol lid van het CIA-FBI-team voor debriefing van KGB-overlopers.' Kirkhart zweeg, en even klonk er emotie in zijn stem door, zo vluchtig dat alleen Millicent Taurino het hoorde, toen hij vervolgde: 'Jeffrey was mijn partner... totdat hij onder druk ontslag moest nemen omdat hij doorging met het onderzoek naar drie overlopers, nadat die al toestemming hadden gekregen om in Amerika te blijven. Althans, dat was de officiële lezing.'

Millicent Taurino schoot overeind in haar stoel. 'En die geloofde u niet?'

'Beslist niet. Volgens mij heeft hij geen ontslag genomen. Volgens mij is hij undercover gegaan en houdt hij zich schuil achter een baan waarin hij op geheel legale wijze in contact kan blijven met sovjetoverlopers en emigranten. Waarschijnlijk heeft hij zo'n hoge undercoverstatus dat hij alleen rapporteert aan iemand in de hoogste echelons van de FBI, misschien de directeur zelf. In dat geval zou hij zo goed als de vrije hand hebben om binnen het Bureau rond te snuffelen, informatie te vergaren en door te spelen naar het Kremlin.'

'Dus u denkt dat hij onze mol is,' concludeerde Cabot Lowell.

Eli Kirkhart knikte. 'Dat vermoeden heb ik al een jaar. Kijk nou eens naar het hele beeld: we hebben al onze eigen mensen doorgelicht zonder iets te vinden. Maar is er ooit onderzoek verricht naar mensen van buiten het Bureau? Als ik gelijk heb, weten alleen de directeur en zijn naaste medewerkers dat Hammond nog op de loonlijst staat. Bovendien is Hammond een gerespecteerd verslaggever bij *The Washington Post*, onderhandelt hij bijna dagelijks met Russen en heeft hij als journalist toegang tot de FBI. Niemand kijkt ervan op als hij in het gebouw wordt gezien. Een jaar lang heeft hij me bijna iedere keer dat ik hem schaduwde, afgeschud. Voor mij betekent dat ofwel dat hij weet dat ik achter hem aanzit, maar dat betwijfel ik, ofwel dat hij automatisch voorzorgsmaatregelen treft omdat hij niet wil dat iemand weet wat hij doet of met wie hij dat doet. Volgens mij doet hij dat puur automatisch.'

Taurino knikte bedachtzaam. 'Hij doet geheimzinnig en hij kan bij de informatie. Verder nog iets?'

'Ja. Hij past binnen het profiel van wat onze psychologen het John Walker- of het Aldrich Ames-syndroom noemen.' Walker was de marineofficier die in de jaren tachtig een zeer succesvolle sovjetspion was geworden, terwijl Ames, die in het begin van de jaren negentig is gearresteerd, wordt beschouwd als de ergste spion sinds de Rosenbergs tijdens de Tweede Wereldoorlog het geheim van de atoombom stalen. Het was een enorm schandaal geweest. Ook Ames wilde bewijzen dat hij slimmer was dan zijn collega's. 'Jeffrey Hammond is overmoedig. Hij heeft lak aan instructies en voorschriften, hij is gescheiden, hij heeft weinig vrienden en geen hobby's. Volgens onze profielschets is dat het soort isolement dat tot verraad kan leiden. Daarom is de FBI altijd op zoek naar agenten die gemakkelijk vrienden maken en houden of die een ander houvast in het leven hebben, bijvoorbeeld religie. En om de puntjes op de *i* te zetten: toen Hammond vertrok, werd hij beschreven als een "eenling met disciplineproblemen".'

Donald Chen wierp tegen: 'Maar dat is allemaal theoretisch; op zich is het geen bewijs.'

'En dat profiel is ook van toepassing op uzelf,' zei Millicent Taurino met een blik op Kirkhart.

Die knikte even. 'Tot op zekere hoogte wel, ja.' Hij stond zichzelf een van zijn zeldzame glimlachjes toe. 'Maar ik hoef niet te bewijzen hoe slim ik ben. Ik denk dat de algemene opvatting is dat ik verschrikkelijk slim ben. Anders zat ik hier niet.'

Verbaasd dat hij gevoel voor humor bleek te hebben, trokken de twee justitiefunctionarissen en de adviseur voor binnenlandse veiligheid hun wenkbrauwen op.

Kirkhart haalde de grijns van zijn gezicht. 'Nog één ding... Jeffrey Hammond is zeer ruim bij kas. De meeste spionnen die overlopen, doen dat eerder voor het geld dan om psychologische redenen. U kunt zelf zien dat ik bijvoorbeeld weinig geld heb. Hammond daarentegen zwemt in het geld. Hij heeft een ruime aandelenportefeuille plus een smak geld op de bank. Daaruit maak ik op dat hij een andere, grotere bron van inkomsten heeft. Naast zijn salarissen van *The Washington Post* en de FBI, dus.'

'Dat kan een aanwijzing zijn, ja,' stemde Cabot Lowell in.

'En dat is nog niet alles. We hebben recentelijk een paar mensen opgepakt, maar ik heb eens gekeken naar de gelekte informatie die zij niet hebben kunnen doorsluizen. Het merendeel daarvan moet afkomstig geweest zijn van de hoogste echelons binnen het Bureau, maar er is niet één bepaalde divisie aan te wijzen. Dat zou kunnen betekenen dat er een mol is met vrije toegang tot een groot aantal divisies – bijvoorbeeld een undercover-agent op hoog niveau. Ten tweede glipte Hammond gisteravond de achteruitgang uit toen hij naar de *Post* was geschaduwd. Zo had hij dus de tijd en de gelegenheid om kolonel Joerimengri te vermoorden. En met kolonel Joerimengri had ik hem eerder die avond nog zien spreken.'

De drie functionarissen keken elkaar aan. Toen knikte Cabot Lowell. 'Oké, het is nog steeds geen echt bewijs, maar het is wel iets om over na te denken. Houd die Hammond verder in de gaten. Ik zal een paar NSA-mensen achter de directeur en de andere hoteme-toten aan sturen. Mooi werk, *special agent* Kirkhart.'

'Hou me dagelijks op de hoogte, Eli,' beval Chen op strenge toon. Hij wist dat Kirkhart de neiging had als eenzame ridder op pad te gaan.

Kirkhart knikte en ging ervandoor, zijn rug stram en militair. Toen ze haar deur zag dichtvallen, wierp Millicent Taurino een blik op de twee mannen. 'Iemand bij de FBI, maar toch niet echt erbij.'

Cabot Lowell peinsde: 'Slim, als het inderdaad zo is. Bijzonder slim.'

Donald Chen merkte op: 'Laten we hopen dat onze mollenjager ge-lijk heeft. Onze verrader lacht ons al veel te lang en veel te hard uit. Telkens wanneer ik denk aan de schade die hij ons berokkent, maak ik me zorgen over wat hij nu weer aan het uitvreten kan zijn. Wat zo iemand nog allemaal kan aanrichten... onvoorstelbaar.'

I I

Jeff Hammond liep met een grimmig gezicht de perskamer van *The Washington Post* binnen. Bureaus en afgescheiden hokjes lagen verspreid als eilanden in een enorme, grijze zee. Telefoons rinkelden, stemmen verhieven zich en daalden weer en er hing een sterke geur van oude koffie en verse drukinkt. De onderdrukte opwinding borrelde al uren lang door de enorme perskamer, terwijl verslaggevers de planning en interviews vastlegden voor het staatsbezoek van Vladimir V. Poetin, de president van het moeizaam voorthobbelende Rusland.

Sinds de dagen van Boris Jeltsin was de economische toestand van Rusland steeds verder in een neerwaartse spiraal terechtgekomen. De kernwapens waren een steeds groter risico gaan vormen door gebrek aan onderhoud, en de nieuwe rijken hadden hun wurggreep op het land alleen nog maar versterkt, ondanks de inspanningen van Jeltsins opvolger – de hervormingsgezinde Poetin – om die ontwikkeling terug te draaien. Niet alleen in Moskou, maar tot in de verste uithoeken van het land, bijna negentig provincies in totaal, hadden plaatselijke mogols de enorme rijkdommen van de dode Sovjet-Unie voor een fractie van de werkelijke waarde opgekocht. Tot nu toe hadden ze met succes gestreden tegen Poetins belastinginspecteurs, zijn inspanningen tot herverdeling van de macht en zijn eis dat de magnaten de autoriteit van het Kremlin moesten ondersteunen en helpen bij de wederopbouw van het land.

Onwillig om de wankele soevereiniteit van Rusland te doorbreken, hadden de zeventien andere landen van de geïndustrialiseerde wereld gewacht, bezorgd dat er een onverwachte gebeurtenis kon plaatsvinden waardoor het instabiele land een wanhoopsdaad zou begaan met die langzamerhand uiteenvallende, maar nog steeds dodelijke kernwapens.

Nog maar twee jaar geleden was Vladimir Poetin een kleurloze, sombere onbekende geweest op het moment van zijn benoeming tot premier, Jeltsins vijfde in amper zeventien maanden. Aangezien er vóór hem al zovelen waren gekomen en gegaan, had niemand verwacht dat de nieuwe premier het lang zou uithouden. De deskundigen meenden dat hij te weinig politieke ervaring had, persoonlijk te naïef en niet hard genoeg was om te kunnen overleven. Daarbij had hij niet de noodzakelijke connecties om wat voor verandering van enige betekenis dan ook te kunnen doorvoeren in de onberekenbare omgeving van het Kremlin.

Op papier hadden die experts slim geleken. Tenslotte had Poetin, die rechten had gestudeerd, al kort na zijn afstuderen het burgerleven vaarwel gezegd om zich aan te sluiten bij de beruchte KGB. Algauw werd hij een spion in een van de smerigste, hardste spionageomgevingen ter wereld – Oost-Duitsland. Pas na de val van de Berlijnse muur had hij zijn ontslag ingediend bij de KGB en was hij teruggekeerd naar zijn geboorteplaats, Sint-Petersburg. Daar was hij loco-burgemeester geworden. Toen zijn baas, de burgemeester, niet herkozen werd, viel Poetin terug op wat hij het beste kende: de federale veiligheidsdienst FSB. Dit was de voornaamste opvolger van de KGB, en ditmaal stond hij aan het hoofd. Hij was zo opgelucht om terug te zijn op een plek waar hij kon uitblinken, dat hij naar verluidt het imposante rood-met-gele gebouw van het centrale hoofdkantoor in Moskou – een plek die de meeste mensen trillend van angst betraden – was binnengelopen met de woorden: 'Eindelijk thuis.'

Maar zodra hij de verheven positie van premier had bereikt, had de onderscheiden spion iedereen verbaasd doen staan. Hij nam een keiharde positie in met betrekking tot de oorlog in Tsetsjenië en werd de populairste politicus van heel Rusland. Het jaar daarop won hij met gemak de presidentsverkiezingen en werd hij Boris Jeltsins opvolger.

Het nieuws van president Poetins aankomst de volgende dag nam de hele *Washington Post* in beslag, waardoor Hammonds analyse van kolonel Joerimengri's leven en dood meer dan actueel werd. In Hammonds zienswijze was perspectief het belangrijkst van alles.

En dat bracht hem op de kwestie-Beth Convey. Toen het bericht was gekomen dat zij bij de receptie stond en hem wilde spreken, had hij zichzelf schrap gezet voor de onaangename gedragslijn die hij zou moeten volgen. Er was in hun gesprek een moment geweest waarop hij voelde dat ze hem herkende. Dat zou een fatale fout zijn. En dat zou zonde zijn. Hij vond dat ze er goed uitzag – al dat frisse blond, die donkere wenkbrauwen, die lange benen. Ze bewoog zich mooi, vond hij. Met lange, soepele stappen. En hij bewonderde haar vasthoudende geest. Soms leek ze heel breekbaar, om enkele seconden later een verdomde Walkure te schijnen, een en al actie en sex-appeal. En dan die stem, zo laag en hees. Een slaapkamerstem had zijn grootmoeder dat altijd genoemd.

Hij liet zich onderuit zakken in zijn bureaustoel, sloot zijn ogen en schudde zijn hoofd om zijn gedachten op een rijtje te krijgen. Hij had al inlichtingen ingewonnen over haar – mr. Elizabeth ('Beth') Convey. Haar ouders, haar jeugd, waar ze had gewerkt, een lijst met cliënten, haar publicaties, de harttransplantatie, de namen van de diverse artsen, haar privéadres en zelfs haar geheime telefoonnummer. Als je wist waar je moest zoeken, welke bronnen je moest aanboren, en als je contactpersonen op de juiste plaatsen had, vond je meestal wel wat je nodig had. Voor verslaggevers en een aantal onfrissere beroepen was vindingrijkheid een eerste vereiste. Hammond was goed in zijn werk en had tot nu toe iedereen voor de gek gehouden. Niemand bij *The Washington Post* vermoedde wat hij in werkelijkheid was.

Hij staarde naar de nieuwe Post-its op zijn computerscherm en zijn bureaulamp, allemaal met vragen om meer informatie en achtergronden die zijn collega's nodig hadden voor de ophanden zijnde gebeurtenis:

'Oké, Hammond, wat is er zo belangrijk aan Moermansk?' Hij krabbelde: 'Moermansk is de grootste haven in de Barentszzee die het hele jaar ijsvrij is. Daar ligt het grootste deel van de kernvloot, en die roest daar sneller weg dan wie dan ook wil toegeven.'

'Wat is Ekstra? Ik las dat dat een van Poetins favoriete drankjes is.' 'Een Russisch merk wodka, met als bijnaam tankbrandstof – sterk spul, dus.'

Hammond werkte de andere briefjes af, met vragen over de Doema, hoe men zijn tafelgenoten toedronk, folkloristische gebruiken en de staatsuniversiteit van Leningrad, waar Poetin rechten had gestudeerd. Die vragen waren belangrijk voor zijn collega's en voor de krant, en dus belangrijk voor hem. Maar tijdens het werk kwamen er prettige beelden bovendrijven – een late zomermiddag, met rijpende kastanjes langs de esplanade van Kiëv... de brede Moskwa-rivier... de enorme toren van de Spasski-poort, waar Napoleon van zijn paard was afgestegen om als teken van respect te voet het Kremlin te betreden.

Hij schudde zijn hoofd om die nostalgische beelden te verjagen. Begon hij een softie te worden? Was hij de energie aan het kwijtraken die hem op deze weg had gebracht? Dacht hij te veel aan het verleden en, misschien, aan een lege toekomst?

Boos op zichzelf greep hij de telefoon. Hij koos een nummer. Beth

Convey zou het nooit te weten komen, maar ze had hem gegeven wat hij nodig had. Stone Point, Virginia. Hij was niet meer te stuiten.

Met gespannen zintuigen zat Beth in haar Mercedes, die fonkelde in het felle zonlicht. Plotseling zag ze het profiel van Jeff Hammond weer: ditmaal reed hij in een open Mustang, een klassieker uit de jaren zestig, de parkeergarage van *The Washington Post* uit. Hij stopte even bij de uitrit naar de drukke straat.
Ze rechtte haar rug. Nu zag ze hoe hij zijn lange haar had verborgen. Dat had ze kunnen weten: net als gisteravond had hij zijn paardenstaart weggestopt onder een honkbalpetje van de Baltimore Orioles. Hij had nu weer precies hetzelfde profiel dat ze heel even in het donker bij Meteor Express had gezien. Terwijl ze probeerde een nieuw gevoel van angst te onderdrukken, voelde ze plotseling de opwinding, de euforie bijna, door zich heen golven. De spanning van het gevaar – en meteen wist ze dat ze vóór haar transplantatie nooit zo gereageerd zou hebben. En ze zou al helemaal niet in haar auto hebben zitten wachten op een moordenaar.
Vandaag had ze de medewerkers van Renae Trucking bedreigd, haar baas bij het advocatenkantoor een grote mond gegeven, een baan opgezegd waarin ze altijd met veel plezier had gewerkt (dacht ze) en haar jarenlange droom van een positie als vennoot bij Edwards & Bonnett onmogelijk gemaakt. En van niets had ze ook maar een greintje spijt. Sterker nog, ze voelde zich opgelucht en blij, alsof er een enorm gewicht van haar pijnlijke schouders was gevallen. Alsof ze nu alles kon wat ze moest.
De emoties volgden elkaar snel op: angst, blijdschap, verwarring, twijfel, enthousiasme. Ze begreep het zelf niet. Eerlijk gezegd begreep ze zichzelf niet meer. Ze dobberde maar wat rond, en ze had geen flauw idee wat ze hierna zou voelen of denken of doen.
Vanwaar ze tussen twee auto's een eind verderop geparkeerd stond, kon ze Hammonds onregelmatige gezicht bestuderen terwijl hij stond te wachten op een open plek in het verkeer. Zijn gezicht stond ernstig, zijn kaaklijn was gespannen en zijn ogen waren onzichtbaar achter een grote zonnebril. Over zijn blauwe overhemd droeg hij nu een tweed jasje dat hem een hip, academisch uiterlijk bezorgde. Waarom zou hij Joerimengri vermoord hebben? Even vroeg ze zich bezorgd af of zijzelf misschien ongeweten een rol had gespeeld bij zijn moord. Ze hoopte van niet. Maar toch, doordat ze dat telefoonnummer had gedraaid dat het hele jaar door haar hoofd had gespeeld, was ze per ongeluk achter de moord gekomen op een

emigrant wiens naam ze bijna geweten had. Een man uit haar nacht-mcrries.

Met een plotselinge dot gas stuurde Hammond zijn Mustang de weg op. Ze keek hem na en wist dat ze nú moest beslissen. Moest ze hem volgen of moest ze naar huis gaan en proberen haar oude leven weer op te pakken? Het slimst was om nu naar huis te gaan. Het veiligst ook. Ze herinnerde zich de impliciete dreiging in Hammonds 'advies': *Als u gelijk hebt, kan de moordenaar ook naar u op zoek zijn. Dit kan uw dood worden.*

Ze schudde haar hoofd. Ze kon het niet opgeven, want ze kon niet vergeten. Wie ze ook geweest was voor haar dood in het gerechts-gebouw en voor haar hergeboorte in het transplantatiecentrum, die-gene was verdwenen. Ze was nu iemand anders, met andere ge-voelens en kennelijk met 'herinneringen' waarvan ze niets meer wist en die ze niet begreep.

Plotseling viel de beslissing haar niet zwaar meer, en leek het niet belangrijk meer of dit een riskante onderneming was. Met vaste hand draaide ze het contactsleuteltje om en reed ze weg, achter Jeff Hammond aan. Op enige afstand volgde ze hem door de stroom verkeer die de Potomac overstak en doorreed naar wat nu Ronald Reagan Airport heette. Voor de inwoners zelf bleef de luchthaven echter gewoon 'National' heten, een naam die al meer dan vijftig jaar bestond. Met zijn hoge koepels en wanden van glas met staal was dit vliegveld favoriet bij congresleden, hoge ambtenaren en lob-byisten, want het lag vlak bij Capitol Hill – een kwartiertje voor-bij de brug.

Hoewel ze nog nooit iemand geschaduwd had, volgde ze Ham-mond naar een privésectie van de uitgestrekte luchthaven. Ze maak-te maar een paar keer een fout, en slechts één keer dacht ze met bonzend hart dat ze zijn sportwagen kwijt was. Toen hij bij een schutting parkeerde en een hek door liep, reed ze met afgewende blik voorbij.

Vreemd genoeg voelde ze zich volkomen op haar gemak bij dit nieu-we werk. Maar toen ze weer naar het asfalt keek, kreeg ze een schok: Hammond was weg. Verdwenen. In paniek keek ze om zich heen. Inwendig schudde ze haar hoofd. Nee. Hij moest dat kleine gebouw naast een stel hangars binnengegaan zijn.

En dat was ook zo, want daar was hij alweer. In zijn spijkerbroek en zijn tweed jasje draafde hij over het asfalt met de gespierde sou-plesse van een halfback. Terwijl in de verte de straalmotoren gier-den, parkeerde zij haar auto, rolde het raampje omlaag en ging zit-ten wachten. Een zachte voorjaarsbries koelde haar gloeiende wangen. En toen sprong ze uit de auto. Hij klom een eenmotorig vliegtuigje in. Een Cessna, volgens de code op de buitenkant. De propeller draaide al.

Ze rende de weg over, holde het hek door en keek hulpeloos om zich heen toen hij de Cessna naar een startbaan reed. Het vliegtuigje had kennelijk op hem staan wachten, klaar voor vertrek. Hij, of iemand anders, had gebeld om zijn komst aan te kondigen. Ze zag een verweerd rechthoekig bord op het gebouwtje waaruit hij zojuist naar buiten was komen hollen: KANTOOR.

Even bleef ze roerloos en teleurgesteld staan. Ze dacht snel na. Ze wilde weten waar Hammond naar toe was, maar ze had geen poot om op te staan als ze iemand wilde overhalen om haar dergelijke privé-informatie te geven. In het verleden zou ze rondgebeld hebben, en dan kwam ze via-via uiteindelijk wel bij iemand terecht die haar kon machtigen. Maar daarvoor was nu geen tijd. Ze was een gloednieuwe wereld binnengegaan, een wereld zonder regels. Ze moest zich aanpassen. Ze onderdrukte een huivering van angst, maar voelde zich tegelijkertijd vrolijk en opgewonden. Dat vreemde, koele zelfvertrouwen dat ze soms in haar nachtmerries had gevoeld, deed zich gelden. Even later volgde haar brein: ze had een plotselinge inval. Ze haalde diep adem. Met enig geluk kon dit slagen.

Ze duwde de deur open en liep snel naar binnen, alsof ze een belangrijke missie had. Er stonden drie bureaus, elk met een computer en stapels papieren. In een hoek stond een bruine, verdorde klimplant. Aan de onafgewerkte houten muren hingen diverse plaquettes en onderscheidingen voor de kleine, particuliere luchtvaartmaatschappij die hier kantoor hield.

Ze stak haar hand in haar grote schoudertas en haastte zich naar de enige werknemer toe. Die zat aan het bureau het dichtst bij de deur. Met een dringende klank in haar stem zei ze: 'Ik heb juridische documenten voor de heer Hammond. Is die al vertrokken?'

'Ja, die Cessna daar.' De man aan het bureau was een jaar of veertig en groeide al door zijn ratbruine haar heen. Hij droeg een spijkerbroek en een T-shirt. Hij leunde achterover en liet zijn schattende blik over haar borsten, haar taille en haar dijen glijden. Haar vertoon van haast liet hem onberoerd.

Ze negeerde hem. 'Kunt u hem even terugroepen?'

'Nee.' Nogmaals nam hij haar van top tot teen op.

'Oké, zeg me dan waar hij naar toe gaat. Dan moet ik die papieren doorfaxen.'

'Dat zal niet gaan. Zulke informatie mogen we niet doorgeven van de baas.'

Ze legde een kille, harde klank in haar toon. 'Met uw baas houd ik me wel bezig.'

Lachend schudde hij zijn hoofd. 'Hij is de stad uit. Sorry.'

Dit was een van die irritante mensen die moeilijk gingen doen zodra ze maar een heel klein beetje macht hadden.

'O ja?' Ze trok één wenkbrauw op. 'Ik ben van de juridische afdeling van *The Washington Post*. Dit zijn belangrijke documenten.'

'Nou, dat is úw probleem. Mijn handen zijn gebonden.'

'Jammer dan.' Met veel vertoon duwde ze een stapel papieren terug in haar tas. 'En eh... hoe heeft de heer Hammond betaald?'

Die vraag leek hem te verbazen. 'Met een creditcard natuurlijk.'

'Uiteraard. Dan kan hij de bon declareren bij de *Post*.'

Hij wist niet precies waar ze heen wilde, en dat baarde hem zorgen. 'Zal wel, ja.'

Ze knikte. 'Dat is inderdaad onze gebruikelijke betaalwijze. De krant doet veel zaken met uw baas, maar ik neem aan dat onze uitgever hier heel boos over wordt. Ik zal moeten adviseren voortaan met iemand anders zaken te doen. U kunt neem ik aan wel aan uw baas uitleggen waarom hij ons kwijtraakt, en ik weet zeker dat hij helemaal achter u zal staan.'

De grijns verdween van zijn gezicht. 'Hé, dat kunt u niet maken.'

'O nee?'

Met een boze uitdrukking haalde hij zijn hand door zijn haar. Mokkend deed hij een greep in een stapel mappen op zijn bureau en smeet er een voor haar neus neer.

Ze sloeg hem open. Bovenop lag het vluchtplan. Even staarde ze er verbijsterd naar. Ze had het kunnen weten. Jeff Hammond was op weg naar Stone Point in West Virginia, de stad die de stervende Joerimengri had genoemd.

Eerder die dag had Eli Kirkhart zijn parkeerplaats tegenover *The Washington Post* weer ingenomen. Hij voelde zich gesterkt door het gesprek met de adviseur voor binnenlandse veiligheid Cabot Lowell en de procureur-generaal. Vanuit die observatiepost had de mollenvanger gezien dat Jeff Hammond in gezelschap van een beeldschone blondine de hoofdingang uit liep. Wat zijn aandacht had getrokken, was niet het feit dat ze zo mooi of zo lang was, maar dat hij haar nog nooit in gezelschap van Hammond had gezien.

Kirkhart greep zijn Leica en maakte een aantal foto's terwijl het stel over het trottoir liep. Hij probeerde te liplezen, maar dat was een onbegonnen zaak met al die voetgangers en het zware verkeer,

waaronder een groot aantal vrachtwagens. Zo te zien aan hun ge-
laatsuitdrukkingen was het geen verliefd gesprek. Na een tijdje
keerden ze terug naar het gebouw, waar Hammond weer binnenging, terwijl zij doorliep naar een dure Mercedes die een eindje verderop geparkeerd stond. Ze opende het portier, stapte in en reed
weg.

Kirkhart moest wel dezelfde beslissing nemen als de vorige avond,
en ditmaal besloot hij achter Hammond aan te gaan. Hij had het
kenteken van de Mercedes en foto's van de vrouw, dus kon hij later naar haar op zoek. Hij koos een andere parkeerplek en bereidde zich voor op een lange, saaie periode van wachten. Net toen hij
onderuitzakte, dook vanuit de andere richting de Mercedes op, met
de blonde vrouw aan het stuur. Ze glipte een parkeerplek drie auto's vóór hem in.

Haar steelse terugkomst maakte Eli's surveillance een heel stuk minder saai, en toen Hammonds auto vanuit de garage omhoogkwam
en de blonde vrouw achter hem aan reed, gaf Kirkhart het tweetal
een redelijke voorsprong en ging er zelf achteraan.

Nu keek hij hoe de vrouw het kantoor van de chartervliegmaat-
schappij verliet en haastig terugliep naar de Mercedes. Hij pakte
zijn telefoon en belde het kenteken van de Mercedes en een beschrijving van de vrouw door aan zijn team, met instructies om uit
te zoeken wie en wat zij was. In de overtuiging dat hij nu dan iets
bruikbaars op het spoor was, liep hij het kantoortje binnen om uit
te zoeken waarheen Jeff Hammond ditmaal op weg was.

12

De middagzon had een slaperige warmte over kolonel Caleb Bates' uitgestrekte, beboste jachtclub gelegd. Maar de Hoeders waren daar niet trager door gaan werken. Met het zweet op hun gezichten werkten ze verbeten door. Wapens reinigen en controleren, vechtsporten oefenen en de boksoefeningen die Bates had ontwikkeld om hen scherp te houden.

In het van activiteiten gonzende kamp was kolonel Bates teruggegaan naar zijn hut. Hij was linea recta naar zijn wapenkast gegaan, had het slot geopend en een 9mm-SIG Sauer uitgekozen. Hij woog het wapen in zijn hand en genoot even van het compacte, efficiënte model. Toen deed hij een vol magazijn in de kamer en schoof het pistool in de leren holster onder zijn oksel. Even voelde hij zich minder gespannen. Niets kalmeerde hem zozeer als het gevoel bewapend te zijn, vooral als het een schitterend wapen als de SIG Sauer betrof. Dit moest genoeg zijn, in meerdere opzichten.

Hij trok zijn bruine safari-jasje aan, waaronder het pistool onzichtbaar was. Toen ging hij voor de spiegel staan. Hij keek naar zijn stoere gezicht en zijn forse gestalte, het resultaat van professionele make-up en polstering, en opnieuw kreeg hij het eigenaardige gevoel dat hij zijn vroegere persoonlijkheid aan het kwijtraken was, hoe die ook geweest mocht zijn.

Met enige wilsinspanning schudde hij het onbehaaglijke gevoel van zich af en concentreerde hij zich op zijn plan. Hij had drie problemen, en elk daarvan kon het falen betekenen van de de operatie op zaterdag, over drie dagen. Dat baarde hem enige, maar niet al te veel, zorgen. Een van de voornaamste redenen waarom hij de meeste van zijn vijanden had verslagen en overleefd, was zijn bijna bovennatuurlijke talent om problemen te zien aankomen. En zoals altijd had hij ook nu een plan.

Hij liet een klein, leren buideltje in zijn heupzak glijden en knoopte de klep zorgvuldig dicht. Hij keek uit zijn raam. Zijn Humvee was gearriveerd en stond voor de hut. Met een korte glimlach liep hij de berglucht in. Met een hernieuwd energiek gevoel ging hij achter het stuur zitten. Hij voelde zich weer zichzelf. Terwijl hij in de Humvee naar de poort reed, bedacht hij al een aantal noodoplossingen.

Marty Coulson was verliefd. De bossen van West Virginia leken groener, de hemel boven de bergen leek blauwer en zijn jonge hart was zo vol dat het bijna leek te barsten van geluk. Op de Honda-motorfiets die hij had 'geleend', reed hij zonder de motor te starten geluidloos de heuvel af tot hij zeker wist dat hij op de club niet meer te horen was. Toen stopte hij de gigantische motor bij een paar hemlocksparren, startte de motor en reed brullend de rest van de weg over de beboste bergflank af, Stone Point in.

Hij droeg een spijkerbroek, een sweatshirt met korte mouwen en een motorhelm. Toen hij voor Lila's huis aan de zuidrand van het dorp op de rem trapte, vlogen er stofwolken op van de zandweg. Met zijn helm onder zijn arm rende hij de veranda op.

Ze klapte de hordeur open. 'Je bent er! O, Marty. Kon je zomaar wegkomen?'

Ze lag al in zijn armen, en hij kuste ieder stukje huid dat hij maar vinden kon. Ze had zo'n heerlijke pepermuntsmaak van de tandpasta, en van tussen haar borsten steeg de geur van haar eau de toilette op. Ze had lang, roodbruin haar, steil en zijdezacht als gras in de weide.

Hij streek er met zijn vingers doorheen, terwijl hij keer op keer haar naam zei. 'Lila, Lila, Lila.' Hij trok haar mee naar binnen. Achter hen sloeg de hordeur dicht. 'Zijn ze weg?'

'Ja. Ze zijn aan het werk. Ik had niet gedacht dat je nog zou komen, Marty. Ik dacht dat je had gezegd dat niemand weg mocht van kolonel Bates. Maar ik heb gewacht en gewacht. Ik wist het gewoon: als er íémand kans zou zien om weg te sluipen, dan was jij dat wel. O, Marty. Ik ben onder de douche geweest en ik heb me mooi gemaakt voor jou. Vind je me mooi?'

'De mooiste van de hele wereld.' Hij liet zijn helm vallen en manoeuvreerde haar naar de slaapkamer, zijn benen tegen de hare gedrukt. 'Niet alleen het mooiste meisje dat ik ooit gezien heb, maar het mooiste meisje dat ooit geboren is. Dat ben jij, Lila.'

'Waarom werk je voor die kerel van Bates? Wat doen jullie daar de hele dag op die berg? Ik snap niet waarom ik niet op bezoek kan komen.'

Marty hield even op met zijn manoeuvres richting bed. Hij streelde haar haren en keek in haar violette ogen. Ze had ogen die al oud waren, maar daaromheen zaten mooie, dichte wimpers. En hij vond de kleur mooi. 'Ik werk niet voor de kolonel, maar met hem samen. Je mag niets onaardigs over hem zeggen, Lila. Daar kan ik niet tegen. Hij gaat de wereld weer op z'n poten zetten, en je zult nog eens dankbaar zijn voor alle offers die we nu brengen. We worden weer een echte natie. Straks hoeven we onze banen en ons geld en alles wat we weten niet meer weg te geven. Dan is alles wat ons dierbaar is, weer van ons. Amerika voor de Amerikanen. Zo hoort het, zo heeft God het gewild. Je moet me alleen vertrouwen, en je mag niets slechts over hem zeggen of denken. Beloof je dat?'

Toen ze plechtstatig knikte, lachte hij van verrukking. Hij kuste haar lang en intens, en nu was het haar beurt om hem mee te trekken naar het bed.

In een vorig leven had de man die zich kolonel Bates noemde, een leidende positie bekleed bij het meest uitgelezen, gevaarlijkste leger ter wereld. Dus toen het nodig was om een smerig hokje aan de rand van een dorp van driemaal niks op te zoeken, had hij daar rechtstreeks heen kunnen rijden. Maar zo zou hij zijn doel niet bereiken. Hij reed de Humvee dus het bos in, bedekte hem met takken en glipte te voet in zuidelijke richting tussen de bomen door, tot hij de motorfiets zag staan die de jongen uit de club had gepikt. Hij stond recht voor het huisje. Duidelijk zichtbaar. Hij zuchtte. Mensen, vooral jonge mensen, waren wel zó verschrikkelijk voorspelbaar.

Hoewel hij wist dat hij er snel een einde aan moest maken, speurde hij zorgvuldig het zandpad met de rij sprietige bomen en tuintjes vol troep af. Toen er niemand op straat was, draafde hij vanuit zijn dekking naar voren. Hij rende naar het huis. Die veranda stond hem niet aan. Die was oud en zou waarschijnlijk kraken. Hij verkende de omgeving van het huis en keek door de ramen naar binnen tot hij bij een open venster kwam. Daarachter hoorde hij stemmen.

'Doe nog eens,' lachte een jonge vrouw. 'Je moet ál mijn tenen zoenen. Ik heb er speciaal voor jou sexy roze nagellak op gedaan.'

Bates pakte zijn SIG Sauer en schroefde de geluiddemper erop.

'Hé, en ik dan?' Dat was Marty Coulsons stem. 'Hoe staat het met míjn tenen? Krijg ik geen volledige behandeling?'

Voorzichtig kwam Bates een eindje omhoog. Hij tuurde naar binnen. Het was een meisjesslaapkamer. De jongen en het meisje lagen naakt op bed, deels onder goedkope bloemenlakens. Op de grond lag een dichtgeknoopt, gebruikt condoom. Het meisje kwam op haar knieën overeind en het laken viel weg van haar borsten. Ze greep de voet van de jongen en sperde lachend haar mond open boven zijn tenen...

En toen zag ze Bates bij het venster. Ze gilde. De jongen sprong overeind en keek verwilderd om zich heen.

Bates vuurde. De eerste kogel joeg hij door het hart van de jongen, want die was de gevaarlijkste van het tweetal. Meteen schoot hij een tweede midden door het voorhoofd van het meisje. Het pistool met de demper maakte ploppende geluiden. Er spoot bloed door de kamer, dat in rode plassen op de lakens viel. De jongen en het meisje vielen achterover doordat de kracht van de negen-millimeterkogels hun lichamen half van het bed sloeg.

Het was binnen drie seconden voorbij. Bates stak het pistool weer in de holster en veegde met de rug van zijn hand over zijn bovenlip om het zweet te verwijderen dat daar was ontstaan toen het meisje begon te gillen. Hij observeerde de straat en de andere armzalige huisjes, maar er was niemand te zien.

Nu moest hij nog één ding doen. Hij haalde een klein, plat, luchtdicht metalen doosje uit zijn zak, opende het en haalde er een speciaal behandelde chirurgische handschoen uit. Die stak hij voorzichtig aan zijn linkerhand voordat hij de vensterbank vastpakte. Hij streek zijn vingers in de handschoen terug alsof hij zich plotseling in evenwicht moest houden. De vingerafdrukken zouden er onduidelijk en dus echt uitzien, de huidolie was vers en er moest minstens één afdruk zijn die leesbaar – en dus traceerbaar – was.

Eerder die middag had hij een telefoontje gekregen van de contactpersoon bij het vliegveld, die meldde dat Jeffrey Hammond op weg was naar Stone Point. Op dat moment had Bates de handschoen laten komen. De vingerafdrukken die daarop waren aangebracht, waren die van Hammonds linkerhand. Ze waren een tijdje geleden genomen in een bar in Washington, en hij had ze bewaard voor dit soort situaties. Voorbereiding was een van de steunpilaren van Bates' succes, en de onderzoeksjournalist en voormalige *special agent* van de FBI kwam gevaarlijk dichtbij.

Bates keek nog eenmaal om zich heen. Toonloos fluitend draafde hij de straat weer over en verdween hij in het bos.

Bates beschouwde zichzelf niet als een moordenaar. De daad zelf had hem nooit genoegen bezorgd, zoals bij echte moordenaars vaak het geval was. Hij doodde alleen als het echt nodig was. Toch was hij euforisch. De klus van die middag was bijzonder goed gegaan. Die jongeman, Marty Coulson, had te veel initiatief getoond en Bates had volgelingen nodig zonder ondernemingszin of ambitie. Marty moest dus toch geëlimineerd worden. En tegelijkertijd had Bates het probleem-Jeff Hammond uit de weg geruimd.

Nu ging hij zijn derde zelf-opgelegde opdracht vervullen. Hij moest een band smeden met de Hoeders die zo hecht was alsof ze zijn eigen vlees en bloed waren, en dat zou hij doen door middel van de dubbele moord op Marty en het meisje. Hij grinnikte van plezier dat alles zo mooi in elkaar paste.

Net toen de zon in een stralende oranje gloed boven de bosrijke bergtoppen onderging, kwam hij terug bij het kamp. Terwijl de nacht vol grijze schaduwen raakte, vochtig en met de geur van rottend blad, riep hij de Hoeders bijeen voor een vergadering in de eetzaal. Hij keek hoe ze een voor een binnenkwamen met hun schoongeboende gezichten. Ze hadden zich gewassen en verkleed voor het avondeten. Vanuit de kookhut kwamen heerlijke geuren aanwaaien van vlees, kruidige saus en kersentaart.

In de zaal was de sergeant bezig met de algemene aankondigingen. Bates liep erheen en ging achter hem staan wachten. De sergeant wilde graag weten wat zijn leider te vertellen had, en werkte zijn presentatie zo snel mogelijk af. Daarna ging Bates op het podium staan, recht en machtig als een eikenboom. Alle gesprekken verstomden, iedereen zat muisstil. Hij had hun aandacht, maar hij wilde meer.

'Ik moet u een tragedie melden.' Zijn rauwe stem klonk plechtig. De grote zaal leek te verstijven en zich schrap te zetten. 'Zoals sommigen van jullie misschien weten, ben ik net terug van een missie naar Stone Point om een van onze jonge patriotten terug te halen, Marty Coulson. Marty had een vriendinnetje in het dorp, en hij was bezweken voor de verleiding. Hij gaf geen gehoor aan de order om in het kamp te blijven...'

Ergens in de zaal kreunde iemand, en Bates wist dat dat waarschijnlijk Marty's moeder was. 'Hij is toch niet aangehouden door de politie?' Er klonk afgrijzen door in de stem van de vrouw. 'Wat is er met mijn Marty gebeurd?'

'Het spijt me, moeder. Bereid u voor op het ergste.' Bates' stem had de ernst die de situatie vereiste. 'De jongen is dood.'

De Hoeders waren een familiegezinde gemeenschap, en de dood van de populaire jongeman was een harde klap. Vrouwen hapten naar adem. Mannen klemden hun kaken opeen. Marty's moeder legde haar gezicht op de schouder van haar echtgenoot en snikte, terwijl zijn ogen een glazige blik kregen toen hij probeerde de schok te verwerken zonder emotie te tonen.

Bates knikte meelevend. Nu was het moment gekomen om de emotionele spanning op te voeren. 'Marty is het eerste slachtoffer onder de Hoeders. Maar hij heeft zich niet doodgereden, en zijn dood was geen ongeluk. Hij is vermóórd.'

Zoals hij al verwacht had, brak er een enorm kabaal uit.

'Wie heeft het gedaan?' wilde iemand weten. 'Dan vermoord ik die klootzak!'

'Waar is die hufter?' brulde een ander, terwijl hij zijn vuist schudde. 'Die wil ik weleens in handen krijgen.'

'Wie heeft het gedaan, kolonel, dat willen we weten!' riep een derde.

Bates maakte sussende gebaren. Dankzij de ijzeren discipline die hij had ingesteld, hun kritiekloze loyaliteit jegens hem en hun fanatieke toewijding aan de zaak, waren ze meteen stil.

'Ik zal jullie zeggen wie het gedaan heeft. Niet zodat jullie nu wraak kunnen nemen, maar opdat je later weet hoezeer dit land ons en onze zaak nodig heeft.' Hij zweeg even, zodat ze met extra aandacht naar zijn volgende woorden luisterden. 'Mede-Hoeders, onze jonge kameraad is vermoord door een FBI-man.'

Hoewel dat niet strikt de waarheid was, wist Bates dat ze het allemaal zo zouden interpreteren als de kranten meldden dat er een voormalige FBI-man was gearresteerd. Met diepe voldoening zag hij hun frustratie, de woede en de haat op hun gezichten. Diep in hun hart dachten ze aan de 'ware' vijanden van hun land, wist hij. Bates knikte. 'Jazeker, medepatriotten. We weten wie de vijand is, en we weten wat ons te doen staat. Wat zeggen jullie?'

'Ja!' kwam het antwoord.

'En we staan niet alleen. Denk eens aan onze broeders en zusters van de Montana Freemen, die de jakhalzen van de regering hebben verjaagd. Denk aan de bombardementen in Washington en de bankovervallen in de Midwest. En vergeet vooral niet de gerechtvaardigde vernietiging van het federale gerechtsgebouw in Oklahoma City. Wij patriotten hebben een traditie hoog te houden; niet alleen van opoffering en overleving, maar van overwinning. Wat zeggen jullie?'

'Ja!' brulden ze.

Bates verhief zijn stem en zei op dringende toon: 'Maar doordat we weten dat Marty is vermoord door de FBI, weten we ook dat de regering ons op de hielen zit. Om Marty te wreken, moeten we zo snel maken dat we hier wegkomen dat we de laatste delen van onze operatie veilig kunnen voorbereiden. We hebben zaterdag een afspraak met een grootse, glorieuze toekomst. Marty zou willen dat we er waren. Marty wil dat wij winnen. We doen het voor Marty. Wat zeggen jullie?'

'Ja!' brulden ze. 'Voor Marty!'

En zo had Bates een toestand van verdriet en woede uitgebuit en omgevormd tot een stemming waarin ze tot alles bereid waren. Er bestond geen grotere kracht dan een beheerste bliksemslag, en dat was precies wat de Hoeders in zijn handen waren. Ze waren van hem, hun aspiraties waren de zijne, en nu waren ze hem toegewijder dan ooit.

Met klem vervolgde hij: 'De helikopters zijn op weg. Pak je spullen. De kwartiermeesters zullen jullie vertellen waarop je toezicht moet houden bij het transport. Klaar voor actie!'

Met Bates aan het hoofd ging de hele groep in looppas naar buiten om zich daar te verspreiden. Ze waren griezelig efficiënt; het waren elitetroepen geworden, net als de paratroopers die hij al die tijd geleden had opgeleid. Nog geen uur later was het hele kamp opgebroken. En een halfuur daarna stapten sommigen in de helikopters, terwijl anderen met vrachtwagens, auto's en motoren de achteruitgang uit reden. De stille nacht daverde van het motorgeronk.

Als gebruikelijk verliet Bates als laatste het terrein. Toen hij in zijn eentje in zijn hut stond, werd hij weer heel even Aleksej Berianov. Hij belde het hoofdkantoor in Maryland en zei in het Russisch tegen Ivan Vok: 'Hammond zat er ditmaal te dichtbij. Hij kon gaan praten, anderen konden achter hem aan komen. Aleksej Berianov moet verdwijnen. Stuur hem op bezoek bij onze mensen in Moskou, een reisje naar huis. Berianov krijgt helaas een hartaanval. Natuurlijke doodsoorzaak, snap je? Anders bestaat het risico dat iemand Berianov herkent in Caleb Bates.'

'Ik zorg er meteen voor, Aleksej.'

'Mooi.' Berianov hing op en concentreerde zich even.

Als Caleb Bates stapte hij de kille nacht in en liet zijn blikken over het verlaten, door de maan beschenen kamp dwalen terwijl hij zich naar de laatste helikopter haastte. Spookachtige mistflarden stegen op van de warme grond. Rondom hem zag hij niets dan lege omhulsels van huizen. Geen vergeten briefjes, geen afval, geen papieren met informatie die tegen hem kon worden gebruikt; helemaal niets dat wie dan ook kon vertellen dat de mensen die hier hadden gewoond en getraind, vertrokken waren op een missie van doelgerichte vernieting, een missie op leven en dood.

Met een gevoel van blijde spanning klom hij de rumoerige helikopter in. Hij keek de piloot aan en stak zijn duim omhoog. De

piloot knikte en beantwoordde het signaal. Na een korte huivering verhief het toestel zich als een demon de zwarte nacht in. Er
was geen weg terug meer voor Caleb Bates – of voor Aleksej Berianov.

13

Het hart was een tweeslagspomp, een simpel stukje menselijke mechaniek. Maar dit nieuwe hart, dit stuk levend weefsel ter grootte van een vuist dat zo hevig bonkte in haar borstkas, leek Beths leven binnenstebuiten gekeerd en op z'n kop gezet te hebben. Ze voelde zich meegesleurd worden in gebeurtenissen die ze niet begreep, maar ook in een zelfbeeld waarin ze zich niet langer herkende.

Jeff Hammond was op weg naar West Virginia, dus ging Beth met droge mond van bezorgdheid naar huis. In de loop van die middag ijsbeerde ze eindeloos heen en weer in haar huis, van boven naar beneden en van beneden naar boven. Ze had altijd gedacht dat het leven eenvoudig in elkaar stak. Haar weg had weinig bochten gekend. Ze was opgegroeid in de gouden schaduw van haar ouders in Los Angeles. Voor hen was de stad eerder een woonplaats of een adres: een speeltuin en een strijdveld voor hun glamour en hun glansrijke carrières.

De naam van haar vader – de indrukwekkende, charismatische keizer van de rechtszalen – was synoniem met onmogelijke verdedigingszaken. Wanneer een mogelijke cliënt, meestal een schuldige moordenaar, vroeg wat het ging kosten om Jackie-Messer Convey het systeem te laten verslaan, bestudeerde haar vader een lijst van de bezittingen van die persoon en wees dan naar het totaalbedrag. 'Dit lijkt me zo'n beetje de waarde van je leven, nietwaar? En als je dat er niet voor over hebt, dan heb ik niet veel te verdedigen, lijkt me.' Die waanzinnige logica was een goudmijn gebleken.

Haar moeder daarentegen was de ongekroonde koningin van de onroerendgoedmarkt in Los Angeles. Janet Reese Convey had in het middelpunt gestaan van een groot aantal bijzonder prominente projecten – congrescentra, enorme huizenblokken, choquerend grote winkelcentra. Als kind had Janet voor het eerst de waarde van bezittingen gezien toen de tuin van haar grootvader een oliebron bleek te bezitten. Plotseling was een kleine bungalow temidden van bougainville, tomatenplanten en fruitbomen – met één lelijke ja-knikker – omgetoverd in een wereld met onverwachte mogelijkheden. Het geld borrelde uit de grond omhoog en de hele familie kon plotseling auto's, vakanties, studies en zaken kopen. Dat was zo'n opwindende tijd geweest, die opmerkelijke overgang van armoede naar rijkdom, dat de hele toestand een onuitwisbare indruk had nagelaten.

Toen Beth als enig kind werd geboren uit het huwelijk van Jack en Janet, kwam ze niet terecht in een gespreid bedje, maar in een compleet notenhouten slaapkamerameublement. Alles had ze: het nieuwste speelgoed, de beste nanny's, de juiste scholen en de kinderen van de westkust-elite als speelkameraadjes. Toen ze ouder werd en opgroeide tot een langbenige, blonde schoonheid, mocht ze ook de meest fantastische feesten in de wijde omtrek van Beverly Hills houden. Snelle auto's. Couturekleding of hippe vodden van Melrose. Ze liet haar haar doen bij Adamo Lentini. En natuurlijk waren er vriendjes. Prachtige vriendjes met de lichamen van surfers en het gebruinde uiterlijk dat alleen te koop is met veel vrije tijd en onbeperkte financiële middelen.

Maar toen ze achttien werd, veranderde haar leven volledig. Als ze eraan terugdacht, kreeg ze weer de koude rillingen. Dus dacht ze er niet meer aan. Op dat moment eindigde haar leven als *playgirl* en werd het menens. Net zoals haar moeder de aantrekkingskracht van het land had ontdekt en haar vader het mateloos boeiend vond om een rechtszaalkrijger te zijn, zo ontdekte Beth de kracht van de menselijke geest. Ze wilde nadenken, analyseren, zichzelf verliezen in ideeën. Ze schreef de emotie af en zat urenlang uit te kijken over de uitgestrekte laagvlakte rond Los Angeles. Ze dacht na over geschiedenis, politiek, mode en zelfs mechanica. Ze nam taal- en tekenlessen. Alles boeide haar.

Maar nu ze drieëndertig jaar oud was, voelde ze zich verwarder dan ooit. Ze was geschokt door het feit dat ze zichzelf niet terugkende. Als je niet weet wie je bent, wat weet je dan wél?

Urenlang ijsbeerde ze die dag door haar oude huis en keek zonder iets te zien naar de dure meubels en kunstwerken, allemaal gekocht met de opbrengst van haar hoog opgeleide brein. Ze had het bij het verkeerde einde gehad, besefte ze nu. Ondanks een sporadische zijsprong was haar leven helemaal niet opgebouwd vanuit haar rationele verstand, zoals ze altijd gedacht had. Nee, ze had de gemakkelijkste weg gekozen.

Het had haar geen moeite gekost haar talloze interesses te volgen, gefinancierd door het geld dat haar ouders voor haar hadden vastgezet. Uiteindelijk was ze zo tot de keuze voor rechten gekomen, waar ze zonder problemen hard had kunnen werken en waar ze het ene na het andere succes had geboekt. Tenslotte was dat gebruikelijk in haar familie, zo was ze opgevoed.

Ze had nooit serieus getwijfeld aan haar keuzes. Het enige dat ze had gevoeld, was een honger om verder te komen, om even goed te worden als zij waren geweest, en om uiteindelijk niet alleen beter te worden, maar om de beste te zijn. Ze had een heleboel moeten bereiken en compenseren. Maar nu was ze de oude niet meer. Ze twijfelde aan alles en ze had geen idee hoe het verder moest, wat ze moest doen, wie ze nu zou worden.

Beth dwong zich haar training af te maken en te douchen. Ze bekeek de bult op haar voorhoofd, die al aan het slinken was. Ze wou dat haar problemen even gemakkelijk konden verdwijnen als deze fysieke wond. Rusteloos kleedde ze zich weer aan. Wat ze nu moest doen, wist ze, was een aantal mensen opbellen om te laten weten dat ze op zoek was naar een andere baan. Als ze bedacht hoe vaak ze voor haar operatie was gebeld door andere kantoren in de buurt, kon het niet moeilijk zijn om iets interessants te vinden. Maar hoe ze ook haar best deed, ze kon niet het juiste enthousiasme opbrengen om te beginnen.

Ze wilde erachter komen hoe ze Anatoli Joerimengri had kunnen herkennen. Hoe ze althans een deel van zijn naam had geweten. Waarom ze die nachtmerries had. Waarom gingen die nachtmerries over Russen, soldaten, geweld? Waarom?

En dat deed haar denken aan haar chirurg, Travis Jackson. Ze belde naar zijn kantoor, maar uiteraard was hij bezig met een patiënt. 'Mag ik de dokter uw naam geven?' vroeg de receptioniste zonder al te veel belangstelling.

'Beth Convey, een van zijn transplantatiepatiënten.'

De onverschilligheid verdween als sneeuw voor de zon. 'Momentje, mevrouw Convey.'

De vrouw had vergeten haar in de wacht te zetten, en nu hoorde Beth de geluiden van een druk kantoor – hoesten, gelach, ritselend papier en geërgerde stemmen die vroegen wanneer de dokter kwam. Ze wilde net ophangen, want ze wilde geen gesprek met een wanhopige patiënt onderbreken, toen Travis Jacksons bezorgde stem in haar oor klonk.

'Beth? Wat is er? Gaat het? Wat kan ik...'

'Het gaat prima, Travis. Niks aan de hand.' Maar toen bedacht ze zich. 'Hoewel, nee, dat is niet waar. Het gaat níét prima. Mentaal niet, althans. Verre van prima.'

Ze hoorde hem opgelucht uitademen. Haar hart deed het nog, en dit was geen medisch spoedgeval. 'Nou, wat is dan het probleem?' 'Er gebeuren nog steeds hele vreemde dingen. Angstaanjagende dingen. Het ergste is dat ik me heel anders gedraag dan vroeger. Ik voel me anders.'

Ze hoorde hem zuchten. Voor haar geestesoog zag ze hem weer naast haar ziekenhuisbed zitten, met een ernstig maar geïnteresseerd gezicht en het brilletje op de punt van zijn neus. Hoeveel keren hadden ze niet gesproken over haar ziekte en herstel. Hij was een hele troost geweest.

'Vertel het nu eens vanaf het begin,' zei hij.

Zonder namen of lokaties te noemen, beschreef ze de gebeurtenissen sinds haar telefoontje naar het mysterieuze nummer in Arlington.

Zijn stem klonk verbaasd, geschokt zelfs. 'Heb je dit aan de politie verteld?'

'Niet alles. Ik heb de moord gemeld, maar ze dachten dat ik gek was of dat het een grap was.'

'Belachelijk.'

'Er zijn mensen dood. Ik ben achternagezeten en bedreigd. Ik heb nog steeds nachtmerries en gedachten, gevoelens en ideeën die ik nooit eerder heb gehad. Ik gedraag me anders dan vroeger. Ik herken mezelf niet meer. Ik weet niet eens of ik mezelf wel aardig vind.'

'Rustig nou maar. Alsjeblieft.' Er kwam een toon van ongeduld in zijn normaal zo kalmerende stem. 'Als alles wat je me nu vertelt werkelijk is gebeurd, kan ik alleen maar...'

'Als?' Ze geloofde haar oren niet. 'Geloof je me dan niet?'

'Beth, luister nou.' Nu grensde het ongeduld aan irritatie. 'Ja, ik geloof wel dat dit allemaal op de een of andere manier gebeurd moet zijn. Maar dat komt niet door je hart. Dat geef ik je op een briefje. Het komt door het trauma, de medicijnen, nervositeit, je verlangen om weer aan het werk te gaan en dan de ramp als je erachter komt dat je cliënten zijn gestolen. Waarschijnlijk komt het door wel honderd dingen, die allemaal meewerken om je percepties en je herinneringen te kleuren. Het lijdt geen twijfel dat deze schijnbare veranderingen rechtstreeks uit je verleden komen en dat je simpelweg vergeten bent wat de connecties zijn. Je hart spreekt niet tegen je. Dat kan niet. Dat is onmogelijk. Bespottelijk. Er is geen enkel concreet bewijs, geen enkele wetenschappelijke basis voor zo'n macaber idee. Dat heb ik je al eerder gezegd.'

Hij wimpelde haar af. Haar stem klonk kortaf: 'Het is een jaar geleden, Travis, en het is nog niet over. Het is juist erger geworden.

De vreselijke dingen die sinds gisteren zijn gebeurd, hebben niets te maken met wat dan ook in mijn leven vóór de transplantatie. Dat geef ik jóú op een briefje.'

Het bleef stil. Ze begon te denken dat hij weggelopen was.

Toen hij weer sprak, klonk zijn stem energiek. 'Ik wil dat je iets kalmerends neemt en dat je eens goed gaat slapen. Je maakt jezelf helemaal overstuur. Dat is duidelijk. Ik zal Tina vragen om je voor morgen in de agenda te zetten. Ik zit helemaal vol, maar we proppen je wel ergens tussen. Ik breng een collega mee. Een aardige vrouw. Ze is me iets schuldig, en ik denk dat jullie goed met elkaar zullen kunnen opschieten.'

'Wat is dat voor collega?'

'Patricia Fall.'

'Die naam heb ik weleens gehoord. Psychiater?'

'Ja. Heel bekend. Prima papieren. Misschien moeten we langzamerhand onder ogen zien dat er meer aan de hand is met jou en je emotionele toestand dan een van ons beseft had...'

'Volgens mij niet.' Plotseling razend smeet ze met een woedende blik de hoorn neer. 'Sterker nog: volgens mij heb jíj een psychiater nodig, Travis, want jij wilt niet luisteren. Je hebt het fóút! Dit gebeurt allemaal wél. Je hebt het fout. Het is écht.'

Schokkend van woede bleef ze naast de telefoon staan. Ze wilde nog maar één ding: iets kapotsmijten. Ze wilde met haar vuist tegen de muur rammen, ze wilde ruiten inslaan en meubels kapotbeuken. Hoe durfde hij! Hijgend probeerde ze te kalmeren. En na een tijdje maakte haar woede plaats voor wanhoop. Het huis leek vreselijk leeg, terwijl ze die lange stiltes ooit als prettig had ervaren. Was er dan helemaal geen antwoord? Kon ze helemaal niets doen?

Ze had altijd het verschil geweten tussen wat echt was en wat uit je verbeelding kwam. Dat was iets waar je rond je vijfde al achter was. Natuurlijk kon je het verschil negeren. Toen ze een jaar of vier was, had ze voor zichzelf een vriendinnetje verzonnen, Linda. Haar nanny organiseerde theepartijtjes in het tuinhuis voor hen tweeën en als er niemand keek, dronk Beth snel Linda's thee op om vervolgens tegen de nanny te zeggen dat Linda het allemaal heel lekker had gevonden.

In diezelfde periode beweerde haar buurjongen dat hij regelmatig in zijn ruimteschip naar de maan vloog. Hij had er wilde, spannende verhalen over, en hij werd vreselijk boos als iemand zei dat hij loog. Maar rond de tijd dat haar belangstelling voor Linda overging in die voor boeken en films, was hij overgestapt op voetbal en computergames. Ze gaven tegenover elkaar toe dat Linda en het ruimteschip nooit echt bestaan hadden. En verbonden door die waarheid lieten ze dat deel van hun kindertijd achter zich.

Nu voelde ze zich een kleuter, geschokt in haar geloof dat ze het verschil tussen echt en onecht kon zien. Ze zuchtte, hief haar armen boven haar hoofd en rekte zich uit. Ze moest haar hoofd wat rust gunnen, die hele toestand een tijdje vergeten. Ze ging haar werkkamer in op zoek naar afleiding. Op haar bureau lag haar aktetas en ze herinnerde zich de uitdraai van de geheime lijst met Han-Tech-eigenaren. Die zat er nog in. Ze had niet alleen de lijst, maar ook Michelle Philmalee vergeten.

Het was wel gebleken dat Michelle bijzonder weinig loyaliteit kende, en Beth had medelijden met haar kortzichtige kijk op mannen. Sommige misbruikte vrouwen waren ook in de meeste andere aspecten van hun leven slachtoffers, terwijl anderen, zoals Michelle, uitzonderlijk goed functioneerden, maar een gevaarlijke blinde vlek hadden als het om mannen en de liefde ging. Ze hoopte dat Michelle daar ooit achter zou komen.

Intussen had Michelle die HanTech-gegevens werkelijk nodig om haar gecompromitteerde uranium-transactie te redden, en eerlijk gezegd was Beth erg gesteld op Michelle. Aan alle cliënten was wel iets mis, en Michelle was geen uitzondering. Bovendien had het geen zin om Michelle te straffen; Beth was zelf ook zo stom geweest om iets te hebben met die slapjanus van een Phil Stageman. Opgelucht dat ze iets nuttigs kon doen, begon Beth de lijst te kopiëren op haar kopieerapparaat. Ze schreef Michelles naam op een bruine envelop en stopte de kopieën erin. Ze dacht even na en schreef toen een kort briefje waarin ze Michelle veel sterkte wenste. Aangezien Michelle tegenwoordig dus iets had met Phil, zou ze alle sterkte nodig hebben die ze krijgen kon. Toen reed ze door de schemering naar Michelles huis om de envelop in de brievenbus te stoppen.

Toen ze weer thuis was, installeerde ze zich in de woonkamer. Het was een groot, luchtig vertrek met hoge ramen die uitkeken op de donkere straat. Er hing een vage citroengeur van boenwas. Haar televisie was verscholen in een antieke kast. Beth ging in haar favoriete fauteuil zitten, legde haar voeten op haar marmeren salontafeltje en begon te zappen. Maar de soaps boeiden haar niet: die drama's verbleekten bij haar eigen nieuwe leven, en van het nieuws raakte ze gedeprimeerd.

Ze zette de tv uit en belde twee oude vrienden in Washington. De gesprekken gingen over onbelangrijke dingen, en het was een kortstondige opluchting om te merken hoe normaal alles was.

Opgewekt nam ze haar medicijnen in en maakte ze iets gezonds te eten. Ze deed nogmaals haar oefeningen en nam opnieuw een douche. Toen haar haar droog was, trok ze haar badjas aan en ging nog eens terug naar haar kantoor, in de hoop dat de zakelijke sfeer daar een zekere orde, een zeker richtinggevoel zou geven aan de draaikolk in haar hoofd. En toen zag ze het rode knipperlichtje op haar antwoordapparaat.

Ze staarde ernaar. Ze wist niet of ze wel wilde weten wie er gebeld had toen zij onder de douche stond, of wat het bericht was. Misschien had Travis Jackson teruggebeld om zijn excuses aan te bieden en te zeggen dat het best mogelijk was dat ze berichten doorkreeg van haar hart. Ze keek op haar horloge. Het was al na achten. Het kon ook Jeff Hammond zijn. Ze slikte moeizaam. Nee, die kon nog niet terug zijn uit West Virginia.

Ze vermande zich en drukte op de knop NIEUWE BERICHTEN.

De arrogante stem van Zach Housleys persoonlijke secretaresse meldde: 'De heer Housley heeft mij verzocht u te informeren dat de beveiliging uw privéspullen uit uw voormalige kantoor heeft ingepakt. Morgen worden de dozen bij u thuisbezorgd. Onder rembours, uiteraard. Ik ben nagebleven om hiervoor te zorgen. De heer Housley heeft me vriendelijk verzocht u te waarschuwen dat u thuis moet zijn om het transportbedrijf te betalen. En als ik daar iets aan mag toevoegen, mevrouw Convey: u hebt ons allemaal diep teleurgesteld.' Einde bericht.

Beth verstarde. Ze keek naar het zwijgende apparaat. Vriendelijk verzocht? Dat achterlijke... Nee, die boodschap kon alleen van Zach afkomstig zijn. Zoiets had het mens zelf nooit gedurfd, tenzij Zach Housley het haar had opgedragen of haar door zijn voorbeeld had laten zien dat de jacht op Beth Convey geopend was. Het bericht droeg alle Housley-handelsmerken: het was kleinzielig, arrogant en ietwat vals.

Plotseling voelden haar knieën aan als water. Overweldigd greep ze naar haar bureau, de muur, enig houvast. Het was een pure reflex, en het enige waardoor ze nog overeind bleef was haar hand aan de rand van de boekenkast. Ze probeerde diep adem te halen, maar de tranen sprongen haar in de ogen. Huilend tastte ze in het plotseling onbekende vertrek naar haar stoel.

Ze zou nooit vennoot worden. Ze had geen baan, laat staan een carrière. Nacht na nacht werd ze gekweld door vreselijke nachtmerries en ze had geen idee waarom. Het leek wel of haar leven niet veranderd maar gemuteerd was. Het telefoonnummer in haar hoofd had haar naar de moordenaar geleid van een man uit haar nachtmerries. De moordenaar, Jeffrey Hammond, had haar bedreigd. Ze was wakker geworden in een onbekende motelkamer en ze had geen idee hoe ze daar terechtgekomen was. Hoe? Waarom? Om haar van Hammond te redden? Om haar te verbergen en op afstand te houden? Ze begreep er niets van, en dit zou allemaal nooit gebeurd zijn met de Beth Convey die ze ooit gekend had.

Even plotseling kwam de woede terug die ze had gevoeld tijdens het gesprek met Travis Jackson. Nee, ze wás Beth Convey. Ze zouden haar er níét onder krijgen. Haar tranen droogden op en ze veegde met haar vingers door haar ogen. Wie had haar dit aangedaan? Wie waren die onbekenden in haar nachtmerries, waarvan er minstens één bleek te bestaan? Bestonden ze allemaal? En wie was Hammond? Waarom had hij die KGB-overloper, Joerimengri, vermoord? Ze greep een Kleenex uit de doos op haar bureau, snoot haar neus en liep met ferme tred naar haar zitkamer. Bij de bar, die goed voorzien was voor als ze gasten had, schonk ze zichzelf een wodka on the rocks in en dronk het glas in één teug halfleeg. De zo goed als smaakloze vloeistof brandde in haar keel. Verdomme. Waar was ze mee bezig? Het was helemaal niet goed om zomaar wodka te drinken, en de smaak deed haar weer denken aan alle veranderingen. Haar carrière was verloren, en het leek wel of het haar niet kon schelen... Ze zou de rest van haar leven enorme doses medicijnen moeten gebruiken... een leven vol beperkingen, en misschien een korter leven. Was dat haar toekomst? Als Jeff Hammond of iemand anders haar tenminste niet voor die tijd vermoordde?

Ze was uitgeput. Het glas viel op het kleed en wodka en ijs schoten over de vloer. Vanuit een uithoek van haar vermoeide verstand stelde een stem haar gerust: niet erg, wodka vlekt niet. Ze wilde lachen, maar haar longen werkten niet mee. Trillend liep ze de gang in. Ze moest zich aan de trapleuning omhooghijsen. Ze dwong zich het gebruikelijke ritueel voor het slapengaan af te werken.

Ze viel in bed, deed het licht uit en rolde zich met haar laatste krachten op tot een bal op haar zijde. Ze staarde uit het raam op de eerste verdieping naar de sterren, en ze luisterde naar de geluiden van de nacht. Ze huiverde, maar alleen de bekende stadsgeluiden en het zachte kreunen van de wind waren te horen. Ze prentte zichzelf in dat zij Beth Convey was. Moordmachine met mededogen. Koningin van de kosmos. Ster van het heelal. Ze had gewoon slaap nodig.

Een paar huizen verderop zat Nikolaj Fjodorov onderuit gezakt en schijnbaar slaperig in zijn Chevrolet bestelwagen. Hij en zijn voertuig keken weg van Conveys huis, om de kans te verminderen dat ze hem zou zien. Niet dat hij problemen verwachtte. Convey was een burger. Een amateur.

Via zijn buitenspiegel hield hij de wacht. Hij zag alle lampen uitgaan, totdat alleen in haar slaapkamer nog licht scheen. Toen het ook daar donker werd, belde hij met zijn normale gecodeerde telefoon naar Aleksej Berianov. Fjodorov was verbaasd toen er een andere stem opnam.

'Meld je.'

De dreunende toon klonk heel anders dan de voormalige KGB-generaal. Bovendien hoorde Fjodorov het ritmische geklap van helikopterwieken. Op zijn hoede zei Fjodorov: '*Sjto vy doemajete ob ètom?*' Wat denk je? 'Zo te zien is ze gaan slapen.'

De stem van de generaal klonk bijna fluisterend. 'Blijf waar je bent. Zij en haar huis moeten continu in de gaten gehouden worden. We moeten weten wie er naar binnengaat, wie eruit komt. Wie ze spreekt en wat ze doet. Alles.' De verbinding werd verbroken.

14

Drie mannen trapten een kampvuur uit. De leider, een knappe man in een schitterend generaalsuniform, wenkte hen met dringende gebaren verder de donkere nacht in.

Samen met de twee anderen volgde Beth in looppas, haar AK-47 in de aanslag in haar armen en haar blik gespannen, alert op vijanden. Met een huivering drong het besef door dat ze tussen twee dode mannen in liep. Aan haar ene kant liep de naamloze man die ze met de motorfiets had doodgereden, en aan haar andere kant was Joeri. Joeri was razend. Boos wees hij naar de leider. Hij gilde tegen haar, maar er kwam geen geluid uit zijn keel. Uit alle macht probeerde ze Joeri's waarschuwing te verstaan...

Haar ogen vlogen open. Een nieuwe nachtmerrie. O god, wanneer kwam hier een einde aan?

Ze slaakte een zucht en liet haar blikken door de slaapkamer dwalen om te kalmeren. De vroege ochtendzon wierp lichtvlekken op het plafond, en de geur van pas gemaaid gras dreef door het open raam haar kamer binnen. Beneden, in de tuin van de buren, gromde een grasmaaier.

Terwijl ze lag te luisteren, besefte ze dat ze uit deze nachtmerrie was ontwaakt met een gevoel van onvermijdelijkheid dat eigenaardig genoeg iets geruststellends had. Ze begon te geloven dat de nachtmerries niet meer zouden ophouden, en dat betekende dat ze net zo goed kon ophouden met haar pogingen om ze te verklaren vanuit de normale veronderstellingen die ze haar hele leven gehanteerd had.

Ze wierp het dekbed van zich af. Een nieuwe dag, donderdag, en volgens de wekker was het vijf voor halfelf. Ze had tien uur aan één stuk geslapen en ze voelde zich prima. Snel trok ze haar badjas aan, nam haar pillen en holde de trap af om koffie te gaan zetten. Ondanks Travis Jacksons opinie zou ze het bizarre, bespottelijke, ondenkbare en irrationele idee gaan onderzoeken dat haar hart inderdaad met haar aan het communiceren was. Ze moest die psychologe spreken die haar in het ziekenhuis had opgezocht. Eerlijk gezegd was ze het hele jaar benieuwd geweest wat die haar te zeggen had.

Hongerig viel Beth op haar eieren aan toen de telefoon ging. Ze staarde naar het toestel aan de keukenmuur. Wie kon dat zijn? Niet haar kantoor. Ze had geen kantoor meer. Even dreigden de angst en wanhoop van de vorige avond terug te komen, maar die emoties onderdrukte ze. Ze pakte haar bord en nam het mee haar werkkamer in. Daar wachtte ze tot het antwoordapparaat zichzelf inschakelde.

Het was Michelle Philmalee, met opgewonden stem: 'Beth, lieverd! Je bent een engel. En ik heb nog wel zo rot tegen je gedaan. Hou op, Phil! Nee! Dat kan me niet schelen. Dat was Phil, Beth. Hij heeft ook spijt dat hij je niet geloofde. Zeg eens dat het je spijt, Phil.'

Het bleef stil.

Michelle gromde: 'Verdomme, Phil! We hadden het allebei bij het verkeerde einde, zoals Beth heeft laten zien. Ik was zelf echt niet slimmer dan jij. Bied je excuses aan. Dat is een volwassen manier van doen.'

Op de achtergrond werd een deur dichtgesmeten.

Michelle zuchtte. 'Tja, zijne koninklijke hoogheid is zojuist van boord gegaan. Ik heb het jochie moeten ontslaan. Wat een hufter. En hij zag er nog wel zo prachtig uit. Die schouders… om van de rest nog maar te zwijgen. Ach, nou ja. Als ik het heel vriendelijk vraag, neem je me dan terug?'

Beth moest glimlachen. Wat een schaamteloos mens! Maar vanochtend leek Michelle een heel stuk minder belangrijk dan gisteren het geval was geweest. Edwards & Bonnett waren een zorg uit het verleden. Wat de toekomst ook verder inhield, Michelle maakte er geen deel meer van uit.

'Alsjeblieft, Beth. Ik was de enige die je überhaupt wílde geloven. Ik vrees dat mijn hormonen me even dwarszaten, en daardoor heb ik het slechte advies van Phil en Zach aangenomen. Stelletje haaien. En nu we het er toch over hebben… hoe heb je in godsnaam al die tijd voor Zach Housley kunnen werken? Weet je dat hij hoogstpersoonlijk aan jouw cliënten heeft verteld dat ze realistisch moesten zijn omdat jij niet meer lang te leven had? Hij zei tegen mij, en ik neem aan tegen de anderen ook, dat ik maar het beste kon blijven bij de fantastische jurist die hij zorgvuldig voor mij geselecteerd had. Geen wonder dat iedereen je liet zakken. Ik kan je wel verzekeren dat dit voor Zach iets persoonlijks was. Zach is gewoon een rat met een veel te kort pikkie, die niet van assertieve vrouwen houdt. Dus heeft hij de kans met beide handen aangegrepen toen hij zich kon ontdoen van een van de gevaarlijkste vrouwen die hij in huis had. Jij was als een van de weinige vrouwen op weg naar de top, en dat stond hem niet aan.'

Beth hield met haar vork halverwege haar mond op met eten. Ze voelde een inktzwarte razernij opkomen. Zo was het dus gegaan. Hoe kwam het in godsnaam dat ze al die jaren bij Edwards & Bonnett Zachs extreme seksisme niet had opgemerkt? Maar het antwoord was duidelijk: omdat ze nooit had geloofd dat welke vorm van vooroordeel dan ook haar kon tegenhouden. Zolang ze maar won bij haar onderhandelingen en rechtszaken, haar cliënten beschermde, voorzag in al hun juridische behoeften en werkte, werkte, werkte. Wat verschrikkelijk naïef. En dat was nu eens niet Zachs schuld. Dat was haar eigen schuld.

Michelle lachte. 'Maar je hebt hem laten zien wie de touwtjes in handen heeft, lieverd. Nou en of. Wat goed van je. Je weet wel dat ik jou altijd liever had als jurist. Neem je me terug? De Philmalee Group heeft je nodig. Ik heb je nodig. En dan neem ik nu afscheid. Ik heb wel genoeg door het stof gekropen voor één gesprek. O, en als ik iets kan doen, behalve dan je enorme rekeningen op tijd betalen, en ik weet nu al dat de rekening voor die HanTech-lijst astronomisch zal zijn, zeg het dan. Ik meen het. Ik ben je wel iets verschuldigd, vind ik. Ik wacht op je bericht. En ik hoop heel erg dat je me kunt vergeven.'

Het bericht was afgelopen, en Beth grinnikte. Het was al dagen geleden dat ze iets zo leuk had gevonden dat ze erom kon lachen. Michelle had die uitwerking, en dat was nog maar een van de redenen waarom Beth zo op haar gesteld was. Maar bij de gedachte aan de nonchalant-wrede manier waarop 'belangrijke' mensen als Zach konden spelen met haar leven en haar carrière, voelde ze de woede weer opkomen. Verdomme, zij wás Beth Convey, moordjurist. Ze was goed! Ze kon voor zichzelf zorgen. Nooit zou ze meer vertrouwen op mensen als Phil Stageman of Zach Housley. Die zouden haar er niet onder krijgen. En een stelletje gewelddadige onbekenden ook niet, en haar nieuwe hart ook niet. Ze zou uitvissen wat er aan de hand was en dan zou ze een nieuw, beter leven beginnen.

Ze zette haar bord met eieren en geroosterd brood weg en rommelde in haar werkkamer rond totdat ze het kaartje vond van de wetenschapper die haar in het ziekenhuis had bezocht – dr. Stephanie Smith, psychoneuro-immunoloog. Dr. Smith hield kantoor in

Alexandria, maar ze woonde hier niet ver vandaan, in Georgetown.
Ze draaide het nummer op kantoor.

De dag was voorbij, de schemering viel in. De opkomende maan wierp lange, grijze schaduwen over Beth Conveys straat. Halverwege het huizenblok lag Nikolaj Fjodorov diep in slaap in de achterbak van zijn stationwagen, totdat hij wakker werd van het zachte piepen van een alarm. Het alarm was gekoppeld aan bijzonder geavanceerde bewakingssensoren en ging af wanneer er beweging was in de buurt van Conveys huis.

Fjodorov klom naar de voorkant van de Chevrolet en was nog net op tijd om haar te zien. In het zwart gekleed, haar blonde haar platina glanzend in de schemering liep ze naar haar garage toe. Tegen de tijd dat de deur omhooggeschoven was en Convey haar Mercedes de straat op gereden had, draaide Fjodorovs motor al. Achter haar aan reed hij de invallende nacht in.

Asgrijze wolken dreven door de zwarte hemel toen Beth aankwam bij Stephanie Smiths wit geschilderde houten cottage bij de presbyteriaanse kerk van Georgetown. De daklijn werd omlijst door de kronkelige stam van een wisteria en rond de deur hing een waterval van grote, dieppaarse bloesems. Op de gele veranda leken de bloemen bijna onheilspellend toen Beth erlangs liep om op de bel te drukken.

Toen Beth die ochtend naar Stephanie Smiths kantoor had gebeld om een afspraak te maken, had het antwoordapparaat gemeld dat de dokter de hele dag voor afspraken de deur uit was, maar dat de beller een bericht kon inspreken. Aangezien dr. Smith niet ver van haar vandaan woonde, had Beth tot die avond gewacht, zodat ze haar persoonlijk kon spreken. Dus had ze de dag voornamelijk thuis doorgebracht. Ze had de dozen uitgepakt die van Edwards & Bonnett waren gearriveerd, en ze had de dossiers en kantoorbenodigdheden in haar werkkamer ondergebracht. Die middag had ze van de fraaie voorjaarsdag geprofiteerd door een rondje te gaan hardlopen rond de Ellipse. Daardoor voelde ze zich weer zo goed als normaal, en ze zag kans de paar vreemde gedachten en woorden te negeren die zich trachtten binnen te wurmen in haar bewustzijn.

En nu hoopte ze op antwoorden. Een van de voordelen van een klein plaatsje als Georgetown was dat de adressen gemakkelijk te vinden waren. Maar toen Beth op de schemerige veranda stond en luisterde naar de voetstappen binnen, verdwenen haar positieve gevoelens als sneeuw voor de zon. Een onbekend verleden leek als een wolk boven haar hoofd te drijven.

Dr. Smith opende de deur. Ze fronste haar voorhoofd. 'Ja?'

In het ziekenhuis had dr. Smith haar haar opgestoken in een strenge rol. Vanavond, nu het werk gedaan was, viel het los tot op haar schouders. Bij haar slapen was het haar zilvergrijs, als teken van haar leeftijd, achter in de veertig. Maar met haar ronde gezicht, haar zachte wangen en dat lange, losse haar zag ze er in haar blauwe sweatshirt met bijpassende broek en op blote voeten uit als een schoolmeisje.

Beth vertelde wie ze was en vertelde waar ze elkaar voor het eerst geproken hadden. 'We zijn buren,' voegde ze daar wat zwakjes aan toe. 'Zeg maar Beth.'

Er verschenen rimpels van verbazing op het voorhoofd van de psychologe. Toen kwam ze, met een grijns, meteen terzake. 'Ik weet het weer. Je bent jurist. Ik neem aan dat je hier staat omdat je niet meer weet of je nou logisch redeneert over cellulair geheugen of dat je simpelweg vooringenomen bent. Ik merk zelf vaak dat ik mijn vooroordelen aanzie voor logica. Daar moet je voor uitkijken. Kom binnen, dan praten we verder. Ik ben Stephanie.'

'Goh, ik dacht al dat ík zo direct was.'

Met een glimlach ging Stephanie haar voor naar de keuken, waar ze water opzette. 'Ga zitten. Het feit dat je hier bent, doet me vermoeden dat je enkele van die post-transplantatie-ervaringen hebt gehad waarnaar ik indertijd kwam informeren?'

Beth zuchtte. 'Daar ziet het wel naar uit, ja.'

Voor het grote keukenraam hingen roodgeruite gordijnen en boven het aanrecht zaten klassieke blauw-witte Delftse tegels. De bungalow was in de jaren vijftig gebouwd, en de keuken met zijn witte kasten en rechte lijnen ademde nog steeds de sfeer van die tijd. Maar dat deed Stephanie zelf ook. Hoewel ze ontegenzeggelijk een carrièrevrouw leek – Beth wist nog hoe volkomen professioneel ze in het ziekenhuis was overgekomen – had Stephanie Smith ook iets huiselijks.

'Maar je bent er nog niet van overtuigd,' zei Stephanie.

Terwijl het rijke aroma van de doorlopende koffie de keuken vulde, gaf Beth onwillig toe: 'Ik wil het helemaal niet geloven. Een hart met een brein? Een hart dat kan praten? Een of andere dode gozer die met mij wil communiceren via zijn hart dat nu binnen in mij zit? Dat wil er bij mij niet in. Volslagen krankzinnig.'

Stephanie schonk twee bekers koffie in en bracht die naar de tafel. 'Melk? Suiker?'

'Magere melk, geen suiker.' Vanwege haar recente voorkeur voor zwarte thee had ze al in geen tijden meer 's avonds koffiegedronken. Maar nu had ze daar echt trek in.

Stephanie pakte de melk uit de koelkast en suiker uit een kast. Daarna ging ze zitten. 'Misschien helpt het als je vertelt wat er sinds de transplantatie is gebeurd.'

Beth zweeg. Nu ze hier zat, was al haar juristenvoorzichtigheid teruggekeerd. 'Jij bent psychiater. Daar vertrouw ik op, want wat ik ga zeggen mag niet verder komen dan deze keuken.'

'Oké. Beschouw het als professionele etiquette.'

Waarschuwend zei Beth: 'Niet eens voor dat onderzoek van je, voor het Walters-instituut.'

Stephanie fronste haar wenkbrauwen. 'Dat is wel wat veel gevraagd. Ik zal je zeggen wat ik kan doen: ik gebruik niets zonder jouw toestemming.'

'Schriftelijk.'

'Oké. Schriftelijk. Jij bent ook niet gemakkelijk, zeg.'

Beth snoof. 'Dit was nog niets.'

Ze zag dat Stephanie haar onderzoekend aankeek en las in haar blik dat ze haar begreep. Ze wisselden een blik van herkenning – twee sterke vrouwen in wat nog steeds een mannenwereld was; twee vrouwen die werkten in traditionele mannenberoepen, die van hun werk hielden en ondanks alle tegenwerking prima werk leverden. En die wisten dat ook dat niet voldoende was om de erkenning, het geld en het respect te verwachten die mannen op hun niveau automatisch kregen.

Het was geen gezellig, ontspannen moment. Eerder iets als 'één voor allen, allen voor één'.

Beth hief haar koffiebeker in een toast. 'Maar we vervelen ons geen moment.'

Stephanie grinnikte en hief op haar beurt haar mok. 'Amen.'

Beth begon te vertellen van de nachtmerries, haar nieuwe voorkeur voor voedsel, de Russische poëzie, haar explosieve humeur, flarden informatie die uit het niets leken te komen, hoe snel ze zich de karatesport eigen had gemaakt en haar nieuwe vermogen om razendsnel en toch heel precies te rijden. Toen ging ze terug en beschreef het telefoonnummer dat haar naar Meteor Express had gebracht, en de dode overloper, Anatoli Joerimengri. En de man die hem had vermoord, Jeff Hammond.

Tegen de tijd dat ze klaar was met haar beschrijving van het mysterieuze huis en het adres, zaten de twee vrouwen aan hun tweede kop koffie. Stephanie leunde met over elkaar geslagen armen achterover in haar stoel, een bedachtzame uitdrukking op haar gezicht. Uiteindelijk zei ze: 'Beth, vergeef me, ik wil me nergens mee bemoeien, maar... uit je woorden klinkt de angst door dat je het hart hebt gekregen van een moordenaar en dat je, als er een grond van waarheid in de theorie van het cellulair geheugen zit, gewelddadige trekjes van hem hebt geërfd.'

Het klonk belachelijk, een volslagen krankzinnig idee uit een slecht science-fictionboek of een goedkope horrorfilm. Ze wilde niet dat het waar was. Ze wilde net doen of er niets gebeurd was. Ze wilde tussen de planken van Stephanies keukenvloer door glippen en als een vluchteling verdwijnen met haar vreselijke geheim. Maar diep in haar hart wilde ze begrepen worden.

Ze kneep haar lippen opeen en gaf toe: 'Ja, Ik maak me zorgen. Het liefst zou ik met een stofzuiger mijn hele brein schoonmaken en alles opzuigen dat sinds mijn operatie is gebeurd. Zodat ik opnieuw kan beginnen.'

'O, ja. De bekende schone lei.'

'Je lijkt niet geschokt. Wat is er met me gebeurd? Wat betekent dit allemaal?'

'Ik weet niet of jouw donor iets had met kolonel Joerimengri of waarom die Jeff Hammond hem heeft vermoord, maar ik kan het wel hebben over cellulair geheugen. We houden het simpel; we beginnen met het brein, want daarover is al een heleboel bekend.' Ze zweeg even. 'Het brein is bijzonder complex. In je hersens zitten meer celverbindingen dan er sterren in de melkweg zitten. Het brein analyseert en slaat dingen op, en het neemt beslissingen met behulp van de elektrochemische energie die de synapsen onderling verbindt. De synapsen zijn de kleine openingen tussen de hersencellen. Dit proces is onomstotelijk bewezen. Er zijn zelfs al afbeeldingen gemaakt van vurende synapsen – het proces dat wij "denken" noemen.'

Beth knikte. 'Daar heb ik eens een artikel over gelezen in *Scientific American*. Maar hoe zit dat dan met het hart?' Ze haalde diep adem en stelde de hamvraag: 'Ik kan niet geloven dat een hart kan denken, alsof het een brein is. Je wou je me toch zeker niet vertellen dat dit nieuwe hart van mij kan nadenken en dat het me berichten van mijn donor stuurt? Want als dat zo is, heb je nog heel wat uit te leggen, wil je me overtuigen.'

De psychologe glimlachte. 'Ik zal mijn best doen.'

15

Het was stil in de keuken. Het enige geluid was het getik van de elektrische klok aan de wand. Stephanie overwoog hoe ze haar verhaal moest inkleden. Uiteindelijk zei ze: 'In het kort luidt het antwoord ja... en nee.' Ze hief een hand op toen Beth wilde protesteren. 'Laat me dat even uitleggen. Momenteel hebben diegenen van ons die onderzoek doen naar cellulair geheugen, bewijzen die erop duiden dat het hart inderdaad zelfstandig kan denken, maar op een minder energieke, ego-gestuurde manier dan het brein. Waarschijnlijk weet jij alles over Albert Einsteins doorbraak – dat energie en materie onderling inwisselbaar zijn.'
'$E = MC^2$.'
Stephanie knikte. 'Precies. Vergeet niet, de hersenen hebben elektrochemische energie nodig om te kunnen denken. En nu is gebleken dat het hart nog veel meer van die energie heeft dan het brein – vijfduizend maal zoveel elektromagnetisch vermogen. We beginnen dus te geloven dat energie niet alleen uitwisselbaar is met materie, maar ook met informatie. Als dat zo is, kan dat elektrische vermogen de reden zijn waarom het hart kan denken en communiceren.' Ze zweeg even. 'Bovendien zit het hart met heel wat kabels vast aan het brein – supergeleiders voor energie en gedachten, kun je zeggen. Kortgeleden is bewezen dat niet alleen het brein, maar ook het hart beschikt over neurotransmitters.'
'Je bedoelt hetzelfde soort neurotransmitters dat zo'n grote rol speelt bij de werking van de hersenen?'
'Precies. De meeste mensen beseffen wel dat er eenvoudige neurologische verbindingen bestaan tussen alle harten en hun breinen. Maar intussen weten we dat die koppeling veel geavanceerder is – eerder een soort snelweg dan een landweggetje. Met andere woorden, de wetenschap heeft vastgesteld dat er continu neuro- en elektrochemische communicatie plaatsvindt tussen hart en hersenen.'
'Het hart en het brein hebben dus overeenkomsten waarover ik nooit iets geleerd heb,' zei Beth peinzend.

'Dat komt doordat er aan de lopende band nieuwe ontdekkingen op dit gebied worden gedaan.' Stephanie leunde voorover, haar ellebogen op tafel en haar koffiebeker in beide handen. Haar gezicht glansde van de intensiteit waarmee ze sprak. Hoewel deze tak van de wetenschap en dergelijke speculaties voor haar dagelijkse kost waren, vond ze het allemaal nog steeds fascinerend. 'We weten al zeventig jaar lang dat alle cellen kunnen voelen, leren en herinneren. Iedere afzonderlijke cel. Cellen in het immuunstelsel herkennen, zoeken en verwijderen alles dat niet in het lichaam thuishoort. En denk eens aan DNA – een nucleïdezuur in het middelpunt van onze cellen. Dat zuur herinnert zich genetische gegevens die ons uiterlijk, onze bevattelijkheid voor bepaalde ziekten en karaktertrekjes bepalen, en in principe zelfs onze levensduur.'
'Oké. Dat is een vorm van geheugen. Maar dat is iets heel anders dan waarover we het nu hebben, namelijk orgaantransplantaties.'
Stephanie knikte. 'Ja, maar het klopt wel. Misschien heb je ook weleens gelezen over het volgende experiment. In 1993 hebben wetenschappers van de inlichtingen- en veiligheidsdienst van het leger witte bloedcellen afgenomen uit de binnenkant van de wang van een vrijwilliger. Die cellen hebben ze gecentrifugeerd, in een testbuisje gedaan, en daarna hebben ze een leugen- of emotiedetector in het buisje gestoken. Toen lieten ze een tv-programma met een heleboel geweld zien aan de celdonor. Terwijl hij zat te kijken, mat de leugendetector extreme opwinding bij de cellen in het testbuisje, hoewel de man zelf enkele kamers verderop zat. Dat experiment is een aantal malen herhaald, en uiteindelijk lag er een afstand van zowat tachtig kilometer tussen de donor en de cellen. En nog steeds gaven die cellen hetzelfde resultaat: ze hadden dezelfde reacties als de man zelf, op het moment dat het gebeurde. Twee dagen lang.'
'Hoe is het mogelijk. Wauw. Oké, je hebt me overtuigd dat cellen emotioneel met ons verbonden blijven, ook als we fysiek gescheiden zijn. Maar wat heeft dat te maken met mij en mijn nieuwe hart?'
'Candace Pert, het voormalige hoofd van de afdeling Neurochemie van het Nationaal Instituut voor Geestelijke Volksgezondheid, heeft het allemaal gebundeld – het elektrische vermogen en de verbindingen, de neurotransmitters en het celgeheugen. Zij verklaart het als volgt: omdat de cellen in het hart zijn geladen met moleculen die geheugen bevatten, kunnen enkele van die herinneringen gemakkelijk met het hart meereizen wanneer het hart wordt gekoppeld aan een nieuw brein en een nieuw lichaam. Volgens haar strookt het niet met de jongste wetenschappelijke kennis om te stel-

len dat het brein onafhankelijk van het lichaam en het hart functioneert, dat het hart niets meer is dan een mechanische pomp en dat cellen geen geheugen hebben.'

Beth betrapte zich op een glimlach. Het was bespottelijk, en toch... 'Dus jij wilt zeggen dat ik trek had in beloega-kaviaar omdat mijn hart nog wist dat het daarvan hield?'

'Dat is mogelijk, ja. Jij bent niet de enige met dergelijke ervaringen. Honderden ontvangers van donororganen in het hele land hebben vergelijkbare verhalen. Niet iedereen, maar er is wel zoveel anekdotisch bewijs dat we er niet omheen konden. Gelukkig wordt het, aangezien er nu meerderen bezig zijn met onderzoek naar dit fenomeen, ook voor andere wetenschappers op diverse gebieden aanvaardbaarder om hierover te spreken. En dat betekent dat meer orgaanontvangers de moed opbrengen om te praten over wat ze voorheen beschouwden als gênante geheimen die vast en zeker zouden bewijzen dat ze gek waren of zaten te liegen. Een paar mensen, onder anderen ene Claire Sylvia, hebben boeken geschreven over hoe het is om niet alleen iemands organen, maar ook herinneringen te erven. Zo is het nationale bewustzijn in dit opzicht versterkt. Ik kan je een lijst geven met artikelen en boeken, mocht je daar belangstelling voor hebben. Maar uiteindelijk is jouw ervaring uniek voor jouzelf. Je moet zelf beoordelen hoe accuraat je waarnemingen zijn en wat het voor jou betekent.'

Ze was dus terug bij af. Hoewel? Stephanie had haar niet het eenduidige antwoord gegeven waarop ze gehoopt had. Maar er waren tenminste wel nieuwe ontdekkingen die hielpen bij het verklaren van haar ervaringen. En ze was dus niet de enige. Andere mensen hadden na een transplantatie ook verontrustende zaken meegemaakt. Maar ze zat klem: ze wilde geloven dat haar waarnemingen écht waren, maar als ze het hart van een moordenaar had...

Beth streek over haar voorhoofd. 'Is het logica? Of is het vooroordeel? Ik ben aangekomen op het punt dat ik moet geloven dat er althans een kans is dat mijn hart iets doorgeeft van mijn donor.' Ze aarzelde even. 'Als dat zo is, was mijn donor een Rus of had hij vaak te maken met Russen; dan was hij goed in karate, kon hij met wapens omgaan, was hij driftig en hield hij van snelle auto's. Het lijkt wel of je een heel moeilijke legpuzzel moet maken.'

Stephanie knikte begrijpend. 'Een paar laatste gedachten. Marcel Proust zei ooit iets als: "De ware ontdekkingsreis ligt niet in het zoeken naar nieuwe landen, maar in het zien met nieuwe ogen." '

Ze dronk haar koffie op en zette de beker neer. 'Als jouw donor inderdaad een moordenaar was, dan was híj dat. Niet jij. Naarmate je na verloop van tijd alles op een rijtje zet, kun je bewuste keuzes maken over wat je wilt bewaren en wat je wilt weggooien – niet alleen uit jouw leven, maar ook uit het zijne. Naarmate de jaren verstrijken, melden orgaanontvangers dat de "herinneringen" vervagen. En vergeet niet: hoewel die nachtmerries verband lijken te houden met de andere dingen die je meemaakt, betekent dat nog niet dat dit de letterlijke waarheid is over wat er met hem gebeurd is. Het zijn tenslotte nachtmerries, iets wat zich in je geest afspeelt terwijl je slaapt.'

Beth knikte. Nu wilde ze zielsgraag weten wie het was geweest. Als ze zijn naam niet kon krijgen, dan tenminste zijn achtergrond. Maar ze had een overeenkomst getekend waarin ze toezegde, niet op zoek te zullen gaan naar zijn identiteit of contact op te nemen met zijn familie. Terwijl ze daaraan dacht, herinnerde ze zich het dossier waarvan ze een glimp had opgevangen in Stephanies aktetas in het ziekenhuis.

Boos en ongelovig zei Beth met stemverheffing: 'Je weet wie het was!'

Stephanie verbleekte. 'Hoe kom je daarbij?'

'Ten eerste ben jij altijd heel direct, maar beantwoordde je ditmaal mijn vraag met een wedervraag – *hoe kom je daarbij?* Ten tweede had jij een dossier over mij toen je me in het ziekenhuis opzocht. Ik heb het zelf gezien. Dit is belangrijk, Stephanie. Heel erg belangrijk. Je weet dat kolonel Joerimengri is vermoord. Ik wil niet nog meer doden zien, ook mezelf niet. Ik moet Jeff Hammond tegenhouden. Misschien kan dat dan enige genoegdoening vormen voor de vreselijke dingen die mijn donor heeft gedaan. Je moet me zeggen wie het was.'

Stephanie haalde diep adem. Haar vriendelijke, ronde gezicht toonde plotseling diepe zorgenrimpels. Ze stond op, bracht haar koffiebeker naar de gootsteen en spoelde hem om. Ze kwam terug naar de tafel en pakte Beths beker.

Beth keek haar met een woedende blik aan. 'Ik kan je door de rechtbank laten dwingen. Ik heb intussen voldoende zogenaamde toevallige gebeurtenissen meegemaakt om een rechter te overtuigen.' Dat was niet waar, maar misschien zou Stephanie het geloven. 'Als je het me gewoon vertelt, sparen we veel tijd uit. Ik kom er hoe dan ook achter.'

Stephanie klemde haar lippen opeen. 'Dat weet ik.' Ze bracht Beths mok naar de gootsteen, spoelde hem om, zette hem zorgvuldig in het afdruiprek naast haar eigen beker en keerde zich weer naar haar om. 'Zijn naam en wie het precies was, ben ik vergeten. Het is al een hele tijd geleden. Ik heb het afgelopen jaar heel wat gesprekken gevoerd. Hoe dan ook, we mogen geen donoridentificatie in onze dossiers bewaren. Te vertrouwelijk.' Met tegenzin voegde ze daaraan toe: 'Ik vrees dat je de meeste kans maakt als je naar een rechter stapt.'

Beth negeerde haar teleurstelling. 'Luister, we hebben geen van beiden behoefte aan meer lijken. Als ik in een vergelijkbare positie verkeer als dat achtjarige meisje over wie je vertelde – dat meisje dat het hart had gekregen van een vermoorde tienjarige en vervolgens meehielp om de moordenaar op te sporen – dan beschik ik waarschijnlijk over cruciale informatie. Al is het maar in mijn nachtmerries. Ik mag geen tijd meer verliezen. En ik kan me niet voorstellen dat jij dat zou willen. In het ziekenhuis hebben ze een dossier met de naam van mijn donor.'

Op vlakke toon antwoordde Stephanie: 'Maar geen van de coördinatoren zal het aan jou geven.'

'Aan mij niet, nee.' Met een triomfantelijke glimlach stond Beth op. 'Maar aan jou wel. Is er nog steeds dag en nacht iemand aanwezig?'

'Ja.'

'Kom op, Stephanie. Hoe zou jij je voelen als je me dit nu weigert en er wordt straks wéér iemand vermoord?'

Stephanies gezicht betrok. 'Niet bijzonder blij. Schuldig is waarschijnlijk het juiste woord.'

'Precies. We mogen ons geen van beiden onttrekken aan onze verantwoordelijkheid.'

Met een zucht sloot Stephanie haar ogen. Zwijgend stonden ze een tijdje in de keuken.

Na een paar minuten zei Beth zachtjes: 'Je weet dat je niet anders kunt, Stephanie. Soms moeten we de regels omzeilen, als het om iets hogers gaat.'

De vrouw knikte zwijgend.

'Jouw auto of die van mij?'

Stephanie zuchtte nogmaals en opende haar ogen. 'Je hebt gelijk. Die van mij.'

Terwijl Stephanie naar haar slaapkamer ging om iets netters aan te trekken, bleef Beth opgelucht en triomfantelijk zitten wachten. Na twaalf lange maanden vol onbeantwoorde vragen... bizarre, onverklaarbare gebeurtenissen... angstaanjagende nachtmerries... zou ze eindelijk uitvinden of die zogeheten herinneringen afkomstig konden zijn van haar donor. Wat de uitkomst ook zou zijn, ze móést het weten.

Buiten, in de aprilnacht, in de vochtige, klamme schaduw van een bloeiende magnolia, vouwde Nikolaj Fjodorov zijn apparatuur op en stopte die terug in de zwarte kist. Hij knikte, terwijl hij oefende op een woordelijke herhaling van wat hij zojuist gehoord had. Perfect, dat grote keukenvenster met die dunne gordijntjes. Terwijl de twee vrouwen hadden zitten praten, had Fjodorov een kleine, onzichtbare laserstraal op het glas gericht. Door de geluidstrillingen van het gesprek was zijn gereflecteerde laserstraal gemoduleerd en had hij de geluidssignalen met zijn demodulator uit de laserstraal kunnen extraheren.

Hij had alles gehoord wat er gezegd was.

Het licht in de keuken ging uit. De achtertuin met zijn witte plastic tuinmeubilair en de cameliastruiken in knop veranderde plotseling van een warm lichtbad in een kille maanbeschenen nachtglans. Op de tast controleerde Fjodorov de apparatuur in de kist. Hij wist precies waar alles thuishoorde. Hij voelde aan de banden die alles op z'n plek hielden.

Toen hij daarmee klaar was, deed hij geruisloos het deksel dicht en holde gebukt de straat op, naar de bestuurdersplaats van zijn gestolen Chevrolet-bestelwagen. Hij bewoog zich alsof hij geen botten in zijn lichaam had, als een schaduw. Hij was getraind, efficiënt, had een normale bouw en bijna kleurloze gelaatstrekken, en hij was bijzonder trots op zijn vermogen om waar dan ook op te gaan, te verdwijnen zelfs, in zijn omgeving.

Hij had een paar minuten de tijd terwijl Smith iets anders aantrok, dus kroop hij naar de achterkant van de bestelwagen. Die had geen ramen, en daar was hij dus onzichtbaar. Met zijn gecodeerde mobiele telefoon belde hij Aleksej Berianov, die te horen aan het gebrul van de helikopterwieken nog in de lucht zat.

'Ja?'

Fjodorov meldde: 'Ik heb een rapport, kolonel.'

'Ja, uitstekend.'

Fjodorov herhaalde het gesprek van de twee vrouwen. Toen hij klaar was, viel er een lange stilte. Even was Fjodorov nerveus. Wat was er gebeurd? Even later klonk het *tjop-tjop* van de wieken trager. Geduldig bleef hij wachten.

Zodra de helikopter was geland op zijn landgoed in Pennsylvania, sprong Aleksej Berianov naar buiten. Gebukt holde hij naar zijn Humvee, met de mobiele telefoon in zijn hand. Hij dacht na over Fjodorovs informatie. Het onderzoek naar de achtergrond van Beth Convey had één bijzonder storend feit opgeleverd: volgens de medische gegevens van haar hartchirurg had Convey geklaagd over nachtmerries en veranderde smaak en gewoontes, waardoor ze zich afvroeg of ze informatie doorkreeg van haar donorhart – van een Russische donor. Berianov vond dat volslagen nonsens. Maar wat ertoe deed, was wat Convey dacht.

Nu zag het ernaar uit dat ze het geloofde. Terwijl hij in zijn eentje in de Humvee wegreed, zei hij in het Russisch tegen Fjodorov: 'Ze gaat uitvinden wie haar donor was. Dat mag niet gebeuren. Dan gaat ze alleen maar verder spitten. Dan krijgen we nog meer vragen, dan raken er nog meer mensen bij betrokken. Dat mens is jurist, die heeft connecties. Zo iemand houdt niet op. Dat ligt niet in haar aard.'

'Da, dat is zo. Wat zal ik doen?'

Berianovs hand verstrakte even rond de telefoon, maar ontspande toen weer. Op Fjodorov kon hij bouwen. Fjodorov was niet zo goed als Ivan Vok, maar hij was indertijd door Ivan en door anderen getraind en hij was nog steeds een van de besten.

'Met Convey en Smith hebben we te veel kans op ellende. Het moet eruitzien als een ongeluk. Geen schijn van kans op aanwijzingen in onze richting.' Toen hij naast zijn huis tot stilstand kwam, draafde een van zijn mensen naar de Humvee toe om het portier voor hem te openen. 'Opruimen, die Beth Convey. En die andere ook.' Caleb Bates verbrak de verbinding.

Stephanie Smith reed door Georgetown in de richting van Fourteenth Street Bridge en de snelweg naar het ziekenhuis in Virginia waar Beths levensreddende operatie had plaatsgevonden. Ze praatten verder over transplantaties, het hart, de allernieuwste ontdekkingen op het gebied van biofysiologie en de toekomst van orgaantransplantaties – menselijk, dierlijk en kunstmatig. Het was bijna middernacht toen ze de brug overstaken en in zuidelijke richting de Jefferson Davis-weg op reden. De hemel was van zwart satijn en de lichten van de altijd levende metropool hingen als een roze gloed boven de horizon.

Ze hadden zitten praten over de gebruikelijke post-operatieve behandelingen voor orgaanontvangers, toen Stephanie vroeg: 'Hoe is het met je biopsieën?'

Net als bij alle andere ontvangers van donororganen werden ook bij Beth regelmatig biopten van haar hart genomen om te kijken hoe het met afstoting stond. Een patholoog bekeek het stukje weefsel dan onder een microscoop en gaf het een cijfer van één tot tien. Al heel gauw was iets "afstoting" – alles boven de vier.

Beth glimlachte. 'Ik bof enorm. Meestal scoor ik heel laag. Maar zo gaat het het hele jaar al. Ik voel me gezonder dan ik ooit geweest ben. Een paar maanden geleden heb ik kougevat, maar de verkoudheid was na drie dagen over, helemaal zoals het hoort. In het verleden kon ik daar eindeloos mee rondlopen, soms wel een maand of meer, en uiteindelijk kwam er dan een nieuwe infectie bij. En natuurlijk voel ik me over het geheel beter door al die lichaamsbeweging. Ik slaap als een blok. Zelfs mijn wimpers zijn langer en dichter.'

'Dat komt door de prednison,' grinnikte Stephanie. 'Je bent een levende reclame voor orgaantransplantaties. Kwam iedereen er maar zo gezond doorheen.'

'Weet ik. En geloof me, ik ben er dankbaar voor.'

Het was niet druk op de weg; op dit uur waren er op een doordeweekse avond maar weinig auto's. Ze staarde naar de donkere snelweg met de fonkelende sterren daarboven en besefte hoezeer ze geboft had dat ze hier zat... dat ze nog leefde. Ze was doorgegaan met haar vrijwilligerswerk in het ziekenhuis, en ze had een groot aantal mensen zien overlijden terwijl ze op een transplantatie lagen te wachten, plus enkele doordat de operatie mislukt was. Hoewel ze zelf een bijzonder geslaagde ontvanger was, kon ook bij haar nog afstoting, hartfalen of een massa andere medische problemen alsnog gaan optreden. Maar daar dacht ze zelden aan. Het was veel belangrijker om dankbaar te zijn.

'Heb jij ooit een menselijk hart in je handen gehad?' vroeg Stephanie.

'Nee,' zei Beth benieuwd, 'jij wel?'

Vol eerbied antwoordde Stephanie: 'Ja. Ik zweer je dat je de levenskracht kunt voelen, ook als het buiten het lichaam is. Een gezond hart ziet er schitterend uit: helemaal glad en roze. Weelderig. Ik heb er ooit één een paar seconden vastgehouden. Het heeft een soort huivering, het klopt van leven, maar het heeft ook iets sereens. Stel je voor... je neemt een hart uit de ene borstkas, je pakt het in ijs voor transport en een paar uur later stop je het in een nieuwe borstkas. En negentig procent van de keren heb je niet eens een elektrische schok nodig om het weer aan het werk te laten gaan. Hoe kan iemand eraan twijfelen dat het hart intelligent is?'

'Zo had ik het nooit bekeken.'

Zwijgend reden ze verder over de stille snelweg, elk in haar eigen gedachten verdiept. Beth leunde met haar hoofd tegen de hoofdsteun. Haar ogen vielen half dicht tot vermoeide spleten en ze speelde met Russische namen. Hoe had haar donor geheten?

'Beth... heb jij vandaag het gevoel gehad dat je achtervolgd werd?'
Stephanie klonk bezorgd.

Met een ruk kwam Beth overeind om over haar schouder te kijken. 'Nee. Ik heb zelf achter Hammond aan gezeten, niet andersom. Die bestelwagen achter ons, bedoel je?' De koplampen schenen hoog boven de grond. Toen ze een bocht om gingen, hadden ze de zijkant van de auto goed kunnen zien: een grote, glanzend zwarte auto. Beths borst kromp samen van paniek. Kon Hammond terug zijn uit West Virginia?

'Ik dacht dat het inbeelding was, dus ik heb heel hard gereden. Maar hij houdt ons bij.' Stephanies lippen trilden. 'Toen ben ik in de rechterbaan gaan rijden, langzamer, maar hij kwam weer achter me zitten. En nu ga ik echt hard, honderddertig kilometer per uur, maar hij houdt me gemakkelijk bij.'

'Harder,' beval Beth. Ze balde haar vuisten. Het liefst had ze het stuur gegrepen om zelf te rijden. Met een hulpeloos gevoel staarde ze gespannen achterom, terwijl Stephanie het gaspedaal van haar oude auto zo ver mogelijk intrapte.

De kleine Ford Escort sprong vooruit en even leek het of ze de grote Chevrolet kwijt waren. Maar plotseling was hij er weer, als een zwarte bliksemschicht. Hun Escort scheurde met honderdvijftig kilometer per uur over de snelweg, de bestelwagen pal in hun kielzog.

'Ik raak hem niet kwijt,' zei Stephanie met stemverheffing, ziek van angst. 'Wie is dat? Hij kan niet achter mij aan zitten. Het gaat hem om jóú! Hij gaat ons inhalen... doodschieten. Of ons van de weg af drukken. Hij is er groot genoeg voor. Het duurt niet lang meer. Wat moet ik doen!'

16

De spanning in Stephanies oude auto was te snijden toen ze zuidwaarts over de donkere snelweg raasden. Beth staarde door de achterruit naar de enorme bestelwagen. Die stond hoog op de wielen
en zat zo dichtbij dat de koplampen dreigend omlaag schenen en
de kleine Ford met een verblindend licht vulden.

De omstandigheden waren niet best: er was weinig verkeer op de
weg, en dat betekende dat er momenten waren waarop de bestuurder van de bestelwagen kon handelen zonder getuigen. De
nacht zelf kon duizenden aanwijzingen verbergen. De bestelwagen
was zo zwart dat hij bijna onzichtbaar was. En aan weerszijden
van de weg liep de helling steil omlaag – een bijkomend gevaar
waaraan ze geen behoefte hadden. Deze achtervolging kón geen
toeval zijn. Beth moest het doelwit zijn, en in die Chevrolet moest
Jeff Hammond zitten. Maar hoe had hij haar gevonden?

Ze staarde naar de vangrail die als een metalen veeg voorbijschoot.
Even was ze ontzettend bang, maar meteen daarna werd ze razend.
'We moeten van de weg af,' beval ze.

Met trillende stem antwoordde Stephanie: 'Maar we hebben al in
geen kilometers een afslag gehad.' Haar handen lagen als verstijfd
om het stuur, maar ze had nog genoeg zelfbeheersing om op haar
eigen baan te blijven. Bij deze snelheid kon de geringste vergissing
fataal zijn.

Achter hen, in de bestelwagen, hield Nikolaj Fjodorov de Ford in
de gaten. Te zien aan de manier waarop de vrouw snelheid ge-
minderd en dan weer gas gegeven had, moest ze doorhebben dat
ze achtervolgd werd. De bestuurder, Stephanie Smith, was uit haar
evenwicht. Dat zag hij aan de manier waarop de auto nu hortend
en stotend over de weg reed. Dat was precies wat hij wilde. Ze
moest goed zenuwachtig worden.

Het terrein, met die steile hellingen aan weerszijden, het gebrek aan
medeweggebruikers: alles zat mee. Met koele precisie reikte hij omlaag in een van de andere tassen die bij zijn beroep hoorden en

haalde een fles uit de beschermende wattering. Een ouderwetse molotovcocktail met een moderne innovatie: de glazen fles vol benzine had een dop met een veilige, elektronische zekering die afging zodra het glas versplinterde.

Hij keek op zijn snelheidsmeter. Zijn bestelwagen en het kleine Fordje hadden een snelheid van bijna honderdzestig kilometer per uur. Ondanks zijn lange ervaring stond er een laagje zweet op zijn bovenlip. Bij die snelheid was alles mogelijk, het een nog gevaarlijker dan het ander. En zeker een ongeluk waarbij de dunne fles kon breken zodat hijzelf levend zou verbranden. Hij trapte het gaspedaal in en reed naar de andere baan.

'Hij gaat ons rechts inhalen.' Stephanie keek wild om zich heen, alsof ze een vluchtweg zocht.

'Ik zie hem.' Beth voelde zich vreemd rustig. 'Gewoon doorrijden.' Ze zaten klem. De bestelwagen beschikte over heel wat pk's, dat was al gebleken. Ze konden hem onmogelijk afschudden. 'Volgens mij komt hij naast ons rijden... hij wil ons van de weg drukken. Bij deze snelheid slaan we over de kop en zijn we er geweest. We moeten hem voor de gek houden. Luister je, Stephanie?'

'We zijn de enigen op de weg,' hijgde Stephanie doodsbang. Ze was onderzoeker, psycholoog. Ze had noch de vaardigheden, noch de geestesgesteldheid, noch het aangeboren talent om deze situatie het hoofd te bieden.

'Weet ik. Maar we zijn niet helemaal hulpeloos.'

Dapper zei Stephanie: 'Ik luister. Ik doe m'n best... maar Beth, ik... ik...'

Beth greep haar schouder en probeerde haar wat vertrouwen te geven. O, zat ze zelf maar achter het stuur! 'Ik maak het makkelijk. Zodra ik "nu" zeg, trap jij op de rem. Rem zo hard mogelijk en ga dan in de rechterbaan rijden, achter hem. Dat kun je, ik weet het zeker. Snap je het?'

Stephanie likte aan haar lippen en knikte. 'Hij zit nu bijna ter hoogte van de bumper.'

Beth knikte. 'Bijna, nu.'

Maar in haar paniek hoorde Stephanie alleen het woordje 'nu'. Ze trapte uit alle macht op de rem.

Met een klap sloeg Beth voorover in haar riem. De pijn vlamde door haar borst. Meteen raakte de auto in een slip, zodat ze als popcorn heen en weer geschud werden. Beth zag lichtflitsen van de pijn.

Tegelijkertijd zat Fjodorov door zijn open portierraampje te kijken, de molotovcocktail in de aanslag. Hij schrok van de plotselinge slip van de Ford. In het Russisch vloekte hij. Hij trapte op zijn eigen rem, maar hij had zoveel vaart gemaakt om de Ford te kunnen passeren, dat hij maar een paar seconden had voordat hij die voorbijgeschoten was. Nu ging het om training. Binnen een seconde had hij de situatie geanalyseerd, begrepen en opgelost.

Hij smeet de fles uit het raampje naar de rondtollende auto. Hij barstte uiteen tegen het bestuurdersportier. Meteen was er een zee van felrode vlammen.

Terwijl Fjodorov wegscheurde, barstte de onbestuurbare Ford met een staart van vonken en vlammen achter zich aan door de vangrail. Hij lachte, lang en hard. Voor de politie zou het eruitzien alsof de bestuurder van de Ford veel te hard gereden had. Ze was de macht over het stuur kwijtgeraakt en haar benzinetank was ontploft toen de auto van de weg schoot. Bestuurder en passagier dood. Tragisch. Wanneer zouden ze nou eens voorzichtiger gaan rijden?

Maar toen de Ford de duisternis in vloog, was Beth nog bij zinnen. Ze dacht razendsnel na. Stephanies kant van de auto stond in lichterlaaie. Stephanies hoofd rolde van links naar rechts. Ze was bewusteloos.

De hitte was verschrikkelijk, maar door de snelheid waarmee de Ford van het steile talud afviel, konden de vlammen zich niet verspreiden. Ze moesten de auto uit voordat de hele auto uitgebrand was, maar door de versnellingskracht van de val werd Beth tegen haar rugleuning geperst. Met uiterste inspanning wist ze haar hand zover op te schuiven dat ze Stephanies riem kon losmaken.

Ze had maar een paar seconden. 'Stephanie!' Ze had het gevoel dat alles in slowmotion ging. Ze greep Stephanies arm. 'Wakker worden!' De hete lucht schroeide haar keel. Ze hapte naar adem. 'Stephanie, wakker worden!'

Maar Stephanies ogen bleven gesloten. Ze droop van het zweet en haar gezicht was felrood, alsof ze te lang in de zon had gelegen. Beth wist dat het niet van de zon kwam. Het laaiende vuur dat vlak naast Stephanie had gewoed, had haar huid geschroeid. Terwijl de auto verder omlaag tuimelde, probeerde Beth Stephanie uit het brandende wrak te werken. Maar ze kreeg haar maar een paar centimeter van haar plaats.

Er was geen tijd meer. Misselijk van ellende en vechtend om adem maakte ze haar eigen riem los. Toen de wielen de bodem van de greppel raakten, draaide de auto nog eenmaal half om zijn as en klapte Beths portier open. Door de kracht werd ze de koele nacht in geslingerd. Ze landde met een klap op gras, een meter of zeven van de vuurbal. Ze sprong overeind en hinkte naar de Ford. De auto was een inferno. Ze kon er niet dichtbij komen.

'Stephanie!' gilde ze. Ze hief haar vuisten boven haar hoofd en gilde nogmaals.

Er kwam geen antwoord. Het vuur kolkte en spatte, terwijl zij er in een grote kring omheen hobbelde, op zoek naar Stephanie. Maar er was geen opening in de vreselijke vlammen en de hitte, en geen teken dat Stephanie ontkomen was. Kreunend liet Beth zich op haar knieën zakken. Door de extreme temperaturen was Stephanies portier waarschijnlijk dichtgesmolten. Daarom was zij niet ook naar buiten geslingerd.

Beth barstte in tranen uit. Metaal knapte en kreunde. Vonken schoten als vuurwerk de holle lucht in. Huilend bad ze dat Stephanie niet meer tot bewustzijn was gekomen.

En toen, met een misselijkmakende steek van afgrijzen, zag ze Stephanie, een zwarte schaduw temidden van de laaiende vlammen. Bijna meteen was de gestalte verdwenen, opgegaan in een wolk van rood. Ziek van ellende hoorde Beth hoe het vuur verder loeide. En ze was ook ziek van schuldgevoel: zij had het overleefd, Stephanie niet. De lucht was vergiftigd van de stank van brandende rubber en olie.

Voor haar geestesoog zag ze Stephanie weer: het lange haar als een wolk op haar schouders, de milde ogen, het vriendelijke gezicht. Haar meelevende glimlach. Beth snikte het uit. Eerst kolonel Joerimengri, nu Stephanie. Allebei vermoord. En op de een of andere manier was Beth verantwoordelijk. Waarom? Wat had zij gedaan, waarom gebeurde dit allemaal? Wie had haar donor vermoord?

Ze sloeg haar armen om haar bovenlijf. In de verte klonken al sirenes en ze wist dat ze weg moest. Stephanie was dood, maar zij, Beth, was het doelwit geweest. Met de tranen op haar wangen hees ze zichzelf overeind en liep ze door het dichte struikgewas naar de helling.

Met iedere stap werd ze bozer. Het was geen doelloze woede meer, die gemakkelijk opkwam en even gemakkelijk weer wegzonk. Er zat nu een soort diepe, angstige kracht achter. Ze zou die Jeff Hammond opsporen en...

Ze hield haar pas in. Huiverde. Dit was voor het eerst dat haar woede haar had geïnspireerd tot een verlangen om iemand te vermoorden. Een kille, harde stem in haar eiste iemands dood. Het zou een goed gevoel geven om hem te vermoorden, om te kijken hoe hij stierf, zo bleef die stem aanhouden. Ze probeerde hem weg te schudden, dat verlangen te onderdrukken, maar het klemde zich aan haar vast alsof het op haar huid kleefde.

Stijf en pijnlijk klom ze de helling op. In haar rug voelde ze de hitte van het vuur nog. Nog steeds had ze geen antwoorden, en nu had ze nog maar één aanwijzing: ze moest uitzoeken of dat huis dat ze in haar nachtmerries had gezien, werkelijk bestond. Daar waren die garage, die motorfiets zonder berijder en die man die ze had vermoord, geweest. Ze moest uitzoeken hoe ze aan dat adres moest komen – ze had het op de postbus zien staan.

Aangezien haar tas in de auto verbrand was, had ze geen autosleutels, geen creditcards, geen medicijnen. Ze kon niets zonder geld of vervoer. En zonder medicijnen ging ze sowieso dood. Op de een of andere manier moest ze terug naar huis, want daar had ze alle drie. Alleen hoopte ze uit alle macht dat daar niet nog meer moordenaars op de loer lagen. Als het even meezat, dacht ze bitter, zou Jeffrey Hammond nu geloven dat zij dood was.

Zachtjes nahuilend hurkte ze boven aan de steile helling om nog een laatste blik te werpen op het razende vuur in de diepe greppel tussen de noord- en de zuidbaan van de snelweg. Ze haalde haar arm over haar ogen. Aan de andere kant waren twee auto's gestopt om naar de brand te kijken. Geen van die auto's was een zwarte bestelwagen. Maar ze kon het er niet op wagen. Ze haalde diep adem en wendde zich af. Ze dwong zich, op te houden met huilen. Ze moest aan het werk en ze kon zich niet langer overgeven aan haar verdriet.

Met bonzend hart rende ze langs de snelweg totdat er een opening in het verkeer kwam. Toen stak ze op een draf over en begon te lopen. Met de gebruikelijke enorme snelheden raasde het verkeer voorbij, zodat het zand opstoof en in haar ogen en gezicht stak. Jaren geleden, toen ze nog studeerde, had ze weleens gelift – niet bepaald slim misschien, maar ze was niet bang uitgevallen en had nooit problemen gehad.

Terwijl de sirenes gierend tot stilstand kwamen bij de achterste rijbaan, stak ze hoopvol haar duim op. Ze kon natuurlijk van gedachten veranderen en teruggaan om de politie te spreken. Als ze enig werkelijk bewijs had, zou ze teruggaan. Maar het beetje dat ze wist was nutteloos, en als ze met de politie ging praten zou in de kranten, op de radio en op tv worden gemeld dat ze nog in leven was. Dan wist Hammond meteen wat hem te doen stond.

De razernij stak als een brok in haar keel. Ze had nooit gedacht dat ze iemand zo vreselijk kon haten. Maar een stemmetje in haar achterhoofd vroeg: als hij teruggevlogen was of een andere moordenaar had gestuurd, hoe had die dan geweten waar zij was?

Toen er een enorme vrachtwagen twintig meter voor haar tot stilstand kwam, liep ze er behoedzaam heen. Het portierraampje aan de bestuurderskant was omlaag gerold en er leunde een vrouw van een jaar of zestig naar buiten, met grijs haar in lange vlechten. Nieuwsgierig keek ze naar Beth, en ze glimlachte. 'Eindje meerijden?'

'Heel graag. Bedankt.'

Een uur later was Beth terug in Georgetown, haar hoofd vol reisverhalen van een eenzame vrouwelijke vrachtwagenchauffeur die blij was met veilig gezelschap. Dat was boffen geweest, en Beth hoopte dat dit een voorbode was van meer geluk. Ze trok haar vest dicht om zich heen en liep haastig langs Wisconsin Avenue, waar de vrachtwagen haar afgezet had, de bocht om. Ze liep langs de kerk naar Stephanies bungalow, waar ze haar auto had laten staan. Nerveus keek ze om zich heen. De maan hing laag aan de hemel en de straat lag er verlaten bij. Ze zocht in de schaduwen naar tekenen van gevaar toen ze dichter bij Stephanies huis kwam. De simpelste nachtgeluiden maakten haar schichtig. Iedere struik was een potentiële moordenaar. Uit de verte keek ze naar haar Mercedes, die stond te wachten waar ze hem langs de weg had geparkeerd. Ze liet vijftien minuten voorbijgaan.

Behoedzaam liep ze naar haar auto. Ze stak haar hand onder het linkerspatbord, vond de reservesleutel in zijn magnetische houder en sprong de auto in. Haar hart bonsde. De motor sloeg meteen aan en met een flinke dot gas reed ze weg. Angstig keek ze om zich heen, in afwachting van het moment dat er een auto zou starten om achter haar aan te komen door de verlaten straat. Maar dat gebeurde niet.

Ze parkeerde vier huizen van haar eigen woning vandaan. Het huis was donker, dat klopte, en het zag er niet naar uit dat er ingebroken was. Ze liet haar portierraampje zakken. De zoete geur van bloeiende kornoelje hing in de lucht. Er tjilpten sprinkhanen en krekels. Ze grimaste in een poging om de rust van dit alles te rijmen met wat die arme Stephanie was overkomen.

Na een tijd reed ze haar oprit op, parkeerde en stapte uit. Tegen de tijd dat ze de sleutel gevonden had die ze altijd onder de geraniumpot bij de achterdeur verborg, trilden haar handen van nerveuze opluchting. Ze liet zichzelf binnen en liep haastig door het huis, terwijl ze de lampen aanknipte. Boven, in haar slaapkamer, greep ze de schoudertas van vorige zomer en in de badkamer stortte ze daar de volledige voorraad reservemedicijnen in.

Toen ging ze naar haar kantoor en trok de duizend dollar in contanten uit de gesloten onderste bureaula. Zodra ze tijd had, zou ze het verlies van haar rijbewijs en haar creditcards melden. Toen ze wilde weglopen, zag ze het rode lichtje op haar antwoordapparaat knipperen. Plotseling was ze uitgeput, tot op het merg vermoeid. Alles kwam weer boven, vooral Stephanies dood. Ze schudde haar hoofd. Het was een teken van de moderne tijd: een knipperend lichtje op een antwoordapparaat kon angst inboezemen.

Ze drukte op de knop. Die middag waren er drie berichten ingesproken, allemaal van collega's van Edwards & Bonnett om te zeggen dat ze het jammer vonden dat ze was ontslagen of ontslag had genomen. Eentje liet doorschemeren dat hij wel zin zou hebben in wat achtergrondinfo over wat er nu werkelijk was gebeurd, maar de twee anderen klonken oprecht teleurgesteld over haar vertrek. Er was een vierde bericht. Verbaasd ging ze zitten toen ze de stem hoorde van haar vroegere vriendin Carly King, de analist bij Toole-Russell die de informatie had doorgegeven over de nieuwe eigenaars van HanTech.

'Nou, meisje, ik kan je wel zeggen, als ik zo moe ben als nu vraag ik me werkelijk af waarom ik zo van getallen houd. Het belastingseizoen is echt een heel spannende tijd.' Carly grinnikte, maar ze klonk moe. 'Maar eindelijk had ik even tijd om wat dieper te graven in de activiteiten van die nieuwe eigenaren van HanTech, zoals je had gevraagd.' Haar stem werd somberder. 'Het staat me niet aan. Ze zitten niet alleen op de verkoop van niet-verrijkt uranium. Ze hebben hun bedrijfsmatige klauwen op de een of andere manier ook in uranium voor wapens gekregen. Ze kopen het op van landen in de Derde Wereld, zoals Irak en Libië, landen die het in de jaren negentig van de Russische regering hebben gekocht toen die in geldnood zat.'

Ze aarzelde even voordat ze bezorgd verdersprak: 'HanTech stuurt het verrijkte uranium terug naar Rusland. Wat betekent dat? Misschien is het goed nieuws, aangezien de Russen naar verluidt onze bondgenoten zijn. Maar ik vraag het me af. Moet ik dit melden aan Buitenlandse Zaken? Of Economie? Denk er maar eens over na en bel me. Ik kom hier niet uit.' Een lange, bezorgde pauze en toen hing ze op.

Verbijsterd luisterde Beth het bericht nogmaals af. Verrijkt uranium was een scherp gecontroleerd, noodzakelijk ingrediënt voor kernwapens. Wat moest een Amerikaans bedrijf daarmee? Het was illegaal, gevaarlijk en angstaanjagend. En waarom verkocht Rusland zijn verrijkte uranium aan Amerika terwijl ze het spul tegelijkertijd terughaalden uit de Derde Wereld?

Ze drukte op de wisknop en leunde achterover, terwijl ze nadacht over wat ze tegen Carly moest zeggen. Maar eerst moest ze iets anders doen. Ze greep haar schoudertas, deed het licht uit en rende naar buiten. Toen ze weer in haar auto zat, reed ze over Wisconsin Avenue naar Chevy Chase. Als ze een beetje geluk had, was ze op weg naar het huis dat keer op keer in haar nachtmerries was verschenen. Afgezien van het telefoonnummer in Virginia was dit adres het enige stukje naspeurbare informatie dat die nare dromen ooit opgeleverd hadden.

Ze sloeg rechtsaf op Nebraska Avenue, reed langs de glooiingen van Fort Reno Park en sloeg links af naar Connecticut Avenue tot ze aankwam in Chevy Chase, een van de chicste buurten van Washington, waar zeer uiteenlopende huizen van miljoenen dollars op grote percelen met bomen, zwembaden, pagodes en gemanicuurde tuinen stonden.

Met bonzend hart reed ze rond. Ze minderde vaart om goed te kunnen kijken. Geschokt bestudeerde ze de zwarte postbus op een ijzeren paal aan het einde van de straat. Boven op de postbus zaten smeedijzeren nummers in reliëf. Net als in haar nachtmerrie.

Ze schudde haar hoofd even. Ze keek om zich heen. Het huis moest aan het einde van de oprit staan, die tussen de bomen verdween. Ze aarzelde, haalde met een eigenzinnig gebaar haar schouders op en reed de oprit op. Nu was ze in overtreding. Als iemand haar daarop aansprak, zou ze haar excuses aanbieden. Als iemand haar wilde doodschieten, zou ze gas geven. Ze konden haar wat.

Zodra ze een open plek bereikte, remde ze. Voor haar ogen lag een onwerkelijke aanblik. Weer zag het er net zo uit als in haar nachtmerries: het dichte, kortgemaaide gazon. De hoge treurwilg naast het pad. Een enorm huis in ranch-stijl met een hellend dak, een lange veranda en pikzwarte vensters. Nerveus en ongelovig verwachtte ze even, een macaber moment lang, dat de garagedeur open zou gaan en dat er een grommende motorfiets zonder berijder uit zou komen.

Ze telde tot tien. Tot twintig. Maar de deur bleef potdicht. Net als in haar herinnering lagen het huis, de garage en de tuin er verlaten bij en hing er een licht dreigende sfeer. Maar ze ging niet weg. Ze moest meer te weten komen. Dus reed ze naar het huis. Ze maakte een bocht, zodat haar auto weer in de richting van de straat stond voor het geval ze snel wegmoest. Achter het stuur bleef ze zitten wachten, op de uitkijk voor gevaar. Ze bestudeerde het huis. Het trok haar aan, alsof het antwoorden beloofde... of iets anders.

Even voelde ze zich onbehaaglijk. Ze keek naar haar handen en zag dat die als vuisten op haar schoot lagen. Haar handen wilden haar kwelgeest vermoorden. Ze greep haar schoudertas, opende on- hoorbaar haar portier en glipte de schaduwen in.

17

Die nacht in West Virginia liep Jeff Hammond moe en bezorgd over het trottoir van het boerendorpje Stone Point. Een hele tijd geleden, bijna tien jaar intussen, had hij een komeetachtige carrière de rug toegekeerd en alles op het spel gezet vanwege een intuïtie die zo goed geleken had, zo accuraat, zo voorspellend dat hij niet anders had gekund. Iets anders zou verraad geweest zijn aan alles wat hij was en waarin hij geloofde. En nu, al die jaren later, stond hij op het punt om zijn vermoedens te bevestigen. Maar sinds hij gisteren in dit afgelegen plaatsje was geland, had hij niets maar dan ook niets bereikt.

Vol frustratie schudde hij zijn hoofd terwijl hij om zich heen keek in Main Street, een straat met barsten in het trottoir en pick-ups die doelloos rondreden in het zwakke schijnsel van stoffige straatlantaarns. Stone Point was een van die arme gehuchten in West Virginia die aanvankelijk hadden overleefd, ondanks de afgelegen ligging en het feit dat in zo'n slaperig dorpje geen bedrijven van buitenaf werden gevestigd, en later juist vanwege die twee factoren. Het plaatsje had zich tweehonderd jaar lang, zij het moeizaam, in leven gehouden met commerciële bosbouw, kolenmijnen en spoorwegen, totdat de economische opleving van de jaren negentig jagers, vissers en wandelaars zoveel inkomen had bezorgd dat het paradijsje in de Appalachen was ontdekt. En die pioniers hadden het nieuws verspreid. Nu waren er delen van Stone Point die er vers geschilderd bij lagen. Aan de rand van het dorp lagen twee nieuwe motels; in een daarvan had hij overnacht. En de inwoners hadden een petitie georganiseerd om te vragen om herstel van de gaten in het wegdek.

Dat alles had Hammond gisteren en vandaag ontdekt. Hij dacht erover toen hij de deur van de tweede bar van Stone Point openduwde. De eerste had niets opgeleverd, en dat gold ook voor het benzinestation, de winkels, het gemeentehuis en de kleine bibliotheek die hij had bezocht. Je kon veel van hem zeggen, maar bovenal was hij vasthoudend. Keer op keer was hij met een kluitje in het riet gestuurd, maar hij bleef het proberen. Hij wilde hoe dan ook Aleksej Berianov vinden en ontdekken wat die van plan was. Hij concentreerde zich op zijn taak, schoof zijn emoties opzij en stapte naar binnen. Boven de bar hingen lichtbakken met reclame voor overdreven kleurige watervallen en vliegende fazanten. Vanuit de jukebox zong Johnny Cash' versleten stem een melancholiek lied over treinongelukken en verloren liefde. Door de stekende geur van tientallen jaren sigarettenrook en bier was de lucht bijna te snijden. Aan de gehavende bar stond een man in een spijkerbroek en een sweatshirt met capuchon over een grote fles Budweiser gebogen, en aan de kleine tafeltjes zat een handvol mannen en vrouwen genoeglijk bijeen met bierflessen en drankglazen. Er viel geen glas wijn te bekennen.

Toen Hammond naar hem toe liep, keek de barman op. Hij nam hem snel maar professioneel op, en richtte zijn aandacht toen weer op het lokaal. Hij had een rood aangelopen gezicht dat nodig geschoren moest worden en een brede neus, gebogen in het heetst van een strijd van lang geleden.

'Wie heeft het dan wél gedaan?' vroeg de barkeeper aan de aanwezigen. 'Welke vuilak heeft Lila vermoord?' Hij boende een glas en zette het op de plank achter hem.

'Wat ik weleens zou willen weten,' zei de man met de capuchon, 'is wie dat joch was met wie ze in bed lag, dat joch dat ook vermoord is. Een of andere "Marty". Misschien had hij er iets mee te maken. Hebben jullie die naam ooit gehoord?'

Een van de vrouwen opperde: 'Volgens mij heette hij Coulson. Martin Coulson. Ik wil wedden dat het iemand van Bates' jachtclub was. Hij had een joekel van een motor voor Lila's huis staan. Dat was er een van Bates' club, ik zweer het je. Er is hier verder niemand die dat soort motoren heeft.'

'Denk je eens in, haar ouders,' zei de vrouw aan het volgende tafeltje. 'Arme stakkers. Je zou je helemaal leeg kunnen huilen.' Haar stem brak.

Hammond leunde met een elleboog op de bar en bleef staan kijken en luisteren. Waar hij maar kwam werd gepraat over de tragische dood van het jonge stel. Moord kwam hier zelden voor, maar als het al gebeurde, was het bijna altijd een crime passionnel of een wraakoefening. Hier kwam men in Stone Point niet uit.

Hij was nieuwsgierig. Hij hoopte dat er een verband was tussen de moorden en datgene waarvan Anatoli Joerimengri had gezegd dat hij het niet had geweten over Stone Point. Het enige dat hij tot nu toe had ontdekt, was dat Lila de jongste van vijf kinderen was geweest en dat ze nog thuis woonde. Het gezin had geen ernstige conflicten met andere inwoners. Lila had geen vriendjes gehad die jaloers konden zijn. Ze had gewerkt bij de winkel in huishoudelijke artikelen en iedereen mocht haar.

Haar vriend, Marty Coulson, had kennelijk deel uitgemaakt van een sportgroep onder leiding van ene Caleb Bates, die een fraai terrein had gekocht temidden van de heuvels boven Stone Point. Zijn sportclub was een van een tiental nieuwe clubs, uitsluitend voor leden, die jagers aantrokken vanuit het hele land en die zo'n belangrijke rol hadden gespeeld bij de heropleving van de economie in de streek. Bates' foto had zelfs op de voorpagina van het plaatselijke weekblad gestaan, met een artikel waarin de deugden van het plattelandsleven werden bezongen.

Hammond had de foto bestudeerd: Bates was een stevige man in een jachtvest, met een winchester in zijn vlezige armen. Hammond had hem niet herkend.

Afgaand op de details die hij over de dubbele moord had vernomen – beide slachtoffers met één schot gedood, geen luide schoten, een geweer dat zo krachtig was dat beide jongelui half van het bed geblazen waren – meende hij dat het iemand geweest moest zijn die precies wist hoe dergelijke dingen moesten. Maar gezien de recente groei van het plaatsje viel ook hier een toename van allerhande geweldsdelicten te verwachten. Tenslotte bezaten de meeste inwoners wel een of ander vuurwapen. Het hele politiekorps, drie man sterk, was bezig met het onderzoek.

De barman keek naar Hammond. Hij was even lang als Hammond, maar had een buikje dat onmogelijk voor spieren kon worden aangezien. Ondanks zijn rode gezicht en zijn gebroken neus had hij een waardigheid die Hammond aansprak.

'Waarmee kan ik u helpen?' vroeg de barkeeper.

'Een Bud. En een antwoord, hoop ik.'

Hammond haalde een kleurenfoto uit zijn tweedjasje en schoof hem over de bar. Er stond een blanke man op, gemiddeld postuur, met een slank, Noord-Europees gezicht. Een knappe man in smoking, met een halfvol martiniglas in zijn hand, vol zelfvertrouwen naar de camera gericht.

'Hebt u deze man ooit gezien?' vroeg Hammond.

Het werd stil in de bar toen de twee mannen elkaar even aankeken voordat de barkeeper de foto pakte. Het was etenstijd in de vallei, maar net als elders waren ook hier mensen die geen zin hadden om naar huis te gaan, of die geen thuis hadden. Dus dronken ze met hun maats en zetten ze zich schrap voor de lange nacht, of voor meer eenzaamheid dan ze wilden toegeven. Dit soort bars waren broeinesten van geroddel. Daarom was Hammond met enig optimisme naar binnen gegaan.

'Nee. Nooit gezien. Jij, Clyde?' De barkeeper gaf de foto door aan de man met de capuchon. Die keek ernaar, schudde zijn hoofd en gaf hem door aan de man aan het dichtstbijzijnde tafeltje.

Hammond fronste zijn wenkbrauwen toen de foto de hele bar doorging, waarbij iedereen beweerde de man niet te kennen.

De laatste zei: 'Hij komt me ergens bekend voor. Maar ik kan niet zeggen, waarom.'

'Neem gerust de tijd,' zei Hammond bemoedigend.

De man keek nog een tijdje naar de foto. 'Nee, volgens mij niet.' Hij gaf het plaatje terug aan Hammond. 'Waarschijnlijk doet hij me aan iemand denken. Maar ik weet niet aan wie.'

'Iemand in Stone Point?'

Ditmaal schudde de man beslist zijn hoofd. 'Geen denken aan.'

'Wie is dat dan?' vroeg de barkeeper. 'Hij heeft een smoking aan, hij is op een of ander chic feest. Zo iemand hebben we hier niet, hè jongens?'

Ze lachten, en even was de tragedie van de twee vermoorde jongeren vergeten. Ze keken naar Hammond, naar zijn lange haar, de gouden oorring, het tweedjasje en de spijkerbroek. Maar hun blikken waren eerder nieuwsgierig dan onvriendelijk. Als je dat jasje en die oorring wegdacht, kon hij hier makkelijk thuishoren – een buitentype dat zijn eigen gang ging, net als anderen hier op het platteland en in de bossen, waar individualisme en excentriek gedrag evenzeer deel uitmaakten van het ruige landschap als de hoge bomen en de wilde plantengroei.

'Een Rus. Aleksej Berianov heet hij,' gromde Hammond. 'Ik had gehoopt dat ik hem kon interviewen voor mijn krant.'

'Een Rus?' vroeg een van de mannen verbaasd. 'Tjongejonge. Dat dacht ik niet. Hierzo?'

'Nou, ik zou best graag eens een Rus ontmoeten,' zei een ander. 'Rusland... dat is een heel eind weg. Heel wat verder dan New York. Dat zou nog eens iets zijn, een echte Rus. Dat zou ik helemaal niet erg vinden, om zo iemand eens te spreken. Voor welke krant schrijf jij?'

'*The Washington Post.*'

'Helemaal uit Washington DC?' vroeg de man met de capuchon.

'Jazeker.' Hammond onderdrukte een glimlach. 'Heeft een van jullie hier ooit Russen gezien?'

Daarover waren ze het al snel eens. Ze schudden hun hoofd. 'Echt niet,' bevestigde de barkeeper.

'Ik heb weleens Russen horen praten, in een film,' zei iemand anders. 'Dat accent is overduidelijk. Diep, zeg maar, en grommend. Ik heb nog nooit iemand gesproken die als een Rus klonk. En volgens mij ken ik iedereen hier in de buurt.'

'O ja?' Teleurgesteld keek Hammond om zich heen, in de hoop dat iemand dit zou bestrijden. Maar nee.

Een van de vrouwen richtte zich nu tot de man die had gezegd dat hij weleens een Rus zou willen ontmoeten. 'Dat zou je wel wat lijken, hè Kenny,' grapte ze. 'Rusland. Je kunt natuurlijk gaan sparen en er heengaan. Als je weet waar het ligt.'

'Nou, Alma, kom op. Doe niet zo vervelend. Je verdwaalt zelf al op weg naar huis. Drie biertjes en je denkt al dat je de hele weg naar Wheeling vliegt...'

De klanten begonnen goedmoedig te lachen. Hammond stak de foto weer in zijn jasje, betaalde voor zijn bier en vertrok. Buiten reden pick-ups en oude auto's voorbij. Hij voelde zich teleurgesteld. Toen Beth Convey had verteld wat Joerimengri's laatste woorden waren geweest, was hij er zeker van geweest dat hij in Stone Point een aanwijzing in Berianovs richting zou vinden, een aanwijzing van een dodelijke activiteit die de ooit zo machtige generaal al die jaren verborgen had weten te houden. Maar Berianov had een onmiskenbaar Russisch accent, en dat hadden ze in Stone Point onmogelijk over het hoofd kunnen zien.

Hammond stak zijn handen in de zakken van zijn spijkerbroek, trok zijn schouders op en liep naar de drugstore, waar nog licht brandde. Hij gaf het niet op. Niet nu. Hij had hier te veel jaren in zitten. Wat zou hij anders voor idioot zijn? Hij was toch niet stapelgek? Maar zodra hij die vraag had gesteld, schudde hij als antwoord zijn hoofd. Hij was geen idioot. Hij had gelijk. Iemand in dit achterlijke dorp moest Berianovs foto herkennen...

En toen gebeurde het. Op de stoep zag Hammond een schaduw die hem verkeerd voorkwam. Het grootste deel van zijn volwassen leven had hij automatisch uitgekeken: portierraampjes omhoog of omlaag geschoven, deuren die open- of juist dichtgingen, een bepaalde manier van lopen, een in de verte gerichte blik, weerspiegelingen in allerlei soorten glas, en schaduwen. Daar was hij op getraind, en algauw had hij ontdekt dat dat heel wijs was. Bijna niemand zou de bobbel in de schaduw gezien hebben. Het was de schaduw van de muur aan de linkerkant van de steeg, die over het trottoir viel. Zo'n schaduw hoorde een rechte lijn te zijn.

Ofwel er zat daar iemand, ofwel de muur had een ernstig constructieprobleem. Dat laatste betwijfelde hij. Zonder zijn hoofd zichtbaar te wenden keek hij om zich heen. Er was niet veel verkeer. Vier tieners op de stoep slenterden lachend zijn kant uit. Toen hij probeerde de steeg die vijf meter voor hem lag in te kijken, hield Hammond even zijn adem in en begon er een zachte, opgewonden zoemtoon in zijn hoofd. Hij was nooit verslaafd geweest aan gevaar, maar ergens miste hij het wel. Hoewel dit niet al te riskant leek, kon het interessant worden.

Voorzichtig keek hij, klaar voor actie, toen de tieners de steeg voorbijliepen. Degene die zich daar schuilhield, kwam niet voldoende in verleiding, misschien omdat zulke jonge mensen niet veel buit konden opleveren. Bovendien kreeg hij dan met vier personen te maken.

Hij vertraagde zijn pas, zodat ze hem veilig voorbij konden lopen. Met hun armen om elkaar geslagen slenterden ze verder, twee jonge stelletjes op zoek naar vertier. De meisjes lachten als helder klinkende klokjes. Een van de jongens staarde zijn meisje aan, en ze tilde haar lippen naar hem op. Er hing niet alleen voorjaar in de lucht, maar ook seks.

Hammond glimlachte en bleef even staan om zijn honkbalpetje recht te trekken. Hij leunde tegen de met hout betimmerde muur van een doe-het-zelfwinkel en veegde met een arm over zijn voorhoofd om tijd te winnen. Toen het levendige groepje eindelijk ver genoeg weg was, speurde hij nogmaals de stoep en de straat af. Even bewoog er maar één ding: de ruggen van het verdwijnende groepje. Het was zover.

Vanuit de dekking van de winkelmuur draaide hij naar het steegje, zijn bewegingen soepel en lenig. Een lang vergeten kracht leek zich van hem meester te maken. Zijn hartslag vertraagde. Zijn zintuigen waren tot het uiterste gespannen, zoals hij zich van vroeger herinnerde. Met één enorme vuist reikte hij de steeg in, kreeg een handvol textiel te pakken en gaf een ruk.

De stem die bij het textiel hoorde, schoot razend uit. 'Jezus Christus, Hammond!'

'Shit. Steve Thoma. Wat doe jij hier?'

De twee mannen stonden roerloos bij de ingang van de steeg. Hammond had Thoma's revers nog in zijn hand en ze stonden dicht bij elkaar. Thoma was kleiner dan Hammond. Hij had golvend haar, een stugge kaaklijn en ogen die vuur spuwden. Hij droeg het gebruikelijke simpele, donkere pak met een wit overhemd. Maar net toen Thoma achter zich en onder zijn jasje wilde reiken, ramde

Hammond hem met één hand weer uit het zicht de steeg in, terwijl hij met de andere hand behendig een 10-millimeter Smith & Wesson uit de holster op Steve Thoma's rug viste.

'Dat zul je bezuren,' grauwde Thoma.

'Sorry, ik kan er niet goed tegen als iemand een wapen op me richt. Volgens mij begin je traag te worden.'

'Om de dooie dood niet. Ik wilde je matsen.' Thoma keek woedend.

Hammond stak de Smith 10 in zijn eigen tailleband. 'Leuk speeltje. Je bent dus bewapend. Correctie: je wás bewapend. Wat dacht je hier te vinden – een moordenaar, soms?'

'Dat zijn jouw woorden, niet de mijne.' Thoma's golvende haar zat in de war en zijn pafferige gezicht was opgezet van woede nu Hammond hem te slim af was. 'De vraag is, wat dacht jíj hier te vinden?'

Hammonds onderlip werd smal. Zijn vertrek bij de FBI, één stap voordat hij ontslagen was, had kwaad bloed gezet bij de andere agenten, die hem aanzagen voor een verrader. 'Al wat ik verwachtte, niet dat jij in een hinderlaag zou liggen. Dit heeft neem ik aan niets te maken met een zekere dode KGB-overloper, ene Joerimengri?'

Thoma grijnsde minachtend en bekeek Hammond van top tot teen. 'Jezus, je loopt erbij als een zwerver. Je mag weleens naar de kapper. En wat moet je met die oorring? Je was altijd al een beetje eigenaardig. En nu helemaal. God weet waarom ze jou ooit in dienst hebben genomen.'

'Ook goeiendag, Thoma. Maar je hebt mijn vraag nog niet beantwoord. Waarom nu? De FBI heeft al jaren geen belangstelling voor mij gehad.'

'Val dood, Hammond.' Terwijl de agent nog sprak, veranderde zijn gezichtsuitdrukking. De woede en het chagrijn maakten plaats voor een sluwe blik van... ja, waarvan?

Maar plotseling wist Hammond het. Het zat in zijn merg, als een chronische ziekte. Zonder Thoma's revers los te laten draaide hij zich om. De voetstappen hadden niet luider geklonken dan die van een kat. De vier mannen en vrouwen in donkere pakken en witte overhemden leken uit het niets op te duiken, hun pistolen op hem gericht. Op de een of andere manier had Thoma hen opgeroepen. Inwendig vervloekte Hammond zichzelf. 'Je had een stil alarm bij je.' Het was geen vraag. Hammond wist dat het zo moest zijn.

Thoma schonk hem een brutale grijns en maakte een naad in zijn riem open, zodat er een medaillon ter grootte van een munt zichtbaar werd. 'Zit aan mijn holster vast. Zodra ik, of liever gezegd jij, het pistool pakte, werd het alarm geactiveerd. We hebben allemaal zo'n ding. Maar ik had het geluk jou te vinden.'

'Ja, dat zie ik.'

'Geef Thoma zijn wapen terug, Hammond. Je gaat met ons mee.' Het was Chuck Graham, nog een van Hammonds voormalige collega's. Een slanke man met een smal, gerimpeld gezicht, midden veertig – een jaar of tien ouder dan Hammond. Hij zag er piekfijn uit, van de messcherpe plooi in zijn broek tot zijn vers gestreken button-downhemd en de gladgeschoren konen.

Hammond had altijd respect gehad voor Graham, hoewel hij niet zo dol was op dat voorbeeldige uiterlijk. 'Waarom?' vroeg hij, terwijl hij de Smith uit zijn tailleband trok.

Meteen verscherpte de aandacht van de vier bewapende agenten. Hun wapens waren nu op zijn hart gericht. Wat een professionele vuurkracht... even had hij een van die nare momenten waarop hij wist dat hij het loodje kon leggen.

'Sorry.' Hij trok zijn gezicht in een onschuldige grijns en draaide het pistool voorzichtig zo om dat het handvat vooruitstak. Hij gaf het aan Thoma.

Graham, die de leiding leek te hebben, ontspande zich een fractie. 'Je wordt gezocht voor de moord op Lila Kennedy en Martin Coulson.' De rimpels op zijn smalle gezicht werden nog dieper van teleurstelling. 'Waarom moest dat nou, Hammond? Jemig. Een stelletje tieners. Ik had je hoger aangeslagen.'

'Ben jij nou helemaal? Dat heb ik niet gedaan! Waarom zou ik? Ik ben pas gisteren in Stone Point aangekomen.'

'Hoe laat ben je geland?'

Dat moesten ze al nagetrokken hebben, anders hadden ze niet geweten dat hij was komen vliegen. 'Uur of drie.'

De veteraan knikte begrijpend. 'Dat stel is ergens tussen drie en vijf gistermiddag doodgeschoten. En de plaatselijke politie heeft bewijzen dat jij het gedaan hebt. We nemen je mee naar Washington. Fouilleer hem even, Thoma.'

Ondanks Thoma's pafferige gezicht had hij een gespierde greep. Hij pakte Hammond bij de schouders en ramde hem hard tegen de muur aan. Thoma vertoonde een grote gelijkenis met vele anderen in dienst van hun land: hij hield meer van zijn kleine stukje macht dan goed voor hem was. Thoma fouilleerde hem harder dan nodig was, maar Hammond had niet anders verwacht. Hij zou later wel met Thoma afrekenen.

Hammond zei: 'Als dit een plaatselijke aangelegenheid is, moet de dorpspolitie me arresteren. Dit is hun terrein.'

'Fout,' zei Thoma tevreden. 'Het gaat hier om de binnenlandse veiligheid. De FBI heeft het hier voor het zeggen, niet een stelletje boerenkinkels.' Hij deed een stap achteruit. 'Schoon. Geen wapen. Waarschijnlijk ergens gedumpt.'

'Waar is het?' Grahams gerimpelde gezicht stond kil en strak.

'Dat zei ik net,' gromde Hammond. 'Ik heb ze niet vermoord. Waarom zou ik? Denk nou even na. Dit slaat nergens op.'

'Voor ons niet, nee,' zei Graham. 'Maar voor jou kennelijk wel. Ik weet niet wat er indertijd gebeurd is, Hammond, maar er moet iets gebeurd zijn. Voor je vertrek had je met iedereen ruzie, iedereen was razend op je. En daarna ging je voor dat bolsjewistische blaadje schrijven, *The Washington Post*. En moet je jezelf nu eens zien. Haar zo lang dat je het vlechten kunt en een gouden oorring. Je lijkt wel een flikker. Je bent niet normaal, Hammond. Kom mee.'

Ze kwamen als een groep om Hammond heen lopen, als om hem in te sluiten bij een reeds gewonnen strijd. Toen ze hem de straat op manoeuvreerden, richtten ze met de concentratie van robots hun wapens op hem. Hammond begreep de bedoeling: ze zouden hem beslist niet laten ontsnappen.

'Wat vindt Bobby hiervan?' wilde Hammond weten. Bobby Kelsey was zijn baas geweest. Hij maakte deel uit van de directie.

Thoma grinnikte. 'Hij had iets over Icarus, die te dicht bij de zon vloog.'

Dat was echt iets voor Bobby Kelsey, maar Hammond hoorde er ook in dat dit een bericht was en dat Bobby de leiding had over deze operatie.

Hij knikte neutraal. 'Ik hoor het hem zeggen.'

Thoma gromde. 'Ja, Bobby is niet je allergrootste fan. Volgens mij heb jij een groot talent om vijanden te maken. Instappen, klootzak.'

Hoewel de FBI was veranderd en met de tijd meegegaan, vielen sommige dingen moeilijk uit te roeien. Er heerste een lange traditie van onwankelbare loyaliteit, van koste wat kost voor de ander zorgen, van vechten als pitbulls in een eeuwige strijd tegen een van gevaar vervulde wereld waarin het geweld op iedere straathoek dreigde. Daardoor was een *esprit de corps* gesmeed waarin maar weinig ruimte voor afwijkingen was. En Hammond was wel zeer afwijkend geweest.

Ze bleven staan bij een donkerblauwe Lincoln Continental die precies tussen twee lantaarnpalen in geparkeerd stond. Thoma duwde Hammonds hoofd omlaag en Hammond kroop op de achterbank.

Hammond keek op naar Graham. 'Kom op, ik heb het recht om te weten wat er aan de hand is. Wat voor "overtuigende bewijzen" menen die inboorlingen te hebben?'

Graham fronste zijn wenkbrauwen. 'Ik heb genoeg gezegd. Binnenlandse veiligheid, weet je nog?'

'Waar gaan we naar toe?'

'Geen vragen meer. Je kent de procedure.'

Daarna zwegen ze allen. Dit zou het patroon voor die nacht zijn, een poging tot psychologische intimidatie. Het probeem, en dat wisten ze, was dat hij alle trucs kende. Hij had dezelfde training achter de rug en had dezelfde carrièrestappen gezet. Hij had belangrijk werk te doen, en ze konden hem niet tegenhouden. Daar zouden ze snel genoeg achterkomen.

Toen de nacht killer werd en de schaduwen van de Appalachen dreigend naderbij kropen, keek *special agent* Elias Kirkhart hoe zijn collega's Jeff Hammond inrekenden. Hij herkende de koppige, niet bijster snuggere Thoma en de veteraan Graham. Iedereen was nerveus, iedereen had zijn wapen in de aanslag.

Nadat hij gisteren even bij de luchtvaartmaatschappij met zijn badge had geflitst, wist hij waar Hammond heen ging: Stone Point, West Virginia. De procureur-generaal had een aanzienlijk riantere onkostenvergoeding dan de FBI, en dus had Kirkhart een toestel met piloot gehuurd en was hij achter Hammond aan gegaan. Hij was rond zonsondergang geland en de volgende ochtend had hij Hammond op het parkeerterrein gezien – ze logeerden in hetzelfde motel.

Daarna was Eli op afstand gebleven. In een huurauto en te voet had hij Hammond gevolgd, had hij gepraat met iedereen die Hammond gesproken had. Nu keek hij uit de verte in zijn huurauto toe, terwijl Graham en Thoma naast Hammond op de achterbank gingen zitten en de drie andere agenten op de voorbank plaatsnamen. Toen de Lincoln wegreed, trok Kirkhart op en reed hij achter hen aan de donkere nacht in.

18

Een opstekend briesje liet de bossen rond het huis in Chevy Chase ritselen. Plotseling scharrelde er een diertje door het struikgewas voor haar, en Beth schrok. Ze liep verder rond het huis om er goed naar te kijken. De hele omgeving kwam haar steeds bekender voor. Ze volgde de veranda aan de voorkant en stapte een stenen pad op dat rond de linkerkant van het huis naar achteren liep, naar een patio met een exotische sfeer dankzij een koivijver, weelderige hibiscusstruiken en tropische planten in grote terracotta potten. Ze keek door alle ramen naar binnen en kreeg niet de indruk dat er iemand thuis was. In het maanlicht waren de bedden te zien – zonder bolling, er lag niemand in. Het huis was mooi, traditioneel ingericht. Ze keek in de garage. Daar stond geen motorfiets en ook geen ander voertuig.

Ze vatte moed en voelde aan de achterdeur. Die zat op slot. Ze keek naar de zij- en voordeuren en de ramen. Alles zat potdicht. Ze zag het alarmsysteem. Dat stond onder toezicht van hetzelfde bedrijf als haar eigen alarm. Niet ongebruikelijk, want het was de grootste en bekendste firma, al van voor de tijd dat Jackie Kennedy het bedrijf had ingeschakeld om haar te helpen bij de bescherming van haar privacy na de moord op John.

Ze bleef even staan op het pad tussen de garage en het huis, waar de wind bloemblaadjes over haar sportschoenen verstrooide. Ze moest binnen zien te komen. Toen kreeg ze een idee. Voor haar twaalfde verjaardag had haar moeder haar een gereedschapskist met alles erop en eraan gegeven, het begin van haar grote voorliefde voor alle vormen van gereedschap, van nietpistolen tot mokers. Dit bleek een van de kenmerken te zijn waardoor ze zich als volwassene zo goed staande had kunnen houden. Ze was niet bang voor auto's of computers, en wanneer ze met internationale cliënten of andere juristen moest praten over olie, pijpleidingen of computerchips, wist ze waarover ze het had.

Ze ging terug naar de auto, opende de kofferbak, waarin een

volledige uitrusting lag, en pakte een draadtang en een lantaarn. Deze truc had ze geleerd toen haar eigen systeem op hol geslagen was, kort nadat ze haar huis betrokken had. Haar toenmalige vriendje had per ongeluk het alarm geactiveerd door niet snel genoeg de code in te tikken. Maar geen van beiden herinnerden ze zich precies wat ze moesten doen als dat gebeurde. Toen ze het informatieblad niet kon vinden en het alarm maar doorging met zijn gekmakende gegil, had ze de draadtang achter het apparaat geramd en de kabel doorgeknipt. Dat was natuurlijk tegen de regels, maar het werkte wel. De man die bij het beveiligingsbedrijf de alarmsystemen in de gaten hield, had op het punt gestaan om de politie in te schakelen, maar toen het alarm ophield, had hij de gemakkelijkste uitweg gekozen en was ervan uitgegaan dat de eigenaar eindelijk de juiste code had gebruikt. Dat gebeurde zo vaak dat het intussen routine was, en de politie werd maar zelden gewaarschuwd.

Ze aarzelde en woog een arrestatie wegens inbraak af tegen alle andere gebeurtenissen van de afgelopen dertig uur. De gruwelijke moord op Stephanie, waarbij ze zelf ook bijna was omgekomen, gaf de doorslag. Ze liep terug naar de keukendeur en sloeg met de draadtang een ruitje in. Het gekrijs van het alarm versplinterde de nacht.

Ze had geen tijd te verliezen. Ze stak een hand naar binnen, opende de keukendeur en sprintte, hoewel haar hele lijf nog pijn deed van het auto-ongeluk, langs de keukenkastjes naar het kleine alarmtoestel op de muur. Het zag er net uit als het hare, met een nummertoetsenblok. Maar hier was een probleem: het zat zo dicht op de muur dat het er wel tegenaan gelijmd leek, terwijl het bij haar losjes tegen het oude, ongelijkmatige pleisterwerk aan zat. Op de een of andere manier moest ze met haar tang bij de draden zien te komen. Die liepen door een gat aan de achterkant van het alarm. Snel.

Terwijl het zenuwslopende lawaai aanhield, ramde ze de draadtang omhoog in de muur. Er steeg een wolk van pleisterstof op, maar ze zat nog niet ver genoeg. Met het handvat pijnlijk in haar palm gedrukt beukte ze keer op keer met de tang in de muur, totdat ze eindelijk de opening voelde. Ze knipte de draden door.

En toen was het stil. Zo stil, dat haar oren ervan tuitten. Als ze geluk had, net als de vorige keer, zouden ze in de centrale van de beveiligingsfirma hun schouders ophalen en kwam de politie er nooit achter wie het alarm had geactiveerd. Zo niet, dan had ze een probleem. Maar daaraan begon ze te wennen.

Ze knipte haar lantaarn aan en scheen met de lichtbundel rond in de opvallend moderne keuken vol peperdure apparatuur. Haastig liep ze door de rest van het huis – woonkamer, eetkamer met smeedijzeren kroonluchter, kantoor, hobbyruimte met een schitterende Engelse biljarttafel, een grote slaapkamer, nog twee kamers en vijf badkamers. Het hele huis was stofvrij, schoon en opgewreven. Ze liep terug en keek nog eens, grondiger ditmaal. Er slingerde geen afval in de prullenbakken, er lag geen bederflijke waar in de koelkast.

Maar belangrijker was, dat er niets was dat iets zei over het leven van de bewoner. Geen familiefoto's, prijzen, verzamelingen of boeken op de bijzettafeltjes met bladwijzers op de plek waar de lezer zijn of haar literaire reis zou hervatten. Wel vond ze een mannengarderobe in een van de kasten in de hoofdslaapkamer. Hij was van gemiddelde bouw en had een behoudende smaak. In het medicijnkastje trof ze een tandenborstel, aspirine en scheergerei aan. Iets intiemers dan dat was er niet.

Het leek wel of de eigenaar verhuisd was... of hier nooit echt gewoond had. Maar dat zou wel heel buitenissig zijn. Plotseling kwam er een andere gedachte bij haar op. Misschien was hij overleden en had de familie zijn persoonlijke bezittingen weggehaald.

Ze liep terug naar het kantoor, dat vol boekenkasten en zware leren fauteuils stond. Het was donker, mannelijk en er hing een geur van sigaren in de lucht. Ze zocht naar een sigarendoos en vond hem op een bijzettafeltje naast een fauteuil. Het was een donkere, bewerkte en dure kist. Ze opende hem. Er lagen exclusieve Cohibasigaren uit Cuba in, door kenners zeer gewaardeerd. De kist was helemaal vol. Ze pakte hem op, woog hem in haar handen en dacht na.

Haar aandacht werd getrokken door het zachte tikken van de elektrische klok op de schoorsteenmantel, en opnieuw luisterde ze naar andere geluiden. De wind was aangewakkerd en de *Pittosporum*-struiken piepten tegen de ruiten van de studeerkamer. Ze kreeg de rillingen van het geluid, dat leek op vingernagels over een schoolbord. Er was geen verkeer te horen. De straat lag zover van het huis en het huis was zo goed geïsoleerd dat ze net zo goed midden op het platteland had kunnen zitten.

Gerustgesteld zette ze de sigarenkist terug en liep naar het bureau, waar ze in de hoge directiestoel ging zitten. Ze deed de bureaulamp aan en ging op zoek. De lade rechts boven leverde niets interessants op: de gebruikelijke potloden, pennen en papier. Maar de tweede lade zag er belangwekkend uit. Hier lagen ongeopende rekeningen, stuk voor stuk geadresseerd aan... Aleksej Berianov. Ze staarde er geboeid naar.

Die naam kende ze: Aleksej Berianov. Dat was een van de namen die na de operatie door haar hoofd hadden gespeeld. Wie was dat? Ze aarzelde. Kon hij haar donor zijn geweest? Voelde zijn huis daarom zo verlaten aan – omdat Berianov, de eigenaar, vorig jaar was overleden, waarna zijn familie zijn hart had weggeschonken voor transplantatie en ze zijn spullen hadden weggehaald?

Ze scheurde de enveloppen open en vond recente rekeningen – stuk voor stuk elektriciteits- en waterrekeningen voor dit huis. In de volgende lade lagen eerdere rekeningen, bewaard voor of door de mysterieuze Berianov. Maar de overige laden bevatten niets interessants, gewoon nog meer kantoorartikelen als een nietmachine, paperclips en lege documentenmappen. Geen creditcards, geen chequeboekjes, niet eens een visitekaartje en geen persoonlijke correspondentie. Ze keek om zich heen. Er stond geen computer.

Haar blik keerde terug naar de sigarenkist. Wat was daarmee? Ze liep het vertrek weer door en ging ditmaal in de leren fauteuil zitten. Ze opende de kist nogmaals en keek naar de keurige rijen sigaren. Die bezorgden haar een eigenaardig gevoel... Impulsief kiepte ze de sigaren uit de kist om naar de bodem te kunnen kijken. Eén kant van het hout was iets donkerder dan de andere, misschien door het gebruik. Ze tastte en duwde, en plotseling klapte de onderkant omhoog, zodat er een stapeltje papieren zichtbaar werd.

Ze staarde ernaar. Bovenop lag een rekening van een firma in omheiningen in Stone Point, West Virginia. *Stone Point.* Daar had kolonel Joerimengri het over gehad, daar was Jeff Hammond heen gegaan. En toen zag ze de naam op de rekening staan. Die was niet gericht aan Aleksej Berianov. Die was gericht aan... Caleb Bates. Ze ging achteroverzitten om na te denken. Dat was de naam van een van de nieuwe eigenaren van HanTech. Vreemd dat die naam hier opdook in het huis van Aleksej Berianov, terwijl zoveel nieuwe eigenaren van HanTech Russen waren. Of was dat niet zo vreemd? Als die Bates zaken deed met Russen, kon hij dan misschien ook andere banden met ze onderhouden? Ze dacht na over het verrijkte uranium dat HanTech aan het opkopen was.

Ze bleef even naar de factuur staren en legde haar toen opzij. Daaronder lagen nog twee rekeningen, een voor gestort beton en een voor elektriciteitskabels. Ook deze waren bestemd voor het terrein in Stone Point en ook deze waren geadresseerd aan Caleb Bates. Ze dacht even na en legde toen ook deze rekeningen weg. Daarna kwam een vergeelde krantenadvertentie waarin een boerenbedrijf in de buurt van Gettysburg, Pennsylvania, te koop werd aangeboden. Ze bestudeerde het stukje papier. Iemand had een cirkel getrokken om de foto van het koloniale landhuis dat bij de boerderij hoorde.

Ook die legde ze opzij voordat ze het laatste knipsel pakte. Dit was een artikel over iemand die vorig jaar was overleden. Haar handen trilden. Ze staarde naar de foto, en bleef staren. Hier was de vreemdeling die ze in haar nachtmerries had gedood en die later was opgedoken bij het kampvuur. Datzelfde brede voorhoofd, die korte, stompe neus, dat grijze, achterover gekamde haar. Keer op keer had ze hem vermoord. De motorfiets was razend de garage uit komen rijden. Ze was erop gesprongen en was weloverwogen op hem ingereden. Op déze man. Voor haar geestesoog zag ze zijn blik van vreselijke pijn en verbazing. Zag ze hem met een boog de lucht in vliegen en op zijn hoofd op de oprit smakken.

Ze las de naam: Michaïl Ogust. Ze onderdrukte een kreet van verbazing. Ook dit was een naam uit haar nachtmerries. Ze stond op en ijsbeerde door het vertrek. Ze voelde zich als een gekooid dier. Haar hart bonsde. Hoe kon ze dat gezicht in haar dromen gezien hebben, het gezicht van een tweede, bestaande man die was gestorven? Ze bleef maar lopen en wrong haar handen, alsof ze het koud had. Dit was te veel. Te veel toevallige samenlopen van omstandigheden, of te veel bewijs dat haar hart inderdaad al die tijd tegen haar 'gepraat' had.

Nadat ze een tijdlang heen en weer had gelopen en haar eigen gedachten had weerstaan, voelde ze zich kalmer worden. Natuurlijk moest ze de situatie het hoofd bieden. Ze moest erachter komen. Daarom had ze het risico genomen om hierheen te gaan – om zo veel mogelijk te ontdekken. Ze hield zich voor dat alle informatie neutraal was. Wat je ermee deed, dat maakte dat die informatie goed of slecht werd.

Beth vermande zich en liep terug naar het bureau. Daar ging ze zitten. Ze pakte het krantenknipsel en las:

> Sovjetoverloper Michaïl Ogust, 41, woonachtig nabij Dupont Circle, is gisteren in de vroege avond om het leven gekomen bij een motorongeluk in Rock Creek Park.
> Volgens de politie die naar de plaats van het ongeluk was geroepen, zag het ernaar uit dat hij tegen een helling was gereden en van zijn motorfiets geslingerd, waarna hij op zijn hoofd was terechtgekomen. Art-

sen meldden dat hij was overleden aan hersenletsel. Er is geen helm gevonden en hij had geen andere ernstige verwondingen.

Ogust was in 1991 overgelopen en werd zeer gewaardeerd in Russische filantropische kringen in Amerika. Als karate-instructeur en liefhebber van sportwagens had hij een vermogen vergaard met de export van sportapparatuur naar Rusland, terwijl hij delicatessen als kaviaar importeerde.

Er gaan geruchten dat hij in de jaren voordat hij overliep vaak werk met een illegaal en geweiddadig karakter deed. Hij was een invloedrijke KGB-kolonel in Moskou...

Trillend keek ze naar de datum op het knipsel. Ze liet zich in de bureaustoel achterovervallen. Ze staarde naar het raam, waar de struiken door de wind tegen het glas geranseld werden. Ze had uitgeput moeten zijn, op het punt om om te vallen en te slapen, maar ze voelde zich hevig verontrust. Ze kon alleen maar piekeren...

Ogust was een eenenveertigjarige man, en Travis Jackson had gezegd dat haar donor een man van begin veertig was.

Ogust was overleden bij een 'verkeersongeluk', enkele uren voor haar eigen transplantatie.

Omdat hij alleen hoofdletsel had, moest zijn hart ongedeerd geweest zijn, en het was maar een korte afstand naar het ziekenhuis waar zij lag te sterven.

Daarbij was hij Rus, een karate-expert en hield hij van sportauto's. Dat kon betekenen dat hij goed en hard reed. Ze herinnerde zich de andere elementen uit haar dromen – de Russische AK-47, de atmosfeer van continu gevaar, en haar verbluffende gevoel van zelfvertrouwen en vaardigheid wanneer er geweld dreigde. Ze dacht terug aan Dave, de ziekenverzorger die haar zo zenuwachtig en achterdochtig had gemaakt – en hij was dus een dief gebleken. Ogust had bij de KGB gezeten, hij was getraind op manieren die dit alles konden verklaren.

Ze knikte in zichzelf en probeerde het allemaal te verwerken. Na al die tijd, na al die verwarring en zorgen... na al die bizarre belevenissen... ja, Michaïl Ogust paste perfect in het beeld. Hij moest haar donor geweest zijn – maar hij was ook degene die ze in haar nachtmerries had vermoord. Ze herinnerde zich Stephanies waarschuwing: dromen gaven geen rechtstreekse informatie. Ze gaven aanwijzingen, in stukjes en beetjes, maar je kon er nooit op vertrouwen dat een droom het hele beeld gaf. Als haar dromen deel

185

uitmaakten van haar cellulaire geheugen, was het haar taak om de puzzelstukken aaneen te passen.

Het verhaal over Ogust verklaarde veel, maar riep nog veel meer vragen op. Ze had nu de contouren, maar nog niet de invulling. Ze wist niet wie hij werkelijk was geweest, niet waarover hij nadacht of waar zijn passies lagen. Was hij driftig geweest, zoals zij meende? Was hij agressief? Ze aarzelde: was hij een moordenaar?

Ze wilde meer weten. En met name wilde ze weten waarom zijn hart haar naar het lijk van kolonel Joerimengri had gevoerd. Die drie moesten elkaar gekend hebben: kolonel Ogust, kolonel Joerimengri en Aleksej Berianov.

Haar hartdonor, Michaïl Ogust, was dood. Kolonel Joerimengri was in haar bijzijn overleden. Waar was Berianov dus, degene die de rekeningen voor dit huis betaalde? Ook dood? Ze kreeg een koude rilling. Ze greep het knipsel om te zien wie het artikel had geschreven. Het verraste haar niet: Jeffrey Hammond. Alweer. Op zoek naar meer namen las ze snel de rest van het artikel. Maar noch Joerimengri, noch Berianov werden genoemd.

Terwijl ze het knipsel opvouwde en in haar tas stopte, speurde ze de werkkamer af. Ze vroeg zich af waar ze verder nog moest zoeken. Ze knielde bij de lage boekenkast tussen de twee ramen en opende systematisch alle in leer ingebonden boeken, keerde ze om en schudde ze om te zien of er papieren of foto's uit vielen. Terwijl ze daarmee bezig was, vroeg ze zich af of Hammond ook weleens iets over Berianov had geschreven. Plotseling kwam er een verontrustende gedachte bij haar op: in het verleden was een perskaart overal ter wereld een traditionele dekmantel geweest voor spionnen en dubbelspionnen. Misschien wist die verslaggever Hammond zoveel over Russische overlopers omdat hij tijdens de koude oorlog voor de KGB tegen de Verenigde Staten had gespioneerd. Misschien was hij nog steeds spion.

Ze huiverde en liep naar een schrijftafeltje. Ze opende alle laden, maar die waren allemaal leeg. Net toen ze tegen de onderkant klopte op zoek naar een dubbele bodem, kreeg ze een onbehaaglijk gevoel. Haar nekharen gingen overeind staan. Ze keek over haar schouder naar het felverlichte kantoor. En verstijfde.

'Wie bent u?' Haar hart ging als een razende tekeer. 'Wat wilt u?' De gestalte liep naar haar toe met de trage, sluipende tred van een panter. Een man, gekleed in een zwarte, strak aansluitende coltrui en een broek. Over zijn gezicht had hij een zwart skimasker waarachter alleen ijzig blauwe ogen te zien waren. Hij had zwarte sportschoenen en sokken aan. In een zwarte riem rond zijn taille zat een pistool in een holster, evenals wat andere apparatuur. Hij zei niets, en meteen wist ze dat haar poging bespottelijk was geweest. Zonder met zijn ogen te knipperen leek hij haar te willen fixeren – haar te hypnotiseren, zoals roofdieren soms doen als ze op het punt staan om toe te slaan.

Het zweet brak haar uit. Waarom zat zijn pistool nog in de holster? Er spoelde een golf van woede over haar heen. Ze had genoeg van die bullshit. Ze wilde geen doelwit meer zijn. Ze wilde niet bang meer zijn. Ze wilde niet meer proberen het onbegrijpelijke te snappen.

'Je komt hier kennelijk niet om een ijsje te eten.' Ze sprong overeind. 'Als je voor mij komt, zal ik het je makkelijk maken.'

Zonder te spreken liep hij dichter naar haar toe. Haar spanning groeide en met kaarsrecht gehouden heupen en bovenlichaam, haar knieën licht gebogen, stond ze hem op te wachten. Hij was even lang als zij, had een normale bouw en liep met het soort soepele precisie dat intense fysieke training verried. Ze had geen idee wat hij van plan was, maar ze zou niet wachten tot ze daarachter was. Ze aarzelde tot hij net binnen bereik was. Toen deed ze twee snelle stappen voorwaarts, hief haar rechterbeen tot borsthoogte en ramde met een *mae-keage* de bal van haar voet in zijn borstkas.

Hij struikelde achterover, zijn kille ogen vol verbazing. Maar zelf was ze nog veel verbaasder. Ze was groot en sterk, en uit ervaring wist ze dat ze een tegenstander tegen de vlakte kon trappen. Maar hij stond nog overeind. Meteen wentelde ze om haar as en haalde nogmaals naar hem uit, waarbij ze ditmaal haar schop naar zijn kin richtte.

Maar zover kwam het niet. Hij pareerde en ramde een vuist in haar ribben. Terwijl haar botten vibreerden van de plotselinge pijn, wist ze het antwoord: dit was een expert. Zijn schoppen, slagen en beuken kwamen zo snel op haar neer dat haar pogingen om hem af te weren niet meer waren dan het gefladder van muggenvleugels tegen een hordeur. Nog geen minuut later lag ze plat op haar rug naar adem te happen. Ze kon zich niet meer bewegen. Overal had ze pijn. En nog steeds trok hij zijn pistool niet. Hij sleepte haar naar een stoel en zette haar daarop neer. Ze slikte en probeerde adem in haar pijnlijke longen te krijgen, zodat ze verder kon vechten. Hij nam een nylonkoord uit een buidel aan zijn riem en bond haar snel aan de stoel vast. Hij werkte systematisch door, zonder dat er een geluid over zijn lippen kwam. Terwijl ze haar best deed om op adem te komen, dacht ze wanhopig na over een manier om hem tegen te houden.

Hij leek overal aan gedacht te hebben. Ze kon hem niet identifice-
ren door geluid, geur of gezicht, en ze was compleet hulpeloos.
Maar toen hij het laatste touw vastknoopte, zag ze dat de zwarte
handschoen van zijn rechterhand iets omlaag was geschoven. Onder de lange mouw van zijn trui zat een bobbel, een horloge zo te
zien. Maar in de opening tussen de handschoen en de mouw zat
een klein, wit litteken op de bovenkant van zijn pols. Ze probeerde er niet naar te staren.

Hij liet een doek over haar ogen vallen en bond die met ruwe gebaren om haar hoofd. Als waarschuwing trok hij de lap even extra strak aan, en toen hoorde ze dat hij aan een zoektocht begon.
Ze luisterde toe terwijl hij geruisloos Berianovs kantoor omver-
haalde. Hij moest wel een uur bezig geweest zijn met wat in haar
ogen een grotendeels lege kamer geweest was. Maar waarnaar was
hij op zoek? En waarom had hij haar niets gedaan? Was dit een
psychotische moordenaar die ervan hield eerst een tijdje met zijn
slachtoffers te sollen? Een sadist die haar zou martelen voordat hij
haar vermoordde?

Ze onderdrukte haar angst en bleef zitten luisteren totdat ze hem
het vertrek uit hoorde wandelen. In de lege stilte wachtte ze, gespannen luisterend of ze kon horen waar hij was en wat hij deed.
Koortsachtig begon ze zich tegen haar touwen te verzetten. Terwijl
ze daarmee bezig was, hoorde ze geluiden in de verte. Hij was ergens anders aan het zoeken. De pijn schoot door haar ledematen
heen, maar ze ging door terwijl hij de woonkamer, de eetkamer,
alle andere kamers, doorzocht. Vol angst wachtte ze het moment
af dat hij zou ophouden. Wat zou hij met haar gaan doen zodra
hij had gevonden waarnaar hij op zoek was?

Ze moest zien weg te komen. Ze streed tegen haar vermoeidheid
en wanhoop. Haar vingers plukten aan de sterke nylontouwen,
maar het leek wel of ze in gelatine baadde: al haar bewegingen werden trager. Ze was moe. Uitgeput. De tijd verstreek. Maar ze dwong
zichzelf door te gaan.

DEEL TWEE

19

In de Lincoln Continental met zijn krachtige motor lag Jeffrey Hammond te dommelen, terwijl de wijzers van de klok voorbij middernacht kropen en op weg gingen naar de ochtend. Buiten veranderde het landschap van bergrichels vol bossen in brede, vruchtbare valleien en uiteindelijk in Virginia's uitgestrekte Tidal Plain.

Toen de dageraad eindelijk de hemel in het oosten kleurde, ging Hammond volledig wakker rechtop zitten. De FBI-auto gleed een rustige zijstraat in het noordwesten van Washington binnen. De sfeer was gespannen. Het was een lange rit geweest, en telkens wanneer ze waren gestopt voor eten, benzine of een sanitaire stop, waren de agenten in een verhoogde staat van paraatheid geweest. Hammond mocht beslist geen trucs uithalen en ontsnappen. Een kwartier tevoren had de hoogst geplaatste van het stel, Chuck Graham, met zijn mobiele telefoon gebeld dat ze eraan kwamen. Daardoor meende Hammond dat ze hem naar een opvanghuis brachten, want ze waren het centrum van de stad en het Hoover-gebouw al voorbij.

Nu reden ze de buurt Adams Morgan binnen. De auto was een hogedrukpan van grimmige gezichten en strakke kaken, en buiten ging de wereld sereen door, zich niet bewust van het feit dat er deze vrijdagochtend iets ongewoons voorbijreed. Het was nog zo vroeg dat de jonge managers, artiesten en non-conformisten hier nog maar net op waren. In badjas stapten ze naar buiten om kranten in een groot aantal verschillende talen op te pikken. De trendy wijk Adams Morgan met zijn subcultuur stond bekend om zijn kleurige wandschilderingen, een wereldatlas aan restaurants, de fladderende kleding van verre landen en schitterende, oude huizen waarin ooit 's lands elite had gehuisd. Het was voor het merendeel een woonwijk, met zoveel verschillende activiteiten dat een opvanghuis van de FBI er moeiteloos in opging.

Terwijl hij om zich heen keek, herinnerde Hammond zich dat hij vroeger net zo was geweest als die agenten in de auto, zo op de missie geconcentreerd dat hij niet eens meer merkte dat daarbuiten de echte wereld gewoon doorging, onder de bomen en achter de raamluiken. Vreemd eigenlijk om het contact daarmee te verliezen, als je bedacht dat de bescherming van dat gewone leven nu juist was waar het bij dit werk om ging.

De Lincoln rolde langs pittoreske bakstenen stadswoningen, ergens in het begin van de twintigste eeuw gebouwd. Voor het derde huis stak een vrouw in een wilde tijgeroutfit en met haar haar hoog opgestoken net een krant onder haar arm. Ze nam een slok uit een grote koffiebeker en keerde terug naar het huis. Ze zag er op een eigenaardige manier aantrekkelijk uit, excentriek als ze was toch volkomen op haar gemak, en zingend liep ze de traptreden op, de deur door.

'Welk huis is het?' Volgens Hammonds berekening moest Grahams vijftien-minutenwaarschuwing intussen verstreken zijn, en te zien aan de manier waarop de bestuurder om zich heen keek, moest dit het blok zijn. Hammond wist dat hij niet op straat zou parkeren. Veel te opvallend. Hij moest een veiliger methode hebben om de gevangene binnen te krijgen.

Chuck Graham glimlachte zuinigjes. Hij wees op de vrouw die het huis in gegaan was. 'Dat van haar. Dat is de huishoudster.' Ondanks de lange nacht zat de messcherpe vouw nog steeds in zijn broek, was zijn witte overhemd ongekreukt en waren de rimpels in zijn gezicht maar iets dieper geworden van vermoeidheid.

Hammond knikte. De vrouw paste prima in deze bohémien-omgeving, en niemand zou vermoeden dat zij bij de FBI werkte. Hij had noch haar, noch het opvanghuis ooit gezien, maar dat was geen verrassing. Intussen was er heel wat veranderd wat betreft de mensen en dingen die hij gekend had. Bij contraspionage en terreurbestrijding konden gewoonte en routine fataal zijn.

Zoals hij al had verwacht, reed de bestuurder de Lincoln de hoek om, een boomloze steeg door die achter de huizen langs liep. Alle achterveranda's wezen in de richting van de steeg, die aan weerszijden was afgezet met hoge schuttingen en hier en daar een vuilnisbak die geleegd moest worden. Je kon onmogelijk in de tuinen kijken, en zo had iedereen zijn privacy. Daardoor was de speciale behoefte daaraan van dit ene huis minder opvallend. Graham haalde uit de zak van zijn jasje iets wat eruitzag als een zilveren hulsje voor visitekaartjes. Er zat inderdaad een stapeltje witte kaartjes in, maar toen Graham op een deel van het siersmeedwerk daaronder drukte, begon er voor hen een garagedeur open te gaan.

De bestuurder zwenkte de Lincoln langs twee vuilnisbakken de donkere garageopening in en zette de motor uit toen de deur achter hen dichtgleed. Plotseling viel de spanning in de auto weg. Thoma en een van de mannen op de voorbank trokken hun dassen los. De vrouwelijke agent slaakte een diepe zucht. Ze hadden hun prooi veilig thuisgebracht. Ze leken geen problemen van zijn kant meer te verwachten. Dat betekende dat het huis en het terrein waren voorzien van alle denkbare beveiligingsmiddelen, waaronder waarschijnlijk enkele die alleen de FBI bezat. Ditmaal kon hij weleens écht vastzitten.

Agent Thoma stapte uit, zijn 10-millimeter Smith & Wesson in de hand. Hij gebaarde ermee naar Hammond. 'Uitstappen.'

Hammond gehoorzaamde. Toen Graham de muffe, oude garage inliep, kwamen de andere agenten met getrokken pistolen achter Hammond lopen. Ze volgden Graham een ultramoderne gang in met een linkermuur van getint spiegelglas. Door dat glas was een achtertuin vol tulpen, irissen en een bloeiende perenboom zichtbaar, met daarachter de hoge houten schutting voor de steeg. Maar mensen in de tuin, of mensen die zo stom waren om over de schutting heen te klimmen, konden door het ondoorzichtige glas heen niets zien. Zo was het veilig om van de garage naar het huis te lopen. Het geheel stond Hammond niet aan.

Graham bleef staan bij de achterdeur van het huis, waar op de rode stenen muur een elektronische badgelezer was aangebracht. Hij keek niet eens naar de deurknop, die vergrendeld zou zijn. Hij stak iets wat eruitzag als een normaal rijbewijs uit Virginia in de sleuf. Het schermpje op de elektronische lezer kwam groen tot leven.

'Het laatste snufje?' vroeg Hammond neutraal.

Graham keek over zijn schouder naar Hammond. 'Reken maar. De beveiliging is hier zo strikt dat de president nog niet binnen zou kunnen komen zonder goedkeuring vooraf.'

Alsof die opmerking bewezen moest worden, klonk een stem uit de elektronische scanner: 'Goedendag, Charles S. Graham.' Door de geavanceerde software klonk de begroeting levensecht, niet de gebruikelijke ontzielde stem. En in tegenstelling tot de meeste van dergelijke apparaten probeerde dit toestel niet te klinken als een aardige vrouw. Nee, het was een autoritaire mannenstem. 'Leg uw rechterhand op het scherm,' beval de stem nu.

Op het groene scherm werd de witte omtrek van een hand zichtbaar. Hammond herkende de geavanceerde beveiligingscontrole uit zijn dagen bij de FBI. De identificatiekaart die Graham in de scanner had gestoken, moest een opgevoerde versie van een creditcard zijn, met een ingebouwde chip waarop alles kon staan, van Grahams fysieke beschrijving tot zijn sofi-nummer, zijn privéadres, zijn bloedgroep, zijn veiligheidsniveau en de reden waarom hij daar was. God wist wat er tegenwoordig nog meer mogelijk was.

Graham betrapte Hammond op diens inspectie van de bakstenen buitenmuur, de deur, het venster en de voegen. 'Kijk maar eens goed, vriend. Van je levensdagen zul je alle nieuwe speeltjes niet ontdekken. We hebben tegenwoordig zoveel subsidie dat de jongens en meisjes van Onderzoek en Ontwikkeling helemaal uit hun dak gaan.'

'Bombestendig glas.' Hammond knikte naar het venster naast de deur. Met een nadrukkelijke blik op de gaten boven de deur, zo groot als kwartjes: 'Video- en bewegingssensoren.'

'Kinderspel.' Graham legde zijn rechterhand binnen de witte haarlijnen op het groen scherm, en de lijnen krompen tot ze exact rond zijn hand pasten.

Hoewel Hammond al in geen tijden in een opvanghuis was geweest, was hij via een aantal bronnen op de hoogte gebleven van een groot aantal verbeteringen die sinds zijn tijd waren doorgevoerd. De scanner zou controleren of Grahams handafdruk klopte met de gegevens van zijn identificatiekaart. Aangezien Grahams kaart nog niet teruggegeven was, nam hij aan dat de machine de kaart voorgoed zou opslokken als de gegevens niet klopten, en dat er dan meteen een enorme toestand zou ontstaan. Hammond zag de overduidelijke, iets anders gevormde vierkantjes in de baksteen die hem vertelden dat er automatische wapens, die een indringer of vluchteling tot gehakt zouden schieten, in luikjes in de zijkant van het huis zaten. Waarschijnlijk zaten er ook ergens in de buurt naaldpuntcamera's. Hammond schudde het gevoel van zich af dat hij de kalkoen bij een kalkoenenjacht was.

'Bedankt, mr. Graham,' besloot de scanner. 'U mag uw hand weghalen.' Het namaak-rijbewijs sprong naar buiten en Graham pakte het aan en stopte het met dezelfde soepele beweging terug in zijn jasje. 'U kunt binnengaan met de heer Hammond,' vervolgde het apparaat. 'De andere agenten mogen terugkeren naar het Hoovergebouw.'

Er klonk een rustig gesis van lucht en de grote deur schoof open. Hij zag eruit als hout, maar Hammond herkende het materiaal als hetzelfde metaal waarvan bankkluizen worden gemaakt, zo zwaar dat er een pneumatische lift nodig was om hem te openen en te sluiten.

'Ga maar,' zei Graham tegen zijn metgezellen. 'Goed werk, mensen.' Hij liep weg van de ingang en beval: 'Naar binnen, Hammond.'

Na een laatste blik achterom liep Hammond naar binnen.

Thoma kon er niet tegen. Luid riep hij Hammond na: 'Hammond, ik hou je in de gaten. Vroeger was je gewoon een schande. Nu ben je een moordenaar. Je zet ons allemaal voor schut.'

Hammond trok zijn wenkbrauwen op en draaide zich om. 'Hou toch op. Ik heb die jongelui niet doodgeschoten, evenmin als jij. Je weet niet waar je het over hebt.'

Thoma's brede gezicht trilde van een diepe woede, die daar al onder de oppervlakte had geborreld zolang als Hammond hem kende. Maar bij de FBI had Thoma een veilige plaats gevonden, een plek waar zijn woede en ontevredenheid konden doorgaan voor patriottisme en burgerzin. Op zijn eigen manier, voor zijn eigen soort, was hij nuttig. Maar nu hij Hammond teruggevonden had en geloofde dat die niet alleen voor problemen zorgde en voortijdig afhaakte maar ook nog eens een moordenaar was, kon Thoma gevaarlijk worden.

Hammond bleef hem aanstaren en bedacht opnieuw hoe krachtig een overtuiging, ook een onjuiste, kon zijn. En Thoma was niet de enige. Ook de anderen staarden hem boos en beschuldigend aan: Hammond had hen niet alleen in diskrediet gebracht, maar had de naam van de FBI te schande gemaakt. Hij wist niet wat voor bewijzen de plaatselijke politie van Stone Point had ontdekt, maar ze waren overtuigd. Hammond kreeg er een akelig gevoel van, alsof de grond onder zijn voeten waarschuwend trilde.

'Vooruit,' beval Graham weer, zijn pistool op Hammond gericht. Toen ze de gang van het gerestaureerde huis in liepen, gleed de deur weer achter hen dicht met niet meer dan een zacht sissen van perslucht. Hammond keek naar de houten lambrizering in de muur, die was behangen met kaarsenhouders en oude prenten. Hij zag de verborgen camera's en de plekken waar wapens moesten zitten. Zoals Graham al had beloofd, was het huis voorzien van uitstekende elektronische bewaking en beveiliging. En waarschijnlijk zaten er ook nog eens overal agenten. Hij zat vast, een gevangene niet alleen van de FBI, maar van zijn eigen geweten. Hij moest hier weg, maar hij kon deze mensen niet doden.

Vol bezorgdheid dat het teken dat hij nodig had, dat hem in veiligheid zou brengen, niet zou komen, liep hij verder, terwijl hij zijn omgeving goed in zich opnam. Het huis straalde een chique sfeer uit, van de parketvloeren tot de Chinese stoelen. Zo te zien moest het speciaal ingericht zijn om de belangrijkste bange, rijke vluchtelingen een veilig onderkomen te bieden, mensen die door de FBI waren opgenomen om geheimen te onthullen die wereldwijde kartels, terreurgroepen en buitenlanders die Amerikaanse technologie wilden stelen, ten val konden brengen.

Vanuit een deuropening een eindje verderop stapte iemand de gang in. Hammond staarde hem aan. 'Ty? Wat doe jij hier in godsnaam?' Senator Tyrone ('Ty') Crocker had het patriciërsgezicht en de houding van het chique, rijkste, hoogst opgeleide deel van New England. 'Hallo, Jeff. Dat is inderdaad een hele tijd geleden. Ik wilde net een kop Earl Grey gaan drinken.' Hij had dik, wit haar, een hoog voorhoofd en een sardonische glimlach. 'Volgens mijn kleindochter is er een *Star Trek*-kapitein die ook Earl Grey drinkt. Een eigenaardige connectie met een televisiefenomeen dat ik niet begrijp. Zal ook wel nooit gebeuren. Maar ik blijf tenminste op de hoogte. Drink je een kopje mee?'

Hij droeg een roomwitte linnen broek, een bruine polotrui die keurig dichtgeknoopt was, en loafers met kwastjes. Waarschijnlijk was hij op weg naar een vroege ronde golf bij de exclusieve Congressional Country Club, waar het entreegeld vijftigduizend dollar bedroeg en waar hij zijn *chipshots* kon vergelijken met die van de vice-president en andere hooggeplaatste politici en zakenlieden. Hij was de hoogste senator voor Connecticut.

Hammond herstelde zich snel. 'Ja, graag. Altijd fijn om je te zien, Ty.' Maar het was niet fijn. Als Ty Crocker hier was, betekende dat waarschijnlijk nog meer slecht nieuws.

De senator keek over zijn schouder. 'U ook, *special agent* Graham. Wilt u misschien een lekkere, warme kop thee na de lange reis van afgelopen nacht?'

'Jazeker, sir. Graag, senator.' Meestal was Graham zeer beheerst, maar nu straalde hij van genoegen. Zijn hand op het pistool trilde zelfs even nu hij tegenover zo'n enorme legende stond.

Ty Crocker was diplomaat geweest en was intussen al twintig jaar lang een zeer gerespecteerde senator. Al die tijd had hij zich duidelijk uitgesproken voor de spionagegemeenschap van het land, en de afgelopen zes jaar had hij de machtige senaatscommissie voor inlichtingen voorgezeten. Net als zijn voorganger Barry Goldwater was hij een no-nonsense conservatieve politicus, bekend om zijn integriteit.

Hammond en Graham volgden de oude man een kamer in met bleek gewolkt behang en antiek meubilair. Drie vensters boden uitzicht op de straat, maar dunne gordijnen beschermden het vertrek tegen nieuwsgierige blikken van buiten. Hammonds veronderstelling dat er agenten in het huis moesten zitten, werd bevestigd: naast een hangvaren in de gang stond er een met over elkaar geslagen armen. De agent staarde neutraal terug en hield al Hammonds bewegingen in de gaten.

Senator Crocker volgde Hammonds blik en zei tegen de man: 'Ga maar, knul. Je kunt voor de deur op wacht blijven staan, als je dat prettiger vindt. Ik snap je bezorgdheid, maar Jeff en ik zijn oude vrienden. Je gaat me toch zeker niet bij de thee vermoorden, Jeff?' 'Nee, sir. Zeker niet als het lekkere thee is.'

De senator grinnikte. 'Gaat u maar ergens zitten, meneer Graham.' Hij liep over een oosters tapijt naar een schrijftafeltje dat voor de ramen stond.

Graham wees naar de oorfauteuil naast de open haard. Hammond ging gehoorzaam zitten. Uitdrukkingsloos keek hij hoe Graham plaatsnam op een stoel tussen Hammond en de deur in, waardoor hij een risico voor Hammond vormde, mocht die het plotseling in zijn hoofd halen om te willen vluchten. Als gebruikelijk nam Hammond het vertrek in zich op. Inwendig glimlachte hij even, kil. Hij zou nog niets ondernemen. Eerst moest hij iets weten. Maar binnenkort... heel binnenkort zou hij wel moeten.

Senator Crocker kwam terug van het schrijftafeltje en drukte op een knop. Meteen rinkelde er ergens achter in het huis een bel. 'De thee komt dadelijk. Ik wil u niet laten wachten, heren.' Zijn hand lag vlak op het bureautje; zijn voeten in de kwastschoenen rustten stevig op het tapijt. Zijn witte haar glansde in het diffuse licht van de ramen achter hem. Hij nam Hammond op alsof hij wenste dat er tussen hen geen kamer maar een heel continent lag. Een gróót continent.

Tegenover die sombere, tastende blik voelde Hammond zich even schuldig. Plotseling vond hij zijn favoriete tweedjasje sleets en sjofel. Zijn haar was te lang. De gouden oorring was overdreven. En hij had het stel in Stone Point vermoord.

Maar alles had een reden, dus hij probeerde: 'Je ziet er goed uit, Ty. Sorry dat we elkaar niet onder prettiger omstandigheden treffen. Ik neem aan dat je bent gestuurd vanwege je werk met de inlichtingencommissie...'

De senator gebaarde laatdunkend met zijn hand. 'Hou toch op, Jeff. Je hebt je in de nesten gewerkt. Je vader zou dit beslist niet goedgekeurd hebben. Je moeder draait zich waarschijnlijk om in haar graf. Ik was zeer op je ouders gesteld.' Zijn sombere blik verhardde zich. 'Maar dat kan ik momenteel niet van jou zeggen.'

'Dat begrijp ik,' zei Hammond naar waarheid. 'Maar je zit er ver naast. Ik heb die kinderen niet vermoord.'

'Bullshit. Je moet eerlijk zijn, al was het maar vanwege het Bureau.

Waar ben je in godsnaam mee bezig? Als er ook maar een spoortje van een reden is... iets waaraan je op persoonlijke titel aan het werken bent? Misschien deden die kinderen aan illegale wapenhandel of maakten ze deel uit van de een of andere demonische sekte. Je moet me helpen. Ik wil de situatie begrijpen. Ik wil weten wat er met die kinderen was en wat er in jouw kop omgaat. Misschien zijn er verzachtende omstandigheden waardoor je hier nog onderuit kunt. Nog beter zou het natuurlijk zijn als je bezig was met onderzoek naar de een of andere kwestie over nationale veiligheid en daardoor in deze toestand verzeild bent geraakt. Dan kun je die informatie doorgeven.'

'Ik had niets te maken met die kinderen of met deze hele ongelukkige toestand. Je hoeft niets te verdedigen.'

Verdrietig schudde senator Crocker zijn hoofd. Zonder Hammond uit het oog te verliezen ging hij verder: 'Binnenlandse veiligheid is de list waarmee Bobby Kelsey je onder zijn hoede heeft gekregen voordat we je kwijtraakten aan de plaatselijke politie. Gezien jouw achtergrond in het veiligheidswerk was Kelsey terecht bezorgd dat ze daar geheimen uit jouw verleden te weten zouden komen, mocht je die per ongeluk loslaten. Maar toch moeten we op de een of andere manier iets met de aanklacht doen. Het zou al heel wat zijn als ze iets te maken hadden met terrorisme of smokkel. Als ik me goed herinner schrijf jij daarover voor de krant.' Hij zweeg even. 'Maar als je die jongeman en dat meisje in koelen bloede hebt vermoord, dan kan of wil ik niets doen om je te helpen, en Bobby en het Bureau ook niet.'

Hammond schudde zijn hoofd. 'Dus jij gelooft het ook al. Je hebt me mijn hele leven gekend en jij denkt dat ik tot zoiets in staat zou zijn? Ik had geen enkele reden om hen neer te schieten.' Hij aarzelde even. Hij moest het weten: 'En wat is dan dat overtuigende bewijs?'

De senator wendde zich tot Chuck Graham. 'Heb je dat nog niet verteld?'

'Ik moest wachten. Orders.'

De senator klemde zijn lippen opeen. Hij liep naar de stoel tussen Hammond en Graham en ging zitten. Hij leunde voorover en legde zijn blote onderarmen op zijn lichte pantalon. Toen bracht hij het slechte nieuws. 'Jeff, ze hebben twee vingerafdrukken van jou. Die stonden op de vensterbank vanwaar de moordenaar heeft geschoten. Jouw vingerafdrukken. Overduidelijk.'

'Waanzin!' zei Hammond boos. 'Hoe kan dat nou? Dat kan helemaal niet.'

De senator slaakte een zucht. 'Er is geen andere redelijke verklaring voor. Als jouw vingerafdrukken op de plek van de moord zijn gevonden, dan heb jij ze vermoord... of je weet wie het gedaan heeft.' 'Er móét een verklaring zijn. Ik ben daar niet geweest en ik heb het niet gedaan. Verdomme, ik weet niet eens waar dat kind woonde!' 'De politie heeft de afdrukken gevonden, naar de FBI gestuurd voor identificatie, en ze waren van jou. Geen twijfel mogelijk. De DNA-uitslag van de huidvetten is volgende week binnen. We weten allebei dat die zullen kloppen.' De senator leunde achterover en schudde zijn sneeuwwitte hoofd. 'Je bewijst jezelf geen dienst door het te ontkennen. De ouders van de dode jongen zijn gisteren naar het Hoover-gebouw gekomen om verklaringen af te leggen. Ze waren behoorlijk kapot, maar ze konden nog wel vertellen dat hij als kind continu in de ellende zat. Daar waren we al achter. En ze zeiden dat hij zich de laatste tijd zorgen maakte over een lange man die hem had bedreigd. Iemand die vroeger bij de FBI zat maar die nu voor de Washington Post schreef. Die man wilde hem laten liegen over drugsgebruik. Voor een artikel waar hij mee bezig was. Alle keren dat die jongen in aanraking was geweest met de politie, kwam dat door drugs.'

'Driemaal raden,' zei Hammond vol weerzin. 'Die lange man die hem bedreigde, dat was zeker ene Hammond?'

'Precies. Hoe wou je dat verklaren?'

'Die ouders liegen. Of de jongen loog. Dit moet een of andere valstrik zijn. Ik heb er verder geen verklaring voor.'

'Hoe zijn jouw vingerafdrukken daar dan gekomen?' De ogen van de senator glinsterden van teleurgestelde woede.

Toen er op de deur werd geklopt, zei Hammond: 'Als ik er iets van snapte, zou ik het zeggen. Ik schrijf niet over drugs. Nooit. Vraag maar na. En ik heb die jongelui niet vermoord. Ik weet alleen dat ik mijn werk bij *The Washington Post* doe, me verder nergens mee bemoei, en plotseling ben ik op weg naar de elektrische stoel vanwege twee moorden die ik niet gepleegd heb. Of doen ze in West Virginia aan ophangen of dodelijke injecties? Ik weet het niet. Dit is bespottelijk. Belachelijk!'

'Het is niet belachelijk,' corrigeerde de senator hem. 'Dit is bewijsmateriaal.' Er werd nogmaals op de deur geklopt. 'Kom maar binnen, Joyce.'

De deur naar de gang werd geopend en de vrouw met het wilde haar in een slordige knoet kwam binnen met een zilveren blad waarop een rijk versierd theestel stond. Haar wikkeljurk met het tijgermotief was verdwenen en had plaats gemaakt voor een blouse met

Indiase motieven, een broek en sandalen. Exact de juiste outfit voor het kleurrijke Adams Morgan.

Chuck Graham fronste zijn voorhoofd. 'Joyce, dit is Jeff Hammond. Hij zal een paar dagen onze "gast" zijn. Laat je niet door hem inpalmen. Hij was ooit een van onze beste mensen. Beschouw hem als gevaarlijk.'

'Dat heb ik gehoord, ja.' Ze keek nieuwsgierig naar Hammond en zette het blad op de ronde koffietafel. 'De thee is al getrokken. Ik kan niet inschenken, want ik moet aan het werk. Lukt het zo?'

Senator Crocker leunde al voorover om het theezeefje te pakken. 'Met alle genoegen.'

Hammond keek toe. Hij had een zuur gevoel in zijn maag, en hij kreeg het griezelige gevoel dat de hele wereld op zijn kop stond. Hij was alles te weten gekomen wat hij hier wijzer kon worden. Het was tijd om te proberen om weg te komen, hoewel hij vreesde dat het onmogelijk was om hier veilig te ontsnappen.

Toch zei hij onschuldig: 'Ik zou graag even mijn handen wassen, Joyce. Wil jij me even wijzen waar dat kan?'

'Leuk geprobeerd,' gromde Graham. 'Ik loop wel even mee.'

Met Graham in zijn kielzog marcheerde Hammond de gang weer in. Toen de bewaker bij de deur in zijn jaszak naar zijn wapen tastte, sloeg Hammond links af en liep terug in de richting waaruit ze gekomen waren.

'Daar,' wees Graham. 'Laatste deur links.'

Hammond opende hem en keek snel om zich heen naar het teken waarvan hij vurig hoopte dat het op hem wachtte. Er was niets te zien. Hij deed zijn best om onbezorgd te klinken toen hij zei: 'Bedankt. Kom je ook binnen? Je zult zien dat er geen venster is, maar ik neem aan dat ik altijd nog kan ontsnappen door in lucht op te gaan.'

Graham keek Hammond met samengeknepen ogen aan. Hij wierp een blik op de kleine toiletruimte. Hij tuurde zelfs in de spoelbak of daar geen wapen in lag. 'Volgens mij kun je geen kant uit, maar laat de deur van het slot. Je hebt vijf minuten.'

Zodra de deur dichtviel, bestudeerde Hammond de muren. Gespannen speurde hij de houten vloer af. Het gepleisterde plafond. Het moest moeilijk, misschien zelfs onmogelijk geweest zijn om hier een ontsnappingsroute aan te leggen. Maar zijn orders waren geweest om de dichtstbijzijnde sanitaire ruimte te vinden, mocht hij ooit door de FBI gegrepen worden. Het werk dat hij deed was zo geheim, dat er maar weinig noodplannen waren. Hij hoopte vurig dat hier tenminste een vluchtroute was.

Zijn hoofd begon te bonzen. Toen zag hij het: kalk op het houten paneel achter de toiletpot, waar de leidingen zaten. Het was onopvallend, de bruine kleur bijna onzichtbaar tegen de oude, walnotenhouten lambrizering. Zijn borstkas kromp even ineen van de opwinding. Snel veegde hij de kalk weg, pakte een kwartje en draaide de schroef onder aan het paneel los. Hij trok door. Dan zouden ze denken dat hij deed waarvoor hij gekomen was.

Nog twee schroeven en toen hing het paneel los aan de scharnieren. Snel schoof hij het weg. Hij trok een stuk van de houten vloer omhoog. Dat was kortgeleden doorgezaagd, en toen hij de plank en het paneel had weggehaald, ontstond er een opening waar hij net doorheen kon. Er steeg een geur van aarde en spinnenwebben op. Hier was een vluchtroute onder het huis, een route die de Fort Knox-achtige bewaking en beveiliging zou omzeilen. Hij werkte voor een bijzonder slim man. Maar hij moest wel opschieten. Graham was toch al achterdochtig.

Voor de deur hoorde hij de stem van de agent: 'Hammond! Je vijf minuten zijn voorbij!' Graham had hem één kans gegeven. Een tweede zou er niet komen.

'Ik kom eraan. Nog heel even.' Zijn gezicht parelde van het zweet. Onhoorbaar liet hij zijn voeten in het gat zakken, wrong zich langs de leidingen en stak zijn hand omhoog. Met één hand hield hij het paneel vast, terwijl hij met de andere de vloerplank terugschoof. Toen liet hij het paneel zachtjes op zijn plek zakken en liet zich op de grond vallen.

20

Hammond landde op zijn hurken in het zand. Het huis had geen echte kelderverdieping en hij was in de kruipruimte terechtgekomen, waar het plafond zo laag was dat hij er niet rechtop kon staan. Rechts naast hem lag een betonnen muur, maar links zag hij een geschenk uit de hemel: een halve meter verderop lag een zaklantaarn. Zijn baas was niet alleen slim, maar ook attent.

Boven zijn hoofd klonk nog steeds een vulkanisch gebulder, gedempt door de badkamervloer. Grahams stem blafte: 'Hammond! Godverdomme, die hufter is ervandoor. Keller! Joyce! Ray! Hierheen! Mensen, hij is uitgebroken!'

Hij moest maken dat hij wegkwam. En snel. Maar waarheen? Terwijl er een lichte regen van zand en zaagsel op zijn hoofd viel van de vloerplanken boven hem, knipte hij de lantaarn aan en richtte het licht door de stoffige mist op de blootliggende balken. Toen zag hij een eindje verderop, als een schim op een staander, de witte krijtstreep staan. En in de duisternis daarachter nog een, zwakker. Zijn neus jeukte van de geuren van schimmel en spinrag, en hij moest de neiging om te niezen onderdrukken terwijl hij snel en gebukt het spoor van witte strepen volgde onder de houten balken waaraan telefoon-, televisie- en beveiligingskabels waren vastgemaakt. Hij was op weg naar de achterkant van het huis, nam hij aan.

Boven hem beukten voetstappen in de badkamer, op zoek naar hem en naar zijn vluchtroute. In wat waarschijnlijk de hal was daverden andere voeten. Zijn achtervolgers waren zich aan het verspreiden. Het zweet brak hem uit. Zijn beenspieren brandden. Hij kneep in zijn neus om het helse jeuken te stoppen en holde langs nog meer leidingen en zandhopen. Hij liep niet tegen spinnenwebben op, en daaruit maakte hij op dat deze route kortgeleden nog gecontroleerd was.

Hij richtte de lantaarn omhoog. Hij zag nu zand boven zijn hoofd, waar een mansgroot gat was gegraven. Daarbovenop was iets van hout te zien, en op dat hout stond weer een witte krijtstreep. Hij stak zijn hand uit om te voelen. Het was een zwaar houten paneel, maar er zat beweging in. Hij schoof het een paar centimeter opzij zodat er frisse lucht naar binnen kwam. Er stond iets zwaars op. Toen hij het paneel behoedzaam verder opzij schoof, hoorde hij metaal kletteren. Hij knikte. Dat moest een metalen vuilnisbak zijn. Toen ze waren aangekomen, had hij die bakken in de steeg zien staan, op een strook gras naast de garage, klaar om geleegd te worden.

Achter hem, waar het huis stond, beukten nog steeds de voetstappen, echoënd tussen de houten pijlers. Ze waren naar hem op jacht, en het was een kwestie van tijd voordat ze deze route vonden of naar buiten kwamen zetten.

Hij schoof de vuilnisbak opzij, sprong omhoog en hees zich het gat uit, de buitenlucht in. Er zongen vogels, en in de verte hoorde hij het verkeer razen. Hij keek om zich heen in de rustige steeg met zijn hoge schuttingen en hier en daar een geparkeerde auto.

Toen hij omkeek, zag hij dat de garagedeur van het opvanghuis omhoog kwam. Er werden zwarte schoenpunten zichtbaar. Militair-glanzend gepoetst. Graham, waarschijnlijk. Met bonzend hart schoof Hammond de bak weer over het gat, keek links en rechts van zich en dook naar rechts, de kortste route naar de straat.

'Hammond! Staan blijven!' Grahams roepen versplinterde de rustige ochtendlucht. Er lag woede in iedere afzonderlijke lettergreep. Maar Hammond rende door. Achter zich hoorde hij een gedempt *pop*. Naast zijn rechtervoet spatte het beton in kleine scherven op. Graham had een geluiddemper op zijn wapen geschroefd en stond op hem te schieten. Maar geluiddempers waren de pest, daarmee kon je niet meer accuraat richten, dat wist iedereen. Vooral niet wanneer je op afstand stond te vuren. Hammond maakte dus een kans.

Het zweet stroomde van zijn gezicht. Op Harvard was hij laatste man geweest, dus hij kon veel harder lopen dan de meeste mannen van zijn lengte. Hij sprintte. *Pop. Pop. Pop.* De kogels sloegen in de laatste schutting toen Hammond de bocht om holde, de straat op rende en tussen de geparkeerde auto's en het verkeer door schoot. Er werd geclaxonneerd. Hij moest weg zijn voordat Graham hem weer in het zicht kreeg.

Hijgend keek hij even om. En tot zijn opluchting zag hij hem: een zwarte Cadillac met verduisterde ramen. Snorrend kwam de auto naar hem toe gereden. Het achterportier zwenkte open en Hammond sprong het schemerige interieur in. Vanaf de voorbank dreef sigarettenrook naar hem toe, die in zijn neusgaten prikte.

Hammond liet zich op de luxueuze achterbank vallen achter zijn baas. 'Wat is er in godsnaam aan de hand, Bobby?'

Bobby Kelsey manoeuvreerde de Cadillac het verkeer in en keek in de binnenspiegel naar Hammond. Kelsey was de adjunct-directeur van de afdeling Binnenlandse Veiligheid van de FBI, de hoogste instelling voor het opsporen en tegenhouden van buitenlandse spionnen en terroristen, en in die hoedanigheid hield hij ook toezicht op het buitenlandse contraspionageprogramma. Alleen hij en Hammond zaten in de auto, maar dat was te verwachten. Er waren maar drie mensen op de hoogte van het bijzonder geheime feit dat Hammond in feite nog steeds bij de FBI was en dat hij rechtstreeks onder Kelsey werkte – Hammond, Kelsey en de FBI-directeur zelf, Thomas Horn.

Terwijl de Cadillac vaart maakte en opging in het overige verkeer op de drukke straat, zei Kelsey: 'Na al die jaren doe je me nog steeds versteld staan, Jeff. Een bedankje was toch wel het minste dat ik verwacht had. Ik heb heel wat moeite gedaan om die vluchtroute te bedenken. Onder een huis rondsluipen is niet mijn sterkste kant.' Hij staarde nogmaals in de binnenspiegel. 'Je ziet er vreselijk uit.' Met een loom gebaar bracht hij de sigaret weer naar zijn lippen, en tijdens het roken nam hij Hammond op met een ongehaaste, analytische blik. Hij had grijzend, achterovergekamd rood haar en een korte, Ierse wipneus.

Hammond voelde aan zijn stekende wang en staarde naar zijn vingers. Bloed. Waarschijnlijk van een van die laatste drie kogels die in de schutting waren ingeslagen, zodat er splinters uitvlogen. Hij had de kleine naaldenprikjes op dat moment niet gevoeld.

'Tja. Het hoort er allemaal bij, nietwaar.' Hij pakte een zakdoek en veegde zijn gezicht af. 'Waarom moet ik zo nodig naar zo'n bewapend kamp als dat huis daar? Had je dit niet op een andere manier kunnen regelen?'

Kelseys stem klonk hard. 'Luister eens, Jeff, ik heb het op de binnenlandse veiligheid gespeeld. Wees blij. Maar verder had ik nergens tijd voor. Zodra het lab jouw identiteit had, kon ik niet meer tussenbeide komen zonder dat er vragen gesteld zouden worden.' Hij nam een bocht. 'Je bent me een verklaring schuldig. Heb jij dat stel in Stone Point vermoord?'

'Kom op, Bobby. Natuurlijk niet. Dat weet je.' Hammond herhaalde wat er de afgelopen twee dagen was gebeurd, alles van kolonel Joerimengri's dood tot zijn ontmoeting met Beth Convey en zijn speurtocht in Stone Point op zoek naar kolonel Berianov. 'Je moet je jagers terugfluiten. Hoe kan ik mijn werk doen als de FBI me op de hielen zit? Ik móét Berianov vinden!'

In Hammonds ogen was Aleksej Berianov altijd de sleutelfiguur geweest. Het was allemaal begonnen in 1991, toen de op sterven na dode Sovjet-Unie bijna haar laatste adem uitblies en het druppelstroompje van overlopende spionnen op de vlucht voor het politieke bloedbad zich verbreedde tot een vloedgolf. Een groot aantal overlopers had tot de top van de KGB behoord, van ingelichte bureaucraten tot sterspionnen die waren opgeleid in de supergeheime sovjetopleidingskampen.

In het begin was het Westen dolblij geweest met die gouden spionageoogst. Nog maar vier jaar tevoren, nog maar twee jaar tevoren zelfs, hadden de Verenigde Staten alles gedaan en hadden ze alles op het spel gezet om ook maar één van deze uitstekende inlichtingenbronnen in handen te krijgen.

Maar tegen september 1991 kostte iedere nieuwe overloper de Amerikaanse regering minstens een miljoen dollar aan debriefings- en vestigingskosten, en herhaalde een groot deel van hen gewoon wat anderen al hadden onthuld. Het werd dus een verspilling van tijd en geld. Verder was het de vraag hoeveel van deze informatie het Westen werkelijk nodig had, nu de koude oorlog voorbij was. En tot slot was er het geheim dat niemand wilde erkennen: de debriefers kregen er genoeg van. De nieuwkomers werden minder grondig ondervraagd dan diegenen die eerder waren aangespoeld. Het leek allemaal niet zo zinvol meer, en ze keken vol verlangen uit naar interessantere opdrachten of, nog beter, een lange vakantie.

Dit waren allemaal redenen die bijdroegen aan de gezamenlijke beslissing van de FBI- en de CIA-top om Berianov, Joerimengri en Ogust al na drie weken vrij te laten. Hammond had bezwaar gemaakt. Toen hij genegeerd werd, diende hij een formeel protest in met het verzoek dat deze mannen zouden worden vastgehouden voor verdere ondervraging.

In Hammonds optiek hing er aan de hele ontsnapping van de drie mannen uit Moskou een verdacht luchtje. Ze hadden de chaotische stad de vorige maand, in augustus, samen verlaten, tijdens de mislukte staatsgreep van de haviken waaruit het Nieuwe Rusland uiteindelijk was verrezen. Niet alleen behoorden Berianov, Joerimengri en Ogust tot de hoogst geplaatste inlichtingenfunctionarissen die Amerika ooit had opgenomen, maar ook hadden ze hun ontsnapping weten te regelen op een voor henzelf wel uitzonderlijk gunstig moment. Eerst had dit detail Hammond alleen maar geïntrigeerd, maar hoe meer hij hen ondervroeg, des te meer raakte hij ervan overtuigd dat hun emigratie té gladjes verlopen was. Ze hielden iets achter. Er was iets anders aan de hand, iets dat ze gepland hadden, iets dat gevaarlijk was voor de Verenigde Staten.

Maar Aleksej Berianov was de op een na laatste leider van de gevreesde speciale KGB-afdeling 8 geweest, en vanwege zijn speciale kennis had hij zijn debriefers een zoethoudertje kunnen geven om ervoor te zorgen dat hij en zijn kameraden al vroeg van verdere ondervraging werden ontslagen. Hij beloofde aanlokkelijke details over iemand die langdurig als dubbelspion binnen de CIA had gewerkt, een landverrader die verantwoordelijk was voor enorme lekken naar de voormalige Sovjet-Unie en voor de tragische executies van een groot aantal toegewijde spionnen die voor de Verenigde Staten hadden gewerkt. Sinds Benedict Arnold had Amerika niet meer zo'n verraderlijke spion aan haar boezem gekoesterd, beloofde Berianov.

Noch de CIA, noch de FBI konden die verleiding weerstaan. Dus gaf Berianov de naam van de man, een lijst met geheime ontmoetingsplaatsen, de nummers van een Zwitserse bankrekening en details over een ultrageheime missie tegen Saddam Hoessein waar niemand in het hele vertrek iets van wist. Dat was het begin van het einde voor CIA-agent Aldrich ('Rick') Ames, die alcoholist was, een spilzieke vrouw had en een banksaldo dat veel te hoog was voor zijn inkomen. Opgewonden omdat plotseling zoveel te verklaren viel als Rick Ames inderdaad een verrader was, controleerde de FBI net genoeg – bijvoorbeeld de operatie tegen Hoessein – om te weten dat hier iets in zat. En op dat punt werden de drie KGB-overlopers met dank vrijgelaten.

Razend en bezorgd was Hammond naar de bazen gegaan en had op luide toon uitleg gegeven en geklaagd. Zijn collega's hadden gezegd dat hij moest ophouden met die stennis. Wat maakte het uit? De koude oorlog was voorbij. Gefrustreerd en vol afkeer had hij als protest zijn ontslag ingediend, met veel wederzijdse woede.

Althans, daar had het naar uitgezien. In feite had Bobby Kelsey wel degelijk naar Hammond geluisterd en was hij het met hem eens. In het geheim regelde hij dat Hammonds ontslag een nieuwe opdracht verhulde – hij zou undercover gaan om alle sovjetoverlopers die in de buurt bleven, na te trekken en intussen proberen om informatie te krijgen over de mol die de FBI zoveel schade had toegebracht. Sindsdien had Hammond in de loop van een aantal jaren essentiële bewijzen verkregen over Amerikanen die spioneerden voor andere landen: onder meer Harold Nicholson en Douglas Groat van de CIA, Earl Edwin Pitts van de FBI en Robert Lipka van de NSA. Maar hij had nooit iets gevonden dat rechtstreeks te maken had met de vermeende FBI-mol of over zijn oorspronkelijke verdachten, Berianov, Joerimengri en Ogust.

De afgelopen maand was Hammond op zoek geweest naar Berianov, ogenschijnlijk om hem te interviewen voor zijn artikelenserie. Maar de voormalige generaal leek van de aardbodem verdwenen te zijn. Hammond had berichten ingesproken op zijn antwoordapparaat, maar was niet teruggebeld. Geen van de andere emigranten had toegegeven, hem de laatste tijd nog gezien te hebben. En Hammond was wel tien, twaalf keer bij Berianovs huis gaan kijken, maar keer op keer had hij hem niet thuis getroffen.

Berianov, Joerimengri en Ogust waren een hecht groepje gebleven nadat ze waren overgelopen. Ze dronken samen, aten samen en hielpen elkaar bij zaken. Hammond had zich het verleden en huidige leven van de drie mannen volkomen eigen gemaakt. Hij kende hen van haver tot gort, althans dat hield hij zichzelf voor. De andere overlopers en immigranten waren interessant, maar de meesten hadden zich niet prima aangepast aan het leven in de Verenigde Staten. Ze hadden bovendien slechts weinig tekenen vertoond waaruit Hammond kon opmaken dat ze iets anders voelden dan opluchting nu ze hier woonden. Ze werkten hard en probeerden hun rekeningen te betalen. Velen van hen hadden de Amerikaanse nationaliteit al aangenomen.

Maar Berianov, Joerimengri en Ogust niet. Vanaf het begin gaven die veel meer uit dan ze van de Amerikaanse regering als vestigingssubsidie kregen. Hun bedrijven beschikten niet alleen meteen al over voldoende kapitaal, maar boekten ook meteen succes. Ze onderhielden banden met de opvolger van de KGB in Moskou, de FSB. En er gingen geruchten... het soort onduidelijke rookgordijnen dat kon betekenen dat de vuren van een lang vervlogen patriottisme nog niet helemaal gedoofd waren.

Dus had Hammond het drietal al die jaren geschaduwd. Soms raakte hij ze kwijt, maar even later vond hij ze terug. En toen, afgelopen jaar, had hij die ontbrekende miljoenen van het geheime KGB-fonds ontdekt, en Michaïl Ogusts connectie daarmee, en was hij achter hem aangegaan. Ogust had toegezegd te zullen praten, maar voordat ze elkaar konden treffen was hij dood. Op dat punt had Hammond contact opgenomen met zijn vroegere vriend Eli Kirkhart en had hij hem de naam Ivak Vok ontfutseld in verband met het fonds. Met behulp van Voks naam was hij uiteindelijk bij Joerimengri uitgekomen, maar nu was ook Joerimengri dood. Dus was alleen Aleksej Berianov over, die Hammond al vanaf het begin had beschouwd als het brein van het trio.

Hammond wilde Berianov te pakken krijgen met alle obsessieve lust van een gedwarsboomde minnaar. Hij wilde hem in handen hebben. Niet alleen om redenen van binnenlandse veiligheid, maar ook omdat hij met de ontmaskering van Berianov hoopte te bevestigen dat hij de afgelopen tien jaar van zijn leven niet verdaan had. Toen Beth Convey hem dus vertelde dat kolonel Joerimengri's laatste woorden over Stone Point in West Virginia waren gegaan, was hij daar meteen naar toe gevlogen.

'Ben je in Stone Point nog iets wijzer geworden over Berianov?' vroeg Bobby Kelsey.

'Niets.' Hammond schudde boos zijn hoofd. 'Maar ik weet dat hij daar zit, en dat hij iets van plan is dat wij niet leuk zullen vinden. Iets groots. Voordat ik daar aankwam, heb ik navraag gedaan bij mijn mensen in Moskou. Die zeiden dat ze hem niet gezien hadden. Heb jij iets gehoord?'

Kelsey reed in zuidelijke richting over Eighteenth Street, een drukke corridor met uitsluitend restaurants. 'Je zult dit niet graag horen, Jeff. Ik val dus maar met de deur in huis. We hebben de bevestiging dat Berianov dood is.'

'Dood? Hoe dan? Waar? Wanneer? Onvoorstelbaar! Dus nu zijn ze alle drie dood?'

'Volgens Moskou gaat het om een natuurlijke dood. Berianovs lichaam is een paar uur geleden aangetroffen. Hij was een paar weken geleden de stad in geslopen vanwege iets supergeheims met zijn zakenbelangen. Belde geen van zijn oude makkers in het Kremlin en geen van zijn ex-vrouwen. En toen heeft hij een dodelijke hartaanval gekregen. In een hotelbed overleden. Te veel eten, wodka en meiden. Hij was bezig met een of andere enorme deal met een van die nieuwe oligarchen en dat wilde hij nog niet bekendmaken, en ze waren hem aan het fêteren tot hij erbij neerviel om maar zo veel mogelijk Amerikaanse dollars eruit te kunnen slepen. Dat was voor Berianov een dodelijke combinatie.'

Hammond was ademloos. 'Eerst Ogust. Dan Joerimengri. En nu Berianov.' Hij dacht na en schudde zijn hoofd. 'Ogust is omgekomen bij een verkeersongeluk en Joerimengri is doodgeschoten. Misschien is Berianov geen natuurlijke dood gestorven.' Nu wist hij tenminste waarom hij Berianov nooit thuis getroffen had.

'Misschien. Dat kun je later uitzoeken, als je wilt. Momenteel zit ik met een veel groter probleem. Gigantisch. En daar ga jij me bij helpen. We hebben net een bericht gekregen van iemand die zich

Perez noemt. Die beweert dat er een of andere anti-Amerikaanse terreuractie op stapel staat. Kwam binnen via een van onze straatcontacten.'

Hammond scheurde zijn aandacht weg van Berianov. 'En?'

'Die contactpersoon is verdwenen. Dit is twee dagen geleden. Woensdag. We hebben hem nog niet gevonden.'

'Fantastisch. Wat voor soort terreuractie? Wat is het doelwit?'

Kelsey perste zijn lippen opeen. 'Dat weten we niet. Kan van alles zijn. Het Capitool. Het Hooggerechtshof. De Munt. Misschien wel een ander deel van het land, zoals indertijd met die bom in Oklahoma City. Maar daar ziet het niet naar uit. De FBI denkt dat het in Washington gebeurt. Die contactpersoon is in het verleden bijzonder betrouwbaar gebleken, en we moeten hem serieus nemen. Volgens Perez' bericht zou het binnenkort gebeuren.'

In stilte reden ze verder, tot Hammond uiteindelijk zei: 'Maar dan nog kan Berianov erbij betrokken zijn.'

'Hoezo? Hij is niet echt iemand die tegen ons zou kunnen samenspannen.'

'Dat is zo. Maar ik ben naar Stone Point gevlogen om naar Berianov te informeren, en naar niemand anders. Meteen neemt iemand ontzettend veel moeite om mij uit te schakelen. Iemand die misschien weet dat ik al die jaren de KGB-overlopers in de gaten heb gehouden. Zodra ik een boel vragen begon te stellen over Berianov, kan het ernaar uitgezien hebben dat ik in de buurt kwam.'

'Oké, misschien is het een Rus. Misschien had Berianov een adjudant die het van hem kon overnemen als hem iets overkwam.'

Hammond knikte bedachtzaam. 'Misschien iemand uit Moskou. Iemand met een lang geheugen en een enorme wrok.'

'Misschien. Of misschien is er helemaal geen verband tussen die gebeurtenissen. We willen dat je in de buurt blijft voor het geval hier iets gebeurt. Jij hebt contacten, informeer eens wat. Zoek uit wat er te gebeuren staat. Dit kon het bombardement op het World Trade Center weleens helemaal overschaduwen, helaas.' Kelseys sproetige gezicht stond bezorgd. Zijn hand verdween even uit het zicht en hij gaf over de rugleuning heen een bruine papieren zak aan. 'Voor jou. Voor alle zekerheid. De serienummers zijn eraf gebrand.'

Hammond opende de zak en haalde er een Beretta-pistool in een canvas schouderholster uit. Het was een 92C, compact en gemakkelijk te verbergen, maar met een krachtige 9-mm Parabellum patroon. Hij woog het pistool in zijn handen en voelde het evenwicht. Een goed, betrouwbaar wapen. 'Ik zal mijn andere bronnen bin-

nen de emigrantenwereld aan de tand voelen.' Hij trok zijn tweedjasje uit en maakte de canvasbanden langs zijn rug onder zijn armen vast, waar ze onzichtbaar onder zijn jasje zouden verdwijnen.
De holster borg hij onder zijn linkeroksel.

'Dat hebben we nodig,' stemde Kelsey in. 'Laten we een signaal af-
spreken om je binnen te brengen als je iets vindt.'

Terwijl hij zijn jasje weer aantrok, moest Hammond denken aan
Kelseys opmerking over Icarus. 'Wat dacht je van: "De hemel stort
al vlammend neer"?'

'Prima. Ik zal aan onze straatmensen doorgeven dat ze moeten uitkijken naar een anonieme undercover-agent die kan binnenkomen.
Gedraag je, Hammond. Ik zal doen wat ik kan om je achtervolgers
te lozen, maar als je nu nog een keer in aanraking komt met de politie, kan ik niet meer doen, gezien wat ze al over je weten.' Kelsey
stopte bij een kruispunt. 'Ik hoef dit niet te zeggen want je weet
het al, maar laten we het eens zijn over één ding: zodra ik je bin-
nengehaald heb, kun je nooit meer dit soort undercoverwerk doen.
Dan zijn er te veel mensen op de hoogte. Als je binnenkomt, is het
spel uit. Succes.'

Bobby Kelsey draaide zich niet om. Hij hield het verkeer en de voetgangers in de gaten.

'Oké.' Hammond stapte uit de Cadillac.

Ergens dacht hij nog steeds dat Stone Point het beginpunt moest
zijn. Tenslotte was hij daar in de val gelopen. Hij moest ergens heel
dichtbij gezeten hebben, en hij was ervan overtuigd dat dat te maken had met Berianov of iets dat Berianov wist. Maar hij had al
genoeg gezegd tegen zijn baas. Hij keek dus onopvallend om zich
heen naar de mensen die zich met een vroege kop koffie in de hand
naar hun werk repten en ging algauw op in de menigte op het trottoir. Hij liep weg.

Vanuit zijn huurauto aan de overkant van de drukke ochtendstraat
in Adams Morgan had Eli Kirkhart de schoten en het gedempte
schreeuwen vanachter de rij huizen gehoord. Hij had zijn motor
gestart, de auto in zijn versnelling gezet en was het verkeer in gedoken naar de dichtstbijzijnde hoek.

Hij had kans gezien Graham, diens team en Jeff Hammond te volgen vanaf Stone Point, en hij had de grote Lincoln het steegje in
zien duiken op weg naar wat een opvanghuis van de FBI moest zijn.
Op dat punt, toen hij onderuit was gezakt in zijn huurauto om te
kijken wie er naar binnen en buiten ging, had hij snel naar zijn
team gebeld dat er iemand moest komen om het andere uiteinde

van de steeg in de gaten te houden. Tegen de tijd dat de schoten klonken, was er nog niemand gearriveerd.

Hij was net op tijd om de hoek geslipt om Jeff Hammond vanuit de steeg de straat op te zien rennen en tussen het verkeer door te zien schieten. Gierende remmen. Loeiende claxons. Kirkhart, klem achter een vloekende chauffeur in een Buick met afgeslagen motor, kon niet meer doen dan machteloos meevloeken en toezien hoe Hammond op de achterbank van een klaarstaande zwarte Cadillac met getint glas dook. Meteen had de Cadillac gas gegeven en was hij in het drukke verkeer verdwenen, nog voordat Kirkhart een nummerbord had kunnen zien.

Nog steeds vloekend probeerde Kirkhart zich een weg door het verkeer te banen toen Chuck Graham met getrokken wapen vanuit de steeg kwam aanhollen, ondertussen koortsachtig om zich heen kijkend. Kirkhart vond dat Graham alle reden had voor koortsachtig gedrag. Noch de directeur, noch Kelsey raakten graag een gevangene kwijt. De veteraan zou geluk hebben als hij niet in rang verlaagd werd tot iets ergers dan een kantoorbaantje in Sandpoint, Idaho.

Bij een plotselinge luwte in de verkeersdrukte kon Kirkhart de volgende hoek bereiken en nogmaals al slippend linksaf slaan. In de zijstraat was het minder druk en hij gaf gas tot aan de volgende hoek, sloeg nogmaals linksaf en opnieuw rechtsaf, naar het andere uiteinde van de steeg. Hij zag Graham terugrennen naar het opvanghuis en reed hem tegemoet.

Hij leunde uit zijn portierraampje en vroeg: 'Was dat Jeff Hammond die hier de steeg uit kwam, Graham?'

Chuck Graham haastte zich naar hem toe. 'Kirkhart? Wat doe jij hier in godsnaam?'

'Ik kwam het opvanghuis bekijken voor een gevangene,' loog Kirkhart zonder blikken of blozen. Graham zou dat toch nooit nagaan. 'Nou? Was dat Hammond?'

Graham knikte boos. 'Ja. We moesten hem oppikken omdat hij een paar jongelui had doodgeschoten in West Virginia.'

'West Virginia? Wat moest hij daar nou? En waarom had hij die jongelui doodgeschoten?'

'Geen idee. Hij werkt tegenwoordig voor *The Washington Post*. Misschien was er iets misgegaan met een belangrijk artikel.' Graham schudde zijn hoofd. 'Maar we krijgen hem wel, die klootzak.'

'Is hij gevlucht?'

Graham had niet veel zin om over het gebeurde te praten, maar met een geveinsde behulpzame houding legde Kirkhart uit: 'Ik heb

Jeff ooit behoorlijk goed gekend.' Na enig aandringen kreeg hij eindelijk het verhaal te horen van de ontsnapping vanuit de badkamer en onder het huis door naar de verborgen uitgang. Kirkhart kon zijn belangstelling amper verhullen. Maar hij keek Graham met een van verbazing gefronst voorhoofd aan. 'Ik snap het niet. Hoe wist hij nou dat hij uit die badkamer weg kon? Hoe wist hij überhaupt dat er een vluchtroute was?'

'Ja.' Graham knikte ongelukkig. Zijn carrière spiraalde brandend omlaag. 'Hoe wist hij dat?'

'Dat moet hij van iemand gehoord hebben,' besloot Kirkhart. 'Waarschijnlijk was die route gemarkeerd met een van tevoren afgesproken signaal.'

Graham klampte zich aan de strohalm vast. 'De mol? Denk jij dat de mol Hammonds vluchtroute heeft geregeld? Daar zit wat in. Heel wat, zelfs. Hammond werkt samen met de mol!'

'Klinkt logisch,' beaamde Kirkhart. Maar hij geloofde het niet. Een zo hoog- en diepgeplaatste mol, die zoveel succes had als degene naar wie hij op zoek was, zou zijn positie nooit in gevaar brengen door zo'n risico te nemen. Nee, hij – of zij – zou Hammond zonder pardon opgeofferd hebben. Hij hield het erop dat hij het bij het rechte eind had – dat Jeff Hammond inderdaad nog voor de FBI werkte én dat hij undercover was. En dat bracht hem nog dichter bij zijn tweede theorie: dat Jeff Hammond zelf de langgezochte mol was.

21

Toen de vrijdagochtendzon boven de stille velden en beboste hellingen van het landschap ten zuiden van Gettysburg National Military Park uit kwam, stond Aleksej Berianov in zijn eentje op de veranda van Caleb Bates' witte, koloniale landhuis. Gekleed in de stijlvolle bruine broek met het open overhemd van een Bates buiten diensturen, bewonderde hij het weidse landschap, terwijl hij goed keek of hij inderdaad alleen was op zijn veranda.

Met een volledig verdraaide, gemene en nasale stem – noch die van Berianov, noch die van Bates – zei hij in zijn mobiele telefoon: 'Nou, verdomme, waar zijn ze dan, die uitnodigingen?'

Zijn bezit strekte zich uit tussen de heuvels ten zuidwesten van het beroemde slagveld en, net als zijn landgoed in West Virginia, was ook dit terrein omgeven door zwaar beveiligde omheiningen met prikkeldraad. Maar anders dan in West Virginia had zijn landgoed in Pennsylvania een koeienschuur, een schitterende veestapel, hooibalen, de geur van vers gemaaid gras en Hoeders met door de zon gebruinde gezichten die eruitzagen en zich gedroegen als normale boerenknechten, want dat waren het vroeger ook. Sinds woensdagochtend vroeg waren alle Hoeders hier rustig naar binnen gesijpeld, maar zolang het licht was hielden ze zich schuil. Aan niets viel te zien wat het werkelijke doel van de boerderij was, of van de hoofdactiviteiten gedurende de afgelopen weken.

'Die had ik vandáág in handen moeten hebben, hufter!' brulde Berianov.

'Het is heus niet zo makkelijk als u denkt,' neuzelde de zenuwachtige stem aan de andere kant van de lijn. Het was een assistent van het Witte Huis, Evans Olsen. Olsen kende Bates/Berianov alleen bij diens codenaam Yakel. Gezien Berianovs talent om zich te vermommen en zijn sporen uit te wissen, zou Olsen nooit achter zijn ware identiteit komen. 'Er zitten heel wat stappen aan vast. Eerst moet ik met de stafchef praten, en die is de hele tijd bezig voor het staatsbezoek. Want vandaag komt Poetin dus...'

'Gelul!' Berianov verachtte Olsen vanwege diens martini-katers en zijn slordigheid. De hebzucht kon hij begrijpen. 'Je hebt zijn toestemming niet nodig. Dacht je dat ik niet wist dat je daar zelf toe gemachtigd bent? Wou je me soms boos hebben?' Toen Ivan Vok had gemeld dat de uitnodigingen niet waren bezorgd, had Berianov Olsen algauw thuis aangetroffen, waar hij zich koest hield na een zoveelste nacht vol drank. Op dit soort dagen meldde Olsen zich toch al het liefst ziek, want het zou nog drukker dan normaal zijn nu het Witte Huis zich voorbereidde op het Russische staatsbezoek. Daarvoor zou een mate van energie en betrokkenheid nodig zijn die Olsen niet meer kon opbrengen.

'Hé, ik heb je anders wel het complete schema bezorgd. Dat is toch ook al heel wat?' Olsens stem kreeg een arrogante klank, een vage echo van de veelbelovende jongeman die ooit een Fulbright-beurs had gekregen. 'Ik bezorg je die uitnodigingen zo snel als menselijkerwijs mogelijk is. Het Witte Huis heeft zo z'n protocollen. Ik moet alles verantwoorden, weet je.'

'Niet zo brutaal, rotventje. Hijs je reet overeind en bezorg me die uitnodigingen. Vandaag nog, hoor je!'

'Ho eens even.'

Berianovs nasale stem klonk snijdend als een mes. 'Weet jij wat er gebeurt als ik een anoniem telefoontje pleeg naar Justitie?' Hij had honderdduizend dollar laten overmaken naar een bankrekening op Olsens naam in Mexico City. 'Vroeger had je toch een behoorlijk IQ. Gebruik nou eens even wat daarvan over is: je bent aan de drank en je meldt je regelmatig ziek. De rijke tak van je familie heeft je onterfd. Je zit al jaren tot aan je strot in de schulden, maar nu bulk je plotseling van de dollars.' Tevreden hoorde hij het zware, bezorgde gehijg aan de andere kant van de lijn. 'Als Justitie die rekening in Mexico opduikelt, raak jij niet alleen je baan kwijt, maar wordt er meteen een onderzoek naar je ingesteld, en dan vinden ze heel wat meer dan zomaar een paar ontbrekende uitnodigingen voor het Witte Huis, nietwaar?'

Berianov kon de angst en Olsens paniek aan de andere kant bijna horen. 'Ik... morgenochtend heb ik ze. Beslist.'

Berianov knarste met zijn tanden van pure frustratie. Het hele plan stond of viel met die uitnodigingen. Hij móést ze te pakken krijgen. Het probleem was dat Olsen niet uit schaamte tot actie zou overgaan. Het enige wat hem motiveerde was doodsangst, maar wanneer Olsen te veel gedronken had, en dat was bijna dagelijks, kon hij zijn angst tijdelijk vergeten, wist hij tijdelijk niet meer wat er met hem gebeuren kon. Daardoor was hij bijzonder moeilijk te manipuleren. Maar hij was van levensbelang.

Berianov gromde: 'Morgenochtend, zeven uur. Als je ze dan nog niet hebt, neem ik contact op met het Witte Huis. Zo. Einde verhaal. Einde van jou. Ik meen het, knaap. Zeven uur morgenochtend, en anders kun je het wel vergeten.'

Berianov hing op, midden in het klaaglijke protest van de assistent. Verdomde Olsen. Als Olsen maar bang genoeg werd dat hij zijn luizenleventje vaarwel moest zeggen, dan kwam hij wel af. Ook nu nog. Maar voor het geval hij weer zou falen, moesten ze nu een riskanter reserveplan gebruiken.

Inwendig vloekend stak Berianov zijn mobiele telefoon weg. Door een van de hoge openslaande deuren langs de bovenveranda van het koloniale landhuis beende hij het huis in. Bij iedere stap namen zijn opgevulde lichaam en gezicht meer trekken aan van kolonel Caleb Bates, verstokt Amerikaans patriot. Toen hij binnenkwam in wat ooit een bibliotheek was maar nu dienst deed als vergaderzaal, was de gedaanteverwisseling voltooid.

Aan de wanden van de voormalige bibliotheek hingen historische Currier & Ives-prenten, en verder waren er kasten vol in leer gebonden werken van Amerikaanse auteurs. Aan een stevige houten vlaggenstok in het midden van de muur tegenover de glazen deur hing de Amerikaanse vlag, uitgelicht door een spotje erboven. Daarnaast stond een bijbellezenaar met een King James-vertaling, opengeslagen bij Psalm 23: *De Heer is mijn herder, het zal mij aan niets ontbreken...* In de aangrenzende muur was een breedbeeldtelevisie ingebouwd, waarvan de moderne vormgeving in schril contrast stond met de klassieke inrichting.

Maar momenteel vond de activiteit in het vertrek plaats rond de ovale vergadertafel, waar Bates' drie militieleiders over kaarten en plattegronden van Washington, het Witte Huis en de omgeving gebogen stonden.

'Kolonel!' Sergeant Austin sprong in de houding zodra hij Bates in de gaten kreeg.

Naast hem rechtten twee anderen hun rug, maar ze bleven geconcentreerd bezig. Vlak naast de sergeant rechts stond Max Bitsche, een week ogende man met permanent opgetrokken schouders en een zure uitdrukking die een obsessieve voorliefde voor het detail verried. Hij was belast met de zorg voor distributie en transport. Links van hem stond Otis Odet, een computerwizard die een goed betaalde baan in Silicon Valley had opgegeven om terug te keren naar de historische roots van zijn familie in de beweging. Hij hield toezicht op alle vormen van communicatie. Odet voldeed in geen enkel opzicht aan het beeld van de gebruikelijke 'computernerd'; hij zag eruit als een Californische beach boy en had een breed gezicht en dikke vingers die eerder thuis leken op een surfplank dan op een toetsenbord.

'Hoever zijn we, mannen?' informeerde Bates.

Totdat dat probleem met Olsen was ontstaan, had Bates' ochtend niets dan successen opgeleverd. Eerst het bericht over Marty Coulsons ouders: in het Hoover-gebouw hadden ze het verzonnen verhaal van Jeff Hammonds dreigementen jegens hun zoon bevestigd, en dat hadden ze zo goed gedaan dat de FBI er nu van overtuigd was dat Hammond de moordenaar was. Daarna Fjodorovs uitstekende bericht van de vuurdood van die bemoeizieke Beth Convey en de psychologe Stephanie Smith.

'Het vliegtuig van die communist is op tijd. Het arriveert om dertienhonderd uur op Andrews en die verrader van een president Stevens gaat hem ophalen.' Dat was sergeant Austin met zijn gemillimeterde haar, zijn grote oren en enorme spiermassa's. Hij en de twee anderen droegen niet langer hun camouflagekleding, maar waren nu gehuld in sporthemden en vrijetijdsbroeken met een vouw, net als Bates. 'Onze man op het vliegveld laat het weten als er wijzigingen komen.'

'Uitstekend. En verder?'

'De band zit erin, kolonel.'

'Laat maar eens zien.' Bates draaide zich om naar het grote televisiescherm.

De sergeant drukte op een aantal knoppen van de afstandsbediening. Zonder te gaan zitten bleven de mannen kijken, als teken van de ernst van hun taak; ze konden en wilden zich niet ontspannen voordat hun missie volbracht was. Terwijl Bates overdacht wat er gebeuren ging, maakte zijn korte gevoel van heimwee en zijn tevredenheid over de successen van de afgelopen nacht plaats voor een hernieuwd gevoel van urgentie.

Hij concentreerde zich op het scherm en analyseerde kritisch het ene detail na het andere. De Rose Garden, de gazons, de struiken, de paden, de ramen, zuilen en de plaatsing van podiums en geheime agenten en sluipschutters op het dak. Yasser Arafat, Tony Blair en een reeks andere staatshoofden en binnen- en buitenlandse hoogwaardigheidsbekleders paradeerden over het scherm in officiële persconferenties van het Witte Huis en zorgvuldig ingeklede onderonsjes die het afgelopen jaar voor de televisie waren gefilmd en die Bates op een video had laten zetten. Iedereen keek gespannen toe totdat de band afgelopen was.

Bates knikte. 'Je ziet dat er tegenwoordig meer sluipschutters op het dak zitten. Draai nog eens af.'

Nadat ze de hele band nog drie maal bekeken hadden, gaf Bates de order dat de film later in de ochtend voor alle Hoeders vertoond moest worden. Elk van hen had een taak voor de volgende dag. Het was een onschuldige oefening, voor de meesten niet erg zinvol, maar het bevestigde hun woede over de manier waarop Amerika werd 'verkwanseld'; het wakkerde de fanatieke gevoelens aan en het gaf hun een gevoel van teamgeest.

'Zijn er nog problemen?' vroeg hij.

'Nee, kolonel.' De gespierde sergeant stond aan het hoofd van de operatie zelf. Hij had persoonlijk drie mannen uitgezocht om hem te vergezellen. 'Mijn mensen zijn er meer dan klaar voor. We hebben een aantal mogelijke scenario's geoefend, en ze kennen het terrein als hun broekzak. Ze zijn klaar, kolonel, en meer dan dat. Ze móéten in actie komen.'

Bates knikte. 'Meneer Bitsche?'

Max Bitsche trok zijn schouders op. 'De distributie verloopt vlekkeloos. Iedereen heeft zijn pakket ontvangen. De bestelwagens zijn geschilderd. We hebben geld uitgedeeld voor noodgevallen. In diverse depots zijn extra voorraden aangelegd. Ik heb alles, behalve die vier uitnodigingen voor het Witte Huis.' Hij kneep zijn lippen opeen en voegde daar geïrriteerd aan toe: 'Ik vind het niet prettig om zo lang te wachten. Stel dat die vent niet afkomt? Wie is het eigenlijk, dat hij zulke intieme banden heeft met die decadente regering?' Bitsches blik flitste boos door de vergaderzaal, alsof hij een antwoord zocht. 'Het kan onmogelijk iemand van ons zijn. We hebben die uitnodigingen meteen nodig, voordat er iets misgaat. Ze zijn van het grootste belang.'

'Meneer Bitsche.' Bates' stem klonk zacht, strelend bijna, maar had zo'n ondertoon van latente gewelddadigheid dat Bitsche halverwege zijn zin verstarde en zijn blik angstig naar de grond richtte. Dat was een reactie die Aleksej Berianov vaak genoeg had opgeroepen bij de KGB, toen die zijn respect nog waardig was geweest.

Bates slikte en zijn ronde, weke lichaam leek aan de randen uiteen te vallen. 'Mijn excuses, kolonel. Ik weet dat u ermee bezig bent. Ik hoop dat u mij...'

Maar Bates had genoeg gezegd. Laat de discipline nooit verslappen. Laat ze nooit vergeten wie de leiding heeft. Maar zorg, zoals zijn eigen mentoren hem hadden geleerd, dat je nooit doordrukt als je duidelijk genoeg geweest bent, want als je dat deed moest er een dreiging zijn van reële, tastbare straf. Angst voor het onbekende, in dit geval angst voor Bates' reactie, was het ultieme wapen.

Hij richtte zijn aandacht op Otis Odet. 'Communicatie?'

'Ja, kolonel.' Odets stralende uiterlijk was tijdens het vorige gesprek betrokken en verstrakt. Hij frummelde aan de pen in zijn overhemdzak terwijl hij op ferme toon meldde: 'Alle bestelwagens en alle mensen hebben radio's. Verder heb ik mobiele telefoons uitgereikt aan alle mensen op strategische posities, zodat we alternatieve communicatiemiddelen hebben. Alles is gecodeerd, dus er kan geen sukkel met een lezer meeluisteren. Alles is gecontroleerd en werkt prima, maar voor alle zekerheid heb ik mensen geplaatst bij de voorraaddepots. En tot slot heb ik traceerapparatuur met computerchips in alle broekriemen geplaatst. Onze rondrijdende bestelwagen is nu volledig geëquipeerd voor coördinatie met sergeant Austin.'

Bates' gezicht bleef onbewogen, maar inwendig glimlachte hij. Met uitzondering van Olsen liep alles op rolletjes. En als Olsen faalde, zou het verdomd lastig worden, maar ook daar kwamen ze wel overheen. Nu was het tijd om de sfeer in het vertrek wat te verbeteren en tegelijkertijd zijn leiderschap opnieuw te bevestigen en te consolideren. 'Mooi werk. Dat meen ik. We staan op het het punt om ons land te redden. En dat allemaal dankzij president Stevens.' Hij snoof verachtelijk. 'We mogen hem wel dankbaar zijn dat hij over de schreef is gegaan, mannen.'

'Daar maken wij een einde aan,' reageerde de sergeant prompt. Austin, op en top militair, hoezeer dit ook in strijd was met zijn fanatieke anti-regeringsstandpunt, was niet onder de indruk geraakt van Bates' machtsvertoon. Het leek zelfs wel of hij daarna gonsde van de nieuw verkregen energie. Hij voegde er de strijdkreet van de Hoeders aan toe: 'We pakken Amerika terug voor de Amerikanen!'

Bates liet zijn gezicht betrekken van woede en afschuw. 'Hoe durft de president Poetin uit te nodigen in het Witte Huis? Poetin kan nou wel beweren dat hij een hervormer is, maar eens een communist, altijd een communist!'

Onmiddellijk viel Otis Odet hem bij: 'En dat is Gods waarheid. Een Roesski-president in Lincolns slaapkamer? Schandalig. Een belediging voor alles waarin we hier geloven en waar we hier voor staan. Alsof je Satan aan Jezus' kruis nagelt. Die Stevens is...'

Tot nu toe had de berispte Max Bitsche zwijgend en onopvallend staan toekijken, maar dit onderwerp ging hem aan het hart, net als alle andere Hoeders. En zoals Bates al had verwacht, droeg ook hij zijn steentje bij met: 'Stevens wil Amerika laten opgaan in de Wereldwijde Plantage! Hij is nog erger dan zijn voorgangers. Die hebben de laatste resten van onze handelsprotectie aan flarden gescheurd, die hebben buitenlanders enorme aandelen gegeven in onze economie...'

Sergeant Austin onderbrak hem, zijn grimmige gezicht rood van woede: 'Hij maakt een stelletje slappelingen van ons leger door steeds meer mensen te laten dienen onder buitenlandse leiders! De NAVO. De Verenigde Naties. Straks is het Frankrijk, of Engeland, of Duitsland, die moet zeggen wat de Amerikaanse strijdmacht moet doen. Waarom...'

Ze praatten allemaal door elkaar heen, hun stemmen schel van woede jegens de nieuwe president, maar Odets stem klonk het hardst, aangewakkerd als die was door haat en verontwaardigde woede: 'En vergeet niet al die Mexicanen die de grens maar overkomen en onze banen inpikken, en vergeet ook niet dat president Stevens dagelijks doorgaat met het verkopen van Amerikaanse bases en personeel aan buitenlanders, die hun soldaten komen trainen op óns grondgebied.'

De sergeant priemde met een vinger in de lucht en brulde: 'De Luftwaffe op Holloman en McGregor! Ik dacht dat we de Duitsers in de Tweede Wereldoorlog hadden verslagen, maar nu nemen ze ons hele land over! Ze hebben gewónnen!' Met toestemming van het Pentagon had Duitsland een tactisch luchtcentrum gevestigd op de luchtmachtbasis Holloman in New Mexico, waar honderden piloten en ondersteunend personeel de Europese Tornado-straaljagers en bommenwerpers en de Duitse F-4 Phantom-straaljagers vlogen, en nu had de regering een deel van McGregor bij Fort Bliss buiten het Texaanse El Paso ook aan de Duitsers verhuurd, voor oefeningen in bijtanken in de lucht en strijdtactieken.

'Straks is er geen plek in dit land meer veilig voor onze eigen burgers!'

'Die buitenlanders jagen ons het land uit. Buitenlanders maken de dienst uit...'

'... stelen onze expertise, zodat ze ons daar straks mee kunnen uitschakelen.'

'Voor je het weet zitten de echte Amerikanen straks in reservaten en krijgen we dekens en blikken borden om van te eten!'

Achter het masker van Caleb Bates luisterde Aleksej Berianov met een mengeling van geamuseerdheid en innige tevredenheid. Hij moest bijna lachen om hun gebrekkige logica, maar hun fanatieke gevoelens van geweld jegens de regering die ze als de vijand zagen, waren van groot belang. Joeri Andropov, de machtige en intellectuele KGB-leider toen Berianov aan zijn loopbaan begon, had hem verteld dat het wel leek of een slecht idee het eeuwige leven had. Er was altijd wel iemand die het voor zijn eigen doeleinden kon aanwenden.

Innerlijk was Aleksej Berianov dolblij. Er zijn van die momenten dat alles waarvoor je hebt gewerkt, samenvloeit tot een vorm van volmaaktheid. Dit was zo'n moment. Apparatuur, mensen en plannen waren klaar. Er stond hem niets meer in de weg. Net als Napoleon was Berianov ooit legendarisch geweest omdat hij onbevreesd kleine elitegroepen inzette tegen een overmacht, en dan toch spectaculaire overwinningen behaalde. De opwinding schoot door hem heen toen hij de opgewonden gezichten en de gebalde vuisten van zijn drie belangrijkste adjudanten bekeek. Ze zouden zich doodvechten voor Caleb Bates, en ze zouden hun mannen met zich meevoeren.

Terwijl hij hier nog van stond te genieten en het drietal zijn patriottische kruit bijna verschoten had, begon zijn mobiele telefoon te trillen tegen zijn borst. Op hartelijke toon zei hij tegen zijn volgelingen: 'Over iets meer dan een dag is dit allemaal voorbij en zal heel Amerika heel wat te vieren hebben, dankzij ons. Ga zo door, mannen.'

'Jawel, kolonel.' Sergeant Austins gezicht glansde bij de gedachte aan een glorieuze toekomst terwijl hij naar de deur naar de gang op de eerste verdieping marcheerde.

'Dank u, kolonel.' Otis Odet volgde, zijn rug kaarsrecht, ondanks zijn gebrek aan militaire achtergrond.

'Kolonel?' Max Bitsche aarzelde. 'Ik ging te ver, en ik wil nogmaals mijn excuses aanbieden.'

Bates klopte Bitsche op de rug. 'Dat was de bezieling van het moment. Je bent een gewaardeerd lid van de beweging. We hebben jou nodig, en we respecteren wat jij voor Amerika hebt gedaan. Eén vergissing binnen het grote geheel is niet zo erg.' Terwijl de telefoon nogmaals trilde, voegde hij daar met koelere stem, een stem die zijn gezag nogmaals bevestigde, aan toe: 'Ik weet zeker dat het nooit meer zal gebeuren.'

'Nooit meer,' beloofde Bitsche plechtig.

Toen de deur dichtviel, leek het lege vertrek plotseling warmer en vriendelijker. Berianov trok zijn telefoon te voorschijn en stond zichzelf even toe, weg te dromen. Hij liep weer over de kiezelpaden van Gorki Park. Zijn borst zwol op van geluk bij het geluid van de wind in de lindebomen, de aanblik van de ritselende blaadjes in de zon, die als zilverpapier glinsterden tegen de helderblauwe lucht boven Moskou. Zíjn Moskou. Zijn Sovjet-Unie.

Hij dacht terug aan de oude mannetjes die onder de zwiepende takken van de bomen zaten, met hun theeglazen en hun schaakborden. Als kind had hij onder diezelfde bomen gerolschaatst en was hij blijven staan om suikerklontjes te eten die werden uitgedeeld door vriendelijke *baboesjka's* die sprookjes vertelden en het hoofd van een jochie vulden met het soort dromen waaruit grootse avonturen voortkomen. Dromen die nooit mochten worden vergeten en die nooit mochten worden verraden.

Berianov maakte zich los uit zijn dagdroom, ging in de stoel aan het hoofd van de lange, blinkende vergadertafel zitten en sprak in zijn telefoon. 'Ja?'

Het was Nikolaj Fjodorov, en meteen wist Berianov dat er iets fout zat. Zijn borst kromp ineen toen hij naar het slechte nieuws luisterde: niet alleen was Beth Convey uit het brandende autowrak ontsnapt, maar ook was Jeff Hammond ontkomen aan de FBI.

'De politie van Virginia heeft maar één lijk in de auto gevonden,' meldde Fjodorov. 'Maar die informatie wordt nog niet vrijgegeven. Als Stephanie Smith het overleefd had, zou ze bij de auto gebleven zijn. Alleen dat mens van Convey zou op de vlucht slaan.' Hij wist zijn vernedering goed te verbergen. Maar hij had zo lang met Berianov samengewerkt, dat hij hem niet voor de mal kon houden. De arrogante Fjodorov was een echte professional, en nu was hij pissig omdat hij zijn prooi was misgelopen, maar ook omdat hij zijn succes te vroeg gemeld had.

Berianov hield zijn stem in bedwang. 'Waar is Convey nu?'

'Wist ik dat maar. Ik heb overal gezocht waar ze logischerwijs zou kunnen opduiken. Voks mensen zijn naar haar op zoek.'

'*Soekin syn!*' vloekte Berianov. 'Wel verdomme! En Jeff Hammond?'

'Dat weet ik ook niet, kolonel.'

Berianov voelde een steek van angst, van twijfel zelfs. Grimmig veegde hij zijn emotie opzij. Hij weigerde te falen, maar zolang Hammond vrij rondliep, waren ze nooit helemaal veilig. Vooral nu niet. Er moest een einde komen aan het gevaar dat Hammond vormde. 'Misschien kunnen ze geen kwaad, misschien ook wel. Dat risico kunnen we niet lopen. Zorg dat je ze beiden vindt, Nikolaj, en breng ze om. In dit late stadium kunnen we ons geen vergissingen meer veroorloven. Alles hangt van morgen af. Alles. Begrijp je me? Alles.'

Als Fjodorov nogmaals faalde, zou hij Ivak Vok eropaf sturen. De gezette Mongool was nog steeds de dodelijkste moordenaar die de KGB ooit had voortgebracht. Hij had zijn levensgevaarlijke vak geleerd tijdens het hoogtepunt van de koude oorlog, van leraren die hun gelijke niet kenden. Hij was de meester die Fjodorov had onderwezen. Vok beschikte niet over Fjodorovs finesse, maar hij had iets beters: hij miste nooit. Niets kon die korte, vierkante man met de hoge jukbeenderen tegenhouden. Daarvoor moordde hij te graag.

22

Langzaam werd Beth Convey wakker. In de duisternis van haar verwarde geest wist ze niet zeker waar ze was of wat er gebeurd was. Ze had overal pijn... tot ze het met een scheut van angst weer wist: ze was overmeesterd door een man die van top tot teen in het zwart gehuld was. Die had haar vastgebonden. Hij was snel, sterk en efficiënt geweest. Een karatemeester. Ze had gedacht dat hij haar zou vermoorden. Haar borstkas kromp ineen en ze opende haar ogen. Misschien was hij nog steeds in het huis op zoek.

Haar blinddoek was weg. Dat was vreemd. Ze knipperde tegen het zonlicht. Het was ochtend. Vrijdagochtend, herinnerde ze zich. Vanuit het oosten filterde de zonneschijn door de *Pittosporum*-struiken voor de hoge ramen, en tekende kantpatronen over de chaos van uitgetrokken laden, verstrooide papieren en omvergesmeten meubels in het grote kantoor. De onbekende in het zwart had niets ongemoeid gelaten. Maar waarnaar was hij op zoek geweest? En had hij het gevonden?

Angstig luisterde ze. Het was doodstil in huis. Leegte had een geheel eigen klank, een afwezigheid, een vacuüm, en dit huis klonk en voelde alsof het leeg was. Maar waarom had hij haar in leven gelaten, waarom had hij haar niets gedaan? Haar blinddoek zelfs weggehaald?

Ze begon zich tegen het touw te verzetten, maar er was geen verzet nodig. De touwen gaven mee met haar eerste beweging. Ze trok met beide armen en benen. Alle touwen zaten los. Hoezeer ze het vorige avond ook geprobeerd had, ze had zich toen niet kunnen bevrijden. Ze was in slaap gevallen, of misschien buiten bewustzijn geraakt, tijdens haar pogingen.

Alweer die onbekende. Hij had haar uit de weg willen hebben terwijl hij het huis doorzocht. En toen had hij het haar, onverklaarbaar genoeg, mogelijk gemaakt om te vertrekken als ze wakker werd. Ze kreeg er de rillingen van.

Ze wist zeker dat het Hammond niet geweest was. Hammond had

bruine ogen, en die van de karate-expert waren kilblauw. Een inwendige stem – haar hart? – vertelde haar dat dit een getrainde moordenaar was. Ze had het gezien aan zijn roofdierachtige bewegingen, de kille precisie van zijn karate en aan alle manieren waarop hij ervoor had gezorgd dat ze hem nooit zou kunnen herkennen. Maar juist daardoor wist ze zeker dat ze zijn poolkoude ogen of het litteken op zijn rechterpols nooit zou vergeten. Ze huiverde. Alweer was ze ternauwernood aan de dood ontkomen. Maar zodra ze dat dacht, zag ze voor haar geestesoog weer het beeld van die arme Stephanie die vastzat en stierf in haar brandende autowrak.

Het verdriet veranderde bijna meteen in razende woede. Ze smeet de touwen de kamer door en meteen kwam er een andere gedachte op. Misschien was die insluiper dezelfde geweest die haar woensdagavond van Hammond had gered en haar voor de veiligheid naar het motel had gebracht. Dat was mogelijk. Maar dan vroeg ze zich des te meer af wie – en wat – hij was, en wat hij wilde. En zou hij zo 'vriendelijk' blijven?

Ze stond op en rekte zich uit. Haar pijn werd minder. Ze vermande zich en liep het kantoor door om in een spiegel tussen de twee wandkandelaars te kijken. Haar blauwe ogen stonden angstig en ze had holle wangen. Haar donkere wenkbrauwen leken levenloos op haar bleke huid geplakt te zitten. Haar korte, blonde haar stak alle kanten uit. Ze duwde het achter haar oren. Het enige goede was dat de lelijke kneuzing op haar voorhoofd kleiner en bleker was. Ze streek haar haar glad. Dat hielp, maar ze had eten, rust en medicijnen nodig. En antwoorden.

Toen ze zich afwendde, zag ze haar tas staan, omgekeerd achter haar stoel. Haar pillenflesjes stonden op de grond als een rij speelgoedsoldaatjes. Ze liet zich op haar knieën vallen en bekeek alles. Tot haar opluchting zag ze dat er niets ontbrak. Maar degene die haar tas had geïnspecteerd, had ook gezien dat ze afhankelijk was van zware medicijnen. Hoofdschuddend stopte ze alles terug, behalve het krantenknipsel over Michaïl Ogust.

Toen keek ze naar de rest van de papieren die in de sigarenkist hadden gezeten. Ook die lagen op de vloer. Ze zocht naar de rekening voor de omheining uit Stone Point en naar de advertentie voor de boerderij in Pennsylvania. Toen ze geen van beide vond, doorzocht ze het hele vertrek, maar de documenten waren en bleven weg. Misschien was er nog meer verdwenen.

Interessant... de man in het zwart was dus op zoek naar hetzelfde als zij. Gelukkig was ze eraan gewend om enorme documenten en ingewikkelde redeneringen snel te verwerken en te onthouden. Ze concentreerde zich, en even later was ze in staat zich de tekst van beide documenten te herinneren. Ze stak de tas onder haar arm en haastte zich naar de keuken, waar ze haar pillen met water kon innemen. Daarna zou ze de apotheek bellen voor een nieuwe reservevoorraad. Toen ze langs de kamers liep, zag ze dat de insluiper die in zijn zoektocht ook overhoop had gehaald.

In de keuken staarde ze nogmaals naar de foto van haar donor. Ze kreeg er de rillingen van, maar ze voelde ook een zeker verlangen. Zijn knappe, Slavische trekken deden haar denken aan een citaat van Nikolaj Gogol, de romantische Russische schrijver. Misschien had ze het ergens tijdens de Russische les gelezen... of misschien was het een deel van haar cellulaire geheugen. Het leek haar volmaakt van toepassing op Michaïl Ogust.

> Verder met de reis! Rusland! Rusland! Wanneer ik jou zie, lichten mijn ogen op van bovennatuurlijke energie. O, wat een glinsterende, wonderlijke oneindigheid van ruimte...
> Wat een vreemde, prachtige, betoverende, wonderbaarlijke wereld!

Jeff Hammond was moe en bang. Hij had twee mannen bij het gebouw van *The Washington Post* zien staan, en die stonden daar zo opvallend te posten, dat ze onmogelijk van de FBI konden zijn. Ze konden daar natuurlijk voor iemand anders staan, maar hij nam het risico niet. Hij verdween de hoek om, hield een taxi aan en liet die naar de woonwijk achter Capitol Hill rijden, waar hij de chauffeur twee straten van zijn flat af liet stoppen.

Met zijn tweedjasje fladderend achter zijn rug rende hij een steeg in. Hij had tijdens de autorit de vorige nacht af en toe even geslapen, maar hij was moe. Met uiterste wilskracht wist hij zichzelf op de been en alert te houden. Niet alleen was hij getraind om lang achter elkaar uitputtend werk te doen, maar hij was ook gedreven. Bij de ingang van de steeg bleef hij staan.

De eerste die zijn aandacht trok, was een vrouw die bij een bushalte zat te wachten. Ze beging de vergissing, twee bussen te laten passeren. Op zich hoefde dat niets te betekenen, maar ze toonde geen enkele belangstelling voor de bestemmingen van de bussen. En dat was verdacht. Daarbij keek ze continu om zich heen. Ze zag alles. Haar partner stond aan de overkant van de straat, twee deuren verderop. Hij veegde het trottoir met een lange bezem, op het eerste oog niets meer dan een buurman die zijn straatje schoonveegde. Maar hij veegde tweemaal hetzelfde stuk, en hij wisselde net vaak genoeg een blik met de vrouw om Hammonds vermoedens te bevestigen.

Ook zij waren niet van de FBI. Iemand van het bureau was beter getraind. Kennelijk had Bobby Kelsey kans gezien de jachtlust van de FBI wat in te dammen. Wie waren dit dus? Het kon de plaatselijke politie zijn, gealarmeerd door het blauw van West Virginia, besloot hij. Of het konden mensen zijn die te maken hadden met degene die Berianovs missie hadden overgenomen. Het kon natuurlijk ook iemand anders zijn... maar wie dan? Zowel zijn huis als zijn kantoor werden in de gaten gehouden, en dat was een waarschuwing die hij serieus nam.

Aangezien Berianov dood was, had hij toegezegd enig onderzoek te doen naar dat mysterieuze terroristische plan dat ieder moment gelanceerd kon worden. Maar nu kon hij niet bij zijn aantekeningen, zijn computer of zijn telefoon. Noch bij *The Washington Post*, noch thuis. Hij wierp een verlangende blik op zijn flat, draaide zich om en draafde weg, de steeg weer door, terwijl hij de situatie overdacht.

Hammond beschouwde zichzelf graag als een eenvoudig mens – simpel van hart, simpel in zijn doelstellingen. Maar de waarheid was dat hij, sinds hij ondergronds was gegaan voor Bobby Kelsey, een leven had geleid waardoor hij steeds meer vragen was gaan stellen over wat en wie hij was.

Het eerste slachtoffer was zijn huwelijk geweest; dat was geëindigd in een echtscheiding. Toen wilden zijn vrienden bij de FBI hem niet meer zien. Bij de krant had hij nooit echte vrienden gemaakt. Zijn ouders waren teleurgesteld gestorven, omdat hij een eerbare carrière in dienst van zijn land de rug had toegekeerd. Het geld dat hij had geërfd, zei hem niets. Een reeks vriendinnen had hem ervan overtuigd dat hij nooit meer zou trouwen. En misschien wel het ergst van alles was, dat hij zijn zus, die met haar gezin in de buurt van Yosemite woonde, al in geen vijf jaar gezien of gesproken had. En dat was zijn eigen schuld.

Uiteindelijk, toen hij niemand kon vertellen waar hij werkelijk mee bezig was, waren de leugens in zijn leven zijn leven zelf geworden, en restte hem een armzalig bestaan dat hij alleen voor zichzelf kon verantwoorden door er steeds harder voor op de loop te gaan. Zijn enige troost was dat hij Bobby Kelsey belangrijke informatie had kunnen geven, waardoor dubbelagenten binnen de overheid aan de kaak waren gesteld. Dat gaf hem voldoening. En in het begin had hij gedacht dat dat genoeg was.

En nu was Hammond nog steeds gespitst op Berianov, Joerimengri en Ogust, ondanks Kelseys nieuwe opdracht om een onbekende terroristische dreiging aan het licht te brengen. Alle drie waren ze dood, maar Hammond kon het er niet bij laten zitten. Natuurlijk zou hij doen wat Kelsey wilde. Hij zou zijn bronnen vleien, dreigen en uitmelken. Maar tegelijkertijd was hij niet van plan de jacht op de drie overlopers op te geven. Dat kon hij niet. Als hij nu ophield met de jacht op het drietal of op hun opvolgers, was dat een ontkenning van de reden waarom hij in eerste instantie undercover was gegaan, de reden waarom hij was terechtgekomen in dit leven dat geen leven was.

Hij hield weer een taxi aan en liet die naar twee bedrijven onder leiding van geëmigreerde Russen rijden – een restaurant en een winkel voor mobiele telefoons. Hij nam beide contactpersonen apart, allebei goede mensen die een aanwinst waren voor hun gemeenschap en voor de Verenigde Staten, maar geen van beiden hadden ze iets vernomen dat in de richting wees van een terroristisch plan. Net toen hij het telefoonbedrijf wilde verlaten, zette een van de werknemers het plaatselijke televisienieuws aan. Met een schok zag hij zijn eigen foto verschijnen, met daaronder een telefoonnummer. Hij had zijn zonnebril afgezet en zijn hele gezicht was te zien. De werknemer staarde van de tv naar Hammond.

Met dichtgeknepen keel van woede klapte Hammond zijn zonnebril voor zijn ogen, rende de straat in en hield een taxi aan. Kelseys macht reikte natuurlijk ook niet eindeloos ver. De politie van West Virginia was vastbesloten om hem te vinden en te arresteren, en nu wist heel Washington dat. Hij was een algemeen gezocht man. Dat verklaarde de mensen bij zijn huis en kantoor. Waarschijnlijk plaatselijke politie of agenten uit West Virginia.

In de taxi gaf hij de chauffeur het adres van Beth Convey in Georgetown. Daar zou de politie niet zijn, en het was tijd om te gaan kijken of zij inderdaad Joerimengri achterna gegaan was. Tenslotte waren het zijn laatste woorden geweest waardoor Hammond naar West Virginia was afgereisd.

Bij Berianovs huis vond Beth haar auto terug, ongeschonden en exact op de plek waar ze hem op de oprit had geparkeerd. Nadat ze gezien had wat voor puinhoop de insluiper in huis gemaakt had, kwam de puike conditie van haar auto als een zoveelste verrassing. Ze opende het portier, startte de motor en reed weg door het drukke ochtendverkeer van Chevy Chase. Toen ze langs de grote huizen op de glooiende gazons reed, keek ze uit naar de grote, zwarte Chevrolet bestelwagen die Stephanie en haar de vorige avond achtervolgd had.

Toen kwam er een bemoedigende gedachte bij haar op. Misschien had de politie de zwarte bestelwagen gevonden. Misschien hadden ze Jeff Hammond gearresteerd. Ze zette haar favoriete praatprogramma aan en luisterde naar het nieuws dat ieder uur werd uitgezonden. De nieuwslezer had het over de ophanden zijnde aankomst van de Russische president, op persoonlijke uitnodiging van president James Emmet Stevens. Stevens had dit gebaar gemaakt als een van de eerste stappen in het vervullen van zijn verkiezingsbelofte van wereldwijde betrokkenheid. Hij was zelf enthousiast over het bezoek en zei dat hij hoopte dat hij Vladimir Poetin kon overreden om zich volledig achter het democratische kamp te scharen – 'om een oude communist binnen te halen, uit de kou', zoals hij het joviaal verwoordde.

Daarna ging het over een dubbele moord in het zuidoosten van Washington, een nieuw wetsvoorstel voor medische zorg en – en nu ging ze alert rechtop zitten – een auto-ongeluk in Virginia, waarbij een auto was uitgebrand. De politie had de namen van de slachtoffers nog niet vrijgegeven. Ze had gehoopt dat iemand de zwarte bestelwagen had gemeld, en dat de bestuurder was gearresteerd. Maar het nieuwsfragment eindigde zonder dat er sprake was geweest van een tweede voertuig.

Ze veegde de tranen uit haar ogen, zodat ze genoeg kon zien om te kunnen rijden. Toen ze de naakte feiten zo koel had horen voorlezen, was er een bron van verdriet aangeboord bij de gedachte aan Stephanie Smith. Ze perste haar lippen op elkaar en dwong zichzelf op te houden met huilen. Aangezien de politie niet had bekendgemaakt wie er bij de brand waren omgekomen, of hoeveel mensen, zou Hammond geloven dat zij uitgeschakeld was. En dat betekende dat ze naar huis kon om bij te komen.

Toen hoorde ze zijn naam op het nieuws: ... gezocht in verband met de moord op een jonge vrouw en haar vriend in Stone Point, West Virginia. Hammond is blank, één meter vijfentachtig lang, normaal postuur, met lang, bruin haar. Volgens betrouwbare bronnen is hij tien jaar geleden ontslagen bij de FBI. Korte tijd later ging hij als verslaggever werken bij *The Washington Post*. Wie informatie heeft over zijn verblijfplaats, wordt verzocht om...'

Beths ademhaling werd oppervlakkig. Nog maar gisteren had ze opgewekt op straat met Hammond lopen praten, totdat ze hem herkend had. Nu wist ze dat ze gelijk gehad had. Hij had Joerimengri vermoord, en hij had twee jonge mensen in dat plaatsje in West

Virginia vermoord. Misschien had hij zich eindelijk gerealiseerd dat ze hem bij de stervende Joerimengri had gezien en had hij, zoals ze al vermoed had, gisteravond in die zwarte bestelwagen gezeten. Ze merkte dat ze haar kaken opeengeklemd had. Eerst had ze tegen haar woede gestreden, maar na een tijdje had ze toegegeven aan een vreselijke razernij. De klootzak.

In Georgetown, niet ver van Beth Conveys huis, schoof Nikolaj Fjodorov onopvallend onderuit achter het stuur van een zoveelste gestolen auto, ditmaal een Ford stationwagen. Hij had de zwarte bestelwagen achtergelaten op het enorme parkeerterrein van het winkelcentrum bij het Pentagon. Nu had hij een vuilgele Ford met een kenteken uit Maryland, dat van weer een andere auto afkomstig was. Beth Convey kon hem dus onmogelijk herkennen. Ivan Vok had ook mensen bij haar advocatenkantoor geplaatst, en bij het huis van haar voormalige vriendje en de huizen van twee collega's, maar gezien wat ze over Convey wisten, geloofde Fjodorov dat ze gewoon naar huis zou gaan als ze dacht dat dat veilig was. Ivan Vok had ook mensen neergezet bij de plekken waar Jeff Hammond het meest kwam. Hij had foto's van zowel Convey als de journalist naar al hun mensen gefaxt. Vok had iedereen gewaarschuwd dat ze voorzichtig moesten doen met Hammond, omdat dat ook een professional was. Fjodorov wist niet zeker waarom de *Washington Post*-journalist moest worden geëlimineerd, maar hij verheugde zich erop, met ongeveer hetzelfde gevoel als een Amerikaanse zakenman, nam hij aan, die zich verheugde op het onderuithalen van een buitenlandse concurrent.

Vermoeid nam hij een klein pillendoosje uit zijn zak en opende het. Hij was het afgelopen uur een paar maal ingedommeld. Terwijl hij een cafeïnetablet innam, keek hij naar de bodem voor de stoel naast hem, waarop zijn zwarte werktassen stonden. Daarna staarde hij omlaag, naar het PSG1-geweer op zijn schoot. Het was een lang, mooi en krachtig wapen van de Duitse fabrikant Heckler en Koch. Fjodorov was op het wapen gesteld vanwege de flexibiliteit, de grote 6 x 42-telescoop met het verlichte raster en de uitstekende accuratesse. Hiermee kon hij op een afstand van driehonderd meter een indrukwekkende vijftig rondes afschieten binnen een cirkel van tachtig millimeter. Het was een automatische reactie om dit alles nog eens te bekijken: wapens binnen handbereik waren zijn enige vangnet.

Vandaag droeg hij een gewoon sportjack. Toen de bittere smaak van het cafeïnetablet in zijn mond doordrong, keek hij in zijn binnenspiegel. Nog steeds taal noch teken van Convey. Hij was rusteloos, nerveus. Aan Berianovs toon had hij gehoord dat dit zijn laatste kans was. Als hij weer faalde... dan zou Berianov Ivan Vok er misschien op uitsturen om hem te vermoorden. Hij probeerde zijn angst te onderdrukken, maar hij was als de dood voor die bruut. En ook als Berianov Vok niet langsstuurde, wist Fjodorov dat er een vreselijke straf zou volgen.

Hij streed tegen zijn gevoel van wanhoop. Hij had er genoeg van om in die auto te zitten wachten. Het was rustig geworden op straat, dus stak hij zijn mobiele telefoon in zijn zak, pakte zijn H&K-geweer en glipte de auto uit, de stoep over naar een paar bomen waar hij opzettelijk vlakbij geparkeerd had. De bomen stonden in een open gebied tussen twee grote huizen, ideaal voor zijn doel. Hij versmolt tussen het loof tot hij bijna twee meter van de stoep stond. Hiervandaan kon hij Conveys huis duidelijk zien. Hij bestudeerde het door de telescoop van zijn geweer.

Hij leunde tegen een boom, vanaf de stoep onzichtbaar achter een struik. Er tjilpten en kwetterden vogeltjes. Een of ander diertje schoot door het dorre blad. Zonnestralen dansten in gouden schachten tussen de bomen door. Hij registreerde de informatie en negeerde die verder. Hij was iemand met een missie, een man wiens fascinatie voor moorden zijn leven zin had gegeven, en hij verheugde zich op de aanblik van zijn supersnelle kogel die Beth Convey zou uitschakelen.

Jeff Hammond had in de loop der jaren een groot aantal gezonde gewoontes ontwikkeld. Boven aan zijn lijst stond discretie, en die zou hij van nu af aan volledig gaan inzetten. Als gebruikelijk had hij zich door de taxichauffeur twee huizenblokken voor zijn bestemming – Beth Conveys huis – laten afzetten. Het was midden op de ochtend en de aprilzon scheen enthousiast op de ramen aan de oostzijde van de straat en wierp lange, koele schaduwen aan de andere kant.

Hij koos het trottoir dat veiliger was vanwege de schaduw. Terwijl hij langs de statige huizen met hun bewerkte veranda's en puntige daken liep, zette hij zijn honkbalpetje op en stopte er zijn paardenstaart in. Hij haalde zijn gouden oorring uit zijn oor; die was op de nieuwsfoto duidelijk te zien geweest. Aan zijn lengte of zijn gezicht kon hij momenteel niets doen, hoewel de zonnebril wel hielp. En hij had de Beretta negen-millimeter onder zijn arm. Al met al voelde hij zich redelijk optimistisch.

Hij passeerde een gazon met een bloeiende kersenboom in een kring van rode bakstenen. Georgetown had een geheel eigen sfeer, een mengeling van rijkdom en geschiedenis. Maar nu leek er ook een geur van dreigend gevaar te hangen, toen hij met scherpe blik op zoek ging naar surveillance. Langs de straat stonden een paar auto's geparkeerd, maar er zat niemand in. Hij zag geen tekenen dat de straat in de gaten werd gehouden. Hij slaakte een zucht van opluchting toen hij een statig, lavendelblauw huis met drie verdiepingen zag staan. Te zien aan de huisnummering moest dat Conveys huis zijn.

Hij schudde bijna zijn hoofd. Wie had gedacht dat zo'n stijve tut een paars huis zou hebben? Hij zou haar bijna aardig gaan vinden. Als liefhebber van benen moest hij trouwens ook toegeven dat zij een bijzonder fraai stel had, plus nog een paar andere aantrekkelijkheden. Maar een paars huis... daar moest hij even over nadenken.

Hij vroeg zich af waarom ze was komen aanzetten met dat lulverhaal over een cliënt die het gebouw van Meteor Express had willen kopen, toen hij haar groene Mercedes de hoek om zag komen en de straat in rijden, op weg naar haar huis.

Opnieuw keek hij uit naar gevaar. Toen hij een paar bomen voorbijliep, reed zij net haar oprit op. Hij zag haar blonde hoofd naar buiten komen, met dat fantastische gezicht. Ze was zichtbaar uitgeput en zag eruit alsof ze gevochten had. Dat vond hij ook wel aantrekkelijk aan haar.

Haar razende stem droeg ver, en aan de overkant van de straat kon Hammond haar nog verstaan. 'Phil! Wat moet jij hier? Ga weg! Dit is jouw weekendhuis niet meer, ik heb je niets te melden en ik heb geen enkele belangstelling voor wat jij mij eventueel te zeggen kunt hebben.'

Hammond bleef verbaasd staan kijken. Weekendhuis? Was dit haar minnaar geweest? De man moest achter haar huis hebben staan wachten. Hij was lang en gespierd, en hield zijn schouders alsof hij niet alleen Convey, maar de hele wereld in zijn broekzak had, of dat althans meende. Te zien aan zijn dure maatpak dacht Hammond dat dit ook een jurist moest zijn, of iemand met een ander beroep waarbij veel belang werd gehecht aan geld. Het gezicht van de man stond somber, maar op zich was hij wel knap, als je van dat gladde type hield. Hammond deed zijn best om hem te verstaan.

Zijn stem klonk zacht en razend. 'Ditmaal ben je te ver gegaan, Beth. Je had die lijst met namen aan míj moeten geven. Het gaat hier om ethiek. Ik ben haar jurist. Je weet donders goed dat al haar juridische zaken eerst via mij gaan. Ik sleep je voor de rechter. Je speelt nu wel een heel smerig spel!'

Wat Hammond echt stoorde, was het irritante air van familiariteit van de man. Hammond wilde net oversteken om te kijken of hij haar kon helpen, toen hij vanuit zijn ooghoek iets zag bewegen in de bomen naast hem. Er hadden vogels zitten zingen, maar nu was het stil in het bosje. Het was maar een heel kleine beweging geweest, en die was van achter hem gekomen. Een lichtstraal weerkaatste op iets wat metaal tussen de bomen moest zijn. Maar die weerspiegeling kwam van hoog boven de grond, niet van de bodem, waar je kon verwachten een verloren spiegeltje of een weggegooid stuk aluminiumfolie te zien. Het licht had op schouderhoogte geflikkerd.

In zijn hoofd gingen alle alarmsystemen af. Net toen het geweer van de sluipschutter op Beth Convey werd gericht, draaide hij zich om. Zijn keel verstrakte en binnen een fractie van een seconde had hij de situatie geanalyseerd. Wie het ook was, hij was goed. Hij had geduldig en zwijgend zitten wachten en hij had een uitermate geschikte lokatie gekozen voor zijn hinderlaag. Helaas was Hammond op zijn hoede geweest en had ook hij deze kant van de straat gekozen voor dekking in de ochtendschaduw.

Toen de vinger van de sluipschutter zich om de trekker spande, baande Hammond zich een weg tussen de bomen door en smeet zich tegen de ribbenkast van de man aan. Er klonk geweervuur. De moordenaar had een salvo afgevuurd op Beth Convey.

23

Met zijn volle gewicht wierp Hammond zich op de schutter. Die gromde van pijn, en samen vielen ze hard op de grond onder de bomen, Hammond bovenop. Zijn zonnebril vloog van zijn gezicht. Er staken takjes en stenen in zijn knieën, maar hij merkte het amper, want de man, die het geweer omhooggehouden had, haalde ermee uit naar zijn hoofd. Hammond dook weg en de slag ketste af op zijn schouder. Achter zijn ogen explodeerde de pijn.

Fjodorov hapte naar adem. Hij was razend. Door Hammonds aanval kon hij niet meer goed zien waar Beth Convey stond, en nu had hij geen idee of hij haar geraakt had. Hij had eerst Convey willen uitschakelen en daarna Hammond: twee halen, één betalen, zoals de Amerikanen zeiden. Met een huivering van opwinding had hij Hammond over straat zien sluipen, een zo uitgelezen doelwit dat je bijna in God zou gaan geloven.

Als hij zowel Hammond als Convey doodschoot, zou zijn reputatie hersteld zijn. Met een razend gegrom haalde Fjodorov nogmaals uit met het geweer.

Hammond ontweek de slag, greep het geweer en ging schrijlings over de heupen van de man heen zitten, zodat hij hem tegen de aarde drukte met zijn dijen en zijn gewicht. 'Wie ben jij?' vroeg hij.

Maar de moordenaar had zijn wapen nog in een stalen greep. Hij had zijn kin tegen zijn borst gedrukt en de aderen in zijn hals zwollen op toen hij probeerde het geweer terug te krijgen. Het zweet parelde op zijn voorhoofd. Hij had een onopvallend gezicht, gladgeschoren, met regelmatige trekken en een neutrale haarkleur. Een huurmoordenaar, getraind om in een menigte op te gaan en te verdwijnen. Maar plotseling herkende Hammond hem – het was de man die de nacht van Joerimengri's dood achter Convey aan gegaan was. Er ging een elektrische schok door hem heen. Hij moest de stem van die man horen. Had hij een accent? Een Rússisch accent?

'Verdomme! Wie ben jij? Voor wie moet jij Beth Convey vermoorden?' De angst klemde zich rond zijn borstkas. Ze kon niet dood zijn. Hij had de moordenaar op tijd tegengehouden. Toch? Maar de sluipschutter bleef zwijgen. Met een plotselinge ruk scheurde hij het geweer uit Hammonds rechterhand en ramde hij het tegen de rechterkant van diens hoofd aan. Het uiteinde schampte Hammonds oor. Het bloed spatte eruit. Maar opnieuw greep Hammond het wapen. Hij kantelde het rond zijn linkerhand en klapte zijn rechterhand rond de loop. Zijn lippen trokken weg van de inspanning toen hij probeerde het geweer, dat trillend tussen hen in hing, in zijn macht te krijgen.

'Klootzak,' gromde Hammond. 'Wat moest jij met Convey?'

Hun blikken haakten in elkaar vast. De man had een lege blik. Die ogen waren zo hol dat het zwarte gaten leken, die al het leven in de wijde omtrek in zich opslokten. Terwijl het zweet van zijn gezicht gutste, keek Hammond in die dode ogen en bedacht hij dat deze hufter het niet zou opgeven. En hoewel Hammond dan misschien de sterkste van de twee was, was hij niet sterk genoeg om in de huidige situatie een duidelijke overwinning te behalen.

Maar toch verzekerde hij de man: 'Je hebt verloren. Je kunt me net zo goed vertellen wie...'

Op dat moment opende de man zijn mond, lachte, en zei zonder een spoor van een accent: 'Nee, Hammond, jíj hebt verloren. Hou er maar mee op. Er zijn krachten die jij niet kunt beheersen. Diep in die dikke schedel van je weet je dat ook...'

Hammond stelde geen prijs op het bericht of het vlekkeloze Engels, maar hij was blij dat de man nu praatte. Als afleiding stelde het niet veel voor, maar hij zou het ermee moeten doen. Hij liet met zijn rechterhand het geweer los en liet zijn vuist neerkomen op de kaak van de moordenaar. Maar die was voorbereid. Hij smeet zijn hoofd opzij en Hammonds vuist raakte alleen zijn nek. Hammond was klaar.

Voordat de man zijn hoofd terug kon rollen, liet Hammond het geweer los en drukte zijn linkerarm tegen de hals van de man, zodat die klem zat. Tegelijkertijd drukte Hammond met zijn rechterhand de halsslagader van de man dicht. Op dat soort drukpunten kon je enorme pijn veroorzaken. Het slachtoffer kon bewusteloos raken en zelfs sterven.

De man verzette zich. Hij liet zijn geweer los. Maar Hammond bleef hem tegen de grond drukken. Tegen de tijd dat de ogen van de moordenaar achterover rolden in hun kassen, zat Hammond zwoegend te hijgen. Hij werd verteerd door woede. Hij staarde naar zijn hand en arm. Die lagen rond de nek van de moordenaar, zijn grote, vierkante vingers nog steeds in een moordende greep. Handen die bijna zelfstandig te werk gingen. Het enige dat hij wilde, was blijven knijpen. Vermorzelen. Harder. Hij wilde het, en zijn hand wilde het, en...

Maak hem dood. Maak hem dood. Voordat hij Convey of wie dan ook kon vermoorden. Maar op dat moment werd hij zich bewust van zijn bonzende hart en zijn gehijg. Hij besefte dat hij voelde hoe het vroeger was – zijn concentratie zo compleet, zo gespannen, zo razend, zo vol verontwaardiging, dat hij er zelf bijna door gehypnotiseerd raakte. Dat stond hem niet aan. Het was gevaarlijk om niet jezelf te blijven, en hij wilde dat bij voorbaat verloren spel nooit meer spelen. Dit was geen situatie waarin hij móést doden.

Terwijl in de verte de politiesirenes loeiden, liet hij de bewusteloze moordenaar los en zuchtte zo diep dat hij ervan schudde. Hij richtte zijn hoofd op en luisterde. De sirenes kwamen misschien niet deze kant uit. De meeste mensen in deze chique buurt zouden aan het werk zijn, of zaten ergens in een schoonheidssalon of deden liefdadigheidswerk in de arme wijk. Maar hij mocht niet het risico lopen dat iemand de politie had gebeld na dat ene geweerschot.

Er waren misschien niet meer dan drie minuten verstreken sinds hij de sluipmoordenaar had aangevallen. Hij greep het geweer van de man en sprong overeind. Hij negeerde de pijn in zijn schouder, waar een bonzende pijn uitstraalde van de plek waar het geweer tegenaan geslagen had. Hij had geen tijd om de man te fouilleren. Hij moest naar Convey. God, hopelijk had ze de aanslag overleefd. Als dat zo was, dan zou ze medische hulp nodig hebben. Hij rende tussen de bomen uit en de straat over, driftig om zich heen kijkend.

Toen de sirenes luider klonken, stak Beth voorzichtig haar hoofd boven de motorkap van haar auto uit om naar de overkant van de straat te kijken. Ze dacht dat het schot van tussen een paar bomen aan die kant gekomen was.

Phil Stageman greep haar arm en rukte haar terug. 'Omlaag!' Zijn krullende, bruine haar was in zijn ogen gevallen. Zijn vierkante kaak stond strak van de angst. Hij had een hand rond haar arm geklemd en met de andere hield hij haar andere schouder stevig omklemd. 'Misschien zitten ze daar nog. Straks gaan we er allebei aan.'

Ze probeerde geduldig te reageren. 'We hebben lang genoeg gewacht. Straks schieten we hier nog wortel. Bovendien heb je de sirenes gehoord. De politie komt eraan.'

'Maar ze zijn er nog niet.' Zijn stem klonk dicht bij haar oor, hees van angst. 'Jij bent zo lang dat je een prima doelwit vormt. Eerst knallen ze jou neer en dan komen ze achter mij aan.'

Ze snoof. Het zou het risico bijna waard zijn. 'Persoonlijk vind ik het wel een interessant idee als jij neergeschoten zou worden. De ziektekostenverzekering van Edwards & Bonnett is trouwens uitstekend. De beste. Ik heb het aan den lijve ondervonden. En als je geluk hebt, kun je een jaar lang op verhaal komen. Beschouw het als een ongeplande vakantie.' Ze trok zich los en begon weer omhoog te komen om de straat af te speuren. 'Is er bij jou iets aan vervanging toe? Ik kan je een transplantatie aanraden. In jouw geval bijvoorbeeld je geweten.'

Hij luisterde niet. 'Ik zei dat je je moest schuilhouden!' Hij rukte zo hard dat het leek of haar schouder uit de kom zou schieten.

Ze viel naast hem neer. Maar nu was het genoeg. Ze had overal pijn. Nog een kloppende, pijnlijke plek was iets waar ze momenteel geen behoefte aan had. Ze ging op haar hurken tegenover hem zitten.

'Lafaard.' Met haar benen en heupen als zwaartepunt ramde ze haar vuisten een voor een met drie opeenvolgende *dan-zuki*-stompen recht zijn maag in.

Zijn wenkbrauwen schoten omhoog. Ze was zo snel geweest dat hij geen tijd had gehad om zich te verdedigen. Hij was atletisch en zijn maagstreek was gespierd van de vele uren in de fitnessclub van de firma, maar ze had hem overrompeld en ze was sterk.

Hij klapte dubbel. 'Beth,' hijgde hij met vertrokken gezicht. 'Hoe kún je?'

Boven haar hoofd klonk een baritonstem. 'Mooi werk. Wat een lastpost lijkt me dat. Hoe heb je je ooit met zo iemand kunnen inlaten? Ondanks een aantal zichtbare talenten, Convey, heb je kennelijk een vreselijke smaak qua vriendjes.'

Met een opgeluchte grijns op zijn gezicht staarde Hammond op Beth neer. Ze was ongedeerd. Een kogelgat in de voorkant van haar auto zei hem dat de sluipschutter had gemist, zij het op een paar decimeter. En ondanks haar vermoeidheid besloot hij dat ze, althans in zijn ogen, van dichtbij nog mooier was dan uit de verte. Van haar verwarde haar tot aan haar puntige kin was hij gefascineerd door het opvallende gezicht achter de zonnebril. Die uitstekende jukbeenderen. Die kleine oren met het haar erachter gestreken. Hij had het gevoel dat ze niet onder de indruk was van haar eigen schoonheid. Paste waarschijnlijk niet in haar beeld van hoe een taaie vrouwelijke jurist eruit moest zien.

Maar even snel als hij dit alles bedacht, zag hij zich in haar gelaatsuitdrukking een volledige ommekeer voltrekken. Ze keek niet langer verbaasd, maar doodsbang. De angst kleurde haar toch al bleke gezicht asgrauw, de kleur van dode botten.

'Jij...' Ze sprong overeind, klemde haar tas tegen zich aan en rende weg.

'Beth! Niet...' Phil Stageman verdraaide zijn nek.

Hammond was al op weg. Hij rende achter haar aan. 'Convey! Wacht!' Tijdens het rennen hoorde hij nog de klank van haar sexy, hese stem die in de lucht bleef hangen: 'Jij...'

Terwijl de sirenes steeds luider klonken, holde hij achter haar aan tussen tuinstoelen, narcisperken en een wit tuinhuisje door. Algauw liep ze op de stoep, bijna een vage vlek in haar spijkerbroek, haar zwarte coltrui en haar zwarte vest.

Hij liep op haar in. 'Convey! Ik heb zojuist je leven gered, verdomme!'

In haar hoofd speelde Beth de vreselijke dood van Stephanie Smith en kolonel Joerimengri opnieuw af. Zij weigerde datzelfde lot te ondergaan. Terwijl haar benen voortstampten, herinnerde ze zich hoe eigenaardig het was geweest dat ze niet bang was geworden toen de zwarte bestelwagen Stephanie en haar achternagezeten had op de snelweg. En ook nu was ze vreemd beheerst, terwijl de moordenaar haar achtervolgde. Ze had een nieuwe kracht, een nieuw soort hardheid gevonden. Wat het ook was, de gedachte schoot door haar heen: waarom was ze in godsnaam op de vlucht?

Meteen werd ze overspoeld door alle woede van de afgelopen paar dagen. Weer maakte die vreselijke razernij zich van haar meester, die ervoor zorgde dat ze Jeff Hammond wilde vermoorden.

Nog steeds gilden de sirenes. Te horen aan het geluid kon de politie hier ieder moment zijn. Tegelijkertijd naderden zij en Hammond het einde van de straat, waar aan één kant een enorme seringenstruik stond, terwijl aan de overkant het kruispunt lag. Te horen aan zijn beukende voeten had Hammond haar bijna ingehaald. Terwijl ze dat dacht, kreeg ze een eigenaardig gevoel van déjà vu, omdat ze besefte dat ze geluiden kon vertalen in afstand. Hart... heb ik die informatie aan jou te danken? Ergens diep van binnen wist ze exact waar Hammond was – bijna twee meter achter haar – en wat ze moest doen. Ze klemde haar tas tegen zich aan en plantte haar linkervoet stevig op de stoep. Meteen keek ze over haar schouder en ramde ze haar rechtervoet achteruit in een bocht van buiten naar binnen – een *ushiro-kekomi*-trap, recht zijn zonneknoop in.

Ze trof hem met een bevredigende klap en draaide zich om haar as om, zodat ze tegenover hem stond. Hij wankelde achteruit, zijn gezicht vertrokken van verbazing. Zij had het voordeel van de overrompelingsaanval en van sportschoenen, niet de krokodillenleren cowboylaarzen met hoge hakken die hij aan zijn grote voeten droeg. Daarbij was ze, in tegenstelling tot Hammond, slank en soepel, met razendsnelle reflexen. Ondanks zijn poging om haar te ontwijken landde haar voet exact waar ze gepland had op zijn enorme lichaam, zonder dat zij daarbij haar evenwicht verloor. Daar had ze maanden aan gewerkt.

Terwijl Hammond gromde, beukte ze een *shuto-uchi*-zwaardhandslag op zijn pols, waarmee ze het geweer wegsloeg. Meteen schopte ze het buiten zijn bereik, deed een stap achteruit, hief haar gebogen been naar haar borstkas en schaarde haar voet uit in een *mae-keage* recht op zijn kin.

Maar Hammond had zich hersteld. Ze was goed, dat moest hij toegeven. In feite was hij zo onvoorbereid geweest op haar vaardigheid, dat hij haar het gevecht had laten leiden. Ze had ervoor gezorgd dat hij het geweer tijdelijk kwijt was, maar dat was dan ook de laatste ronde die hij haar zou laten winnen. Terwijl haar ogen vuur spuwden en haar Nike op zijn gezicht af kwam, deed hij een stap achteruit, ving de voet halverwege op en gaf, met zijn grotere lengte en kracht, een ruk.

Ze landde plat op haar rug in het dichte gras naast de sering. Haar blonde haar vloog om haar hoofd heen, haar zonnebril sprong weg en haar zwetende gezicht kreeg een uitdrukking van afschuw.

Met een soepele beweging, mooi in haar doeltreffendheid, trok hij zijn Beretta, bukte zich over haar heen en richtte hem op haar neus. 'Mevrouw Convey, u bent een verschrikkelijk lastig stuk vreten. U schijnt te denken dat ik u wil vermoorden. U vleit zichzelf. Ik zou aan u geen kogel verspillen. Als het even meezit wordt u op een dag uit uw orde gezet, en dat is voldoende voor mij. Maar momenteel heb ik een paar vragen.'

Hij overwoog of hij zou omkijken naar de sirenes die gillend op haar huis af kwamen, maar er stond een of andere enorme struik in de weg. Bovendien kon hij beter geen risico lopen. De blik op Conveys gezicht stond hem niet aan – die mengeling van woede en berekening. Hij was gaan geloven dat hij onmogelijk haar volgende zet kon voorspellen. Hij kon haar maar beter goed in de gaten houden.

En het wapen op haar gezicht gericht houden. Het laatste waaraan hij behoefte had, was dat de politie hem in het zicht kreeg. 'Sta op.

Langzaam. Loop de hoek om. Ik kom vlak achter je aan.'

Ze begon overeind te komen, haar ogen witheet van woede.

'Niet bijdehand worden,' waarschuwde hij.

Ze staarde naar de Beretta. 'Voor mij ziet het ernaar uit dat jij probeert om me dood te schieten. Waarom zou ik anders doen wat jij zegt?'

'Niet alleen omdat ik een wapen in handen heb, maar ook omdat ik je leven gered heb. Tweemaal, zoals ik al eerder gezegd heb. Doe maar alsof ik een barmhartige Samaritaan ben. Doe beleefd. Heeft niemand jou manieren bijgebracht?'

Pijn. Meer pijn. Ze hijgde ervan. Ze ademde diep in en probeerde de pijn te negeren. Terwijl ze in zijn brede gezicht staarde, vond ze daar plotseling iets dat haar opnieuw aantrekkelijk voorkwam. Wat was dat toch met hem? Alles wat ze wist... haar hele achtergrond... alles wat ze had gezien en geconcludeerd zei dat ze hem moest mijden als de pest. Maar nu stond hij hier te beweren dat hij haar had geréd?

Hij was de vijand. Een moordenaar. Vergeet dat niet, hart. 'Ik sta op,' waarschuwde ze. 'Als je wilt schieten, is nu het juiste moment. De politie zit heel dichtbij. Als ik dan toch dood moet, dan tenminste in de wetenschap dat jij gepakt wordt.'

'Ach, ja. Ik dacht ook altijd dat wraak zoet moest smaken.' Hij glimlachte even. Maar het gekef van de sirenes was intussen nog dichterbij gekomen, dus de patrouillewagens moesten Conveys straat bereikt hebben, zoals zij al zei. Met een gevoel van grote bezorgdheid greep hij zijn zonnebril en zette hem op. Toen raapte hij het geweer van de sluipmoordenaar op en beval. 'Genoeg gepraat. Lopen.'

24

Met het geloei van de sirenes in haar oren en een van angst dicht-geknepen keel stond Beth voorzichtig op, haar blik strak op Hammonds gespannen gezicht gericht. Ze moest zich dwingen om haar angst te onderdrukken en zich op haar woede te concentreren. Hammond hield het pistool op vijf centimeter van haar neus op haar gericht, terwijl ze opstond uit het gras. Hij keek haar zo woedend aan dat ze de uitgestraalde hitte kon voelen. Ze keek glashard terug, wachtend tot hij als eerste zijn blik zou afwenden.

De seconden verstreken en ze moest strijden tegen een gevoel van ruwe intimiteit. Ze keken elkaar nog steeds strak aan. Hij had lange, zwarte, rafelige wimpers. Hij knipperde langzaam met zijn donkere ogen. Het leken wel diepe tunnels, alsof daarbinnen belangrijke berichten verscholen lagen. Berichten die ze niet wilde horen, dat wist ze zeker.

Maar hij wendde zijn blik niet af. 'Hou op. Vooruit, de stoep op.'

'En dan klaag jij over míjn manieren?' Ze verbrak het oogcontact en draaide zich om. Ze had iets verloren door als eerste haar blik af te wenden, maar ze moest hier weg. Ze had het helemaal gehad met hem. Het was een overwinning om alleen al die keuze te maken.

Maar zoveel in het leven was relatief. Toen ze onwillig de stoep op liep, staarde ze langs de hoge struik. Een seconde of zes lang zag ze alles: twee patrouillewagens met knipperende rood-blauwe zwaailichten, en agenten in uniform die voorzichtig naar een driftig wenkende Phil Stageman toe liepen. Tegelijkertijd kwam er een man in een onopvallend jack te voorschijn uit het bosje aan de overkant van de straat, waar ze de schoten vandaan had horen komen. Met een hol gevoel in haar maag zag ze dat hij zijn hand in zijn jasje stak en nonchalant – té nonchalant – naar de agenten keek, voordat hij in een aftandse gele stationwagen sprong.

Ze had willen gillen om de politie. Ze had Hammonds rugschot willen riskeren, zodat ze naar hen toe kon vluchten. Maar door wat ze nu zag, werd ze aan het denken gezet. Wie was die man die tussen de bomen had gezeten? Iets in haar – alweer haar hart? – zei dat die man een pistool onder zijn jasje moest hebben. Betekende dat dat Hammond de waarheid sprak, dat er inderdaad een sluipschutter was geweest en dat Hammond hem had aangevallen zodat hij misgeschoten had?

'Ik zei, lópen, Convey. Schiet op!' Jeff Hammond duwde de loop van het pistool in haar ruggengraat.

'Oké, oké, ik ga al.' Ze liep de hoek om, uit het zicht van de politie. Nee, Hammond was geen vriend. Niet met een pistool in haar rug.

'Doe maar alsof we gewoon een ommetje maken.' Zijn adem klonk in haar oor, zijn stem zacht en hees.

'Ja, hoor.'

Ze liep verder, de hitte van Hammonds lichaam maar enkele centimeters achter haar. Millimeters. Zo dichtbij dat er, als ze allebei machines waren, vonken van haar naar hem en vice versa zouden overspringen. Maar terwijl ze enerzijds streed tegen de zenuwslopende sensatie van zijn nabijheid, dacht ze anderzijds aan die andere man en vinkte ze de bewijzen tegen hem af: verborgen wapen, té nonchalante blik, verfrommelde kleren alsof hij zojuist gevochten had. Bovendien kwam hij van de plek waarvan zij zeker wist dat de kogel was afgevuurd.

Hammond beweerde dat hij haar leven had gered. Tweemaal. Was een van die keren nu net geweest?

Ze wenste er niets van te geloven. Alle eerdere bewijzen wezen rechtstreeks naar Hammond, duidden erop dat hij haar opgejaagd had om haar te vermoorden. Ze was ervan overtuigd geweest dat hij gevaarlijk was, en het verlangen om hem te ontmaskeren en tegen te houden was de drijfveer achter een groot aantal van haar beslissingen geweest sinds woensdag.

'Sneller,' snauwde Hammond.

De lommerrijke woonstraat waar ze doorheen liepen, was drukker dan haar eigen straat, want dit was een doorgaande route naar de drukke Wisconsin Avenue. Auto's reden snel voorbij, kinderspeelgoed lag verspreid over een groot gazon. Een bezorger van UPS stapte uit zijn bruine bestelwagen en bracht een pakketje naar de voordeur van een statige woning.

De UPS-man keek naar Beth en zwaaide. Hij had haar herkend.

'Vriendelijk doen,' zei Hammond op gespannen toon. 'Groet hem.'

Beth zag dit meteen als een nieuwe kans op hulp, maar wat kon de UPS-man doen? Hij had geen wapen. Ze mocht zijn leven niet in gevaar brengen.

Ze forceerde een glimlach en riep: 'Hi, Adam!'
Toen de man terugzwaaide, gromde Hammond: 'Braaf meisje.'
'Ik ben geen meisje.'
'Brave vrouw.'
'Dat klinkt al beter. Aangezien je me gekidnapt hebt, neem ik aan dat je een plan hebt. Persoonlijk heb ik wel trek in een kop koffie. We kunnen naar de Coffee Beanery gaan. Dat is hier vlakbij. Of als je iets van taart of zo wilt, kan ik Dean & Deluca aanbevelen. Maar nu ik eraan denk, daar kunnen we niet heen. Stel dat je herkend wordt. Tenslotte word je gezocht...'
Toen klonk het eerste schot. Het vloog zo rakelings voorbij dat haar ogen ervan traanden. Met een plotselinge huivering lag ze weer plat op de grond, met Hammond boven op zich. Toen zijn lichaam haar platdrukte, bevrijdde ze haar hoofd zover dat ze het kon optillen om te kijken. De gele stationwagen was vlak bij hen al slippend tot stilstand gekomen, en de verfomfaaide onbekende – het pistool in de hand – stond met gebogen knieën in de portieropening aan de bestuurderskant.
Hij moest door het open passagiersraampje gevuurd hebben, nog voordat hij goed kon richten, zei diezelfde inwendige stem. Hij was té gespannen. Uit wanhoop had hij niet goed kunnen richten. Intussen had Adam, de UPS-bezorger, zich met zijn armen beschermend over zijn hoofd op de grond laten vallen. Het verkeer vormde meteen een opstopping toen bestuurders en passagiers hun nek verdraaiden, maar zodra ze het wapen zagen, gaven ze plankgas.
Tegen de tijd dat de aanvaller over het dak van de stationwagen was geleund om beter te kunnen richten, was Jeff Hammond al overeind gesprongen. Hij bracht het vizier van het geweer naar zijn oog en richtte op de scherpschutter. Beth keek wanhopig om zich heen en zag Hammonds pistool liggen. Dat had hij op de stoep laten liggen om het geweer te kunnen gebruiken. Terwijl ze het pistool greep, haalden beide mannen hun trekkers over. De schoten daverden door de lucht.
De aanvaller tolde van het autodak en verdween in een roze, bloedige wolk. Ze keek naar Hammond en zag dat hij een kille, intense uitdrukking op zijn brede gezicht had, met het soort diepgewortelde concentratie waarvan de meeste mensen zich dood zouden schrikken. Toen ze daar zijn grote gestalte en overduidelijke capaciteiten bij optelde, voer er een schokgolf door haar heen. Geen wonder dat ze bang voor hem geweest was. Geen wonder dat ze hem tot moord in staat geacht had. Hij wás ertoe in staat.
Hij rende al naar de stationwagen. 'Blijf daar!' brulde hij achterom.

Een griezelige rust maakte zich van haar meester. Ze omklemde het pistool en kwam gehurkt overeind. Ze was niet bang meer. Het pistool in haar handen, de wegebbende schrik... ze was buiten adem van opwinding. Haar bloed leek sneller te stromen. Haar geest was volkomen helder.

Ze vroeg zich af of de politie de schoten had gehoord. Zo niet, dan zou iemand waarschijnlijk het alarmnummer bellen. Nog steeds wilde ze dat de politie Jeff Hammond zou arresteren. Ze wilde geen risico meer lopen met hem. Nog maar een paar minuten geleden was ze ervan overtuigd geweest dat hij kolonel Joerimengri en waarschijnlijk Stephanie Smith had vermoord. Nu was ze daar niet zo zeker meer van. In dat geval was het onlogisch dat hij haar tegen deze schutter zou beschermen, tenzij... ze schudde haar hoofd. Ze had geen antwoord. De politie moest het maar uitzoeken.

In die eigenaardige staat van kalmte holde ze gebukt naar de voorkant van de auto, terwijl Hammond naar de achterkant sloop. Hij was een elegante, gespannen verschijning in zijn tweedjasje en zijn spijkerbroek. Van de schutter ontbrak ieder spoor. Terwijl de geluiden van het verkeer gewoon doorgingen, zakte ze door haar knieën om onder de auto te kijken of daar voeten te zien waren.

En plotseling was daar de man met het pistool. Ze had verwacht hem aan de andere kant van de auto op de grond te zien liggen, dood of stervend. Maar hij had gehurkt naast de motorkap gezeten, terwijl Hammond om de achterkant van de auto heen sloop. Hij sprong overeind en rende om de voorbumper heen, zijn pistool op haar gericht. Een arm hing roerloos langs zijn zij, de schouder overdekt met bloed. Zijn onopvallende gezicht was vertrokken tot een grotesk masker dat geen twijfel liet bestaan aan zijn bedoelingen. Dit was een moordenaar. Hij genoot ervan. Zijn ogen glansden ervan. Zijn lippen waren gekruld in een soort extase. Zijn vinger lag op de trekker en zij was het doelwit.

Dit was zo'n ogenblik waarop je niet nadenkt. Dat kan niet, wie je ook bent. Wat je ook van jezelf gemaakt hebt, je instinct neemt het roer over. Ze dacht niet na over haar hart, vroeg zich niet af of dat een eigen intelligentie bezat. Of wie ze was of ooit was geweest. Zelfs niet wie ze aan het worden was.

Toen hij haar op de korrel had, bleef ze gehurkt zitten en haalde de trekker van haar eigen pistool over. En nog een keer. En nog een keer. Ze had geen idee hoe vaak. Het was een explosie van angst en opluchting, een schokkende ervaring. Dit was een slecht mens, en ze wilde hem doden omdat hij haar anders zou vermoorden. En ze was blij dat ze het kon. Het was volkomen logisch dat ze de trekker overhaalde. En opnieuw overhaalde. En met ieder schot voelde ze zich beter en veiliger en gezonder – en dat ze een toekomst had als ze gewoon bleef... schieten.

Toen het geluid van haar schoten haar brein overrompelde, zag ze met verbazing hoe de man achterover vloog door het geweld van de negen-millimeterkogels en met een klap tegen een boom sloeg. Het bloed spoot uit zijn borstkas.

Hammond stond alweer naast haar. 'Jezus Christus, Convey! Ik wilde hem levend te pakken krijgen!'

Hij rukte het rechtervoorportier van de oude stationwagen open, smeet haar naar binnen en rende om de auto heen om achter het stuur te springen. Toen hij plankgas wegreed, staarde zij uit het raampje naar de dode man. Daarna richtte ze haar blik wat hoger en zag, als in een droom, Adam Hoogensen, de UPS-man die regelmatig bestellingen kwam bezorgen bij haar in de straat. Ze keken elkaar even aan en ze zag het afgrijzen in zijn ogen. Ze had een mens vermoord. Niet haar hart, nee: zijzelf had dat gedaan. Net als in haar nachtmerrie. En hij had het gezien.

Ze wendde haar blik af. Noch zij, noch Hammond zag de korte, gedrongen man met het Mongoolse gezicht die naar de dode toe rende alsof hij hem wilde helpen en eerste hulp bieden. Niemand in de snel toestromende menigte zag dat Ivan Vok de mobiele telefoon en het pistool van de dode man pakte en in zijn eigen zak stak. En niemand zag hoe Vok een portefeuille in de zak van het gescheurde, bebloede jasje van de man stopte.

Beth zakte onderuit in de autostoel. Haar oogleden vielen onwillekeurig dicht en ze begon te schudden. Ze had het koud, ijskoud. Kouder dan ze het ooit gehad had. Terwijl de stationwagen met de rest van het verkeer meereed, begon de afschuw tot haar door te dringen. Wat had ze gedaan?

'Die man die ik doodgeschoten heb, die kende ik,' fluisterde ze. 'Ik heb zijn gezicht herkend.' Ze keek naar Hammond alsof die kon helpen.

Hammond reed verder. 'Waarvan?'

'Ik heb hem in mijn nachtmerries gezien. Ik weet niet hoe hij heet, maar ik heb zijn gezicht gezien.'

'Nachtmerries? Waar heb je het over?'

Ze schudde haar hoofd en sloot haar ogen weer. Ze trok zich in zichzelf terug, kon niet normaal, analytisch nadenken. Ze moest voelen.

'Idioot.' Zijn stem klonk nu zacht. 'Waarom denk je dat ik hem niet wilde doodschieten? Hij had ons kunnen zeggen wie hij was. Voor wie hij werkte. Waarom hij achter jou aan zat.'

Ze zei niets. Het schudden werd minder en maakte plaats voor een reeks huiveringen.

'Heb jij enig idee waar je middenin zit?'

Ze hoorde zijn stem als van grote afstand. Ze rouwde. Ze was zoveel kwijtgeraakt. Haar hart, bijvoorbeeld. Het was dan wel ziek geweest, maar het was háár hart. Haar eigen hart. En nu klopte er een veeleisend nieuw hart in haar borst. Ze had twee mensen zien sterven. Ze had een derde vermoord. Ze wist niet wie ze was. Iets bekends was weg, iets dat fundamenteel was voor haarzelf. Ze was nieuw. Een nieuwe persoon. Wat doe je als je nieuw bent en iemand hebt doodgeschoten?

Hij praatte verder op diezelfde rustige toon. '... dingen die je niet over mij weet. Ik kan niet op alles ingaan. Daar hebben we geen tijd voor, en trouwens, al die onzin hoef je niet te horen. Maar volgens mij heb jij het idee dat ik gevaarlijk ben. Nou, dat ben ik niet. Althans, niet voor jou. Afgelopen woensdag heb ik een geheime ontmoeting gehad met Anatoli Joerimengri, omdat hij zei dat hij belangrijke informatie voor me had. Ik zou hem die avond nog een keer spreken bij Meteor Express, maar toen ik aankwam rende jij de voordeur uit, achtervolgd door een man met een wapen met geluiddemper. Ik moest snel beslissen. Ik moest jou helpen of naar binnengaan op zoek naar Joerimengri. Ik besloot om jou te helpen.'

Beth hees zich een eindje overeind. Ze draaide zich naar haar om. 'Om mij te helpen?'

'Ja. Om jou te helpen.'

Hij wierp een korte blik op haar. 'Net toen jij struikelde, kon ik de man tackelen die jou achternazat. En toen waren er plotseling nog meer mannen, allemaal gewapend. Tegen die tijd had ik het wapen van de eerste te pakken, en daarmee heb ik het stel op afstand gehouden terwijl ik jou wegsleepte. Ik wist niet wat jij te maken had met Meteor, en ik had geen tijd om te wachten tot je bijkwam, dus ik kon het je niet vragen. Daarom heb ik je naar een motel gebracht. Ik heb een regeling met de eigenaar.' Hij aarzelde. De eigenaar was een voormalige vriendin van hem, maar dat hoefde Convey niet te weten. 'Tegen de tijd dat ik weer bij Meteor kwam, was er niemand meer. Taal noch teken van Joerimengri. Ik heb je auto naar het motel gebracht, ben teruggelopen om de mijne op te halen en naar mijn kantoor bij *The Washington Post* gereden, in de hoop dat Joerimengri had gebeld. Maar de nachtredactie gaf me het bericht dat zijn lijk in het centrum was gevonden.'

Hij keek hoe ze reageerde. Ze knipperde langzaam met haar ogen. Ze keek ongelukkig en verbijsterd, maar dat was niet verbazingwekkend, gezien het feit dat ze zojuist iemand had doodgeschoten. Hij fronste zijn voorhoofd. 'Heb je gehoord wat ik zei? Gaat het wel, Convey?' Hij begon zich zorgen te maken. Ze verkeerde zichtbaar in een shocktoestand. 'Luister, wat jij gedaan hebt was zelfverdediging. Gezien het feit dat je niet getraind bent, heb je het opmerkelijk goed gedaan. Je hebt hem tegengehouden en je hebt het overleefd.'

Ze kneep haar ogen samen. 'Dacht je nou echt dat ik dat sprookje van jou geloofde? Ik zou zelf iets veel geloofwaardigers verzonnen hebben. Het gaat niet alleen om de moord op kolonel Joerimengri. Dacht je dat ik het niet wist, van die twee jonge mensen in West Virginia?'

'Daar wil iemand mij voor laten opdraaien. Kennelijk loopt er iemand rond die mij bijzonder graag wil uitschakelen.'

'O ja? Kom nou. Dadelijk ga je me zeker vertellen dat Sinterklaas echt bestaat.'

Zijn kaakspieren verstrakten. 'Meer kan ik je niet vertellen. Ik weet niet wie het gedaan heeft. Of hoe. Dat moet je van me aannemen.'

'Aha. Daar hebben we Sinterklaas weer.'

Hij sloeg rechtsaf op Main Street, in de richting van Foggy Bottom. Met meer dan een spoor van woede in zijn stem zei hij: 'En dan heb ik je vandaag ook nog eens voor een sluipschutter behoed.' Hij beschreef hoe hij de metaalflits tussen de bomen had gezien en hoe hij de schutter had overmeesterd. 'Maar dat is zeker nog steeds niet genoeg voor jou?'

Ze keek naar de drie zwarte dozen op de vloer, het lange geweer op haar schoot dat hij had laten vallen toen hij haastig achter het stuur sprong en het pistool ernaast. Het pistool waarmee ze op de man had geschoten.

'Hoe heette hij?' vroeg ze. 'De man die ik heb vermoord?'

'Sorry. Dat weet ik niet. Jij bent degene die hem herkende.' Zijn stem werd sarcastisch. 'Uit je dromen. En dan beweer jij dat mĳn verhaal ongeloofwaardig klinkt?'

Beth verviel weer in stilzwijgen.

Meteen kreeg Hammond spijt. Hij begon het gevoel te krijgen dat er iets bijzonder ongebruikelijks gaande was. Niet alleen had ze iemand vermoord en was ze daar overstuur van. Als een politieman iemand gedood had, ging hij meestal een tijdje met verlof, niet al-

246

leen om zijn collega's de gelegenheid te geven de zaak te onderzoeken, maar ook om de agent de tijd te geven om te verwerken
wat er gebeurd was en emotioneel op verhaal te komen. Doden was
tegennatuurlijk, hoe sommige primitieve volkeren daar ook over
dachten, en een gezonde geest kwam daartegen in opstand, hoe onvermijdelijk het ook was geweest. Maar met Convey was meer aan
de hand.

'Eén ding kan ik je wel vertellen,' zei hij. 'De man die jij hebt neergeschoten, was er ook bij, die nacht dat Joerimengri werd vermoord. Dat was degene die achter jou aan zat. Misschien is het een
troost: als je hem vandaag niet te pakken had gekregen, had hij jou
en misschien mij vermoord, en als ik hem ook niet had kunnen tegenhouden, was hij blijven moorden.'

'Je zei dat hij misschien had kunnen vertellen voor wie hij werkte.
Was het een professional? Wilde je hem daarom in handen krijgen?'

'Dat leek me een goed idee.'

Ze waren Georgetown uit en reden nu naar de wijk van de binnenstad die Foggy Bottom heette. Daar rees de kroonprins van de
overheid – het ministerie van buitenlandse zaken – als een grote,
witte schoenendoos op uit wat ooit een onbewoonbaar moeras was
geweest. Hammond parkeerde niet ver van het Watergate-complex,
zette de motor uit, greep de Beretta voordat Beth bezwaar kon maken, en stak hem in de holster onder zijn jasje.

'Blijf zitten,' beval hij, terwijl hij het portier opende. Hij had geen
idee of ze zou gehoorzamen, maar hij betwijfelde of hij van haar
iets wijzer zou worden.

Ze onderdrukte een boze reactie. Hij moest niet denken dat zij braaf
bleef zitten wachten. Hij moest niet denken dat zij zo'n sukkel was
die alles geloofde. Ze knikte zwijgend, bang dat haar stem haar zou
verraden.

Hij bleef even naar haar staan kijken. Zijn vierkante gezicht leek
samen te trekken van de concentratie. Ze staarde onaangedaan terug, zonder hem echt aan te kijken. Het leek wel of ze een vleug
testosteron van hem opving. Ze negeerde de indruk.

Hij stapte uit, keek om zich heen en ging op weg naar het gigantische Watergate-complex, beroemd geworden door de mislukte inbraak in het hoofdkwartier van de Democraten, in de dagen van
president Richard M. Nixon. Het tijdelijke adres van vele toeristen en de permanente woonplek van een aantal van de bekendste
mensen in de stad – van Bob en Liddy Dole tot, ooit, Monica Le-
winsky. Het was een konijnenburcht van dure winkels, apparte-
menten en hotelkamers.

Toen Jeff de betonnen trap afdaalde naar de lager gelegen verdieping, opende Beth haar portier en stapte ze de stoep op.

Hammond liep met grote passen over het ondergrondse plein, langs Mail Boxes Etc., een kleine supermarkt, een broodjeszaak en liep vervolgens een trap op. Zonder zijn hoofd te bewegen keek hij om zich heen. Continu verwachtte hij, herkend te worden. Continu verwachtte hij dat iemand zijn naam zou roepen en om de politie zou gillen. Steeds vroeg hij zich af wanneer de volgende moordenaar zou opduiken, want er zou een volgende komen. Professionals als de sluipschutter van vandaag hadden altijd opdrachtgevers die koste wat kost hun doel wilden bereiken.

Hij verliet het Watergate-complex aan de zuidzijde, net boven de Potomac, stak op een drafje de straat over en slenterde daarna nonchalant de brede aanloop naar het Kennedy-toneelcentrum op. Het imposante gebouw rees hoog boven de Potomac uit. Hij keek bewonderend omhoog alsof hij een toerist was... en bleef staan. Hij bukte zich om zijn cowboylaarzen op te hijsen en zijn broekspijp recht te trekken. Daar waren er weer twee – een man en een vrouw, maar niet hetzelfde stel dat bij zijn huis had staan posten. Ze stonden in de schaduw van een boom een paar toeristische brochures door te bladeren, maar zonder daarbij te praten of de tekenen van ongeduld te vertonen van mensen die al te lang hebben moeten wachten. Te zien aan de manier waarop ze het gebouw in de gaten hielden en de brede stoep afspeurden, deden ze daar iets heel anders dan wachten op vrienden of familieleden met wie ze daar hadden afgesproken.

Hammonds oom was directeur van het Kennedy-centrum. Hij hoopte dat hij zijn oom kon overhalen om hem een auto te lenen en hen te laten logeren in zijn weekendhuisje aan Chesapeake Bay. Terwijl hij de achtervolgers in de gaten hield, vroeg hij zich af of hij zich misschien vergiste. Misschien was dit een onschuldig stel; misschien was hij te achterdochtig geworden. Hij was tenslotte het hele Watergate-complex overgestoken zonder gezien te zijn. De honkbalpet had geholpen, maar voor het grootste deel was dat te danken aan de menselijke natuur: iedereen was altijd bezig met zijn eigen problemen, niemand keek uit naar een dolgedraaide moordenaar die een halve minuut op tv te zien was geweest. Hij was een nieuwsflits, meer niet. Althans, totdat het nieuws algemener verbreid werd en zijn gezicht en naam zo vaak vertoond waren dat er meer bezorgde burgers naar hem uitkeken.

De man en de vrouw gingen uit elkaar. De vrouw liep naar de ingang van het centrum, de man vouwde zijn brochures op en stak ze in de heupzak van zijn short. Beiden hadden een bermuda aan, met half dichtgeritste windjacks daarboven. Er ritselde een bries over het plein. Ja, onder het nylon jack zag hij de vage omtrek van een holster. De man slenterde zijn kant uit.

Hammond draaide zich om en liep het plein af. Het kon natuurlijk politie zijn, en in dat geval was het zinloos om een confrontatie uit te lokken. Hij werd nog bezorgder. Waar kon hij Convey heen brengen, waar was ze veilig? Hij liep terug over het brede plein. Het was overduidelijk dat zijn contactpersonen en de plekken waar hij vaak kwam, in de gaten werden gehouden.

Snel liep hij langs een terras waar mensen aan tafeltjes koffie zaten te drinken met scones en croissants, terwijl ze tevreden zaten te kletsen in de milde aprilwarmte. Het was vrijdag, en mensen maakten zich op voor het weekend.

Terwijl hij door de glazen deuren van Watergate liep, kreeg hij een vreemd gevoel. Hij keek om. Meteen stroomde de adrenaline door zijn aderen. Twee mannen zaten hem op de hielen, van wie er één de mannelijke 'toerist' van het Kennedy-centrum was. Dit tweetal werkte nu samen, de vrouw was ergens anders. Grimmig constateerde hij dat zijn instinct tenminste nog goed werkte. Maar dat was meteen het nadeel.

Met versnelde passen liep hij de lobby door, een andere deur uit en een gang in die naar een andere buitendeur leidde. Daar verliet hij het complex. Nog steeds zaten ze achter hem, nu met hun handen onder hun jasjes gestoken. Hij begon sneller te ademen. Hij passeerde mensen. Hij wilde niet dat er gewonden zouden vallen. Hij moest zijn achtervolgers uit de buurt van Convey houden.

Hij rende tot halverwege een trap, en plotseling dook een van de mannen voor hem op, onder aan de overloop. Hij keek om en voelde even de paniek opkomen. De andere man was achter en boven hem. Hij reikte naar zijn pistool, maar zij hadden hun wapens al getrokken. Hij zat klem. Klem tussen de beide wapens.

'Halt, Hammond. Geen stap verder. Haal je hand uit je jas. Langzaam. Gehoorzaam. Dan blijf je misschien in leven.' Eindelijk hoorde Hammond een Russisch accent.

25

'Ik weet het nu zeker. Jeffrey Hammond móét de mol zijn.'
Het enorme, architectonische monster van het J. Edgar Hoover-gebouw beheerste het hele uitzicht vanuit het kantoor van staatssecretaris van justitie Donald Chen. Het hoofdkwartier van de FBI aan Pennsylvania Avenue telde zes verdiepingen van wat een betonnen muur vol kogelgaten leek, maar de achtergevel aan E Street leek nog hoger en was nog lelijker – een tien verdiepingen tellende bultenaar, de misvormde Quasimodo van Washington.
Vandaag was Chen als een dandy gekleed in een antracietgrijs pak van Brooks Brothers, elegant op maat gesneden voor zijn korte, gezette gestalte. Zijn zwarte haar zat in de gebruikelijke kaarsrechte zijscheiding, maar zijn ronde boeddhagezicht vertoonde geen glimlach. Hij staarde uit zijn raam naar het FBI-gebouw alsof hij de mol daar zag schuilen, een gevaarlijk bijproduct van het groteske gebouw zelf en van de nog veel gevaarlijker en groteskere koude oorlog.
'Hoe zeker ben je van je zaak, Eli?' vroeg Chen.
'Laten we zeggen, één stap van het absolute bewijs af?' zei Eli Kirkhart. Zijn buldoggezicht stond al even ernstig als dat van Chen. Hij leek vandaag nog gespierder in zijn donkerblauwe pak. Hij leunde achterover in de fauteuil die in Chens kantoor voor bezoek was gereserveerd. Hij voelde zich triomfantelijk en breedsprakig, een ongewoon verschijnsel voor hem, vooral gezien zijn Engelse neigingen. 'Het duurt niet lang meer,' vertelde hij. 'Hoogstens nog een paar dagen.'
'Ik weet het niet, Eli. Het klinkt alsof er nog een grote stap ontbreekt.'
Kirkhart haalde zijn schouders op. 'Heb nou een beetje vertrouwen in me, en schort je oordeel op totdat je het hele verhaal hebt gehoord.'
'Vertel maar. Ik luister.'
'Afgelopen woensdag ben ik hem gevolgd. Hij nam de benen naar

Stone Point, een dorpje in de van God verlaten bergen van West Virginia. Toen ik daar aankwam, was hij zoals gebruikelijk, weer eens aan het rondvragen naar Aleksej Berianov, zodat hij die aan de tand kon voelen voor die reeks artikelen van hem. En plotseling werd hij door onze mensen gearresteerd wegens de dubbele moord op twee jongeren uit het dorp. In dat stadium kon ik mezelf moeilijk blootgeven, want dan hadden ze gevraagd wat ik in godsnaam in dat bespottelijke gehucht te zoeken had. Dus ben ik achter ze aan gereden toen ze Hammond midden in de nacht terugbrachten naar Washington. Ze gingen naar een superbeveiligd opvanghuis in Adams Morgan, een huis waar ik niets van wist. Tot mijn verbazing moet ik zeggen, want meestal word ik wel op de hoogte gehouden van dergelijke ontwikkelingen.'

Chen vouwde zijn handen voor zijn omvangrijke buik. 'Waarom wist je er ditmaal dan niets van?'

'Dat kon ik onder de gegeven omstandigheden moeilijk vragen. Ik neem aan dat dit opvanghuis bijzonder nieuw is, of – dat lijkt me waarschijnlijker – dat het extra geheim is en dat alleen de directeur en misschien een paar hoge omes ervan weten. Met andere woorden, waarschijnlijk zijn alleen Hammonds geheime bazen binnen de FBI ervan op de hoogte.'

Chen draaide zijn stoel om. Hij keek uit het andere raam, dat uitzicht bood op de hoek van Ninth Street en Pennsylvania Avenue en het marine-gedenkteken, waar binnenkort de zomerconcerten zouden beginnen. 'Ik zie niet in hoe dat zou moeten bewijzen dat hij undercover is...'

'Hij is ontsnapt.'

'Ontsnapt?' Chen draaide snel terug om Kirkhart aan te staren. 'Hammond? Uit een opvanghuis?'

'Glad als een aal. Spoorloos verdwenen.' Kirkhart legde uit hoe dat in zijn werk gegaan was.

'God nog aan toe. Hoe wist hij dat er onder het huis een vluchtroute lag?'

'Tja,' knikte Kirkhart. 'Inderdaad. Hoe wist hij dat? Er is maar één logische verklaring: hij moet geweten hebben waarnaar hij moest zoeken voordat hij daar kwam. Een geheim teken, een zichtbaar signaal. Jij weet evengoed als ik dat afgesproken signalen standaardpraktijk zijn bij politie- en overheidsinstanties die met undercoveragenten werken. Bovendien hoorde ik van Graham dat die ondergrondse route kennelijk kortgeleden was aangelegd, en dat er zelfs een gloednieuwe zaklantaarn lag met Hammonds vingerafdrukken erop. Alléén die van Hammond, hoewel niemand hem een lantaarn had gegeven. Die moet daar dus voor hem klaargelegen hebben. Dat is wel iets te makkelijk allemaal. Iemand die dat huis in kon moet de hele zaak in het geheim geregeld hebben. Ja, Hammond is beslist undercover, en hij werkt nog steeds voor de FBI.'

Chen beet op zijn lip terwijl hij nadacht over alle mogelijke gevolgen. 'Inderdaad, tenzij Hammond vóór de mol werkt, en de mol die ontsnapping voor hem geregeld heeft.'

'Onmogelijk,' zei Eli met grote nadruk. 'Een diepe mol zou nooit zo'n risico nemen. Voor een diepe mol is iedereen vervangbaar. Móét iedereen vervangbaar zijn, anders zou hij niet lang genoeg werken of zelfs maar in leven blijven. Vrienden, vrouwen, kinderen. Als iemand anders de mol was, hing Hammond intussen.'

'En die kwestie van die dubbele moord? Zit Hammond daarachter?'

'Dat weet ik niet zeker, maar het zou me niets verbazen als ook dat in scène gezet was. Waarschijnlijk heeft iemand anders het gedaan, maar zag Hammonds mentor dit als de ideale kans om te doen alsof hij de dader was. Ik heb gehoord dat er enig bewijs is dat de moord eerder plaatsvond dan gemeld is, en dat betekent dat iemand tijd heeft gecreëerd, zodat Hammond naar Stone Point kon komen om de schuld te krijgen van de moord.'

'Waarom zou de FBI in godsnaam zoiets doen?'

'Misschien hadden ze een kritieke missie voor Hammond, ergens in een gevangenis. Dat ligt voor de hand: schilder Hammond af als een gemene, akelige moordenaar en boeienkoning en stop hem dan in de cel bij iemand die informatie heeft waarop ze nog niet de hand hebben kunnen leggen. Daarna kunnen ze dan gewoon gaan zitten wachten tot Hammond het vertrouwen van die vent gewonnen heeft.'

'Dat is weleens eerder gedaan, en met succes,' gaf Chen toe. Daarna dacht hij verder. 'Oké, we nemen dus aan dat Hammond nog voor de FBI werkt. Maar tien jaar – en onder het directoraat van drie opeenvolgende directeuren – dat is wel heel lang om undercover te blijven. Klinkt verdacht, vind ik. Op z'n best een krankzinnig plan.' Hij schudde zijn hoofd en concludeerde onwillig: 'Ik ben er nog steeds niet van overtuigd dat Hammond de mol is.'

Kirkhart haalde een notitieboekje uit de zak van zijn colbert. 'Voordat ik naar Stone Point ging, zag ik Hammond bij het *Washington Post*-gebouw, met een vrouw. Ze liepen op straat te praten. Behoorlijk serieus, zo te zien. Toen hij weer naar binnen ging reed zij weg, maar maakte rechtsomkeert en bleef in haar auto bij het gebouw posten. Toen Hammond de garage uitkwam, ging zij achter hem aan. Uiteraard was ik benieuwd waarheen.'

'Uiteraard. Ga verder.'

'Ik noteerde haar kenteken en liet haar natrekken door mijn mensen.' Hij sloeg het boekje open. 'Elizabeth "Beth" Convey. Vooraanstaand jurist bij Edwards & Bonnett. Ik heb wat rondgespit. Vorig jaar heeft ze er een scheidingszaak met een inzet van miljarden dollars gewonnen voor een rijke zakenvrouw, Michelle Philmalee. Daarbij kreeg mevrouw Philmalee de Philmalee Group in handen. Nu ziet het ernaar uit dat een van de bedrijven binnen die groep – Philmalee International – een contract ter waarde van zowat vijfhonderd miljoen dollar heeft voor bemiddeling in de verkoop van niet-verrijkt uranium aan Rusland. Maar het Russische bedrijf, Uridium, heeft zich teruggetrokken. Dus heeft Philmalee Uridium aangeklaagd wegens contractbreuk. Maar er is nóg een bedrijf, en dat...'

'HanTech,' onderbrak Chen hoofdknikkend. 'Dat is het andere bedrijf. Bijzonder interessant. Die deal maakt deel uit van een overheidsproject om verrijkt uranium aan Ruslands wapenarsenaal te onttrekken. Het zwaar verrijkte uranium wordt vermengd tot onschuldige brandstof voor kerncentrales en in ruil daarvoor geven wij Rusland geld en niet-verrijkt uranium. Uridium staat onder leiding van het Russische ministerie van atoomenergie.'

'Minatom.' Kirkhart floot even. 'En Uridium. Aha... een mol zou bijzonder graag onze kant van zo'n transactie in de gaten houden. Onze regering zal natuurlijk nooit alles aan een Russische instantie of functionaris vertellen als we proberen de nucleaire capaciteiten van hun land te manipuleren. Om zowel economische als militaire redenen zouden ze maar al te graag hun klauwen slaan in wat wij achterhouden.'

'Precies.' Chen stond op. 'En jij zegt dat die Beth Convey jurist is voor Philmalee en dat ze met Hammond sprak en hem schaduwde?'

'Dat heb ik gezien, ja.'

'Ze verdenkt hem. Of ze is om andere redenen bezorgd om hem. Misschien heb je inderdaad iets belangrijks te pakken.' Chen ging op weg naar de deur. 'Kom mee.'

'Waarheen?'

'Taurino's kantoor.'

Onder de strenge blik van opperrechter John Marshall leunde Millicent Taurino tegen haar bureau en keek met een grimas naar een eindeloze, veel te uitgebreid beschreven analyse van een zaak voor het Hooggerechtshof. Het document was voorbereid voor de minister, maar was naar haar doorgeschoven met de smoes dat hij uiterst dringend moest verschijnen voor het negende circuit in San Francisco. In waarheid vond de minister dit soort eindeloze analyses saai. De procureur-generaal had vandaag donkerpaars gelakte vingernagels en een lichtpaars mantelpakje. Haar rode paardenstaart was laag in haar nek vastgemaakt. Ze keek bijna suïcidaal toen Donald Chen haar kantoor binnen stormde, met *special agent* Eli Kirkhart in zijn kielzog.

'Baas, volgens mij heeft Eli ditmaal een tijdbom ontdekt.'

Deze ene keer was Millicent Taurino dankbaar voor de manier waarop haar ondergeschikte het protocol met voeten trad, hoewel ze niet van plan was hem dat te laten merken. Ondanks haar blijdschap dat ze zich voorlopig niet hoefde bezig te houden met de saaie analyse, moest ze haar best doen om een sterker gevoel van eerbied jegens haar ambt te activeren. Bovendien moest ze haar messcherpe, keiharde imago in stand houden.

Dus zei ze: 'Donald, wat is er zo problematisch? Waarom kun jij niet gewoon kloppen als je ziet dat de deur dicht zit? Komt dat doordat je knokkels niet geschikt zijn voor aankloppen? Weet je niet hoe hard je moet kloppen? Ben je bang dat je jezelf of de deur bezeert?'

Chen grijnsde. 'Sorry, Millicent. Ik denk dat ik gewoon té enthousiast was in mijn verlangen om jou te dienen.'

Taurino lachte. Daar ging haar befaamde despotisme. 'Ga zitten, Donald. Jij ook, Kirkhart. Wat is er met die tijdbom? Ik neem aan dat er ontwikkelingen zijn inzake onze mol?'

'Dat kun je wel zeggen,' beaamde Chen stralend. 'Vertel het maar, Eli. Alles. Van begin tot einde.'

Kirkhart deed het hele verhaal – hoe hij Beth Convey samen met Hammond had gezien, hoe hij Hammond naar Stone Point was gevolgd, hem had zien arresteren door Chuck Graham en zijn team, en hoe hij was ontsnapt uit het opvanghuis.

Taurino begreep het meteen. Bedachtzaam wreef ze over de vlindertatoeage in haar nek. 'Hij had dus een signaal gekregen voor het geval hij in handen viel van agenten die niet konden weten dat hij in feite nog voor de FBI werkte, maar dan undercover. Mooi werk, *special agent* Kirkhart. Maar niets van dit alles bewijst dat hij onze alomtegenwoordige mol is.'

'Misschien niet, Millicent,' zei Chen. 'Vertel haar over Minatom, Eli.'

'Minatom?' Bij de naam van die belangrijke Russische instelling spitste Taurino haar oren.

'Jazeker, mevrouw,' bevestigde Eli. Hij legde het verband uit tussen Beth Convey, Philmalee International, Uridium, HanTech en de bespreking tussen Jeff Hammond en Convey waarvan hij getuige was geweest.

De procureur-generaal liep langzaam terug naar haar bureau. 'En die Convey werkt hier als jurist?'

'Bij een heel dure firma. Edwards & Bonnett. De piranha's van Zach Housley.'

Maar Taurino luisterde al niet meer; ze was in haar eigen gedachten verzonken. Ze ging achter haar bureau zitten alsof ze op de automatische piloot vloog, zich amper bewust van de stoel, het bureau, het kantoor, of van wat dan ook. Haar stem klonk afgemeten en zwaar van bezorgdheid toen ze sprak. 'We hebben dat project uiteraard in de gaten gehouden, omdat het voor onze belangen essentieel is dat het nucleaire gevaar voor ons land verkleind wordt. Maar de afgelopen paar dagen heeft de NSA twee verontrustende zaken ontdekt. Bijzonder verontrustend zelfs.' Ze stopte, alsof ze overwoog of ze wel verder moest gaan.

'Wat voor situaties?' vroeg Eli Kirkhart botweg. 'Kan de mol daarmee te maken hebben?'

'Dat vroeg ik me nou net af.' Taurino wendde haar gezicht naar de agent, nog steeds niet zeker van haar zaak. Uiteindelijk ademde ze langzaam uit en staarde ze naar het strenge gezicht van John Marshall. 'Ten eerste lijkt het mogelijk dat HanTech op last van Uridium heel wat meer doet dan toezicht houden op de verkoop van uranium. Het schijnt dat ze verrijkt uranium opkopen van derdewereldlanden als Irak en Libië, landen die het spul in de jaren negentig van Rusland hebben gekocht, toen het Kremlin zoals gebruikelijk om geld zat te springen. NSA heeft bewijzen dat HanTech, de rivaal van Philmalee International, dat uranium terugstuurt naar Rusland.'

Chen vloekte. 'Maar dat is volkomen illegaal! En bovendien levensgevaarlijk. Waarom zou een van onze eigen bedrijven zoiets doen? En waarom verkoopt Rusland uranium aan ons om de eigen voorraad te verminderen en datzelfde spul vervolgens op te kopen uit derdewereldlanden?'

'Inderdaad,' stemde Taurino in. 'Waarom?'

'Is het mogelijk dat de ene groep Russen het een doet, en een andere groep het ander?' vroeg Kirkhart. 'Misschien weet de linkerhand niet wat de rechter doet.'

Taurino knikte. 'Dat kan.'

'Wat is de tweede complicatie, Millicent?' informeerde Chen.

'Philmalee International heeft vandaag een beëdigde verklaring afgegeven waarin wordt gesteld dat HanTech tegenwoordig in handen is van een groep voormalige sovjetingezetenen, immigranten en mensen die naar Amerika zijn overgelopen.'

De stilte in het kantoor was als een vacuüm na een enorme explosie. Geen van drieën zei iets. Na enige tijd wist Eli Kirkhart uit te brengen: 'Onze mol kan bijzonder nuttig zijn geweest bij die hele transactie. Misschien heeft hij inside-information doorgesluisd naar Uridium of Minatom, waardoor de overname en de overstap naar HanTech werden vergemakkelijkt.'

'Zoiets zat ik ook te denken,' beaamde Taurino. 'Meneer Kirkhart, ga op zoek naar die Hammond, waar hij ook is, en verlies hem niet meer uit het oog. Meld al zijn activiteiten. Begrepen?'

'Jazeker.'

Donald Chen stelde voor: 'Misschien moeten we ook Stone Point laten natrekken door de NSA. We moeten weten of Hammond daarheen ging om een reden die wij nog niet kennen, en of hij die jongelui inderdaad heeft vermoord. En wie het waren – en wat ze deden om de belangstelling van een mol te trekken, als dat zo was.'

Millicent Taurino knikte en reikte naar haar telefoon. 'Abby? Wil je Cabot Lowell in het Pentagon voor me bellen?'

26

Beth had het gevoel dat het tijden geleden was sinds ze voor het laatst probleemloos het verschil tussen goed en kwaad had kunnen aangeven. Maar in feite was ze daar tot afgelopen dinsdag zeker van geweest. Dat was nog maar drie dagen geleden. Toen had ze Meteor Express gebeld, had ze het Russische accent gehoord en had ze zich onwetend op een reis begeven die met iedere stap meer van de structuur van haar zorgvuldig opgebouwde leven aan flarden scheurde. En nu stond ze alweer tegenover een stopbord op haar reis: Jeffrey Hammond. Vertelde hij de waarheid?

Terwijl ze met haar hand aan de portierhendel en met half afgewend lichaam op de stoep naast de gehavende stationwagen stond, was ze in gedachten al op weg naar de dichtstbijzijnde telefooncel om het alarmnummer te draaien... maar er was iets in haar dat haar tegenhield.

Vroeger had ze zonder inspanning haar beslissingen kunnen nemen. Maar ze begon ook te beseffen dat ze te weinig informatie had om tot een besluit te komen. Ze staarde nog even naar de stationwagen en probeerde te beslissen. Op dat moment viel haar blik op de zwarte dozen op de vloer voor de rechterstoel. Ze fronste haar voorhoofd, stapte weer in de auto, vergrendelde het portier en haalde het deksel van de zwarte doos het dichtst bij het stuur.

Wat ze daar zag, verbaasde haar: bovenop lag een make-uplade met een groot aantal foundations, wenkbrauwpotloden, mascara's, camouflagestiften, crèmes, poederdonzen, kwasten en sponsjes. Een klein doosje bevatte twee stel contactlenzen: blauwe en groene. Met dagend begrip tilde ze de lade op. Daaronder zaten brillen met gewoon vensterglas, latex handschoenen, vloeibare latex, een pruik, wit haarpoeder en het soort huidkleurige was waarmee acteurs de vorm van hun neus veranderen. Ook lag er een lege fles van dun glas, ingepakt in piepschuim. Als ze mocht aannemen dat dit de doos van de moordenaar was, bleek wel dat hij verslingerd was aan vermommingen. En gezien zijn uitgebreide collectie moest hij daar ook bijzonder goed in zijn.

Met een knikje opende ze de volgende kist. Die was lang en smal. Er zaten stukken schuimrubber in, waarin uithollingen waren uitgespaard. Aan de vorm was te zien dat deze openingen bedoeld waren voor onderdelen van een geweer, en dat leek haar logisch. Het was intelligent om een moordwapen in aparte delen te vervoeren, beveiligd en onzichtbaar. Ze pakte het geweer dat Hammond bij zich had gehad. Het zag eruit alsof het, wanneer het uiteengenomen was, in de holtes paste. Interessant, dacht ze met een zuinig glimlachje – dit was niet Hammonds auto en dit waren niet zijn zwarte kisten.

Ze deed het deksel terug op de kist en opende de laatste doos, die hoog en rechthoekig was. Wat ze daar zag, bracht alle dood en verdriet van de afgelopen dagen weer boven: hier lagen nog meer gereedschappen voor het werk van de moordenaar: drie uitzonderlijk scherpe werpmessen met verschillende lemmetlengtes, ammunitieclips, flesjes chemicaliën, een injectiespuit en naalden en nog wat andere kleine zaken.

Verder lag er een kladblok. Op het bovenste blaadje waren woorden in cyrillische letters geschreven. Daartussen stonden cijfers. Met bonzend hart staarde ze naar het nummer van haar huisadres. En toen zag ze dat van Stephanie Smith. De dode man had niet alleen geweten waar zij woonde, maar ook waar Stephanie had gewoond... Hoe, en waarom, was hij achter Stephanies adres gekomen? Niemand kon weten dat zij gisteravond naar Stephanie was gegaan... tenzij iemand haar gevolgd was. Bijvoorbeeld de man die ze zojuist doodgeschoten had.

Met een onbehaaglijk, maar tegelijkertijd opgelucht gevoel zocht ze verder in de tas, totdat ze iets vond wat op een kap met een elektronische ontsteking en een zekering leek. Ze bestudeerde het geval. Op de een of andere manier was het belangrijk. Als ze nou kon uitvissen hoe en waarom... Ze dacht terug aan de dunne glazen fles in de eerste kist, en opende die weer. De kap paste precies, en ze zag dat het glas een vreemde kleur had. Ze keek nog eens en zag dat het glas vol zat met kleine metalen draadjes, die allemaal uitkwamen in een soort metalen kraag in de flessenhals, precies daar waar de ontstekingskap en de zekering pasten. Het was een circuit. Als het glas brak, ging er een elektronisch signaal naar de kap, en dan ontplofte die.

Toen ze twaalf jaar oud was, had haar vader haar voor het eerst meegenomen naar een schietbaan. Hoewel ze maandenlang in haar eentje was teruggekeerd om te oefenen, was ze nooit een goede schutter geworden. Maar de ervaring had haar wel een zekere belangstelling bijgebracht voor vuurwapens en ammunitie, die haar vele jaren later bij rechtszaken goed van pas was gekomen. Met die kennis, in combinatie met haar propedeuse in wereldgeschiedenis, wist ze dat een van de goedkoopste, betrouwbaarste en gemakkelijkst te maken wapens in de Finse strijd tegen de Russische agressors – en in de meeste oorlogen sindsdien – de molotovcocktail was. Het was nog steeds overal ter wereld een populair guerrillawapen. De glazen fles... de kap met de ontsteking... plus benzine uit een autotank ... dit was in feite een geavanceerde molotovcocktail. Hiermee kon je een hel scheppen die een auto tot een laaiend wrak zou maken, als je goed richtte. Een klein Fordje zoals dat van Stephanie zou zeker in brand vliegen.

Ze knikte somber. De bestuurder van deze auto bezat alle lugubere gereedschappen die een huurmoordenaar nodig had. Dit was iemand die Stephanies dood kon hebben gepland en uitgevoerd. Daarbij had hij een geweerkist, en degene die van tussen de bomen aan de overkant van de straat op haar geschoten had, moest dat met een geweer gedaan hebben, niet met een pistool, want een geweer was veel doeltreffender op lange afstand.

Maar moordenaars verdienden veel geld. Waarom zou hij in zo'n oude bak rondrijden? Tenzij hij die had gestolen om zijn identiteit te verhullen. Dat zou ook de mysterieuze zwarte bestelwagen van de vorige avond verklaren. Waarschijnlijk ook gestolen, en misschien wel door de eigenaar van deze drie zwarte kisten. Als de man die zij had gedood degene was die Joerimengri had vermoord en die haar al die tijd geschaduwd had, dan had Hammond misschien de waarheid verteld over haar en over het feit dat hij in West Virginia in een hinderlaag was gelopen.

Ze deed de kisten dicht en bleef even zitten nadenken. Ze keek naar het verkeer en naar de voetgangers die over het zonbeschenen trottoir liepen. Ze voelde haar wangen rood kleuren toen ze over de situatie nadacht. Als ze ervandoor ging, zou ze er nooit achter komen wat dit allemaal te betekenen had. Dan zou ze misschien nooit veilig zijn.

En toch was ze nog steeds niet overtuigd van Hammonds onschuld. Kon ze het erop wagen en hem het voordeel van de twijfel gunnen? Haar leven riskeren en afgaan op haar oordeel inzake iets dat ze nog nooit had meegemaakt, een situatie waarvoor ze niet was getraind en waarin ze geen ervaring had?

Ze haalde diep adem en keek weer naar de zwarte kisten. Toen ze over de inhoud nadacht, wist ze wat haar antwoord was: ja, ze moest Hammond een kans geven, althans voorlopig. Plotseling bezorgd keek ze op haar horloge. Waar zat hij? Hij bleef veel te lang weg.

In het koele, overschaduwde trappenhuis van Watergate, waar Jeff Hammonds hand op weg ging naar zijn jasje om zijn pistool te pakken, leken de Russische orders nog in de lucht te hangen: *Halt, Hammond... haal je hand uit je jasje...* Roerloos keek Hammond naar hem op. Meteen herkende hij het lange gezicht en de donkere wenkbrauwen van de man in de pick-up die vorig jaar op de ringweg achter hem gereden had. Maar daar had hij momenteel niet veel aan, want Hammond zat tussen twee vuren, tussen een gewapende man boven aan de cementen trap en een tweede onderaan. De zwaartekracht was het enige dat in zijn voordeel werkte.

Terwijl het verkeer onzichtbaar voortraasde over de straat boven hen, liep er op de stoep een voetganger voorbij die zonder belangstelling omlaag staarde, even aarzelde en schrok. In paniek ging hij ervandoor, net op het moment dat Hammond deed alsof hij gehoorzaamde. Met een onschuldige glimlach haalde hij zijn hand uit zijn jasje. 'Sorry.'

Even zag hij het stel ontspannen. Op dat moment rende hij de trap af. De man bovenaan herstelde zich het eerst en schoot. *Pop!* Vanwege de geluiddemper klonk het schot minder hard dan verwacht. Er spatten betonsplinters op naast Hammonds rechterbeen. Maar voordat de man nogmaals kon vuren, had Jeff de man onder aan de trap al geraakt. Hij herstelde zijn evenwicht, trok de man met een ruk voor zich en gebruikte hem als schild.

De man bovenaan kon niet meer vuren omdat hij dan zijn partner kon raken. '*Ladno, zaloepa,*' gaf hij toe. Oké, eikel. Hij rende omlaag en probeerde Hammond op de korrel te nemen.

Op datzelfde moment verscheen Beth Convey boven aan de trap. Even leek de tijd stil te staan. Hammond keek geboeid naar het kille gezicht, de uitstekende jukbeenderen, de woedende ogen binnen de omlijsting van dat verwarde, witblonde haar. Hij keek haar aan en plotseling kreeg hij het gevoel dat er iets essentieels aan haar veranderd was.

Ze beantwoordde zijn blik en besloot dat ze het verkeerd gezien had. Hij verkeerde opnieuw in gevaar, net als zij nog maar kort tevoren. Hij verdedigde zich, net als zij had moeten doen. Een inwendige stem eiste dat ze haar juristenvoorzichtigheid opzij zette.

Dat ze niet zo achterdochtig moest zijn over andermans motieven. Dat ze het idee moest opgeven dat ze alles altijd maar begrijpen moest. Dat harde feiten altijd het antwoord vormden. Toch wist ze dat ze hem geloofde. Vanaf het begin had ze gevoeld dat hij een kern van integriteit bezat waarvoor ze bewondering had. Meer nog: dat ze hem vanaf het begin had willen vertrouwen.

Ze dook de trap af. De afdalende aanvaller moest haar gehoord hebben, want hij draaide zich om en keek omhoog. Ze overrompelde hem, schopte zijn pistool weg en trapte met een karateschop naar zijn hoofd.

Het gebeurde allemaal binnen enkele seconden, maar de man die Hammond als schild voor zich had gehouden, maakte gebruik van Hammonds verslapte aandacht en smeet zijn armen omhoog, verbrak Hammonds greep en draaide zich razendsnel om. Hammond reageerde meteen. Hij ramde zijn vuist in de ribbenkast van de man, net op het moment dat er een tweede, fluisterend schot klonk. De ogen van de man schoten wijd open van verbazing en hij viel achterwaarts tegen de metalen trapleuning, kantelde daar overheen en landde bewusteloos op zijn gezicht.

Van boven schreeuwde een vrouw: 'Ophouden, meneer Hammond! U ook, mevrouw Convey. Nu!' Ditmaal geen Russisch accent.

Een paar treden hoger maakte Beth een schijnbeweging toen de tweede aanvaller weer naar haar toe kwam. Boven hen zag Hammond de vrouwelijke 'toerist' staan uit het Kennedy-centrum, de vrouw die het gebouw in verdwenen was terwijl haar mannelijke partner achter Hammond aan ging. Koelbloedig en met vaste hand richtte ze haar Walther op Hammond en Beth Convey terwijl ze de trap afdaalde.

Hammond greep naar zijn Beretta, maar het pistool van de vrouw spuwde een geluidloze kogel vlak langs zijn oor. 'Laat vallen!' beval ze. 'Ophouden, mevrouw Convey, of ik schiet.'

Ze stond nog maar twee treden boven Convey. Hammond zag een angstige blik op Beth Conveys gezicht verschijnen. Maar dat duurde maar even. Toen trapte ze naar de kaak van de tweede man, zodat die met gespreide armen en benen tegen de grijsbetonnen treden sloeg en tegen de benen van de vrouw viel. De vrouw struikelde. Razendsnel greep Beth haar Walther en richtte hem op de vrouw. Op dat moment maakte zich een levensgroot verlangen van haar meester om opnieuw te schieten. Te doden. Ze aarzelde een paar seconden en zag zichzelf weer bij de stationwagen staan, bezig Hammonds pistool leeg te schieten op de sluipschutter. Ze had haar zelfbeheersing verloren. Ze wist dat ze had moeten schieten, dat hij haar anders vermoord zou hebben. Maar ze was te ver gegaan: ze had geen rationele, maar een volslagen onberedeneerde daad gepleegd door al haar kogels op hem af te vuren en daar nog van te genieten ook, door te genieten van het feit dat ze hem kon doden. Ze bestond nu uit twee delen: een oud deel en een nieuw, dat tegen het oude deel vocht en van geweld hield, daar een vulkanische bevrijding in vond. En op dat moment, als leven dood werd, kwam haar nieuwe deel pas echt tot leven. Als een knagende honger eiste het dat ze opnieuw doodde. Nú.

Ze onderdrukte een huivering, terwijl ze weerstand bood aan die gebiedende stem. Het deed er niet langer toe of dit haar nieuwe hart was of een primitief deel van haar dat ze nooit eerder verkend had. Niets deed er momenteel toe, behalve de vraag wie zij in werkelijkheid was. En zij was geen moordenaar. Dat wilde ze beslist niet zijn. *Dit is het dan, hart. Ik ga niet moorden om jou tevreden te stellen. Jij zult met mij moeten leren leven, niet andersom.*

Maar toen ze naar de vrouw aan haar voeten keek, die omhoog staarde naar het pistool, voelde Beth de twijfel opkomen. Zo'n belofte was gemakkelijk gemaakt, maar kon ze haar ook houden? Het probleem was dat deze vrouw een gevaar vormde dat zij moest elimineren. Waarschijnlijk was ook deze vrouw in staat te doden. Het zweet stroomde van de wangen van de vrouw, en in haar voorhoofd klopte een ader. Haar gezicht met het brede voorhoofd stond boos en... bang. Ze had in Beth iets herkend dat haar angst aanjoeg, net als de mensen bij Renae Trucking.

In de verte begon zwak een sirene te loeien, en Beth begreep dat ze snel iets moest doen. Ze moest een beslissing nemen, en wel nu. 'Jij gaat eraan. Maar niet door mijn toedoen.' Beth trapte net hard genoeg tegen de kaak van de vrouw. Haar hoofd klapte achterover en ze verslapte, bewusteloos. Beth draaide zich om.

Hammond, die de man onder aan de trap aan het fouilleren was, keek naar haar op met mededogen in zijn donkere ogen. 'Je had haar kunnen doodschieten. Je wilde het.'

Zijn sympathie verraste haar. 'Ja. Maar nu kun je ze allemaal ondervragen.'

'Attent van je.' Hij had bewondering voor de manier waarop ze de zaak afgehandeld had, en wat haar ook eerder had dwarsgezeten, het leek voorlopig verdwenen. Beth was een eigenaardige vrouw, veel complexer dan hij gewend was. 'Dus je bent er niet vandoor gegaan. Ik dacht dat je wel weg zou zijn tegen de tijd dat ik terugkwam, gezien je overtuiging dat ik een bloeddorstige moordenaar ben.'

'Ben je dat dan niet? Blij dat je het zegt.'

'Precies.' Hij wierp haar een onderzoekende blik toe en ging door met het doorzoeken van de zakken van de andere mannen.

'Je moet maar eens kijken wat ik in die zwarte kisten in de stationwagen heb gevonden,' vervolgde ze. 'Bijzonder interessant. Heel wat beter dan wat we hier hebben.' Ze inspecteerde de spullen die hij uit de zakken van hun tegenstanders had gehaald en op de trap gelegd. Geen rijbewijzen, paspoorten, creditcards, niets met de naam van de overmeesterde aanvallers.

'We nemen de vrouw,' besloot hij. 'Die is het lichtst. Zodra ze bijkomt...'

En op dat moment floot er nog een geluidloze kogel over hun hoofden heen. Hij veerde overeind van de spanning, en met een van zijn gespierde armen smeet hij Convey op de grond voordat hij zich liet vallen. Hij richtte zijn pistool op de onderste overloop, maar daar was niemand te zien.

'Hé,' beklaagde ze zich. Ze was in foetushouding neergekomen en lag tegen de zijkant van de trap aan, helemaal opgerold en gespannen. De pijn schoot weer door haar heen en een verbijsterde seconde lang voelde ze zich als verlamd.

Hij keek even naar haar. Haar gezicht stond razend. Bezorgd keek hij naar de overloop. Hij wachtte op het volgende schot. De bewusteloze vrouw kreunde. De man onder aan de trap begon te bewegen. Het drietal kon ieder moment bijkomen. Op de achtergrond jankten de sirenes al dichterbij. Hij greep het pistool van de man die het dichtst bij hem lag, zodat hij nu twee wapens had. Het andere, het wapen van de aanvaller die als een slordige baal onder aan de trap lag, lag naast hem, vlak bij zijn verslapte hand. De man trok weer even met zijn ledematen. Hij was langzaam aan het bijkomen.

'We moeten hier weg,' zei Hammond. 'Verdomme...'

'Weet ik. Je wilde de vrouw mee, zodat we haar aan de tand kunnen voelen.'

Het woordje *we* beviel hem wel. Snel zei hij: 'Professionals die bezig zijn met een achtervolging, werken meestal in paren. We hebben er hier drie. Nummer vier was ergens daarbuiten. Dat was ik even vergeten. En nu denkt hij dat hij ons te pakken heeft. Ik hou hem tegen.' Hij gooide haar de sleutels toe. 'Haal de auto. De vrouw kunnen we niet meenemen.'

Ze ving de sleutelring op, die in haar handpalm stak. Even was ze in de verleiding om te zeggen dat hij die rotauto zelf maar moest halen. Toen haalde ze haar schouders op. 'Ben zo terug.'

Hij knikte, zijn aandacht al beneden. Hij wachtte op een wapen, een hand, iets dat in zicht moest komen. Hij hoorde haar weggaan, lichte voetstappen op de cementen trap. Ze liep soepel. Maar de man beneden moest het ook gehoord hebben. Pijlsnel liet hij zich naar de andere kant rollen en er klonken twee schoten – hoog, niet op hem maar op Convey gericht.

Hammond schoot terug, maar miste. Maar hij had tenminste voorkomen dat de man nog een schot afvuurde. Toen hij over zijn schouder keek, was Convey verdwenen en lag er geen bloed op de trap. Net op dat moment floot er weer een kogel langs zijn hoofd. De bewusteloze man onder aan de trap was bijgekomen. Zijn grauwe gezicht was vertrokken van woede en hij hield het pistool in een trillende hand. Een geladen wapen in een onvaste hand kon dodelijk zijn, en nu werd Hammond beschoten door twee mannen. De man en de laatste vrouw konden ook zo bijkomen. Het zag er niet goed uit.

Toen de man beneden een nieuwe kogel afvuurde, dook Hammond weg. Convey moest intussen in de auto zitten en op weg zijn om hem op te halen – als ze al kwam. Maar hoe dan ook, het werd tijd om zich uit de voeten te maken. Hij kwam op één knie overeind, vuurde snel terug om de tegenstanders op hun plaats te houden en dook de veilige stoep op. Hij rolde een paar maal om zijn as, kwam overeind, rende meteen weg en zag tot zijn opluchting dat de stationwagen zijn kant uit kwam.

Convey minderde vaart toen ze hem bereikt had. Hij rukte het portier open en sprong naar binnen, terwijl er meer schoten klonken en voetgangers gillend wegdoken. Ze trapte het gaspedaal in en de stationwagen sprong naar voren, bijna over twee hevig geschrokken voetgangers heen, slipte de hoek om en trok recht om brullend verder te rijden.

Ze keek hem even aan. 'Je dacht dat ik niet meer kwam, hè?'

Hij hees zich overeind. 'De gedachte was even bij me opgekomen, ja.'

'Jij moest eens wat beter van vertrouwen worden.' Ze onderdrukte een grijns.

Hammond grinnikte opgelucht. 'Je meent het.' Hij zweeg. 'Eigenaardig... ik ken de plaatselijke Russische gemeenschap aardig goed, maar van deze vier kende ik er maar een, van de keer dat hij me vorig voorjaar aan het schaduwen was. Waar hebben ze dus gezeten? Bij wie hebben ze zich schuilgehouden?'

De stationwagen zinderde van de spanning terwijl Beth verder naar het zuiden reed. Ze hield zich precies aan de maximumsnelheid, want ze had geen zin om nog meer aandacht te trekken. Ze bestudeerde de straat en de trottoirs om te kijken of iemand de roestige stationwagen zag of Hammond herkende. Hij had zijn honkbalpet ver over zijn gezicht getrokken, maar als je goed keek, was hij nog steeds herkenbaar.

Ze praatten. Het leek wel of er plotseling een muur weggevallen was.

'Nu weet je alles over mij,' zei hij. 'En jij? Wat deed jij bij Meteor Express?'

'Dat is een lang verhaal.'

'Begin maar bij het begin. Ik wil alles weten.'

Ze keek hem van opzij aan. 'Je zult het niet geloven. Ik weet niet eens of ik het zelf wel geloof. En natuurlijk is het mogelijk dat ik het helemaal bij het verkeerde einde heb...' Ze beschreef haar dood in het gerechtsgebouw, haar harttransplantatie en alle schijnbare 'cellulaire herinneringen' die daarop gevolgd waren. 'Ken jij deze regels: "Als je liefhebt, heb dan lief zonder reden. Als je dreigt, dreig dan niet zomaar"?'

Hij dacht na. 'Komt me bekend voor. Maar ik kan het niet direct plaatsen.'

'Gezien je achtergrond had ik gehoopt dat jij het zou weten.' Ze zuchtte. 'Volgens mijn arts was het allemaal nonsens.'

'Je denkt niet dat het te maken had met de medicijnen en je nieuwe manier van leven?'

'Niet meer.' Ze vertelde dat ze het telefoonnummer had gedraaid en dat een Russische stem had opgenomen hij wat later Meteor Express bleek te zijn. 'Weet jij wie daar opgenomen kan hebben?'

'Niet meteen. Was dat de reden waarom je die nacht daar was?'

'Ja. Ik heb je al verteld dat ik kolonel Joerimengri aantrof.' Ze sloeg rechtsaf Roosevelt Bridge op, richting Virginia. Het was vrijdagmiddag en niet al te druk op de weg; de grote stroom inwoners van Washington was nog niet op weg naar de weekendhuisjes in het bosrijke Virginia, en het was nog te vroeg voor de massa's toeristen die naar de hoofdstad kwamen voor een weekend theater, concerten, sightseeing en bloeiende kersenbomen.

Hij knikte, maar keek intussen om zich heen, op zijn hoede als hij was voor mogelijke problemen. 'Je zult wel verbaasd geweest zijn toen je erachter kwam dat hij Joerimengri heette, maar ik kan er nog een schepje bovenop doen: zijn vrienden noemden hem Joeri.'

Onder hen lag de Potomac, een brede, metaalgroene rivier, in het zonlicht te glinsteren. Er voer een jacht onder de brug door, de witte zeilen nog opgerold. Geen van de auto's en vrachtwagens in de buurt had enige belangstelling voor het tweetal.

'Fantastisch. Nog een reden om het onmogelijke te geloven – dat ik herinneringen heb geërfd van mijn donor.' Ze aarzelde. 'Wat zei ik daar nou?'

Het klonk hem in de oren als baarlijke nonsens. 'Dat klinkt niet echt geloofwaardig.'

'Mee eens. Maar de laatste tijd hebben we een aantal rotsvaste overtuigingen moeten herzien. Neem nou de genen, waarvan we altijd dachten dat ze statisch waren. Intussen weten we dat ze gewoon rondspringen. Vroeger dachten we dat de grond vastlag. Maar nee. Hij drijft langzaam rond en de continenten dobberen naar elkaar toe en weer van elkaar af. Soorten die we als uitgestorven op de lijst hadden staan, duiken op de raarste plekken op. Weet je nog dat wetenschappers ooit spotten met de gedachte dat maagzweren of hartkwalen worden veroorzaakt door virussen? Vroeger dacht ik dat iets dat ik niet kon zien, proeven of aanraken, niet bestond. Nou, God heeft wraak genomen. Ik leer heel wat bij, tegenwoordig.'

Hij glimlachte. 'Je had alle reden om de zaken weer eens op een rijtje te zetten.'

'Jazeker. Een van de redenen van mijn bestaan is het leren van nederigheid.'

'En heb je dat geleerd?'

'Nou en of. Ik zeg nooit meer nooit.'

Hij keek naar haar profiel. Tijdens het rijden hield ze het verkeer op de brug in de gaten. Haar gezicht stond gespannen, haar ogen waren waakzaam. Onder dat alles lag een intelligentie, een kracht waardoor ze bleef doorvragen, ontevreden als ze was met de antwoorden. Plotseling keerde ze zich met een glimlach naar hem toe. Het leek alsof de winter plotseling voorjaar werd. Ze was beeldschoon. En hij zag iets nieuws in haar – een kinderlijke nieuwsgierigheid en een zekere zelfkritiek die hij betoverend vond.

'Je zit naar me te kijken,' zei ze beschuldigend.

'Ik zit te wachten tot je verder gaat. Je had de moord op kolonel Joerimengri dus gemeld aan de politie van Virginia. En toen?'

Ze vertelde dat ze te laat op het werk teruggekomen was voor de bespreking met Michelle Philmalee.

'Wacht even,' zei hij. 'Wie is dat?'

'Michelle was de cliënt die ik voor de rechter aan het vertegenwoordigen was toen ik die hartaanval kreeg. Daarna moest ik een jaar thuisblijven om te herstellen, en in die tijd hadden ze een andere jurist aangewezen om haar te vertegenwoordigen. Dat was Phil Stageman, de man die je bij mij thuis gezien hebt. Ze werden verliefd op elkaar...'

'Die vent die deed alsof jij z'n eigendom was, dat was het vriendje van jullie allebei?'

'Na elkaar. Mag dat soms niet?'

Hij grinnikte. 'Nee. Maar volgens mij vond jij dat niet leuk. Michelle ook niet.'

'Het komt wel vaker voor dat vrouwen een fraai koppie en een goed stel hersens aanzien voor heel andere menselijke trekjes. Een vergissing die mannen nooit begaan. Hun vergissing is dat ze menen dat benen en borsten de fundamenten zijn voor een langdurige relatie.'

'Die zit.'

Ze glimlachte, maar de glimlach bestierf op haar gezicht. Ineens werd haar keel samengeknepen van angst. 'Er zit een politiewagen achter ons.'

Hammond liet zijn hoofd zakken en keek onder de klep van zijn Orioles-pet achterom. 'Hij kijkt naar ons.'

'Fantastisch.' Ze waren bijna aan het einde van de brug, en daar konden ze kiezen uit een aantal routes. 'Ik heb een idee.' Aangezien ze in een van de middelste banen reden, kon de politie niet zeker weten welke weg zij zou kiezen. Rondom hen was het verkeer vaart aan het minderen bij de aanblik van de politieauto. 'Hij zit nog steeds achter ons aan. Waar wacht hij op? Waarom zet hij zijn zwaailicht niet aan?'

'Vraag en gij zult krijgen,' antwoordde Hammond bezorgd. 'Hij heeft het zojuist aangezet.'

De spanning in de auto steeg toen de politieauto met zwaailicht en sirene steeds dichterbij kwam. Vanuit de andere auto's werd naar hen gestaard. Hammonds gezicht stond strak. Beth voelde zich steeds onzekerder worden, tot haar koele kalmte terugkeerde. Het leek wel of ze weer voor een rechter stond, met een zaak die ze dreigde te verliezen. Of alsof ze aan een onderhandelingstafel zat met de allerergste oligarchen, heerszuchtig en wetteloos. Ze wist hoe ze dit moest aanpakken, hield ze zichzelf voor. Ze wist hoe ze hieruit kon komen.

27

Terwijl de politieauto met gillende sirene aan hun bumper kleefde, sloeg Beth op het allerlaatste moment rechtsaf, tussen een pick-up en een personenauto door. Zo rakelings passeerde ze de wagens, dat ze de zuigende luchtstroom aan de stationwagen voelde trekken. Voordat de politie haar kon volgen, reed ze de brug af. Ze nam Route 50 naar het gedenkteken voor Iwo Jima. Ze schoof tussen twee pick-ups in en minderde vaart. Als het even meezat, was de politiewagen doorgedaverd naar Route 66.

Hammond hield zich vast aan zijn portierhendel. Ze wierp een blik op hem en zag dat hij wit weggetrokken was. 'Een Formule I-racer is er niets bij,' mompelde hij. Hij keek om. 'We zijn hem niet kwijt, maar we hebben minstens een halve kilometer voorsprong.'

Grimmig stuurde ze de auto de drukke straten van Rosslyn in, racete over kruisingen heen tot ze uiteindelijk een bocht nam, en nog een, en terugreed naar Route 50, weer in westelijke richting, weg van het centrum van Washington.

Hammond legde zijn arm over de rugleuning heen en draaide zich weer om. 'De agent is weg. God weet waar hij zit, maar je kunt er donder op zeggen dat hij de politie van Virginia heeft gewaarschuwd. Waar heb jij zo leren rijden?'

'Dat weet ik niet. Misschien heb ik het altijd al in me gehad.'

Hij haalde diep adem. 'We moeten deze stationwagen dumpen. Straks zijn alle politiekorpsen van Richmond tot Baltimore op zoek naar ons.'

'We kunnen iets huren of lenen.'

'Niet lenen. Lijkt me niet verstandig.' Hij beschreef de mensen die zijn appartement, *The Washington Post* en het Kennedy-centrum, waar zijn oom werkte, in de gaten hadden gehouden. 'Ik wil wedden dat al onze vrienden en normale kennissen onder observatie staan. Die mogen we niet in gevaar brengen. En huren is ook vragen om ellende. Dan moeten we een creditcard gebruiken. Die is veel te makkelijk te traceren, niet alleen door de politie, maar door iedereen met het soort connecties dat onze tegenstanders lijken te hebben.'

Beth zweeg. Ze voelde zich bijzonder ongemakkelijk. 'Ik wist wel dat het moordenaars waren. Maar dat er zó'n enorme organisatie achter zat...'

'Wen er maar aan,' zei hij op ruwe toon. 'We zijn nergens veilig. Als we morgenochtend halen hebben we al heel wat bereikt.' In gedachten werkte hij de korte lijst vrienden en familieleden af, op zoek naar iemand die veilig kon zijn. Hij overwoog zijn collega's van *The Washington Post*, maar die paar met wie hij contact had, werden uiteraard ook geschaduwd. Voormalige vriendinnetjes kwamen al helemaal niet in aanmerking. En uiteraard waren de FBI en Bobby Kelsey taboe, tenzij hij het nu wilde opgeven. Hoe dieper het besef doordrong dat hij bijna geen opties had, des te wanhopiger werd hij. Dit was de tol voor het isolement van al die jaren van zijn leven als undercoveragent.

Terwijl ze in westelijke richting verderreden, vertelde ze dat ze ontslag had genomen, naar huis was gegaan om wat zaken op een rijtje te zetten, en dat ze toen naar Stephanie Smith was gegaan om meer te horen over het cellulair geheugen.

Toen ze bij de episode kwam waar Stephanie de macht over het stuur was verloren en de auto in brand vloog, brak haar stem. 'Sorry.'

'Wat moet dat afgrijselijk geweest zijn. Het is een wonder dat je het overleefd hebt.'

Ze knikte zwijgend.

'Maar je moet één ding begrijpen, Beth. Mag ik Beth zeggen? Convey lijkt me intussen een beetje overdreven, hoewel je misschien liever mevróúw Convey hoort. Wat vind je?'

Ze was verbaasd. Wat deed hij formeel. 'Beth is prima.'

'Mooi. Ik ben Jeff. Nu dit duidelijk is, wil ik je een tip geven. Ik heb je verteld dat je niet wist in wat voor wespennest je je gestoken had, maar in feite weet ik dat zelf ook niet. Degene die achter dit alles zit, lijkt me heel wat beter dan de gebruikelijke sukkels die de wet overtreden. Je hebt onvoorstelbaar geboft dat je het er levend afgebracht hebt. Je mag jezelf niet verantwoordelijk houden voor de dood van dr. Smith. Daar zijn de moordenaars verantwoordelijk voor.'

'Dat hou ik mezelf steeds voor.'

Hij knikte. Er kon een gapende kloof liggen tussen rationeel weten en emotioneel voelen. Dus beperkte hij zich tot: 'Ga verder.'

Ze vertelde hoe ze naar huis gegaan was, en dat ze besloten had het adres uit haar nachtmerries op te zoeken.

'En is dat gelukt?'

'Ja, helaas wel. Of gelukkig, het is maar hoe je het ziet.' Ze vertelde dat ze had ingebroken in Aleksej Berianovs huis in Chevy Chase, waar ze zijn kantoor doorzocht had en zijn rekeningen had ontdekt. Plus een aantal kranten- en tijdschriftenartikelen.

'Een rekening van een bedrijf in Stone Point?' Jeff klonk ineens opgewonden. Met een grote hand greep hij haar schoudertas van de achterbank. 'Laat eens kijken wat je gevonden hebt.'

'Kon dat maar. De rekening en de knipsels zijn weg.' Ze beschreef de onbekende die haar had aangevallen en vastgebonden. 'Toen ik bijkwam, had hij mijn touwen losgemaakt en kon ik probleemloos loskomen. Maar blijkbaar heeft hij het knipsel en de rekeningen meegenomen.'

'Raar. Wat stond erin?'

Terwijl ze de enorme doe-het-zelf- en discountwinkels van winkelcentrum Seven Corners voorbijreden, beschreef ze de rekening van het bedrijf in Stone Point. 'En de geadresseerde was ene Caleb Bates.'

'Bates is de eigenaar van een enorm terrein boven Stone Point. Daar heeft hij een jachtclub.' Zijn brede gezicht stond gespannen, een studie in rimpels en vlakken. 'En die advertentie?'

'Die ging over een melkveebedrijf in de buurt van Gettysburg. Er zat een foto bij van een schitterend huis in koloniale stijl.' Ze herhaalde het adres.

Hij overdacht alles wat hij had gehoord over Caleb Bates' jachtclub, de dure omheining die bij de plaatselijke bevolking voor zulke speculaties had gezorgd over Bates' rijkdom, en over de jagers die de afgelopen drie jaar een bezoek hadden gebracht aan de club. Hij had gehoord dat ze niet veel zeiden en niet met buitenstaanders omgingen. Maar datzelfde gold ook voor de dorpelingen.

En op dat moment kwam er een essentiële vraag bij hem op: als dit een jachtclub was, waarom was die omheining dan nodig? Bates en zijn sportvrienden zouden toch zeker willen dat het wild vrij kon ronddwalen? Tenzij ze iets te verbergen hadden, bijvoorbeeld exotische dieren voor speciale safari's. Maar dat betwijfelde hij. Als er zo dicht bij het dorp exotische dieren werden gehouden, moest iemand daarvan geweten hebben en had hij de roddels gehoord.

Nee, die omheining moest een andere reden hebben. En nu, door dat knipsel uit Berianovs huis, had hij een connectie tussen Bates en Berianov. Dat alleen al was belangrijk.

'Ik moet erheen,' besloot hij.

'Waarheen? Naar West Virginia? Ben jij nou helemaal? In West Virginia word je gezocht voor moord.'

'Nee. Naar Pennsylvania. Dat is onze beste aanwijzing.'

'Daar zit iets in.'

Hij bleef naar haar kijken toen ze gas terugnam om door het historische Falls Church te rijden, dat bekendstond om zijn snelheidscontroles. Een nieuw soort emotie maakte zich van hem meester. Pas twee dagen geleden had hij haar voor het eerst gezien, en hij wilde haar graag beter leren kennen. Ze had een fantastisch stel hersens, ze zag er fantastisch uit en hij had bewondering voor haar doorzettingsvermogen. Hij vond haar zo aardig, dat hij zelfs bereid was te vergeten dat ze jurist was. Hij was blij dat hij haar gered had en hij was blij dat ze nu naast elkaar in deze roestbak zaten, al zaten ze dan dik in de problemen.

Maar hij weigerde haar nogmaals in gevaar te brengen. Dat leidde te veel af. Dat was te zwaar. 'Kun jij je ergens schuilhouden terwijl ik eens naar die boerderij ga kijken? Een veilige plek waar niemand je zoekt?'

Ze fronste haar voorhoofd. 'Waar heb je het over? Jij doet niks, jij gaat nergens heen zonder mij. Geen denken aan. Ik heb de vreselijkste dingen meegemaakt om zover te komen. Dat van die artikelen, dat heb je van mij. Als jij het de moeite waard vindt om daarom naar Pennsylvania te gaan, dan ga ik ook. Vergeet niet dat ík aan het stuur zit. Waar ik vandaan kom, in Californië, noemen we dat het recht van de sterkste.'

Hij kon er niet om lachen. Met barse stem zei hij: 'Dat is een krankjorum idee. Je bent niet getraind. Het is levensgevaarlijk als je meegaat. Voor mij ook.'

Daar had ze niet bij stilgestaan. Ze mocht niet nóg meer doden op haar geweten krijgen. Maar tegelijkertijd wilde ze beslist niet opgeven. Ze moest dit afmaken, vanwege kolonel Joerimengri, Stephanie Smith en haar donor, Michaïl Ogust.

Maar ook voor zichzelf. 'Ik kan niet terug.' Ze hield haar blik strak op de weg gericht. 'Zorg jij nou maar voor jezelf. Maak je om mij geen zorgen. Ik zal je niet om hulp vragen en jij hoeft geen hulp te bieden. Als ik niet geschikt ben als partner voor jou, dan moet dat maar.'

'Geweldig. Werkelijk geweldig. Nu is alles in orde. Ik laat je gewoon platwalsen.' Hij wachtte tot ze iets zou zeggen, maar ze keek hem niet eens aan. Ze meende het. Vol afkeer schudde hij zijn hoofd. Natuurlijk kon hij haar niet aan haar lot overlaten.

Ze zette de radio aan. De nieuwslezer was net klaar met de sportuitslagen en vertelde vast welke onderwerpen straks aan bod zouden komen. Het grootste item was geen verrassing – de Russische president zou heel binnenkort landen op luchtmachtbasis Andrews. Het Witte Huis gaf persberichten uit om de journalisten op de hoogte te houden van de activiteiten en plannen van president Stevens, en van zijn agenda met Vladimir Poetin.

Jeff haalde zijn schouders op en reikte naar een van de zwarte kisten aan zijn voeten. Hij floot toen hij zag dat er make-up en vermommingsbenodigdheden in zaten. 'Dit kan goed van pas komen.'

Toen het nieuws eindelijk begon, demonteerde hij het geweer en borg het in de tweede kist. Bij het bericht dat hijzelf werd gezocht in verband met de moorden in West Virginia, vertrok hij zijn gezicht maar bleef zwijgen. Toen opende hij de derde kist, die met de wapens en accessoires.

'Een serieuze kerel. Niet bepaald geruststellend als je aan zijn opvolger denkt. Misschien iemand die nog beter is. En je kunt er gif op innemen dat er een opvolger komt.'

'Bedankt. Daar vrolijk ik enorm van op.' Bezorgd keek ze om zich heen. Het was drukker aan het worden.

Hij deed de wapenkist dicht. 'Heb je achterin gekeken?'

'Nog niet. Ik wilde ook wat voor jou overlaten.'

Hij glimlachte even. 'Heel attent van je.'

Ze keek hem aan, en ze wisselden een korte blik. Ze rolde haar ogen omhoog en schudde haar hoofd. Toen ze zich weer op de weg concentreerde, stak Jeff zijn hand achteruit, waar de sluipschutter de achterbank had neergeklapt om een laadbak te maken. Toen hij de kist naar zich toe trok, eindigde het nieuws.

Opgelucht merkte ze op: 'Ze hebben tenminste nog niets over mij.'

Hij opende de kist en pelde een aantal lagen schuimrubber weg. Weer floot hij. 'Afluisterapparatuur. Zendapparatuur. Een demodulator. Het lijkt hier wel een chique winkel voor misdaad- en afluisterspullen.'

'Ja, die vent was dol op spullen.' Achterdochtig staarde ze naar het verkeer. Ze naderden Tyson's Corner met zijn moderne skyline van winkels en kantoren, temidden van het glooiende, bosrijke landschap van noordelijk Virginia. Ze reed een parkeerterrein op.

Met vertrokken gezicht keek hij op. 'Waarom stoppen we?'

'Ik ga een andere auto halen.'

'Hoe wou je dat doen?' En toen zag hij de fraaie belettering – THE PHILMALEE GROUP – op de zijkant van een torenhoog gebouw van baksteen en glas. 'Bij Michelle Philmalee?' zei hij. 'Wou je haar vragen? Dat dacht ik niet.' Verbolgen keek hij naar Beth, die de parkeerplaats op reed.

'Gisteravond zei ze dat ze bij me in het krijt stond, en daar ga ik nu iets aan doen.' Beth parkeerde de stationwagen onder een paar laaghangende takken in een uithoek van het terrein. 'Ze hebben op het nieuws niet gezegd dat ik iemand doodgeschoten heb, dus zij weet niet dat ik gezocht word. Niemand, de politie niet, de moordenaars niet, zal op de gedachte komen dat ze mij via haar kunnen vinden. En er is nog veel minder reden om jou in verband te brengen met haar. We moeten die situatie uitbuiten zolang het kan. Zij leent me zó een auto.'

'Ik zou er liever een jatten. Straks worden we nog aangehouden of gepakt.'

'Waar wou jij dan een auto halen?'

'Stelen lijkt me een voor de hand liggende oplossing.'

'Nonsens. Bij klaarlichte dag? Iedereen is altijd verdacht op autodieven. Ik zie jou al met een ijzerdraadje frunniken om de motor te starten terwijl het alarm afgaat. Waarschijnlijk heb je het daarom niet eerder voorgesteld. We kunnen ook de stationwagen houden, maar die valt op als de bonte hond. We zijn ontkomen aan de eerste smeris die ons gevonden had, maar de volgende keer hebben we misschien minder geluk. Michelle is onze beste kans. Ze hebben hier een complete vloot staan.'

'Ik wil niet dat je in je eentje naar binnengaat.'

'Maak je geen zorgen. Phil is er niet, ik red me wel.'

'Daar gaat het niet om. Phil kun je wel aan.'

Ze opende haar portier. 'Wat dan?'

Hij zuchtte. Het antwoord was zíj. Zíj was het probleem. Maar hij beperkte zich tot: 'Blijf je de hele dag zitten? Schiet op.'

Ze glimlachte naar zijn brede gezicht. 'Ik zal jou ook missen.' Ze ging op weg naar het hoofdkwartier van de Philmalee Group.

Het bedrijf van Michelle Philmalee had projecten lopen door de gehele Verenigde Staten en in Oost-Europa, en Michelle was op de hoogte van elk van die projecten. Ze zat aan haar bureau een stapel documenten door te nemen, en intussen dacht ze terug aan het verleden. Ze had zich opgewerkt van een onderwijzeres in een klein dorp tot het hoofd van een bedrijf dat voorkwam op de lijst met topbedrijven, de Forbes 500, en daarbij had ze de nodige littekens opgelopen en trofeeën opgedaan. Ze zei altijd dat ze geen van beide zou willen missen. Maar ondanks al haar overwinningen en het enorme succes van de Group sinds zij die na haar scheiding had overgenomen, zat ze daar in haar couturepakje met haar roodgelakte nagels en voelde ze in haar keel een pijn die niet meer weg wilde.

Ze had voor het slapengaan een antihistaminetablet ingenomen, gevolgd door een tweede toen ze opstond. Ze had wel tien, twaalf keer gegorgeld. Ze was zelfs vanochtend bij haar internist geweest, maar die had gezegd dat er niets mankeerde. Toch had ze vreselijke keelpijn. Er drupte een traan uit haar ooghoek.

Ze holde van haar bureau naar haar privébadkamer. Ze had een zeer luxueuze kantoorsuite, met een handgeknoopte Aubusson op de vloer en Amerikaanse impressionisten aan de muur, en haar sanitaire voorzieningen waren al even elegant, met geslepen spiegels, ebbenhouten sierdetails en albasten beelden in nissen.

Ze greep een tissue, leunde over de gouden kraan heen en staarde in de spiegel naar haar smalle gezichtje met de verborgen lijnen en rimpels. Ze depte de traan op. Ze werd oud. Ze zag het onder de Chanel make-up. Erger nog: ze was alleen. Haar ex-man, die rotzak van een Joel, had absoluut niet gedeugd, maar hij had wel een warm lichaam gehad. Haar psychiater had er op dat moment echter op gezinspeeld dat het misschien geen goede oplossing was om een huwelijk in stand te houden waarbinnen dat warme lichaam haar regelmatig sloeg.

Maar er waren compensaties. Haar twee zonen, bijvoorbeeld. Daar was ze gek op. En door Joel had ze geleerd om make-up te gebruiken en zich goed te kleden. Make-up kon de zwellingen niet verhullen, maar blauwe plekken wel. En dure kleren waren een prima manier om klanten en concurrenten af te leiden van het verdriet in haar blik.

Uiteindelijk was ze van die ellendeling gescheiden omdat hij had geprobeerd haar buiten de deur te houden van een bedrijf dat zij zo goed als vanaf de grond opgebouwd had. Tijdens haar herstelperiode was ze iets begonnen met Phil Stageman, wiens idee van gezelligheid bestond uit het tellen van haar geld. Het was op zich leuk geweest om te slapen met een man die haar zoon had kunnen zijn, en ook op andere manieren had hij compensatie geboden. Ze had genoten van de jaloezie van haar vrouwelijke kennissen en werknemers. Maar al die spieren en al die innemende manieren hadden zijn hebzucht niet kunnen maskeren.

Een man met meer intelligentie en gevoel zou gezien hebben dat zij een sterkere binding had met haar bedrijf dan met hem. Maar ze was bang dat een man met meer intelligentie en gevoel geen belangstelling voor haar zou hebben. Phil Stageman was een idioot met een lief smoeltje. En uiteindelijk was zij dus ook idioot, althans wanneer het om mannen ging. Dat feit kon ze niet langer voor zichzelf verbergen.

Ze glimlachte vermoeid. Ze was weer alleen. En eenzaam. Ze drukte haar vingers tegen haar keel en probeerde de pijn tegen te houden toen ze terugliep naar haar bureau. Ze dwong zichzelf te werken, totdat haar secretaresse meldde dat ze Zach Housley van Edwards & Bonnett aan de lijn had. Ze overwoog of ze hem wel wilde spreken. Hij had die kwestie met Beth Convey verschrikkelijk slecht aangepakt, want hij had Beth onderschat. Beth had dezelfde gerichte manier van werken als zijzelf. Daarom won Beth meestal, en in de zeldzame gevallen dat ze verloor, liep ze langzaam weg, met vele blikken achterom om te zien of ze er alsnog een overwinning uit kon slepen.

Michelle had verwacht dat Beth intussen wel gebeld zou hebben. Dit was niets voor haar. Zij was Beths kans om vennoot te worden bij Edwards & Bonnett, en ze had zich verheugd op Beths opwinding daarover.

Met een zucht drukte ze op de verlichte knop van haar telefoontoestel. 'Hallo, Zach. Tilaina zegt dat jij iets belangrijks te melden hebt over Beth.' Misschien had Beth al tegen Zach gezegd dat zij Michelle weer ging vertegenwoordigen.

Maar dat was het niet. Integendeel. Verbijsterd luisterde Michelle naar Zachs woorden: 'De politie is hier net geweest.' Zijn diepe stem klonk ademloos van schrik en opwinding.

'En?' drong ze aan. De pijn in haar keel werd nog erger.

Hij bleef vijf minuten aan het woord. Een ongewapende toerist in Georgetown vermoord. Tegenstrijdige verhalen van getuigen. Ontsnapt in gezelschap van een man die werd gezocht in verband met een dubbele moord in Virginia. Gezocht door de politie. Enzovoort, enzovoort... Michelle geloofde er geen woord van. Geen woord.

28

De middagzon scheen met ongewone kracht toen Beth de schaduw van de rij bomen verliet, waarin ze de stationwagen had geparkeerd op het parkeerterrein van Philmalee. Met haar schoudertas tegen zich aan geklemd liep ze haastig naar het hoofdkantoor met zijn opvallende, moderne architectuur. Een paar keurig geklede managers liepen naar binnen en buiten door de grote glazen deuren. Niemand schonk haar meer dan een korte blik.

Ze duwde de voordeur open en knikte naar de beveiligingsman. Hij keek haar na toen ze langs het levensgrote olieverfportret van Michelle naar de receptioniste liep, die achter de granieten balie aan een glazen bureau zat. De bewaking in het gebouw was prima in orde, en de staf was getraind om de managers te behoeden voor de lastige trivialiteiten van het leven buiten het bedrijf.

'Mevrouw Convey?' De receptioniste wist niet zeker of ze Beth wel herkende, zonder haar gebruikelijke mantelpakje.

'Inderdaad. Ik kom voor mevrouw Philmalee.'

Ze stond niet in de agenda, dus belde de receptioniste naar boven. Meteen kwam het antwoord dat ze haar naar boven moest sturen, dat mevrouw Philmalee haar verwachtte. De receptioniste gaf Beth een badge, die ze op haar zwarte vest speldde. Te beleefd om naar Beths verfomfaaide uiterlijk te staren, boog de receptioniste haar hoofd om haar afkeuring te verhullen.

Beth keek in de lobby om zich heen. Even was ze bezorgd geweest dat ze gevolgd was. Maar temidden van het strakke, moderne meubilair en de vloersculpturen zag ze niets ongebruikelijks. Ze ging de lift binnen, en onhoorbaar bracht die haar naar de negentiende verdieping. Ze stapte uit in een atrium vol planten. Vensters die van de vloer tot aan het plafond liepen, boden uitzicht over de glooiende, groene hellingen van Virginia. Het rook er naar mos en bloemen, geuren die normaal gesproken fris en uitnodigend werkten, maar vandaag niet. Vandaag rook het er verstikkend, kleverig.

Michelle kwam ongeduldig en met uitgestrekte handen vanuit de gang op haar toe lopen. 'Beth, meisje toch. Wat ben ik blij je te zien.' Haar zwarte haar zat achterover gekamd onder een smalle, zwartfluwelen haarband. Ze zag er weer onberispelijk uit in een donkerblauw Yves St.-Laurent-pakje en op Gucci-naaldhakken. In één oogopslag zag ze dat dat van Beth niet gezegd kon worden, maar ze liet niets blijken. 'Kom binnen. We hebben heel wat te bespreken.'

'Ik kan niet lang...'

'Natuurlijk wel. Ik sta erop.' De glimlach op Michelles gezicht bevroor. 'Kom op.'

Het was stil in Michelles kantoor, dat eruitzag als een kunstgalerie met impressionistische schilderijen en gestroomlijnd designmeubilair. In de hoek bevond zich een open haard, met aan weerszijden korte sofa's. Op het bijzettafeltje tussen de fauteuils stond een cymbidium-orchidee. Michelle gebaarde naar de dichtstbijzijnde bank, en Beth nam plaats. De tas zette ze aan haar voeten.

Michelle ging aan de andere kant zitten en kruiste haar enkels. Ze staarde Beth vorsend aan.

'Wat is er?' Beth kreeg het gevoel dat ze onder een microscoop lag. 'Ik probeer te kijken of jij eruitziet als een moordenaar. Ik moet zeggen, meisje, dat je er vandaag inderdaad nogal wild en gevaarlijk uitziet. Een holemmens zou jou maar al te graag naar zijn grot slepen. Als ik aan je vingers ruik, bespeur ik daar dan kruit?'

'O, nee,' ademde Beth. 'Hoe weet jij...?'

'Als ik nou eens zei dat de politie al onderweg is?' Michelles zwarte ogen stonden hard als granaten.

Beth sprong overeind. 'Dan zou ik nu weg moeten.'

'Dat dacht ik niet. De bewaking zou je tegenhouden. Die zijn heel goed opgeleid, weet je. Daar heb ik fortuinen aan uitgegeven. Dat soort dingen heb ik van Joel geleerd. Wil je koffie?'

Beth keek haar even aan, knikte en liet zich weer op de bank zakken. 'Jij bent helemaal niet van plan om te bellen, althans: voorlopig niet. En de politie weet niet dat ik hier ben. Je wilt het gewoon weten, nietwaar? Je verlangen om meer te weten is sterker dan je angst voor mij. Je bent een secreet, Michelle.'

Michelle knipoogde en rinkelde even met een bel die naast de orchidee stond. 'Volgens mij hebben we allebei behoefte aan koffie. Ik heb Tilaina gevraagd om verse te zetten. Franse. Iets sterker dan ik normaal drink. En wat betreft mijn angst,' – ze grinnikte – 'vergeet niet dat ik dertig jaar lang getrouwd ben geweest met Joel Philmalee. Als ik voor hem niet bang was – en ja, ik weet dat ik hem jaren geleden al had moeten verlaten – dan denk ik niet dat jij me bang kunt maken. Heb je een pistool in die enorme tas van je?'

Beth rolde met haar ogen. 'Michelle, je moest eens wat meer onder de mensen komen.'

Toen er op de deur werd geklopt, zei Michelle liefjes: 'Ik kom onder de mensen. Alleen kom ik maar weinig aardige tegen.' In de richting van de deur riep ze: 'Breng de koffie maar binnen, Tilaina.'

Zwijgend wachtten ze terwijl Michelles secretaresse een zwaar zilveren blad met bijbehorend koffiestel naar binnen bracht. Tilaina was een stevige vrouw met een no-nonsense-pakje en Hush Puppies, geen vergelijking met het popperige modeplaatje dat haar bazin was. Ongetwijfeld was dat een van de redenen waarom Michelle haar had aangenomen.

'Ik schenk wel in. Dank je, Tilaina.' Michelles handen lagen keurig gevouwen in haar schoot. Zodra Tilaina met een gemompelde groet terugliep naar de deur, schonk Michelle koffie in twee Haviland-kopjes.

'Ik kan onmogelijk lang blijven,' hield Beth aan. 'Maar ik beloof je dat ik je alles vertel zodra het wat rustiger wordt. Momenteel moet ik een auto van je lenen.'

'Melk? Suiker?'

'Michelle!'

'Oké, vooruit dan.' Michelle liet de dampende kopjes op het tafeltje staan. 'Maar alleen als ik even naar je pistool mag kijken.'

Beth staarde haar woedend aan, maar maakte geen aanstalten om haar tas te pakken.

'Dat heb je toch zeker wel?' Voor het eerst keek Michelle onzeker. 'Heb jij die arme toerist echt vermoord?'

Beth dacht snel na. 'Dat is niet in het nieuws geweest, dus iemand moet je gebeld hebben. Mijn kantoor? Zach? Hij weet dat jij Phil ontslagen hebt, en Phil stond me thuis op te wachten... Het was zelfverdediging, Michelle. Dat was geen toerist. Dat was een professionele moordenaar. Hij had al een paar keer op me geschoten. Als ik niet geschoten had, had hij me vermoord.'

Michelle leunde voorover. 'Maar zoveel kogels. Het schijnt dat hij eruitzag als een gatenkaas. Trouwens, Zach is heel blij dat hij je ontslagen heeft. Hij houdt er helemaal niet van om juristen aan te houden als die huurmoordenaars achter zich aan krijgen.'

'Die slome duikelaar heeft me niet ontslagen, ik ben zelf weggegaan.'

'Weet ik toch. Ik heb alles gehoord. Van Joleen. Jemig, wat praat dat mens graag.' Ze pakte haar kopje en nam een slok koffie. 'Bovendien weet ik dat jij nooit iemand zou vermoorden.'

Plotseling vermoeid sloot Beth haar ogen. Die hele afgrijselijke scène stond haar weer voor ogen. De moordenaar die van achter de stationwagen te voorschijn kwam... zijn pistool op haar gericht... zijzelf die keer op keer de trekker overhaalde... en hoe hij achterover vloog als een gebroken pop, het bloed uit zijn wonden gutsend. Ze haalde diep adem. Ze moest er niet te veel aan denken. Ze was te ver gegaan, maar daar stond tegenover dat ze beslist zelf dood zou zijn als ze niet gevuurd had.

Ze opende haar ogen en meesmuilde even. 'Ik heb hier geen tijd voor. Denk na, Michelle. Als je niet gelooft dat ik iemand in koelen bloede zou vermoorden, ga je me dan een auto lenen of niet?'

Michelle hield haar perfect gekapte hoofd even schuin en dacht na. Eigenbelang was iets dat ze kende. Dat had haar haar hele leven in gang gehouden. Als ze Beth hielp, kon ze worden gearresteerd omdat ze iemand bijstond die op de vlucht was. Misschien zelfs wegens medeplichtigheid. Uit haar dagen als lerares herinnerde ze zich wat Publilius Syrus, de Romeinse schrijver, had gezegd: *Wie de schuldige helpt, wordt zelf ook schuldig.* Ze wist het niet zeker, maar wat de aanklacht ook werd, het zou niet goed zijn voor de zaak, veel erger dan wanneer bekend was geworden dat haar man haar sloeg. Op haar hoge zakelijke en sociale niveau waren bepaalde dingen simpelweg niet bespreekbaar. Ze zag de koppen op de omslag van *Business Week* of *Forbes* al voor zich: MAGNAAT BETRAPT OP HULP AAN VOORTVLUCHTIGE MOORDENAAR.

Maar ze was altijd op Beth gesteld geweest, en ze had zich schuldig gevoeld dat ze haar relatie met Phil verzwegen had en zich daarna zo stuitend gedragen had toen Beth had gezegd dat ze de bewijzen over HanTech thuis had laten liggen. Beth had bewezen dat zij, Michelle, ongelijk had gehad, niet alleen doordat ze de lijst met eigenaren inderdaad thuis had liggen, maar ook omdat ze zo genereus was geweest om die alsnog te overhandigen, al had ze alle redenen om dat niet te doen.

Michelle kreeg een vreemd gevoel. Er leek iets plechtigs, iets moois door haar heen te gaan. Onbewust bracht ze haar hand naar haar hals, naar de pijn die daar was gekomen toen ze Phil voor de keuze stelde: hij moest goedvinden dat ze Beth terugnam als primaire vertegenwoordiger, of hij kon opstappen. Hij was toen opgestapt, en de pijn zat er nog.

Ze vouwde haar handen in haar schoot. 'Mijn staf weet uiteraard dat je in het gebouw bent. Dat kan een probleem worden. Maar het is nog maar kort geleden dat Zach belde, dus ik denk dat ik veilig kan doen alsof jij hier was voordat hij belde. Het is te laat om wie dan ook in te lichten, dus laat maar. Maar volgens mij is het niet verstandig om je een wagen van het bedrijf mee te geven. Die gaan niet heel hard, en bovendien val je dan veel te veel op, met dat logo op de portieren.'

Beth, die boos op het puntje van haar stoel had gezeten, ontspande zich een beetje. Maar nog steeds achterdochtig vroeg ze: 'Heb jij een andere oplossing?'

'Natuurlijk, meisje. Oplossingen zijn mijn specialiteit.' Ze stond op en liep naar haar bureau. 'Neem mijn auto maar. Een lekkere Ferrari. Fantastische motor, prima wegligging. Maar je moet me beloven: als je ooit uit deze ellende komt, moet je me terugnemen. Dan ga jij me weer vertegenwoordigen. Beloof je dat?'

Beth staarde haar aan. 'Ik weet het niet, Michelle. Ik weet echt niet wat ik ga doen. Misschien hou ik wel helemaal op.'

'Dat kan niet! Ik heb je nodig! Bovendien ligt dat niet in je aard. Je zou je suf vervelen. Je hóúdt van je werk, weet je nog?'

'Bedankt. Laten we het hier even bij houden. Als ik weer aan de slag ga, ben jij mijn eerste cliënt.'

Michelle fronste haar wenkbrauwen en gaf haar de autosleutels. 'Ik had op wat meer enthousiasme gerekend. Maar goed; hoe dan ook, als dit allemaal voorbij is moet je me vertellen wat er echt gebeurd is. Maar ik kan wel even wachten tot je minder kans maakt gearresteerd te worden.' Ze koos een telefoonnummer en sprak even. 'Dwight, breng mijn Ferrari hierheen en zet hem bij de privé-ingang.' Met een samenzweerderige glimlach legde ze de hoorn neer en vroeg: 'Waar ga je naar toe? Madagascar? San Martin? Costa Rica, misschien? Het schijnt dat ze daar niemand uitleveren.'

'Nee, zoiets romantisch of exotisch wordt het niet. En ik kan het je niet zeggen. Dat is veiliger voor ons allebei.' Met een gevoel van dreigend onheil liep Beth naar haar toe. Ja, ze moest inderdaad zien in leven te blijven. *Als je hier ooit uit komt...* 'Ooit zal ik je met genoegen alles vertellen bij een fles witte wijn. Ik trakteer.'

'Fijn.' Michelle staarde naar Beth. 'Je trilt helemaal. Wat is er, liefje? Ben je echt zo bang?'

Plotseling wist ze het. 'Nee, het is niets. Ik moet gewoon iets eten en mijn medicijnen innemen. Dan houdt dat beven wel op.'

Michelle aarzelde. 'Nou, dan valt het wel mee. Kom op. Waar heb je een bedrijf voor, als je niet gebruik maakt van alle comfort?' Ze liep naar een deur aan de andere kant van het vertrek. 'Kom hier, meid. Eten. Dat is minder gevaarlijk dan onderweg stoppen bij zo'n afgrijselijke broodjeszaak.'

Beth kwam naast haar in de deuropening staan. 'Dat is zo.' Voor haar lag een glanzende kitchenette.

'Tilaina zorgt ervoor dat mijn koelkast goed voorzien is.' Er lagen flessen Perrier, twee Franse champagnes, fruit, paté, crackers en groene appels. 'Geen echt evenwichtige maaltijd, maar misschien kun je het hiermee doen.'

'Bedankt. Fantastisch.' Beth keek glimlachend toe hoe Michelle eten in haar schoudertas propte. 'Geen champagne. Het is niet bepaald een feestelijk moment.'

Michelle grinnikte terwijl Beth de tas dichtritste, en samen liepen ze terug het kantoor door, naar de deur.

'Hoe kan ik je bedanken, Michelle?'

De oudere vrouw greep weer naar haar keel. De vreemde pijn was weg. 'Bedanken? Je zult het misschien niet geloven, maar ik heb echt spijt over wat ik je aangedaan heb. Ik ben je heel wat schuldig. Als je maar levend terugkomt.' Haar smalle gezichtje spleet in een brede grijns. 'We moeten samen ontzettend hard aan de slag.'

29

Op zijn veranda in Pennsylvania stond Caleb Bates op en liep weg van de tafel. Zijn Spartaanse lunch was voorbij. Op de groene heuvels achter zijn huis graasden koeien en links was een boerenknecht de verf aan het bijwerken op een van de witte palen van de toegangspoort. Voor buitenstaanders was het een rustig, landelijk beeld met al die grazige weiden en hoge, stevige bomen. Maar toen Bates het koloniale huis binnenliep, bonsde zijn hart van opwinding. De Hoeders gingen eindelijk op pad naar hun rendez-vous met de geschiedenis, en er was nog veel te doen.

De fanatiekelingen, met hun volledige uitrusting aan en bij zich en met hun opdracht uit het hoofd geleerd, stroomden al de hele ochtend in pick-ups en te voet het terrein af. Sommigen namen een kilometer verderop de bus. Anderen namen de fiets. Midden in de nacht kon je in een landelijk gebied nog wel *en masse* ongezien arriveren. Maar bij daglicht bleef maar weinig verborgen, vooral in een grote stad. Uiteindelijk zouden ze allemaal hun voorlaatste halte afzonderlijk en in kleine ploegjes bereiken. Dat voorlaatste doel was een van de twee voorraaddepots net buiten het centrum van Washington, waar ze tegen middernacht onopvallend hun posities zouden hebben ingenomen.

Hij dwaalde door de vertrekken van het landhuis en voelde een acute spanning tussen KGB-generaal Aleksej Berianov en degene die hij als de Amerikaanse nationalistische kolonel Caleb Bates was geworden. Verontrustend, alsof geen van de twee mannen helemaal diegene was die hij ooit geweest was. Sterker nog: alsof hij, Aleksej Berianov, op de een of andere manier gecorrumpeerd was. Bates was het soort man dat Berianov zijn leven lang had willen uitschakelen en vernietigen. En toch... Kwaad schudde hij zijn hoofd. Bates was onmisbaar voor zijn plan. Maar binnenkort was het allemaal voorbij en kon Bates opgaan in diezelfde lucht waaruit hij was ontstaan. Berianov kon haast niet wachten tot het morgen was. Dan zou de wereld...

Zijn mobiele telefoon trilde tegen zijn gewatteerde borst. Hij weerstond de verleiding om het ding meteen te voorschijn te halen. Hij liep naar boven, knikte onderweg naar een van de Hoeders in de gang op weg naar de keuken. In zijn kantoor op de eerste verdieping, waar hij alleen was, nam hij de telefoon op. 'Ja?'

Het was Ivan Vok. In tegenstelling tot Berianov en Fjodorov was de gespierde moordenaar zijn accent niet kwijtgeraakt als hij Engels sprak, misschien omdat Engels zijn derde taal was, na het Kazaks, zijn moedertaal, en Russisch.

'Geen goed nieuws, Aleksej,' bromde Vok ongelukkig.

In het Russisch antwoordde Berianov: 'Fjodorov heeft haar niet te pakken gekregen?' Beth Convey bleek een veel groter probleem te zijn dan hij zich ooit had kunnen indenken.

Vok ging over op het Russisch: 'Het eerste dat ik zag, was Jeff Hammond en Beth Convey die de hoek van haar huis om kwam, terwijl Fjodorov in een stationwagen kwam aanrijden. Er volgde een vuurgevecht met getuigen, verdomme nog aan toe, en ik was nog te ver weg om te voorkomen dat zij schoot. En ik kon haar zelf ook niet neerschieten. Tegen de tijd dat ik dichterbij was, was het allemaal voorbij.' Hij zuchtte zwaar. 'Ik heb Fjodorovs pistool gegrepen en een paar valse toeristenpapieren en een portefeuille in zijn zak gestoken. Wat moest ik anders, Aleksej? Het is maar goed dat ik die spullen altijd bij me heb als ik aan een klus werk.'

Berianov luisterde naar Voks beschrijving. Vok had getuige willen zijn van Fjodorovs succes, maar in plaats daarvan had hij moeten toekijken hoe Fjodorov overleed door toedoen van Beth Convey. Hij kreeg het gevoel dat er een ijzeren klem om zijn borstkas werd gelegd. 'De getuigen zullen tegenover de politie verklaren dat zij hem heeft gedood, maar zo te horen kunnen een heleboel mensen gezien hebben dat hij het eerste schot loste. En dat zullen ze ook tegen de politie zeggen.'

'Ja. Het is een kloteboel. Zodra ik daar wegging, heb ik al onze andere mensen ingeseind dat ze op zoek moesten, oké? Uiteindelijk belde er iemand om te zeggen dat Hammond en Convey vastzaten in het Watergate.' Vok mompelde iets in zijn moerstaal. 'Maar ook daar zijn ze ontkomen. Wat een stelletje amateurs hebben we vandaag aan het werk!'

Bezorgd schudde Berianov zijn hoofd. Maar misschien kon het nog goed komen. 'Het voordeel is dat de politie nu ook naar haar op zoek gaat. Dat verhoogt de druk. Straks maakt ze een fout. Ze weet niet hoe je vluchten moet, en daardoor kunnen wij haar gemakkelijker vinden.'

'Ze heeft al hulp.' Vok maakte een geluid van afkeer. 'Ze is er-vandoor met die *sterva* van een Hammond.'

De klem rond Berianovs borst werd dichter gedraaid. 'Vertel.'

Berianov had op zijn gebalde vuist op het bureau staan leunen. Hij rechtte zijn rug en liep naar de openslaande balkondeuren. Hij dwong zich uit te kijken over de landelijke omgeving. Zijn hoofd bonsde van woede, maar hij streed tegen ieder gevoel van ver-zwakking. Wilde zijn land een toekomst hebben, dan moest hij nu slagen; dan moesten ze állen slagen. Hij zag vier Hoeders met ge-wone kleren aan vertrekken voor hun taak. Daar ging het allemaal om, de hele irriterende toestand. Morgen.

'Zeg tegen je mensen dat er een beloning klaarligt voor degene die ze vindt,' zei hij. 'Ik verzin wel een verhaal, zodat de Hoeders ook uitkijken. Indien mogelijk wil ik graag dat je die Hammond en Con-vey eigenhandig afmaakt. Het maakt me niet uit hoe, Ivan. Maak je geen zorgen meer of het er een beetje aardig uitziet, of het een ongeluk lijkt. Maak ze dood. En snel.'

Hij hoorde een zeldzame toon van plezier in Ivan Voks hese stem. 'Ik heb volgapparatuur in de stationwagen geplaatst, Aleksej, zen-ders. Zo had ik Fjodorov ook gevonden. Convey en Hammond zit-ten momenteel in diezelfde auto.' Hij grinnikte. 'Maak je niet druk.'

In het grote, luchtige vertrek in zuidelijk Maryland verdween de glimlach van Ivan Voks gezicht toen hij zijn mobiele telefoon uit-zette en een aantal van zijn mensen belde. Hij gaf zijn orders zon-der te ijsberen of met zijn armen te zwaaien. Hij bevond zich in het geheime hoofdkwartier van generaal Berianov, een luxe apparte-mentengebouw met patrouillerende bewakers en uitzicht op Ma-ryland en een deel van het centrum van Washington.

De stevige, zwaar gespierde Vok liep naar een glanzende houten tafel die tevens dienst deed als bureau. Zijn bloed stroomde wild door zijn aderen en hij dacht razendsnel na. Hij had weer een écht-te taak. Hij was rustig, sprak zelden als hem geen rechtstreekse vraag werd gesteld. Sommigen meenden dat dat kwam doordat hij dom was en weinig te zeggen had, maar het tegendeel was waar. Vok was intelligent, sluw en zo gesloten dat hij, tot aan de val van alles wat voor hem van waarde was, de meest betrouwbare KGB-moordenaar was geweest. Totdat zijn geliefde KGB werd uitgekleed en herboren werd als de Federale Veiligheidsdienst, de FSB.

Hij had een aangeboren talent voor zijn dodelijke werk. Zijn moe-der kwam uit Kazachstan en stamde af van Turkse strijders die wa-ren overwonnen door Djengis Chan en diens clan, en zijn vader was een Europese Rus. Vok had de Mongoolse gelaatstrekken van zijn moeder geërfd, maar de bloeddorstige voorkeuren van zijn vader. In Kazachstan kenden ze het gezegde: 'Als je bevriend bent met een Rus, neem dan altijd een bijl mee.'

Zijn ouders hadden een tumultueus huwelijk, tot stand gekomen op de eindeloze vlakte van de Centraal-Aziatische steppe waar het land plat als een pannenkoek was. Vok was opgegroeid in de buurt van een plaats die de Russen Tselinograd noemden, maar die bij de plaatselijke inwoners nog steeds de onheilspellende naam Aqmola droeg – 'wit graf'. Daar had zijn vader zijn moeder koelbloedig om het leven gebracht in hun koepelvormige *joert*, terwijl hun avondeten van brood, zure room, worst en *koemis* – gefermenteerde paardenmelk – al op de lage tafel klaarstond. Zij was zielsgraag op de winderige vlakte gebleven die, naar zij beweerde, haar ziel voedde; maar hij had aangekondigd dat ze weggingen.

Ivan had wel van zijn moeder gehouden, maar niet overdreven veel. Voor hem was haar dood een bevrijding. Zijn vader verhuisde met hem en zijn jongere broertjes naar Moskou, waar Vok senior als erkenning voor zijn morbide talenten promotie kon maken bij de KGB. Tien jaar later trad ook de jonge Vok, die als tiener een aantal misdrijven had gepleegd zonder ooit gepakt te zijn, in dienst. Hij had de technische expertise van zijn vader en de passie van zijn moeder. Algauw onderscheidde hij zich door een reeks koelbloedige successen.

Geëerd, onderscheiden en gerespecteerd, werd hij al snel tot zo'n hoge rang bevorderd dat zijn vader tot zijn dood onder hem werkte. En toen, in 1991, stortte Voks wereld in. De staatsgreep waarbij ze Gorbatsjov wilden afzetten en de Sovjet-Unie in haar vroegere glorie herstellen, mislukte.

Daarna werd hij, samen met een groot aantal van zijn kameraden, ontslagen. De FSB hield voornamelijk diegenen aan die de laagste rangen hadden bekleed en dus minder voeling hadden met het verleden en gemakkelijker te manipuleren waren. De werkeloze Vok bleef in Moskou wonen met een kleine uitkering die vaak niet uitbetaald werd, en hij raakte steeds gefrustreerder. Hij wist dat hij zich ooit zou moeten aansluiten bij de op eigenbelang gerichte 'democraten' die zijn land de vernieling in hielpen; deed hij dat niet, dan zou hij op de bodem van de varkenstrog eindigen als lijfwacht van een of andere rijke oligarch. Rusland was een eerloos land geworden. Ook nu nog vrat de pijn van dat besef als een zuur aan hem.

En toen kreeg hij een tweede kans van Aleksej Berianov, die hem uitnodigde om in Amerika geheim werk te komen doen. Gretig had hij die kans aangegrepen. Heel snel had hij zich aangepast aan het Amerikaanse verkeer, het eten en de cultuur. Tenslotte had hij het grootste deel van zijn volwassen leven over de hele wereld gereisd vanwege opdrachten. Hij was vaak in de Verenigde Staten geweest. Doden kon je op wel honderd manieren, en hij kende ze allemaal. Alle manieren waren hem even lief. Dit was een taal die iedereen verstond. Nu stroomde zijn bloed sneller door zijn aderen. Iedere zenuw was gespannen. Hij ging zitten met zijn notitieboekje. Een gedrongen, massieve gestalte met een Mongools gelaat. Hij belde. Zodra hij klaar was, liep hij de grootste van de drie slaapkamers in, die was omgebouwd tot een technisch lab waar valse identiteiten werden vervaardigd – van paspoorten tot vermommingen, waaronder complete gezichtsmaskers. Toen twee van zijn moordenaars in de dagen van de koude oorlog undercover naar Zuid-Afrika hadden moeten gaan, had zijn artiest maskers vervaardigd die zo geloofwaardig waren dat de twee blanke huurmoordenaars waren veranderd in zwarte revolutionairen die zo overtuigend met een Amerikaanse diplomaat hadden zitten praten in een spinnende limousine van de Amerikaanse ambassade in Johannesburg, dat die diplomaat hen persoonlijk het zwaar beveiligde gebouw had binnengebracht. En daar hadden ze hun missie volbracht. Hollywood bezat geen technieken die ze in het Kremlin niet kenden.

Vok liep de wandkast in en knipte het plafondlicht aan. Daar hingen twee rijen authentieke kostuums in plastic beschermhoezen; van militaire en politie-uniformen en priestershabijten tot overalls voor bestuurders van bestelauto's, dure zakenpakken, feestelijke japonnen en een scala aan vrijetijdskleding voor toeristen in alle seizoenen.

Hij zou Aleksej Berianov niet teleurstellen. Wat meer was: hij zou zichzelf niet teleurstellen. Hij had zijn mensen in beweging gezet. Beth Convey en Jeff Hammond zouden binnenkort gevonden worden en ze zouden niet eens weten wie hun moordenaar was. In zijn gedachten waren ze al dood.

30

In Tyson's Corner, Virginia, hevelden Beth en Jeff de zwarte kisten van de sluipmoordenaar over naar de Ferrari. Jeff zou rijden. Terwijl hij in noordelijke richting de ringweg op reed, gaf zij hem schijfjes groene appel en crackers met zachte brie aan. Ze at zelf ook, en nam haar medicijnen in met grote slokken van Michelles Perrier.

Het was midden op de middag, en laag aan de hemel hingen witte wolken die de voorjaarszon verduisterden. De snelle rode sportwagen reed als een speer over de overschaduwde snelweg. Toen het vrijdagmiddagverkeer drukker werd, schoten ze minder hard op. Ze hadden al een aantal politieauto's gezien, maar geen daarvan had enige belangstelling voor hen of hun nieuwe voertuig getoond. Ze begonnen zich bijna veilig te voelen.

'Dit is werkelijk een schitterende auto,' merkte Jeff op. 'Rijdt als een zonnetje.'

'Onder gunstiger omstandigheden zou ik er ook wel graag eens in rijden.'

Hij glimlachte en knikte, terwijl zij hem van opzij bekeek – het rechte voorhoofd, het donkerbruine haar onder de pet gestopt. Hij had een iets gekromde haviksneus, in volmaakt evenwicht met zijn stoere kaaklijn. Hij had sterke gelaatstrekken: dichte wenkbrauwen, dichte, zwarte wimpers, grote oren en een brede mond met een heleboel mooie, witte tanden. Misschien niet knap genoeg voor een omslagfoto, maar iemand naar wie je 's ochtends vroeg met plezier zou kunnen kijken. Knap op een stoere manier, besloot ze.

'Een vraagje,' zei ze. 'Jij gedraagt je heel anders dan alle andere journalisten die ik ooit ontmoet heb. Kom op, Jeff, zeg eens eerlijk. Je bent een goede verslaggever, maar dat is niet alles. Je zegt dat je tweemaal mijn leven hebt gered, en dat geloof ik. Maar gewone verslaggevers worden niet opgeleid om mensen te redden op wie geschoten wordt. Toen je achter die moordenaar in de stationwagen aan ging, was je bijzonder agressief. Beslist geen nieuwkomer die net van school kwam. En inderdaad, ik weet dat je ooit bij de FBI hebt gezeten. Maar volgens de nieuwsberichten is dat al een hele tijd geleden. Verbijsterend, hoe scherp je al die tijd gebleven bent. Ik vraag me langzamerhand af... werk je nog steeds voor de FBI?'

Hij knipperde niet eens met zijn ogen. 'Aan jouw fantasie mankeert niets, Convey. En je overdrijft mijn talenten. Ik werd boos en ik had geluk.'

'Nonsens. Ik heb je gezien. En vergeet één ding niet: je hebt een Beretta. Dat is niet iets dat gewone mensen – zelfs onderzoeksjournalisten – in hun schouderholster meedragen. Dat is een serieus wapen voor serieuze doeleinden. Je werkt nog steeds voor de FBI, nietwaar?'

Hij fronste zijn voorhoofd. Daarna slaakte hij een zucht. 'Een reden te meer om de pest te hebben aan juristen. Ik neem aan dat ik het uiteindelijk toch zal moeten vertellen, want het gaat hier ook om jouw leven.' Hij zweeg even. Het viel hem niet licht, nadat hij zo lang in het geheim had gewerkt. 'Ik maakte deel uit van het team dat een groot aantal overlopers moest debriefen, en zo ben ik uiteindelijk undercover gegaan.'

Hij beschreef de enorme stroom sovjetburgers die asiel zochten in de Verenigde Staten in ruil voor informatie, en vertelde hoe de CIA, en later ook de FBI, die mensen hadden verwelkomd. Maar de stroom vluchtelingen was zo groot en het verwerken van de zich eindeloos herhalende berg informatie werd zo duur, dat beide instellingen begonnen te twijfelen aan het nut van de vluchtelingenopvang.

'Jij kende Ogust, Berianov en Joerimengri dus veel beter dan je liet doorschemeren.'

'In sommige opzichten wel, ja. Berianov was afkomstig van Afdeling 8 van de KGB, een bijzonder geheime groep die was getraind voor speciale missies, bijvoorbeeld moorden op hooggeplaatste politieke en militaire figuren. Daarna werd hij gepromoveerd tot hoofd van het eerste hoofddirectoraat, de GPOe, die zich bezighield met buitenlandse inlichtingen. Dit was de meest prestigieuze afdeling van de KGB, de afdeling waar iedereen bij wilde komen. Joerimengri en Ogust waren kolonels van de GPOe, en Berianov werd uiteindelijk bevorderd tot generaal, de top van die gruwelijke totempaal. Joerimengri had posten in Afrika en rond de Middellandse Zee voordat hij terugkwam naar Moskou. Ogust zat ook een tijdje in het veld, en daarna kwam hij bij de afdeling voor commerciële zaken. Hij zette frontorganisaties op en runde die. Het doel was, transatlantische spionage te dekken en te financieren.'

Opgewonden diepte ze uit haar tas het knipsel op over Michaïl Ogust. 'Ogust moet mijn hartdonor geweest zijn. Maar het enige dat ik over hem weet, staat in dat artikel dat jij over hem schreef. Vóór de operatie heb ik documenten ondertekend om te beloven dat ik nooit zou proberen meer te weten te komen over hem of zijn familie, en zij hebben soortgelijke papieren getekend als garantie voor mijn privacy. Maar natuurlijk heb ik erover nagedacht. Er is zoveel gebeurd waarvoor een verklaring was geweest als ik meer geweten had. Wat voor iemand was het? Waar kwam hij vandaan? Waar hield hij van, waar had hij een hekel aan?'

Ze staarde naar het Slavische gezicht op de krantenfoto, en er stroomde een vreemd gevoel van déjà vu door haar heen. *Hart, let je goed op? Dit is voor jou.*

Jeff knikte begrijpend. 'Ogust was een soort wonderkind. Heel jong om zo snel promotie te maken, maar dat kwam gedeeltelijk doordat hij iets miste dat de Russen meestal aanprijzen als een nationale deugd: geduld.'

Bijna tien jaar lang waren deze drie mannen geen moment uit zijn gedachten geweest. Hij had verhalen van henzelf aangehoord, hij had hun geheime dossiers gelezen en had details en anekdotes toegevoegd die hij hoorde van mensen die het drietal kenden. Al die informatie had hij diep in zijn brein gebrand, totdat hij een innige band met hen voelde. Het verstand was nergens zonder verbeeldingskracht, en wat iemand tot een goede FBI-er – en een goede journalist – maakte, was het talent om boven droge cijfers en feiten uit te stijgen.

'Bijna zodra ik bijkwam na de operatie voelde ik me ongeduldig en rusteloos,' zei ze. 'Zelfs toen ik nog half verdoofd was van de narcose. Die rusteloosheid is nooit meer weggegaan.'

'Dat was wel iets voor Ogust. Van die drie had ik voor hem de meeste sympathie, hoewel ik geen van drieën ooit vertrouwd heb. Hij was bijzonder charmant, een soort oplichter. Maar hij was ontzettend driftig. Ik heb hem weleens paars zien aanlopen en een parkeerbon in de zak van een parkeerwacht zien rammen. Kleinzielig en dom. Uiteraard kwam hij daarvoor in de cel. Toen de FBI hem daaruit had, hield hij zichzelf beter in bedwang. Hij was niet alleen fysiek sterk, maar ook bijzonder slim. Hoog opgeleid. Hij kwam uit Leningrad...'

'Sint-Petersburg.'

'Precies. De hoofdstad van de tsaren en de bakermat van het communisme. Daar is het sovjetstelsel geboren, en hij was opgegroeid met een diep historisch besef, dat werd aangemoedigd door zijn ouders, academici en volwaardige leden van de communistische partij. Uiteraard was hij atheïst, maar toch had hij het over de Russische ziel, soms zelfs als verklaring waarom hij iets had gedaan of waarom de KGB-leiding een bepaalde beslissing had genomen. Je moet weten dat de Russen over hun ziel spreken alsof die even tastbaar is als hun voeten. Waarschijnlijk is dat een van de redenen waarom religie daar zo'n enorme come-back doormaakt. Het geloof is nooit echt weg geweest.'

'Wat at hij? Wat waren zijn hobby's?'

'Hij heeft altijd een voorkeur behouden voor Russisch eten. Hij ging vaak met zijn vrouw, Tatjana, uit eten bij plaatselijke Russische restaurants. Ik heb gehoord dat zij erge last had van heimwee, en waarschijnlijk is dat waar. Ze is na zijn dood teruggegaan. Wat betreft hobby's, die had hij niet echt. In dat artikel heb je gelezen dat hij zwarte band karate had. Die stamde nog uit de tijd dat hij in actieve dienst was. En hij kon alles besturen wat maar wielen had. Een tractor, een Maserati, hij was erin thuis. Maar die Maserati had zijn voorkeur, want hij hield van snelheid.'

Ze zat nog steeds te kijken naar de foto van haar donor: de korte neus, het brede voorhoofd, het grijze haar. Hij leek een glinstering in zijn ogen te hebben, alsof hij zoveel van de wereld had gezien dat hij erom kon lachen. Maar hij had een hard gezicht. Te hard.

'Het klopt,' besloot ze. 'Alles. Het eten, de sterke persoonlijkheid, het driftige karakter, dat harde rijden. Zelfs de Russische poëzie wordt logisch, gezien zijn intellectuele achtergrond.' Ze zong het liedje dat in het ziekenhuis was komen bovendrijven: 'Oogst, onze oogst is zo goed...'

'Dat heb ik in geen jaren gehoord.'

'Ken je het dan?'

'Uit een Russische film van de jaren vijftig, *Koebanskië kazaki*. Ik zei toch dat ik me behoorlijk verdiept had in de cultuur?'

'Wauw. Ik dacht wel dat het filmmuziek moest zijn, maar ik zweer dat ik de film nooit gezien heb.' Met een glimlach leunde ze achterover. Maar meteen leek haar hart een pijnlijke slag over te slaan: 'Was Ogust een moordenaar?'

'Kan,' antwoordde hij eerlijk. 'Hij heeft bij ondervragingen nooit toegegeven een moord te hebben gepleegd, maar ik weet zeker dat iedere overloper delen van zijn leven probeerde te verbergen. Dat geldt voor de meeste mensen, hoe keurig ze ook geleefd hebben. Het leven is net een zolder. Grote delen worden door de zon verlicht, maar sommige hoeken blijven duister. Heel duister. Die duistere hoeken hebben we allemaal, sommigen meer dan anderen.'

Ze kreeg het gevoel dat hij Michaïl Ogust evenzeer bedoelde als zichzelf, maar ze vroeg niet door. 'Dus we weten nog steeds niet bij hoeveel geweld hij betrokken is geweest.'

'O, volgens mij kun je rustig stellen dat geweld bij zijn dagelijks werk hoorde. Dat kan niet anders, gezien zijn vak, vooral wanneer hij op een missie was. Wat we niet weten, is of hij ooit iemand gedood heeft.' Vriendelijk keek hij haar even aan. 'Misschien komen we daar nooit achter. Maar daar kun je mee leven, neem ik aan? Tenslotte zal, als je inderdaad cellulaire herinneringen van hem hebt geërfd, één orgaan je karakter niet aantasten en je eigen achtergrond uitwissen. Je bent nog steeds jezelf, maar misschien met een paar extra rimpels en randen.'

Dat was mooi gezegd, vond ze. Misschien was ze inderdaad in wezen onveranderd.

Hij reed de Ferrari de ringweg af en Interstate 270 op. Gettysburg lag bijna pal ten noorden van Washington. Het weekendverkeer werd drukker, maar dat viel op een vrijdagmiddag te verwachten. Alleen zouden ze uren onderweg zijn als het zo druk bleef.

Hij begon: 'Generaal Berianov vertoonde enkele overeenkomsten met Ogust...'

'Is Berianov ook teruggegaan naar Rusland?' onderbrak ze. 'Zijn huis zag er verlaten uit. Bijna alsof degene die daar gewoond had, verhuisd was. Het had zo weinig persoonlijks dat er voor hetzelfde geld een bordje TE KOOP in de voortuin had kunnen staan.'

'Ik ben er nooit binnen geweest, dus ik kan het je niet zeggen. Maar we hebben zojuist vernomen dat hij dood is. Gisteren in Moskou overleden.' Hij had bijna verteld dat hij dat had gehoord van zijn FBI-baas Bobby Kelsey, maar het leek hem niet raadzaam dat zij Bobby's naam hoorde.

'Vermoord?' vroeg ze.

'Hartstilstand. Hoezo? Heb jij redenen om aan te nemen dat hij vermoord is?'

'Nou, kolonel Joerimengri is doodgeschoten en ook Michaïl Ogust is een gewelddadige dood gestorven. Wat moest Berianov in Rusland?'

'Zaken. Een heel geslaagde *biznesmen*. Ze hebben alle drie een kapitaal vergaard door bedrijven op te richten voor de handel tussen Rusland en de Verenigde Staten. Schoolvoorbeelden van de kansen die het kapitalisme biedt.'

'Je klinkt niet alsof je dat zelf gelooft.' Ze stopte het knipsel weer in haar tas. Het was tijd om Ogust uit haar leven te bannen. Waarschijnlijk zou ze nooit meer over hem te weten komen, en toen ze daar in het Watergate-complex haar wapen had gericht op de vrouw die haar wilde doden, had ze besloten dat ze geen moordenaar wilde worden. Ze zou dit wilde, nieuwe hart gaan temmen.

Hij bekende: 'Ik heb me nooit prettig gevoeld bij de snelheid waarmee ze succes boekten. Het leek wel of het er al was, dat succes, alsof het slechts wachtte op hun namen. Moeilijk uit te leggen, tenzij ze toegang hadden tot een heleboel geld van de voormalige KGB. Tijdens de koude oorlog waren er heel wat geheime fondsen van de KGB in Amerika, en een aantal daarvan is nooit gebruikt – dat stond gewoon op een bankrekening. Een groot aantal van die rekeningen hebben we gevonden, en sommige daarvan waren leeg. Zo ben ik die drie op het spoor gekomen. Toen ik achter het geld aanging.'

Ze knikte. 'Dat klinkt logisch. Ik heb onvoorstelbare successen gezien die zogenaamd van de ene op de andere dag ontstaan waren, totdat je dieper gaat graven en op allerlei hulp stuit. Meestal is zo'n plotseling succes van een eenling die vanuit zijn garage opereert, een mythe. Vertel eens wat meer over die generaal Berianov. Kwam die ook uit Sint-Petersburg?'

'Nee. Moskou. Een Moskoviet in hart en nieren. Hij was de leider van het drietal, en niet alleen omdat hij de hoogste rang had. Hij had een persoonlijkheid die zelfs Ogust te machtig was. Zowel Joerimengri als Ogust hadden diep respect voor hem, en soms merkte ik dat hij ze waarschuwend aankeek als ze op het punt stonden iets te zeggen dat hij niet bekend wilde maken.'

'Wat heb je gedaan?'

'Ik ben erbovenop blijven zitten. Eindeloos zoeken, dezelfde vraag in andere bewoordingen. Jij bent jurist. Je weet hoe dat gaat.'

Ze glimlachte flauwtjes. 'Dat is zo.'

'Op een dag zei Berianov tegen me: "Jullie zullen ons nooit kennen. In ons land hebben we een oud gezegde: om een Rus te kunnen begrijpen moet je een Rus zijn." Hij sneed zijn komkommer niet in de breedte maar in de lengte, sneed een tomaat in vieren, strooide overal zout overheen en spoelde het geheel weg met wodka. Maar hij leek nooit dronken te worden en hij had nooit een kater. Hij kwam uit een arbeidersmilieu. Wat hem op weg hielp, was een beurs voor de universiteit van Moskou. Daar heeft hij internationale betrekkingen gestudeerd en de meesterstitel behaald. Hij was briljant, en hij had het hart van een kameleon. Misschien was dat de reden waarom zoveel mensen zich tot hem aangetrokken voelden. Joerimengri was juist het tegenovergestelde. Joerimengri was een zure, saaie bureaucraat uit Irkoetsk, diep in Siberië. Hij had een goede opleiding gehad en was volkomen betrouwbaar. Ik denk dat Berianov hem daarom aangenomen heeft. Wat betreft Ogust, ik heb me altijd afgevraagd wat die bij de andere twee te zoeken had. Misschien herinnerde Ogust Berianov aan zijn eigen jeugd. Hij was vijftien jaar ouder dan Ogust.'

Ze perste haar lippen op elkaar. 'Dus dat is ons trio. Berianov, de sluwe vos; Ogust, de jonge wildeman. En Joerimengri, de bureaucraat. Vreemd dat die zo nauw met elkaar verbonden raakten.'

Hij keek hoe ze haar lange lichaam uitrekte in de kleine sportwagen. Ze had een katachtige gratie – lange, ranke rondingen en een onopvallende, atletische kracht. Haar blauwe ogen vielen half dicht van vermoeidheid. Hij was zelf ook moe. Tijdens de lange rit van West Virginia naar Washington had hij af en toe even gedommeld, onderbroken door een aantal stops voor benzine, eten, de wc. Maar hij was niet echt uitgerust. Toch kon hij nog een hele tijd door zonder slaap. Hij vroeg zich echter af of dat voor haar wel zo raadzaam was... of ze dat überhaupt kón, na haar harttransplantatie.

'Vertel nog eens over die nachtmerries van je. Misschien zit daar iets in dat we over het hoofd gezien hebben.'

Ze herhaalde het motorongeluk, de stemmen die Russische namen schreeuwden – onder meer die van Michaïl Ogust, Aleksej Berianov en Anatoli Joerimengri – en het kampvuur waarbij ze op haar hadden zitten wachten, de mysterieuze deur, het gevoel van angst en gevaar, en tot slot het motorongeluk waarbij ze Ogust had vermoord.

'Dat lijkt me niet logisch,' besloot ze. 'Waarom zou ik dromen dat ik mijn hartdonor vermoord? Eerst dacht ik dat het betekende dat mijn donor iemand vermoord had, omdat ik zijn hart had en niet wist wie ik had aangereden en vermoord. Maar nu weet ik dat Ogust in werkelijkheid het slachtoffer was.'

'Het slachtoffer? Waarom zeg je dat zo?'

'Hij was het slachtoffer van een motorongeluk. Wat is er zo vreemd aan die manier van formuleren?'

Jeffs brede gezicht straalde van de opwinding. 'Je woordkeuze. Zo klinkt het plotseling heel anders. Misschien was het geen "ongeluk".' Hij sloeg op het stuur. 'Dat had ik veel eerder moeten zien. Een motorrijder komt bijna nooit om bij een verkeersongeluk waarbij geen andere voertuigen betrokken zijn, tenzij het weer heel slecht is, bijvoorbeeld als er ijs op de weg ligt. Of wanneer de motorrijder stoned of dronken was. Zodra ik dat politierapport hoorde, ben ik erheen gegaan. De maan scheen. De weg was droog. Het was een schitterende aprilnacht. Later bleek uit het toxicologisch rapport dat hij niets in zijn lichaam had, dus het kwam niet door drugs of alcohol. En er waren geen getuigen. Maar raad eens wie er wél ter plekke was... wie er zei dat hij toevallig op weg was naar huis, naar Chevy Chase, en dat hij de gekapseisde motorfiets had gezien?'

'Berianov woont in Chevy Chase.'

'Precies, die was het. De politie zei dat hij in zijn Lexus op weg ging om hulp te halen, maar dat hij toen hij hen zag, stopte, de auto uit sprong en terugrende om te vertellen dat zijn vriend aan de kant van de weg lag en of ze alsjeblieft hulp wilden inroepen. Berianov kan natuurlijk bang geweest zijn dat de politie zijn kenteken zou noteren. En daarom ging hij terug.'

'In jouw artikel stond dat Ogust op slag dood was. Hersenletsel.'

Jeff knikte en tikte nogmaals op het stuur. 'Wat ben ik stom geweest. Dit verklaart alles. Berianov had al snel kunnen zien dat Ogust dood was, dat er geen redden meer aan was. Hij had geen enkele reden om in allerijl een ambulance te gaan halen. En de aanwijzing zat in jouw droom – in jouw nachtmerrie gebeurde het bij Berianov thuis. Ze moeten ruzie gekregen hebben. Ik wil wedden dat Berianov Ogust in zijn eigen huis heeft vermoord. Waarschijnlijk heeft hij Joeri ook laten vermoorden. En heeft hij diezelfde moordenaar achter ons aan gestuurd. Verdomme. Ik wil wedden dat Berianov niet dood is. Het is een truc, dat kan niet anders. Ik kwam veel te dichtbij. Hij heeft mij in Stone Point in de val laten lopen. Niet alleen leeft hij nog, hij is bezig met de finale van de hele toestand!'

31

In Pennsylvania zat Caleb Bates diep in gedachten verzonken achter zijn bureau, met een glas whisky met limoensap binnen handbereik. Hij bestudeerde de meest recente uitdraai van namen en aankomsttijden van de Hoeders bij de depots buiten Washington. Geen van de Hoeders was meer dan een halfuur te laat geweest, en dat halve uur was in de berekeningen meegenomen vanwege onvermijdelijke verkeersopstoppingen. Hij glimlachte tevreden, pakte zijn glas en ging naar zijn privébadkamer, waar hij de whisky doorspoelde. Berianov had een pesthekel aan bourbon, maar Bates was er, net als zijn landgenoten, dol op. Gelukkig was er niemand in de buurt en hoefde Berianov het spul dus niet door z'n keel te gieten.

Toen hij naar zijn bureau terugliep, begon zijn telefoon te trillen. 'Ja?'

Het was zijn financiële frontman in Moskou, Georgi Malko. Diens ietwat geaffecteerde piepstemmetje verklaarde in het Russisch: 'De verkoop van de uitgeverij is erdoor, Aleksej. Ik moest je bellen als het zover was.' Een deel van dit pakket was de beste, de meest invloedrijke krant van Rusland, de *Zavtra*, een gigant met een reputatie van integriteit. Verplichte lectuur voor de Russische elite. Malko grinnikte, iets uitzonderlijks voor zo'n gereserveerde man, en vervolgde: 'En daarbij heb ik ook nog eens kans gezien die deal rond te maken voor Boris Berezovski's aandelen in ORT.' ORT was het populairste nationale televisienetwerk, het enige dat in ieder dorp op het uitgestrekte Russische grondgebied te zien was. 'Beide zaken net op tijd voor je plannen in Washington, hè, Aleksej?'

'Gefeliciteerd. Mooi werk. Twee grote zaken afgerond op één dag.'

'Ja,' stemde Malko in. 'Een hele overwinning. Hoe gaat het aan jouw kant?'

Berianov ergerde zich aan de familiariteit van de man. Binnenkort zouden Georgi Malko en al die andere dieven en boeven hun plek wel kennen. 'We liggen op schema,' zei hij neutraal. 'Hoe zit het met *Waar of Onwaar*? Dat hebben we ook nodig.' Dit was een on-afhankelijk weekblad, het meest gelezen roddelblad in Rusland, ver-slonden door het gewone publiek, dat ademloos de combinatie van nieuws, seks en roddels volgde. Via frontbedrijven en met Malko als stroman was Berianov de eigenaar of had hij het merendeel van de aandelen van een reeks dagbladen van Moskou tot Vladivostok, evenals een tiental nationale weekbladen. *Waar of Onwaar* moest het kroonjuweel worden in het massacommunicatie-rijk dat hij aan het creëren was, en als hij dat in handen had, bezat hij het leeu-wendeel van de Russische media.

'Ik ben ermee bezig. Misschien komt dat vanavond ook nog rond.'

'Zorg ervoor. Ik wil morgen alle koppen in Rusland in handen heb-ben.'

'Wíj willen alle koppen in handen hebben, Aleksej. Vergeet niet dat we partners zijn.'

Professor Malko's stem klonk nog vriendelijk, maar Berianov hoor-de een zekere ondertoon – een waarschuwing dat Malko niet voor spek en bonen meedeed. Tot een paar jaar geleden was professor Georgi Malko de über-oligarch van het nieuwe Rusland geweest. Vanuit een gewone, proletarische achtergrond als wiskundeleraar had hij zich opgewerkt tot hij in de voorste rijen stond bij de fi-nanciële plundering van Rusland, toen de staatsbezittingen in het begin van de jaren negentig werden geprivatiseerd. In 1995 was hij meermaals miljardair en bezat hij zoveel bedrijven en was hij zo machtig geworden, dat hij samen met zes andere industrie-titanen die ook schijnbaar uit het niets waren opgedoken, de halve econo-mie van het land beheerste. Mede-Russen begonnen die nieuwe eli-te 'oligarchen' te noemen, naar het van het Grieks afgeleide *oli-garchie*, heerschappij der weinigen.

Maar in 1998 was de bodem onder de roebel uit gevallen, voor-namelijk als gevolg van de plundering door de oligarchen. Moskou kon de enorme internationale leningen niet meer afbetalen en het presidentschap van Boris Jeltsin begon te wankelen. Uiteindelijk hadden de mogols Rusland bijna geliquideerd, en dat leidde dan eindelijk tot de eerste serieuze aanvallen door de regering op de macht van de oligarchen.

Berianov vond de oligarchen verachtelijk. Als hij hoorde dat an-deren hen vergeleken met de negentiende-eeuwse Amerikaanse he-rendieven, moest hij lachen om de stupiditeit van zo'n opmerking. Want hoe slecht die Amerikanen ook geweest waren, ze hadden tenminste gezorgd voor werkelijke rijkdom: spoorlijnen, metaalfa-brieken, autofabrieken. En ze hadden een deel van hun enorme winsten aangewend voor de stichting van scholen, bibliotheken, musea en ziekenhuizen. In Rusland gebeurde dat niet. Niet alleen hadden de *nouveaux riches* de bodemschatten van het land geplunderd, maar ook hadden ze hun kapitaal de grens over gestuurd, naar geheime bankrekeningen, zodat het nooit zou worden gebruikt om een bos opnieuw aan te planten, een rottende kernonderzeeër veilig te maken en al helemaal niet om ooit een oude *baboesjka* van voedsel te voorzien.

En toen begon het fortuin van de magnaten te keren. Toen Boris Jeltsin aftrad, verloren ze hun gemakkelijke toegang tot insiderdeals, voornamelijk omdat Jeltsins opvolger Vladimir Poetin, toen hij eind jaren negentig de leiding van de veiligheidsdienst had overgenomen, de FSB had bevolen om *kompromat*, informatie, over deze lieden te vergaren. Tegen de tijd dat Poetin Jeltsin opvolgde, hadden zijn spionnen metershoge dossiers samengesteld waarin alles te lezen viel, van het witwassen van zwart geld tot afpersing, van intimidatietactieken tot huilerige biechten van ondergeschikten. Daarmee had Poetin de oligarchen onderhanden genomen.

Toch geloofde Berianov dat de wereld geen goed beeld had van Poetin: dat was geen ware hervormer. Hij herinnerde zich de luitenant-kolonel uit de oude KGB-dagen als niet zomaar een getalenteerde apparatsjik; Poetin was slim, ambitieus en genadeloos, veel erger dan Jeltsin ooit was geweest. Het was dus geen verrassing dat de jonge Poetin leek te slagen waar de beverige Jeltsin had gefaald. Berianov wist, Poetin kennende, dat de herwonnen bezittingen van Rusland werden afgeroomd en dat een groot deel van de rijkdom verdween in de zakken van Poetin, diens familie en hofhouding, net zoals bij Jeltsin het geval was geweest. En zolang Poetin aan de macht bleef, hield hij deze zaken in handen en kon hij zoveel confisqueren als hij wilde. Leugens, allemaal leugens om de mensen zand in de ogen te strooien, dacht hij. En daar werd Berianov razend om. Ook hij kon met zand slingeren, en momenteel had hij daar Malko voor nodig.

Met een kille glimlach loog hij in de mobiele telefoon: 'Hoe kan ik jouw bijdrage ooit vergeten, Georgi? Je bent geweldig. Wij vormen een team, jij en ik. Elk met onze eigen onschatbare waarde. Ik ben er altijd voor jou, en zoals we afgesproken hebben wordt Gazprom jouw eerste beloning.' Gazprom had niet alleen zeggenschap over een derde van de bekende aardgasvoorraden ter wereld, maar tekende ook voor negen procent van het bruto nationaal product van Rusland. Gazprom was een staat binnen de staat en bezat landbouwbedrijven, conservenfabrieken, slachthuizen, vakantieoorden, een luchtvaartmaatschappij, een deel van de pers en enorme stukken onroerend goed. De corporatie was Georgi Malko's garantie voor een terugreis naar de economische stratosfeer, maar Berianov was niet van plan hem die ooit te geven. Er waren andere, meer definitieve manieren om af te rekenen met aasgieren als Malko, en daar zou Berianov voor zorgen zodra hij Malko niet meer nodig had.

'Uitstekend, Aleksej.' Malko's goede humeur was teruggekeerd, en dat was precies Berianovs bedoeling geweest. 'Goed dat we ons beiden niet alleen onze plichten, maar ook onze beloning herinneren. Geef even bericht als de missie morgen volbracht is. Tot ziens, oude vriend.'

Toen Berianov ophing, negeerde hij die laatste belediging, de familiaire manier waarop Malko hem 'oude vriend' had genoemd. Hij had wel andere zaken aan zijn hoofd: het 'evenement' lag op schema. Gezien het optreden van Jeltsin, de oligarchen en nu president Poetin, was Berianov erin geslaagd een aantal ontevreden voormalige bondgenoten en contactpersonen over te halen, zich bij hem aan te sluiten. Hij had met gebruikmaking van veel wodka een zware wissel getrokken op hun herinneringen en op een laaiend patriottisme dat terugverlangde naar het verleden. Zelfs de militaire en speciale brigades en Minatom (het laatste met de hulp van zijn geheime bronnen binnen de Amerikaanse regering) deden mee. In zijn land was eeuwenlang geregeerd door middel van intriges, en hij was een volleerde intrigant. Nu deed hij daar zijn voordeel mee.

Toen het in Gettysburg halfeen 's middags was, was het in Moskou halfnegen 's avonds. Op deze koude, heldere nacht lagen de goten en trottoirs vol bruine hopen oude sneeuw. Er begon zich een ijslaagje te vormen op de kinderkopjes van de straat, maar een parade van Mercedessen, Cadillacs en Jaguars, voor het merendeel met politiebegeleiding en blauwe zwaailichten, maakte korte metten met de ijzige plannen van Moeder Natuur.

De stroom luxeauto's, slechts af en toe onderbroken door bescheiden Trabants of Niva's, vormde een trage lijn in de blubber voor de chique nachtclub Russisch Roulette, slechts enkele blokken van het Kremlin verwijderd. Onder de met sneeuw overdekte markies van de nachtclub hielden bewapende bewakingsmensen een oogje in het zeil en prevelden ze in hun portofoons, terwijl de auto's een stoet mannen met Italiaanse winterjassen en vrouwen met diamanten, lange bontmantels en Versace-creaties uitbraakten.

Toen Georgi Malko's chauffeur zich luid toeterend een weg naar voren baande, trapten andere bestuurders op hun rem en leunden woedend op hun eigen claxons. Malko's chauffeur drukte op de knop van de intercom. 'Excuus voor de overlast, meneer.'

'Geeft niet.' Malko stak de mobiele telefoon weer in zijn zak en was in gedachten al bij de allesbepalende bespreking die hij in de nachtclub zou voeren. Hij moest nog één transactie sluiten voor Aleksej Berianov, en dat wilde hij vanavond doen. Niet alleen het succes van de operatie in Washington op zaterdag was van groot belang, maar ook de nasleep daarvan in Moskou.

De commotie rond zijn limousine nam af toen een van zijn lijfwachten uit de auto sprong en het achterportier opende. Een tweede lijfwacht volgde onmiddellijk, en de leider van de lijfwachten stapte achter uit en liep snel om de auto heen, om samen met de anderen een doorgang te creëren. Zonder de wachtende auto's of de starende gasten en de andere bewakingsmensen een blik waardig te keuren, stapte Malko de koude nacht in, keek omhoog en snoof de lucht op.

'Morgenavond wordt het nog warmer, Valentin,' verzekerde hij het hoofd van zijn lijfwacht. 'Een uitstekende nacht voor een revolutie, vind je ook niet? Ik ruik de overwinning al. Die hangt in de lucht.'

Zonder op een antwoord te wachten liep Malko onder de markies door naar de dubbele voordeur van zijn nachtclub. Hij hoorde het gefluister: *Georgi Malko is er. Dat is Georgi Malko. De eigenaar van deze tent. Rijker dan de Romanovs, vroeger althans. Ze zeggen dat de rest van zijn fortuin in New York zit. In Zwitserland. Op de Bahama's. Ergens waar Poetin het niet kan vinden, hoopt hij. Georgi Malko!* Hun blikken brandden van nieuwsgierigheid en jaloezie, en hij onderdrukte een minachtend snuiven.

Malko was een kleine, gedrongen os van een man, ingepakt in een kasjmier jas met minkvoering. Hij keek in de spiegel naast de deur van de club en zag zijn wilde, donkere wenkbrauwen en zijn donkere ogen, zwarte gaten in een pafferig gezicht met opvallende hangwangen. Hij zag er doodgewoon uit, met een hoge stem en onbeholpen bewegingen. Hij bezat weinig of geen charme, en dat wist hij. Dus had hij de top van de Russische commercie moeten bereiken door middel van zijn brein en zijn bereidheid om alle scrupules opzij te zetten. Maar ach, de wereld was ook geen vriendelijk oord. Iedereen die er anders over dacht, was een idioot en verdiende als een clochard onder een brug te leven. Met een grimas liep hij de smalle gang in, waar de geuren van alcohol, sigarettenrook en dampende lijven hem tegemoet sloeg.

Het hoofd van zijn lijfwacht, Valentin Foertsev, volgde hem op de hielen. Zijn hoofd zwenkte van links naar rechts toen hij de drukke straat afspeurde op zoek naar gevaar. De afgelopen zes jaar hadden er twee aanslagen op zijn baas plaatsgevonden, en in beide gevallen was een van zijn lijfwachten gedood. Valentin was niet van plan datzelfde lot te ondergaan. Wat betreft de 'overwinning' van een of andere revolutie die professor Malko kennelijk in de lucht kon 'ruiken', had hij geen idee waar zijn doortrapte baas het over had. Maar ook dat was niets nieuws.

'Goedenavond, professor Malko.' Dat was het meisje van de garderobe, achter het ijzeren hekwerk van haar balie. Achter haar stond een bewaker met een kalasjnikov professioneel in zijn armen. Malko merkte een wandbord op waaraan pistolen hingen, wapens die waren ingecheckt door de bezoekers. Het was een regel waarom hij nog steeds moest lachen: in de nachtclub Russisch Roulette mocht niemand een wapen bij zich hebben.

Malko knikte naar haar. Hij wist haar naam niet meer. 'Vol, vanavond?'

'Jazeker, meneer. Ze zijn uitgelaten. Fijn om u weer eens te zien. Het is al een hele tijd geleden dat u ons met een bezoek vereerde.' Er klonk luide, stampende muziek. Het meisje wist dat ze niet om zijn jas moest vragen.

Malko knikte nogmaals en trok zijn handschoenen aan terwijl hij naar de balzaal liep. De champagne stroomde er, à honderd dollar per glas. Buffettafels bogen bijna door onder het gewicht van alle denkbare Russische delicatessen, emmers zwarte en rode kaviaar en schotels warm vlees, verse kreeft en verschillende soorten paté. Onder kroonluchters in de stijl van het Winterpaleis kronkelden jonge lichamen op de maat van live muziek, terwijl oude vrienden elkaar begroetten met hartelijke kussen op de wang. Malko knoopte zijn jas open en liep door, hier en daar stoppend om even te praten met bewonderaars en ambitieuze lakeien.

Hij had een hekel aan al die herrie en die zinloze drukte. Maar hij glimlachte, want hij was eindelijk écht terug in het middelpunt van de dingen, waar die criminelen met hun donkere brillen en die sletten van vrouwen met hun opgemaakte gezichten hem nooit meer verwacht hadden. Zijn leven was het afgelopen jaar gaan desintegreren, toen Poetin hem zijn positie als minister van binnenlandse zaken had ontnomen omdat overheidsfunctionarissen en leden van de regering vrijgesteld waren van rechtsvervolging.

De inkt van zijn ontslagbrief was nog niet droog of Poetin liet hem arresteren op verdenking van omkoperij en afpersing. Het had Mal-

ko een hele week gekost om die beschuldigingen te laten verdwijnen, en die hele tijd had hij in de gevangenis gezeten. Om zichzelf
vrij te kopen had hij Nova Nickel uit handen moeten geven, een
van de grootste nikkelproducenten en de grootste producent van
palladium ter wereld; en dat was nog maar Poetins eerste aanslag
geweest. Aangezien Poetin nog steeds met succes bezig was zijn bezittingen te stelen, koesterde Malko niet de illusie dat hij daar ooit
mee zou ophouden.

Een eindje voor hem uit ploegde Valentin zich door de massa heen,
opende een met brokaat beklede deur en bleef in de deuropening
staan om Malko met zijn lichaam te beschermen terwijl hij de volgende ruimte inspecteerde. Uiteindelijk deed hij een stap achteruit,
hield met één grote hand de deur open en verkondigde: 'De heer
Doedasj verwacht u, meneer. Hij heeft twee mannen bij zich.'

Professor Malko dacht even, en met een sardonisch genoegen, terug aan de collegezalen van de universiteit van Moskou met hun
gebarsten pleisterwerk, waar hij bijna vijftien jaar lang algebra, re-
kenkunde en statistiek had gedoceerd. Daarna verbreedde hij de
glimlach op zijn lippen en liep het vertrek binnen dat hij voor deze bespreking had gereserveerd, een rijk gedecoreerde feestzaal.
Toen de deur dichtviel, keerde tot zijn opluchting de rust weer. De
zaal was gestoffeerd met de gebruikelijke zijden betengeling, geslepen spiegels en enorme kroonluchters. In de hoek stond een complete bar. In Malko's ogen rook het allemaal naar geld.

Aan de rijk versierde tafel zat Oleg Doedasj boos voor zich uit te
kijken, zijn armen over elkaar heen geslagen. Achter hem stonden
twee bewakers, een aan elke zijde, ook met de armen over elkaar
geslagen. Doedasj had een platte neus, een achterdochtige blik in
zijn ogen en dik haar dat hij achterover kamde. Een paar weken
na de revolutie van 1991 had hij *Waar of Onwaar* opgericht, met
een rammelend fotokopieerapparaat en één verslaggever: zijn
vrouw. Hun opgeklopte versie van gebeurtenissen, met daartus-
sendoor de roddelcolumns over de rijken en machtigen, sluip-
moorden en de nieuwe sekshandel, hadden algauw een uitgebreid
publiek gevonden dat hongerde naar onderwerpen die zo lang taboe waren geweest. Binnen het jaar was het weekblad een dagblad
geworden, was het aantal pagina's vertienvoudigd en was dit de
meest gelezen krant van het hele land geworden.

'Wat een afgrijselijke plek om elkaar te spreken,' klaagde Oleg
Doedasj. 'Hoe kun je tegen dat pandemonium? Ik ben geen twintig meer, en jij ook niet.'

'O nee?' Malko klonk teleurgesteld. 'Ik dacht dat je wel een avondje zou willen feestvieren als we onze zaken beklonken hebben. Misschien komen er dan weer herinneringen boven aan die goeie oude tijd, toen we net begonnen en geen van allen een cent hadden. De hele club is vanavond van jou, Oleg. Je krijgt hem van mij. Drink wat je wilt. Vier feest met de meisjes totdat je helemaal leeg bent. Alles op mijn kosten.'

'Wij doen geen zaken. Dat heb ik al gezegd. De krant is niet te koop.'

'Ik herinner het me als de dag van gisteren,' ging Malko verder. Zijn magere stem leek wel aan diepte te winnen, alsof hij was getroffen door heimwee. 'Jij niet? Wat hebben we gelachen, nietwaar?'

De uitgever wilde iets gaan zeggen, maar bedacht zich. Hij kneep zijn achterdochtige ogen samen.

'We weten allebei nog een heleboel, denk ik,' vervolgde Malko. Hij schoof zijn jas van zijn schouders af, en Valentin ving hem op en nam hem aan. Doedasj' lijfwachten grepen naar hun wapens, want zoveel beweging kon alleen maar betekenen dat er pistolen werden getrokken. 'Rustig maar, Oleg,' zei de professor. 'Vandaag wordt er geen bloed vergoten – tenzij jij daar zelf mee begint. Met al die mooie meisjes in de club denk ik eigenlijk dat jouw jongens wel iets leukers te doen kunnen vinden dan hier rondhangen en aanhoren hoe twee mannen van middelbare leeftijd herinneringen ophalen. Valentin gaat ook weg. Dan zijn we met ons tweeën. Sigaren, Valentin.'

Professor Malko schoof een stoel weg van de tafel, ging zitten en leunde achterover. Uiteraard zag hij de flits van onbehagen in de blik van de krantenmagnaat toen zijn verleden werd genoemd.

Oleg Doedasj en zijn twee wachters zagen hoe Valentin de jas van zijn meester over zijn linkerarm drapeerde en zijn rechterhand in de binnenzak van zijn jasje stak, behoedzaam om geen argwaan te wekken. Niet minder voorzichtig haalde hij twee sigaren te voorschijn en gaf die aan zijn baas.

Professor Malko wierp Doedasj een oprechte glimlach toe. 'Een zeldzame vondst, vriend, die sigaren. Een eeuw geleden geplukt en gerold op een plantage ergens in Tennessee. Het schijnt dat de tabak zo mild en rijk is, dat je een week kunt leven van het aroma alleen al. Ik heb tienduizend dollar betaald voor een kist van twaalf. Ter ere van de gelegenheid heb ik besloten de eerste met jou te delen.'

'Ik ben geen "oude vriend" van je, Georgi. We kenden elkaar, meer niet.' Hij staarde naar de sigaren. 'Die heb je zeker gekocht toen je nog dit soort bedragen over de balk kon smijten.'

Malko knipperde met zijn ogen, maar weigerde zijn wenkbrauwen te fronsen. Hij wist dat Doedasj hem wilde irriteren. 'Nee, eerlijk gezegd zijn ze net vorige week binnengekomen.' Hij glimlachte verontschuldigend. 'Ik heb nog wel een paar roebels. Was je bang dat ik niet voor je krant zou willen betalen?'

Doedasj stuurde zijn mannen niet weg, maar nam wel de sigaar aan en liet toe dat Malko die voor hem aanstak. Beide mannen rookten. Na een tijd vroeg Doedasj: 'Waar komt het toch vandaan, al dat geld dat jij me biedt?'

'Van over de grens. Je hoeft niet te weten waar. Ik zal het geld laten overmaken naar welke bank je maar wilt. Uiteraard moet er een symbolisch bedrag hier in Moskou gestort worden, gewoon voor de buitenwereld en om de overheid tevreden te stellen. Echt, Oleg, dit is een gouden deal voor jou. Je kunt er buitensporig rijk mee worden.'

Doedasj rookte. 'Ik ben rijk genoeg.'

'Misschien. Maar toch moeten we even onder vier ogen spreken. Vanwege die kwestie... die gevoelige kwestie... Ellie.' Het had Malko's mensen drie weken gekost om de informatie naar boven te halen die hij nodig had om haar te vinden.

Oleg Doedasj' gezicht verstrakte en de hand met de sigaar bleef halverwege zijn lippen hangen. 'Je kon weleens gelijk hebben.'

Hij stuurde zijn mannen weg en Malko stuurde ook Valentin naar de nachtclub. Toen de deur achter hen dichtviel, hen insloot, leunde Oleg Doedasj voorover. Zijn gezicht stond ernstig, en plotseling leek hij jaren jonger dan vijfenveertig.

'Jij zit klem, klootzak,' zei Doedasj op gedempte toon. 'Je kunt je niet kandidaat stellen tegenover Poetin omdat je onverkiesbaar bent vanwege die reputatie van je. En je kunt niet op een andere manier eeen machtsbasis verkrijgen zolang Poetin president is. Dus moet iemand anders je dekking geven. Je moest het langzamerhand eens opgeven, Georgi. Je nekt het land. Jij en alle andere inhalige financiers. Een van jullie moet zo onbaatzuchtig zijn om toe te geven hoe jullie het land verkracht hebben. Anderen inspireren om hun bezittingen uit handen te geven en te helpen om Rusland te redden. Jij kunt laten zien hoe het moet. Wees een held. Neem dit advies aan van iemand die je kende toen je nog gewoon af en toe een greep in de partijkas deed...'

'Ach, Oleg. Nog steeds de idealist. Eerst het communisme, en nu zie je jezelf zeker als democraat? Doe niet zo idioot. Het systeem verandert, niet de mensen.'

'Tot op zekere hoogte heb je gelijk. Inderdaad, ons land en onze bodemschatten zijn altijd in handen geweest van een hebzuchtige aristocratie, ook na de revolutie. Onder het communisme was alles uiteraard van niemand, en dus lag alles voor het grijpen. Maar die epidemie van corruptie die we momenteel zien is geen fase van voorbijgaande aard, en het is beslist geen democratie. Althans, nog niet. Dit is het bekende kader waarbinnen wij zaken doen. De schandelijke voedingsbodem van de criminele samenleving die we Rusland noemen.' Hij keek boos. 'Maar dat is geen excuus. Daar wordt het alleen nog maar erger van. We hadden al doende iets kunnen opsteken. Het antwoord is dus *nee*. Beslist niet. Je mag mijn krant niet gebruiken. Ik verkoop hem niet.'

'Denk er nog even over na,' adviseerde Malko. 'Bedenk wat je met al dat geld kunt doen, jij en Marina. Ik heb nog wel even tijd. Een uurtje.'

De uitgever schudde boos zijn hoofd. 'Ik ga jou niet terug naar de top helpen, Georgi. Jullie zijn allemaal bloedzuigers en ik help jullie niet. *Waar of Onwaar* vertelt een aantal onzinverhalen, maar bevat ook de waarheid. Daarom is het zo'n populaire krant. *De waarheid*. Ik wil niet verkopen en ik hoef niet te verkopen. Het wordt tijd dat iemand eens "nee" zegt en op die manier zorgt voor een maatschappelijke omwenteling, zodat we een fatsoenlijk land kunnen opbouwen. Als mijn krant de waarheid blijft verkondigen, draag ik mijn steentje bij. En dat laat ik me door niemand afnemen, ook niet door jou.'

Georgi Malko had zijn blik op de grond gericht terwijl Doedasj zijn donderpreek hield. Het had geen zin om hem nog verder in het harnas te jagen. Nu keek hij op. 'En Ellie dan? Wat wordt er van Ellie? Ik heb haar gevonden, weet je. Ze woont met haar moeder in een krot buiten de stad.' Hij legde zijn sigaar op een kristallen asbak, stond op en liep naar de bar met zijn glinsterende rijen glazen en flessen. 'Volgens mij zijn we aan een borrel toe. Ik meen dat jij het liefst cognac had, als we daar aan konden komen?'

Doedasj aarzelde. Zijn gezicht vertrok van pijn. 'Ellie. Ik vroeg me al af. Na al die jaren... Als Marina daarachter komt, is mijn huwelijk voorbij.'

'Cognac dus maar,' besloot de professor opgewekt, terwijl hij een bodempje inschonk in een cognacglas met een gouden randje. Daarna schonk hij voor zichzelf een glas wodka in en bracht beide glazen naar de tafel. 'Ellie weet hier trouwens niets van. Een heel leuk meisje van vijftien. Lijkt op jou. Haar moeder herkende me meteen. Dat heb ik maar als een compliment opgevat. Niet bijzonder knap, toen al niet. Wat moest je met dat mens, Oleg? Niet mooi, dom als een samowar. Niet echt slim van je.'

Doedasj' platte neus leek breder te worden van de woede. 'Klootzak.' Hij bracht het glas naar zijn lippen en dronk. Met een razende blik in zijn ogen nam hij een trek van zijn sigaar. 'Ik begrijp jou niet. Je omringt je met mensen met talent en ambitie, en dan gebruik je ze en verraad je ze. Keer op keer. Je krijgt ruzie met iedereen die je pad kruist, en nu ziet het ernaar uit dat Poetin zelf hard op weg is om je te ringeloren. Waarom ga je dan gewoon door? Neem mijn advies ter harte: consolideer je bezittingen zolang je nog rijk en in leven bent. En trek je dan terug in een of andere zwaar beveiligde staat als Mallorca of in een villa in Zuid-Frankrijk.'

Malko schudde zijn hoofd. 'Ach, Oleg, je snapt het echt niet. Een ondernemer heeft geen vrienden of vijanden. Belangen, die hebben wij. We moeten zien te winnen. Altijd winnen, en altijd laten zien dat we winnen. Het gaat er niet om hoe rijk ik ben of ben geweest of nog word. Nee, het is een strijd: erop of eronder. Daar gaat het om bij winnen.' Malko hield zijn wodkaglas omhoog. Het was leeg. 'Drink je cognac op, oude vriend. Neem een ferme slok en geloof dat er maar één reden is om te leven: winnen. Wie niet wint, is niet bemind. Niet bij de president van je land, niet bij de goedkoopste hoer. Zelfs niet bij de hond van je buren. Je hart is koud, je bed is koud. De blauwe hemel is grijs en je ademt vergiftigde lucht in. Ik ben ondernemer. En dus moet ik winnen.'

Doedasj keek hem onderzoekend aan. Hij leek tot een besluit te komen. Op vermoeide toon zei hij: 'Je mag het tegen iedereen zeggen, van Ellie. Ik houd van mijn vrouw en zij houdt van mij. Ik moet het risico nemen dat ze me zal vergeven. Dat met Ellie was een vergissing van een hele tijd geleden, toen ik nog wild en dom was. Volgens mij zijn die mensen beter – mijn vrouw ook – dan jij. Als ik een grijze hemel zie, kan ik me voorstellen dat hij blauw is. Winnen is een spel, een sport, meer niet. Het is geen persoon. Het is niet het leven zelf.' Hij dronk zijn glas leeg en zette het met een ferm gebaar neer. Hij leunde voorover en stak zijn kin vooruit. De woorden knalden eruit: 'Verdomme, Georgi! Je krijgt mijn krant niet! Ik verkoop hem niet, is dat duidelijk? En ik laat me niet chanteren. Ik wil Ellies adres. Ik ga voor haar zorgen. Ik vertel mijn vrouw het hele verhaal. En jij kunt wat mij betreft naar de hel lopen!'

Professor Malko haalde zijn schouders op. 'Dat is een vergissing van je.' Even kon hij meevoelen met de idealistische Doedasj, maar al snel onderdrukte hij dat gevoel. Bovendien was er zoveel gebeurd sinds zijn jeugd, toen ook hij misschien een dromer was, dat hij intussen niet meer goed wist wat hij toen had gedacht of gevoeld.

'Een vergissing?' gromde Doedasj. 'Waarom? Wat was je van plan, mij te vermoorden? Dat zal je weinig helpen. Mijn vrouw verkoopt de krant ook niet. Zij en ik zijn uit hetzelfde hout gesneden. We geloven in dezelfde dingen.' De uitgever stond op en trok zijn jas aan. Hij wankelde op zijn benen.

Meteen veerde Malko overeind. 'Dat was een flinke bel cognac, Oleg. Hier, ik zal je helpen.' Hij nam de arm van de man. Hij had nog één kans om hem van gedachten te doen veranderen.

Doedasj duwde hem weg. 'Zwijn. Kapitalistisch zwijn. Waar woont Ellie?'

Malko deed een stap achteruit en hief zijn handen op. 'Als je het zo wilt.' Hij beschreef waar de tiener en haar moeder woonden.

Doedasj liep weg, waarbij hij zich aan een stoelleuning moest vasthouden. 'Klootzak,' prevelde hij toen hij moeizaam de deur opentrok.

Het lawaai spoelde naar binnen en Malko bleef staan roken, terwijl hij keek hoe Doedasj wachtte tot de drukke nachtclub zijn bewakers zou uitbraken. Malko genoot van zijn sigaar. Binnen drie minuten waren Doedasj' twee lijfwachten ter plekke, en samen liepen ze weg. Op Malko's gezicht verscheen een lange, trage glimlach.

Valentins stem doorbrak zijn dagdroom. 'Ze zijn weg, meneer. Bent u het eens geworden?'

'Hij wil de krant zelf houden.'

'Maar dat hadden we wel gedacht, nietwaar, meneer?'

'Inderdaad, Valentin.' Hij haalde zijn schouders op en legde zijn sigarenstompje in de asbak. Als hij thuis was, zou hij een andere opsteken. Die twaalf sigaren waren iedere roebel waard geweest. 'Ik ga de club in om een paar handen te schudden en een rondje te geven. Ik neem aan dat ik wel een paar uur bezig ben. Zeker tot na middernacht. Tenslotte heb ik iets te vieren.' Hij klopte op zijn binnenzak, waar een verkoopcontract voor *Waar of Onwaar* in zat, met de perfect vervalste handtekening van Oleg Doedasj. 'Ik zal een heleboel mensen moeten vertellen hoe trots en blij ik ben dat ik dit heb kunnen kopen van een oude vriend. En dat betekent uiteraard dat jij onze regeling in gang moet zetten. Ze moeten allemaal omkomen bij het ongeluk – Oleg Doedasj zelf, maar zijn mannen ook.'

'Ik begrijp het, meneer. Misschien heeft hij verteld dat hij niet wilde verkopen?'

'Precies. Arme sukkels. Wat een harteloze baas, vind je ook niet, Valentin?'
Maar Valentin liep al weg om te gaan telefoneren.

32

Het was druk op de weg en de Ferrari kon geen kant meer uit. Tergend langzaam kropen ze verder. Jeff wendde zijn blik af van de getijstroom van het verkeer en keek naar Beth, die in slaap was gevallen, haar wang tegen de hoofdsteun geleund. Ze had haar benen onder zich opgevouwen in de autostoel. In haar spijkerbroek met die zwarte coltrui, haar maïskleurige zijden haar tegen haar wang, leek ze een en al opgekrulde vrouwelijkheid.

Hij was gefascineerd door haar gladde, porseleinen huid. Ieder donker haartje van haar wenkbrauwen leek afzonderlijk geplaatst. Haar wimpers wierpen een schaduw op haar wangen. Haar roze lippen weken iets. Af en toe zuchtte ze even. Een aangenaam geluidje, alsof het uit een veraf gelegen plek kwam, een plek vol beloften. Hij richtte zijn aandacht weer op het verkeer. Zij was een té grote afleiding. Hij had geen zin in dit soort gedachten. Hij voelde zich onbehaaglijk bij zijn gevoelens voor haar.

Toen ze wakker werd, rekte ze zich uit als een kat die in de zon heeft liggen dommelen.

'Porselein?' mompelde ze. 'Wat is er met porselein?'

'Ik zat in mezelf te praten. Dat doe ik soms. Een slechte gewoonte, komt doordat ik al zo lang alleen ben.'

Ze liet zich weer tegen de rugleuning vallen en draaide haar hoofd naar hem toe. 'Problemen gehad?'

'Twee patrouillewagens op zoek naar snelheidsovertreders. Verder alles rustig.'

Ze knikte.

Hij vond dat ze er tegelijkertijd kwetsbaar en sterk uitzag. Hij herinnerde zich iets dat Nietzsche had gezegd: 'Een echte man wil twee dingen: gevaar en spel. Daarom zoekt hij de vrouw als het gevaarlijkste speelgoed.' Hij had gedacht dat dat voor hem kon gelden, gezien de manier waarop hij vrouwen ontmoet, bemind en afgedankt had na zijn scheiding. Maar daarvóór had hij een vaste relatie gewild. Hij was iemand die geschikt was voor het huwelijk, althans, dat had hij altijd gedacht. Maar nadat hij undercover was gegaan, was dat allemaal veranderd. Scheiding. Isolement. Een wildernis van leugens. En uiteindelijk was hij zich gaan afvragen of dit was wat hij werkelijk wilde. Of hij geen volslagen idioot was geweest om zijn ooit zo mooie wereld af te schudden voor een overtuiging die bijna niemand deelde.

'Waarom heb jij zo'n hekel aan juristen?' vroeg ze. Daar was die hese, onweerstaanbare stem weer.

Hij grijnsde. 'Hoe noem je duizend juristen op de bodem van een meer?'

Ze schudde even haar hoofd. 'Een goed begin. Die heeft een baard, Jeff. Ik had van jou iets beters verwacht.'

'Oké. Hier is er nog een.... Twee juristen lopen door het bos en zien een gevaarlijke beer. De eerste jurist opent zijn aktetas, haalt er sportschoenen uit en trekt die aan. De tweede jurist zegt: "Je bent gek, jij loopt niet harder dan die beer." Met een enorme grijns antwoordt de eerste: "Dat hoeft ook niet. Als ik maar harder loop dan jij." '

Ze glimlachte even. 'Ja, wij hebben een praktische instelling. Dat geef ik toe.'

'Waarom gaan juristen nooit naar het strand?'

'Omdat de honden en katten ze dan willen begraven.' Beths ogen flonkerden. 'Juristen kennen zelf alle grappen. Dat moeten we wel, want dan kunnen we ze zelf vertellen. Maar ik heb nog geen antwoord op mijn vraag. Volgens mij heb jij nog meer de pest aan ons dan andere mensen. Wat hebben we jou ooit misdaan?'

'Met me getrouwd,' antwoordde hij meteen. 'Mijn vrouw was jurist.'

'Ben jij getrouwd?'

'Sorry. Foutje. Ik zeg het anders: mijn ex-vrouw is jurist.'

'Aha, dus je bent gescheiden.'

'Ja, gelukkig gescheiden. Hoewel ik indertijd bijzonder ongelukkig was. Maar achteraf bezien kan ik zeggen dat we niet bij elkaar pasten. Toen ik wegging bij de FBI, is zij bij mij weggegaan. Ik was niet degene voor wie ze me gehouden had... of iets dergelijks. Ze is hertrouwd en woont nu in Minneapolis.'

'En?'

'Niks "en". Dat is het. Geen kinderen, hoewel dat niet aan mij lag.' Hij wierp een blik op haar geamuseerde gezicht. 'Je vindt dus dat mijn smaak qua vrouwen al niets beter is dan jouw smaak qua mannen.' Hij grinnikte. 'Tja, daar zit iets in.'

'Waar ben je opgegroeid?'

'Dat is ook al niet bijster interessant.' Hij haalde zijn schouders op. 'Nou, in ieder geval weet ik nu iets meer over jou – je hoort graag saaie verhalen.'

'Ik vind jou niet bepaald saai.'

'Dat is dan jouw probleem. Oké, standaardjeugd. Vader in overheidsdienst. Onderscheiden tijdens de Tweede Wereldoorlog, en vervolgens bij de CIA toen die werd opgericht. Hij was een van de knappe koppen, hij deed analyses. Een bureauridder met stapels geheime documenten voor z'n neus, allemaal raadsels die hij moest ontcijferen. Hij was twintig jaar ouder dan mijn moeder. Zij was de traditionele huisvrouw, alleen was ze gek op labradors. Die fokte ze, voor shows. Mijn zus en ik zijn opgegroeid op de kleine boerderij die mijn vader voor mijn moeder had gekocht. Allemaal van die fantastische zaken: een moestuin, een schommel van een oude autoband, een eendenvijver met zwarte zwanen.' Hij glimlachte bij de herinnering.

'En waar zijn ze nu?'

Zijn handen verstrakten rond het stuur. 'Mijn ouders? Dood. Zeven jaar geleden. Mijn vader had een bloedziekte. Vier maanden na zijn overlijden is mams auto op de ringweg onder een vrachtwagen gekomen.'

'Wat afschuwelijk! Voor jullie allemaal. Heel erg.'

Hij knikte. 'Ja, het was niet best. Hij was een jaar lang ziek geweest, en mam kon gewoon niet zonder hem. Het waren te veel moeizame veranderingen voor haar.' Hij aarzelde, want hij wist dat een van die veranderingen haar teleurstelling in hem was geweest, dat hij de FBI had verlaten voor het in hun ogen minder eerzame beroep van journalist. 'Je zag het aan haar gezicht. Uit het politierapport maakte ik op dat ze gewoon niet op het verkeer had gelet. Het was waarschijnlijk zuiver toeval dat het niet eerder is gebeurd.'

'En je zus?'

'Die woont met haar gezin in Sierra Nevada. Ik heb haar al in geen tijden gesproken.' Weer dat gevoel van teleurstelling. De dood van hun vader was al erg genoeg geweest, maar zijn zus had hem de schuld van het overlijden van hun moeder gegeven. Woedend en gekwetst had hij haar van repliek gediend.

Zwijgend reden ze verder. 'Waar heb je gestudeerd?' vroeg ze na een tijdje.

Hij vertelde over Harvard en de positie die hij had bereikt in overheidsdienst, over zijn doctoraal aan de universiteit van Londen, waar hij het Oostblok en de Sovjet-Unie had bestudeerd, en over hoe het allemaal leek samen te komen toen hij bij de FBI kwam.

Toen hij praatte over zijn dromen, zijn liefde voor de Verenigde Staten, over hoe hij zijn land wilde dienen, kreeg ze een griezelig gevoel over zichzelf, alsof haar leven op de een of andere manier doelloos was geweest.

Na een tijd zei hij: 'Nu heb ik genoeg van mezelf. Vertel eens iets over jezelf? Jij bent hier de interessantste persoon.'

'O ja? Nou, dat weet jij waarschijnlijk het best. Jij bent degene die mijn achtergrond heeft opgespit, meneer de verslaggever.'

Hij grinnikte. 'Gouden kindje uit Californië. Hoe was dat?'

Ze glimlachte neutraal. 'Massa's zonneschijn. Reizen. Disneyland. Fantastische zomers aan het strand.'

'Is dat alles?'

'Zo'n beetje, ja.'

'Je liegt. Eens even kijken... dochter van een van de meest gewetenloze strafpleiters in Los Angeles en een van de grootste projectontwikkelaars. Wat een ouderpaar. Het zal wel warm en gezellig geweest zijn bij jullie thuis.'

Ze weigerde zich uit haar tent te laten lokken. 'Bij tijden, ja.'

Hij fronste zijn voorhoofd. 'Je wilt er niet over praten.' Het was een constatering.

'Slim ventje. Volgens mij hebben we zat om over na te denken, vind je niet?'

Hij wendde zijn blik van het verkeer af om naar haar te kijken. Ze staarde uit het zijraam, alsof ze verdiept was in het landschap. Haar gezicht stond onbewogen.

Hij zei: 'Je ouders, nietwaar?'

Ze leek te verstijven.

Zacht zei hij: 'Hij heeft haar vermoord. In de kranten stond dat het een ongeluk was, en dat hij zo wanhopig was dat hij een paar dagen later zichzelf heeft doodgeschoten. Vond er bij jullie thuis huiselijk geweld plaats? Wil je er daarom niet over praten?' Hij keek haar weer aan.

'Je bent wel grondig. Dat moet ik toegeven. Maar het is al een hele tijd geleden. Ik heb het overleefd.'

'Overleefd, meer niet?'

Bedachtzaam knipperde ze met haar ogen. Ze zuchtte even, en knikte. 'Oké, je mag het weten. Zo spannend of mysterieus is het nou ook weer niet. Mijn ouders sloegen elkaar helemaal niet. Ze zijn hun hele huwelijk lang innig van elkaar blijven houden. Jackie-Messer en koningin Janet, een glamourstel dat zó uit een filmset kon zijn weggelopen. Ieder moment dat ze niet aan het werk waren, brachten ze samen door. Ik was het vijfde wiel aan de wagen.'

'Opgevoed door nanny's.'

'Ja, en hele goede, de beste die er te koop waren. Pap heeft me leren schieten, en toen ik ouder werd mocht ik soms mee naar kantoor, en later naar de rechtszaal. Ik genoot ervan om hem in actie te zien. Mam zorgde ervoor dat ik alles had wat een kind zich maar wensen kon. Massa's poppen, een gereedschapskist, skateboardlessen en ieder jaar een nieuwe fiets. Haar dood was echt een ongeluk.' Ze zweeg even en kneep met een verdrietige blik in haar ogen haar lippen op elkaar. 'Ze waren naar een feest geweest... ze hadden allebei stevig gedronken. Mam zei dat dat kwam door alle stress. Pap zat aan het stuur. Toen ze thuiskwamen, stapte mam uit en liep achter de auto langs naar huis. Papa was zo dronken dat hij de auto in zijn achteruit zette en op het gaspedaal trapte. Hij reed haar aan en verpletterde haar tegen de stenen muur langs het garagepad. Ze heeft nog maar een paar minuten geleefd.' Ze vouwde haar handen in haar schoot en boog haar hoofd.

'Wat moet dat vreselijk geweest zijn. Sorry, Beth. Ik had er niet naar moeten vragen.'

Ze haalde haar schouders op en veegde met trillende vingers over haar ogen. 'Ik wist dat er iets mis was toen ik een vreselijk gehuil hoorde. Dat was mijn vader. Ik lag diep in slaap in mijn kamer aan de andere kant van het huis, en toch hoorde ik hem. Hij was helemaal gek geworden, krankzinnig van verdriet en schuldbesef. Natuurlijk kwam de politie erbij. Ze deden een test en hij had driemaal de toegestane hoeveelheid alcohol in zijn bloed. Hij was stomdronken. Ze wilden hem aanklagen wegens doodslag. Maar hij pleegde zelfmoord. Hij kon niet verder... zonder haar.'

'Hoe oud was jij toen?'

'Achttien. Daarna werd alles anders. Ik werd zelf anders. Ik voelde niets meer voor mijn frivole leventje van vroeger, dus ik ging niet meer naar feesten; ik ging hard aan de studie en ik besloot iets van mijn leven te maken.'

'Zodat ze trots op je zouden zijn.'

Ze knikte zwijgend.

Hij dacht na over haar, over hoe moeilijk het geweest moest zijn om haar ouders op zo'n gewelddadige manier kwijt te raken, terwijl ze zelf nog maar een tiener was. Hijzelf was tenminste volwassen geweest toen zijn ouders overleden.

'Ze zouden heel erg trots op je geweest zijn.' Hij aarzelde en wierp haar een voorzichtige glimlach toe. 'Ondanks mijn geringe respect voor juristen moet ik toegeven dat jij volgens mij behoorlijk goed bent.' Hij zweeg weer even om te kijken of hij niet te ver ging. 'Mis-

schien zelfs fatsoenlijk. Of... eerlijk? Nou, dat gaat misschien te ver. Een eerlijke jurist... is dat niet tegen de wet?'
Ze grinnikte even. 'Juristen maken de wet, dus ik denk dat je ongelijk hebt.' Ze haalde een tissue uit haar tas en snoot luidruchtig haar neus. 'Maar ik heb gehoord dat "eerlijke jurist" een contradictio in terminis is.' Ze keek hem aan en glimlachte. 'Zoiets als een "objectieve verslaggever".'
Hij lachte. 'Die zit, alweer.'
'Bedankt, Jeff. We hebben allebei heel wat doorgemaakt. Maar jij weet hoe je een vrouw moet opfleuren.'
Ze nestelde zich naast hem en samen hervatten ze hun zorgvuldige inspectie van de drukke verkeersweg. Op weg naar het noorden leek de weg wel een hindernisbaan vol gevaren. Ze probeerde de spanning van zich af te zetten. De tijd verstreek traag, maar eindelijk naderden ze het Catoctin-gebergte.
Ze schraapte haar keel en keek hem fronsend aan. 'Ik zat me af te vragen... Waardoor kreeg jij argwaan toen je Berianov, Joerimengri en Ogust aan het debriefen was?'
Hij dacht even na. 'Volgens mij was het aanvankelijk gewoon intuïtie. Ze leken legitiem, dat moet ik toegeven. God weet dat we prima inlichtingen van ze kregen. Maar ze waren minder bezorgd dan overlopers meestal zijn. Begrijp me goed, overlopers kijken de hele tijd over hun schouder. Er zijn mensen bij de Russische inlichtingen- en veiligheidsdienst die hen ook vandaag nog het liefst dood zouden zien. Daarbij heeft de KGB altijd een bloedhekel gehad aan verraders, en als instelling zijn ze bijzonder lang van memorie. En vergeet niet dat er nog steeds particuliere huurmoordenaars achter emigranten aan zitten om oude rekeningen te vereffenen. Om al die redenen, en meer, heeft een groot aantal overlopers nieuwe namen en identiteiten aangenomen, uit angst voor repercussies.'
'Ons drietal leek dus niet bezorgd. En verder?'
'Verder was er de kwestie van timing. Weet jij iets over die mislukte staatsgreep in '91?'
'Wat ik in de krant gelezen heb, meer niet.'
Hij knikte en hield intussen het verkeer in de gaten. 'Zoals ik al zei was Berianov hoofd van de GPOe, de eliteafdeling voor buitenlandse inlichtingen van de KGB. Rondom hem stortte de hele zaak in: het heldhaftige rijk van de KGB, het gezag in het hele land, en het land zelf – dat was duidelijk te zien. Intussen leek de toenmalige leider, Michaïl Gorbatsjov, niets te doen aan het instorten van de Sovjet-Unie. Berianov wist dat hij veranderingen moest aanbrengen bin-

nen de GPOe, omdat zijn mensen werden weggekocht door het Westen. Hij probeerde dus het moreel op te vijzelen. Hij zei tegen zijn mensen dat ze niet langer alleen voor het marxisme en het leninisme streden, maar voor Moedertje Rusland...'

'Hij probeerde ze een gevoel van patriottisme te bezorgen.'

'Precies. Maar het ging van kwaad tot erger. Tenslotte werd Berianov benaderd door een groep communistische haviken, onder wie Vladimir Krjoetsjkov, het hoofd van de hele KGB. Op dat punt ging de geografie meespelen. Kijk, het hoofdkwartier van de GPOe zat in een plaatsje dat Jasenevo heet. Krjoetsjkov en zijn mannen verzochten Berianov in het geheim om zijn GPOe-leger ter beschikking van het Kremlin te stellen, zodat hij kon helpen bij de militaire staatsgreep die ze aan het plannen waren om het land terug te veroveren.'

'Deed Berianov dat?'

'Jazeker, met groot enthousiasme. Hij stuurde zijn agenten naar Moskou om te spioneren, en hij meldde hun bevindingen aan Krjoetsjkov. Ook gaf hij de paramilitaire tak van de GPOe opdracht om naar de KGB-club in Moskou te gaan, klaar voor actie. Hij dacht dat hij met hun hulp de hervormers aankon die zich aan het verzamelen waren rond een nieuwe politieke macht, die van Boris Jeltsin. Toen de haviken Gorbatsjov te pakken hadden, begon de staatsgreep. Berianov was blij. Hij wachtte en wachtte. Maar Krjoetsjkov belde niet meer. Er volgden geen instructies. Uiteindelijk nam Berianov een moeilijk besluit: hij zei dat zijn mensen zich moesten terugtrekken. Hij dacht dat de staatsgreep mislukt was.'

'Waarom?' vroeg ze. 'Hoe kwam dat dan?'

'Volgens hem ontbrak het de commissie, zelfs Krjoetsjkov, aan wil. Ze hadden geen gevoel waar ze heen wilden. Er was niemand die de moed of de visie bezat om de verantwoordelijkheid op zich te nemen en door eigen persoonlijkheid dingen af te dwingen. Het griezelige is dat Berianov openlijk toegaf dat hij zou hebben gehoorzaamd als er orders voor agressieve actie waren gekomen. Als het comité voor de staatsgreep de tot zijn beschikking staande macht hadden gebruikt, was het hun gelukt. Dan was de Sovjet-Unie teruggeslingerd naar een communistisch bewind en zou de koude oorlog weer met volle kracht losgebarsten zijn.'

'Wauw. We mogen wel blij zijn dat dat niet gebeurd is. Berianov is dus een ware patriot van de voormalige Sovjet-Unie.'

'Precies. En dan dat snelle succes van de drie, toen ze eenmaal in de Verenigde Staten zaten.'

Ze knikte. 'Het lijkt wel of ze hier een soort organisatie achter zich gehad moeten hebben.'

'Hier, of in Moskou. Misschien allebei. Maar Berianov wist de FBI en de CIA af te schudden met een opvallende onthulling, die hem veel kwaad gedaan zou hebben als hij een comeback plande.'

'Wat dan?'

'Aldrich Ames. Hij vertelde dat Ames een diep verborgen dubbelagent was, die een ernstige bedreiging vormde voor de Amerikaanse inlichtingendienst.'

'Maar ik dacht...'

'Ja, weet ik. Niemand weet dat die tip afkomstig was van een overloper. Niemand binnen de FBI of de CIA wilde dat dit gênante feit aan het licht kwam. Het was beter dat het grote publiek geloofde dat we hem zelf ontdekt hadden. Natuurlijk kwam het Berianov prima uit om de hele toestand in de doofpot te stoppen, want met die onthulling had hij de vrijheid gekocht voor zichzelf en zijn twee kameraden. Ik heb tien jaar zitten wachten om te weten te komen wat ze echt van plan waren. En nu zit ik er volgens mij heel dichtbij. Waar ik geen rekening mee gehouden had, dat was jij.'

Ze haalde haar schouders op. 'Daarin ben ik gespecialiseerd – enorme spaken in andermans wiel steken. Ken jij de mensen met wie ze hier omgaan? Ze moeten toch vrienden of kennissen gehad hebben.'

'Als ze al opvolgers aan het opleiden waren, dan weet ik niet wie dat zijn. En als we gelijk hebben, als Berianov inderdaad verantwoordelijk is voor de dood van Ogust en Joerimengri, dan leid ik daaruit af dat hij ze heeft geëlimineerd omdat hij de hele zaak aan het overnemen was. Wat die hele zaak ook was. Ik hoop dat we iets vinden bij dat boerenbedrijf in Pennsylvania.' Hij aarzelde. 'En dat doet me denken aan Caleb Bates. Ik vraag me maar steeds af wat dat nou weer is. Waarom liggen Bates' rekeningen voor zijn jachtclub in een gehucht als Stone Point verborgen in Berianovs huis in Washington?'

'Klinkt niet logisch, tenzij Berianov die rekeningen betaalde. Tenslotte zei jij dat hij een eerzame zakenman geworden was.' Ze onderbrak zichzelf. 'O, god! Dit kan iets zijn. Het lijkt wel tien jaar geleden, maar het zijn maar een paar dagen: ik kreeg een bericht van een vriendin over HanTech Industries.' Ze beschreef het contract dat Michelle zo graag wilde krijgen, en dat HanTech haar afhandig had gemaakt. 'Volgens die vriendin van mij is Caleb Bates een van de geheime nieuwe eigenaren van HanTech. Hij heeft zelfs het merendeel van de aandelen. Alle anderen hebben Russische namen, en een is de zoon van de directeur van Minatom. De anderen hebben ook nauwe banden met Minatom.'

'Het Russische ministerie voor atoomenergie?' Hij floot. 'Kernwapens. Dat is belangrijk.'

Ze knikte. 'Volgens mijn vriendin heeft HanTech in het geheim verrijkt uranium opgekocht van derdewereldlanden en terugverkocht aan Rusland.' Ze huiverde even. 'Op dat moment vroeg ik me af waarom Rusland dergelijk uranium terug wilde, terwijl ze hetzelfde spul aan ons verkopen, zogenaamd om te voorkomen dat het ooit bij een oorlog zou worden ingezet. Maar nu begin ik het anders te zien. Als Berianov iets van plan was... misschien had het te maken met die terroristische aanslag waar jouw baas het over had.'

'Ga door.' Zijn stem klonk gespannen.

'Caleb Bates heeft een meerderheidsbelang in HanTech. Hij is dus de baas over een groep Russen die ook een groot aantal aandelen hebben. Misschien is dat de ontbrekende organisatie waarnaar je op zoek was.'

'Weet je de namen nog?'

'Een paar.' Ze noemde er zes op en voegde daar de namen aan toe waarvan ze wist dat ze verband hielden met Minatom en Uridium. Hij verbleekte. 'Vier daarvan ken ik. Twee hebben er te maken met de oligarchen, een is de broer van generaal Kripinski en de vierde is de schoonzoon van de leider van wat er over is van de Russische marine.'

Ze zweeg. 'Maar Bates is een Amerikaanse naam. Of Engels. Waarom zou een yank of een Brit aan het hoofd van een verder Russisch bedrijf staan? Tenzij... misschien is Caleb Bates ook een sovjetoverloper, maar heeft hij besloten dat hij beter een valse identiteit kon aannemen om zich tegen zijn verleden te beschermen. Ergo, "Caleb Bates", een Amerikaan met serieuze belangen in Rusland.'

'Het is mogelijk, ja.' Zijn maag voelde aan als een knoop toen hij terugdacht... 'Tientallen jaren geleden heeft de KGB een geheim trainingskamp opgezet in het Oeral-gebergte, in het oosten van Rusland. Daar werden de meest getalenteerde spionagerekruten heen gestuurd. Op het eerste gezicht zag het eruit als een doorsnee Amerikaans stadje – een hoofstraat met bomen, een bibliotheek, een rechtszaal en verder alles: nieuwe en tweedehands auto's, het eten dat in de mode was, kleren, muziek en films. Kranten als *The New York Times*, de *Los Angeles Times* en *The Washington Post*, wekelijks bezorgd maar dagelijks gedistribueerd, net alsof de inwoners werkelijk in de Verenigde Staten zaten. Er werd uitsluitend Amerikaans-Engels gesproken. De trainees werden helemaal ondergedompeld in ons leven, van onze tafelmanieren tot de manier waarop we boodschappen doen. Er waren ook andere kampen, voor spionnen die naar Frankrijk en Engeland gingen. Soms woonden de trainees wel een jaar of langer in die namaakstadjes, zo lang als nodig was, totdat ze in alle opzichten voor echte autochtonen konden doorgaan.'

'Grote goedheid, dat heb ik nooit geweten.'

'Dat was ook niet de bedoeling. Vergeet niet, dit was de koude oorlog, dus we wilden niet laten uitlekken wat er gebeurde. Dan was er paniek ontstaan. Dan waren de mensen naar hun buren gaan kijken, naar de onderwijzer van hun kinderen, naar de burgemeester... en dan hadden ze zich afgevraagd: is dat soms een communist? Of hij? Of zij?'

Ze trok een grimas. 'Dat is zo. Een enorme rode angstgolf. Dat had makkelijk gekund. Hadden wij ook van die geheime kampen, voor mensen die in de Sovjet-Unie moesten gaan spioneren?'

'Nou en of. En voor Polen, Tsjechoslowakije en andere landen achter het IJzeren Gordijn. Onze agenten werkten prima, en gaven ons een heleboel eersteklasinlichtingen.'

Ze huiverde. 'Allemaal in het kader van de koude oorlog, neem ik aan.'

'Precies.'

Hij reed de Ferrari een parkeerhaven in en draaide zich naar haar om. Vol afkeuring jegens zichzelf haalde hij diep adem. Hij had die verbanden veel eerder moeten zien, en nu het zover was, was hij razend op zichzelf en doodsbang voor wat dit betekende.

'Er is nog iets.' Zijn stem klonk hard. 'Ten eerste: toen ik in dat plaatsje in West Virginia informeerde naar Berianov, heb ik hem beschreven als iemand met een Russisch accent. Alle drie, Berianov, Joerimengri en Ogust, hadden een zwaar accent tijdens de debriefing. Later, toen ik ze voor *The Washington Post* interviewde, spraken ze al beter Engels, maar nog steeds met een merkbare Russische tongval. Ik had altijd aangenomen dat dat kwam doordat hun Engels beter werd naarmate ze hier langer woonden. Waarschijnlijk gold dat inderdaad voor Joerimengri en Ogust, maar niet noodzakelijkerwijs voor Berianov. Nu ik erover nadenk, herinner ik me dat andere overlopers meldden dat hij hier undercover had gewerkt. En volgens mij betekent dat dat hij moet zijn opgeleid in het Amerikaanse kamp van de Russen.'

'En dat hij jou dus voor de gek hield. Misschien had hij helemaal geen Russisch accent. Oké, daar zit iets in. Wat is het tweede punt?'

'Die kist met make-up in de stationwagen. Punt twee is dat de sluip-

moordenaar die jou wilde vermoorden, klaarblijkelijk een ver-
mommingsexpert was. Punt drie brengt me weer bij jouw idee,
waardoor ik over dit alles ging nadenken – dat Caleb Bates misschien een nerveuze Russische overloper met een valse identiteit is.
Punt vier is wat ik je heb verteld over die foto van Caleb Bates, die
ik in het weekblad van Stone Point heb zien staan. Weet je nog, hij
had iets bekends, iets waarop ik niet goed de vinger kon leggen.'
'Dat weet ik nog, ja.' Ze fronste haar voorhoofd. 'Wat wil je zeggen?'
Zijn brede trekken werden tot graniet toen hij over haar schouder
keek. 'Punt vijf: we hebben geen concreet bewijs dat Aleksej Berianov dood is. Een bericht, meer niet. Niemand van onze mensen
heeft zijn lijk gezien...'
Het was zo doortrapt dat ze naar adem moest happen. 'Geen Russisch accent. Toegang tot, en waarschijnlijk heel goede training in,
vermommingen. Kent onze cultuur als z'n broekzak. Misschien is
Berianov nog in leven...'
Hij knikte grimmig. 'In Moskou wordt zoveel met steekpenningen
gewerkt, dat het niet moeilijk kan zijn om zijn dood te fingeren. In
dat geval is Berianov niet alleen in leven, maar zit hij hier. En als
hij zijn lichaam en zijn gezicht opvulde, zou hij er waarschijnlijk
precies zo uitzien als die foto van Caleb Bates in het krantje van
Stone Point.'
'Denk je dat Berianov Bates ís?'
'Ja. Dat zou verklaren waarom ik hem weken achtereen niet kon
vinden. Hij is ondergronds gegaan als rijke eigenaar van een jachtclub.' Hij schudde zijn schouders in zijn jasje, in een poging de
spanning te verjagen. 'En dat brengt me bij punt zes: we worden
opgejaagd door een goed georganiseerde en gewelddadige groep,
waarvan enkele leden Engels spreken met een Russisch accent. En
punt zeven: Stone Point was de plek waar ze me wilden laten opdraaien voor die moord. Het feit dat ik naar Stone Point ging, moet
een eind gemaakt hebben aan Berianovs geduld met mij. Ik kwam
veel te dichtbij. Hij moest me uitschakelen.'
'Dus die groep die achter jou aanzit... en achter mij... moet Berianovs groep zijn. Dat is genoeg om de meeste mensen de stuipen
op het lijf te jagen, mij ook. Logischerwijs ziet het ernaar uit dat
ze iets van plan zijn en denken dat wij dat bijna ontdekt hebben.
Of misschien dat we het al weten.'
'Ja, die terroristische aanslag waar mijn baas het over had.' Hij trok
een grimas van bezorgdheid. 'Maar wat is het? Waar en wanneer?'

DEEL DRIE

33

Er waren van die dagen dat er een diepe, duistere schaduw over het kantoor van FBI-directeur Thomas Earle Horn leek te vallen. Dan passeerden voor zijn geestesoog alle harde, verwrongen en lege mensen de revue die hij in zijn lange carrière was tegengekomen. Een deprimerende parade, vooral aan het einde van een lange dag vol moord en verkrachting, terroristen en wraakacties, corruptie en spionnen. Horn had bij de politie gewerkt, was officier van justitie geweest en rechter in Denver, voordat hij een aanstelling kreeg bij het Tiende Circuit en uiteindelijk was benoemd tot directeur van de FBI. Hij was getuige geweest van iedere vorm van geweld die de ene mens de ander kon aandoen. Maar toen de gezichten in zijn hoofd voorbijflitsten, namen ze de vorm aan van droevige, verdwaalde zielen – zowel de misdadigers als hun slachtoffers.

Vandaag was zo'n dag. In gedachten verzonken zat hij in zijn halfduistere kantoor, zelf niet meer dan een grote schaduw met een dikke nek, toen de adviseur voor binnenlandse veiligheid Cabot Lowell onaangekondigd door zijn privédeur naar binnen stormde en recht op een stoel afliep. Even had Tom Horn de indruk dat Cabot Lowell, die naar hem staarde terwijl hij plaatsnam, met al zijn chique voorouders en zijn macht, niets meer was dan een zoveelste verdwaalde ziel.

Toen keerde zijn gevoel voor eigenwaarde terug en zei hij op kille toon: 'Normaal gesproken word je geacht aan te kloppen voordat je zomaar opduikt, Cabot.'

Lowell antwoordde: 'Heb jij een undercoveragent in de buurt van al die sovjetoverlopers zitten? Iemand die zogenaamd na enige problemen tien jaar geleden bij het Bureau is opgestapt maar die in feite sindsdien voor jou heeft gewerkt?'

Verbaasd, verbijsterd bijna, snauwde Tom Horn: 'Je weet dat ik daar geen antwoord op kan en wil geven, Cabot. Als dat al zo is, hoort het bij een nog niet afgesloten onderzoek.' Hij leunde over zijn bureau heen en keek de nationale veiligheidsadviseur strak aan.

'En ik moet zeggen, ik vind het meer dan irritant om zo'n vraag van jou te krijgen.'

'Dat is dan jammer, Tom. Toch wil ik een antwoord.'

Horn bestudeerde Lowells plechtige gezicht en de kille blauwe ogen achter de montuurloze bril, de mond dunner dan een scheermes en zonder een sprankje humor. 'O ja? En sinds wanneer valt de dagelijkse gang van zaken hier onder jouw gezag?'

'Sinds de dag dat de president de procureur-generaal en mij heeft aangewezen om die diepe mol in het Bureau op te sporen. Of vast te stellen dat er geen was.'

Alle schaduwen en verdwaalde zielen van zijn melancholie verdwenen uit het hoofd van de directeur en maakten plaats voor een withete woede die hij amper beheersen kon. 'Wát heeft de president gedaan?'

Lowell veegde een dunne piek van zijn grijze pluishaar uit zijn ogen. 'Hij heeft een extern onderzoek naar het Bureau ingesteld.' De stem van de adviseur voor binnenlandse veiligheid werd iets milder. 'Die toestand met die mol duurt te lang, Tom. Dat weet jij ook, en dat was al zo voordat jij het roer overnam. Het is de hoogste tijd dat we nu eens en voor altijd uitzoeken of al die gelekte informatie, al die mislukte operaties, het werk zijn van een mol die zo diep zit dat niemand hem heeft kunnen vinden – en dat al god weet hoeveel jaar.'

'Aha,' siste Horn met samengeklemde kaken. 'En wat heeft een eventuele undercoveragent van ons precies te maken met die mol?'

'Wij vermoeden dat de agent de mol ís.'

Hij aarzelde. 'Dan hoop ik voor je dat je sterke bewijzen hebt. Wie is die "wij" precies?'

'Millicent Taurino, Don Chen en ik.'

'O? Doe jij tegenwoordig je eigen onderzoek?'

Lowell gaf geen antwoord.

'Nee, dan zou je een paar echte onderzoekers nodig hebben, nietwaar. Van binnen de FBI.' De twee mannen keken elkaar strak aan in het schemerlicht van het directiekantoor. 'Ik zou m'n ontslag moeten indienen,' zei Horn. 'Onder dergelijke omstandigheden kan iemand niet functioneren als directeur.'

'Maar dat doe je niet. Jij wilt die mol net zo graag te pakken krijgen als wij.' Lowells meedogenloze mond vertrok in een wrange glimlach. 'Jij, en de FBI, krijgen natuurlijk alle lof.'

Daar moest Horn over nadenken. Het aanbod had een zekere aantrekkingskracht. 'Niet meer dan eerlijk, gezien het feit dat een van onze eigen mensen het graafwerk heeft verricht. Vroeg of laat kom ik er wel achter wie dat was – vergis je daar niet in.'

'Misschien.' Lowell haalde zijn schouders op. Het lot van Eli Kirkhart ging hem of de officier van justitie niets aan. De president zou er nooit achter komen, zelfs niet als hij werd herkozen.

'Hoe zijn ze tot die verbijsterende conclusie over mijn undercoverman gekomen?'

'Denk eens goed na.' Lowell boog zijn korte gestalte een paar centimeter naar voren, zijn bleke ogen meedogenloos en fel als een dienaar van de inquisitie op zoek naar ketters. 'Hij kan rechtstreeks met jou spreken, nietwaar? En met al diegenen onder jou die van zijn bestaan op de hoogte zijn. Dat is dus het merendeel, misschien zelfs de hele top van de FBI, nietwaar?'

'Min of meer, ja.'

'Onder jouw bescherming kan hij komen en gaan, zonder dat hij tegenover iemand anders verantwoording hoeft af te leggen. Voor diegenen die van niets weten, heeft hij een zogenaamd baantje dat zijn aanwezigheid in het gebouw verklaart. Als het misloopt en hij wordt aangehouden door agenten die niet op de hoogte zijn, doe jij alles wat in je macht ligt om ervoor te zorgen dat hij vrijkomt. Waarschijnlijk heeft hij een codesignaal om zijn mentor in te seinen. Dan wordt hij rustig vrijgelaten of onschuldig verklaard en vervolgens vrijgelaten.'

'Het is veel complexer. Maar stel dat het mogelijk is. Stel dat zo'n naamloze undercoveragent bestond... Wat voor bewijs heb jij dan dat hij de mol is?'

Lowell leunde achterover. 'Hou op met die ontwijkende antwoorden, Tom. We hebben het hier over Jeffrey Hammond, voormalig *special agent* en tegenwoordig buitenlands nieuwsanalist en onderzoeksverslaggever bij *The Washington Post*. Iemand die connecties heeft met zowat elke KGB-overloper in het hele land, en waarschijnlijk verantwoordelijk is voor het vinden van een groot aantal dubbelagenten binnen het Bureau. Iemand die naar verluidt problemen heeft gehad met het Bureau, maar die in feite het volledige vertrouwen geniet van jou en een klein groepje rondom jou. Is er een betere dekmantel denkbaar voor een mol? Iemand die zelden te zien, maar altijd aanwezig is, en die uiteindelijk alleen aan jou rapporteert.'

Horn zweeg. Ieder woord van Lowells analyse van Hammond als mol was hem voorgekomen als een mokerslag. Het klonk volkomen logisch, het zou verklaren waarom juist deze informatie uitlekte, en het gaf aan waarom de mol zo lang in leven was gebleven en zo onoverwinnelijk was geweest. Maar niet Jeffrey Hammond. Nee, dat geloofde hij niet. Lowell en zijn onderzoekers zaten op het juiste spoor, dat wist hij plotseling zeker... maar ze zaten achter de verkeerde aan.

Het antwoord dat bij Horn opkwam was veel choquerender, maar het gaf hem een grimmig gevoel van voldoening, van vreugde zelfs, dat hij beslist niet wilde tonen. Lowells onjuiste giswerk ten aanzien van Jeffrey Hammond had de situatie op een nieuwe manier belicht, en nu wist hij plotseling wie de mol moest zijn. De mol was op simpele maar briljante wijze geplaatst. Maar dat zou hij niet tegen Lowell zeggen. Die genoegdoening gunde hij niemand, zelfs de president niet. Het Bureau, zíjn Bureau, zou zijn eigen zaakjes opknappen. Zo was het altijd geweest en zo zou het altijd blijven. Dat vertrouwen wilde hij niet beschamen.

Hij trok een plechtig en bezorgd gezicht. 'Misschien zit er iets in, Cabot. Ja, nu ik erover nadenk klinkt het logisch. Maar we moeten zekerheid hebben. Dit is een ernstige aangelegenheid. We moeten hem op heterdaad betrappen. Laat je mensen doorgaan met Hammond, terwijl ik mijn mensen inschakel om te voorkomen dat hij nog meer schade aanricht.'

Cabot Lowell knikte en stond op. 'Heterdaad of niet, we moeten snel een einde maken aan zijn activiteiten.'

'Komt voor elkaar. Je kunt de president verzekeren dat de mol geen kant meer uit kan.'

'Dat zal hem genoegen doen.'

Toen de privédeur dichtviel en Cabot Lowells zachte stappen verdwenen, kwam Tom Horn tot een tweede conclusie: hij zou hier persoonlijk voor zorgen. De arrestatie zelf uitvoeren, net als J. Edgar Hoover in de begindagen voor de Tweede Wereldoorlog placht te doen, in de tijden dat de FBI een legende aan het worden was. Hij was wel iets verschuldigd aan het verleden, aan alle FBI-mannen en -vrouwen die hun leven hadden gegeven om Amerika's vrijheid te behouden. Hij had de verplichting om zijn land te dienen, en dit was zijn kans. Die kans zou hij aangrijpen, en hij wist precies hoe.

Toen de zon laag aan de hemel was gezakt en een verdovende warmte zich uitspreidde over de snelweg, praatten Jeff en Beth verder over het wereldwijde gevaar van een terroristische aanslag door Aleksej Berianov in Amerika. Hij vertelde haar dat de waarschuwing afkomstig was van ene Perez, een geheime informant. Gespannen keken ze naar de andere auto's om te zien of ze misschien herkend waren, maar de Ferrari volgde het spoor van auto's die het beboste Catoctin-gebergte in kronkelden zonder dat ze iets verdachts zagen.

Jeff stopte bij een benzinestation met een kleine winkel ten noorden van Thurmont in Maryland, een plek waar hoge prijzen werden gevraagd vanwege de jonge carrièremakers uit Washington, die enorme bedragen hadden neergelegd voor weekendhuisjes op het platteland. Grijze, spookachtige schaduwen van esdoorns in blad lagen rond de gebouwen van het complex toen hij benzine tankte en Beth naar binnen rende om inkopen te doen.

Het eerste dat ze zag, was een televisie aan de wand boven de kassa, afgestemd op de nieuwszender CNN. Terwijl ze een vluchtige blik op het scherm wierp, greep ze snel wat kaas, een stokbrood, fruit en een bos rauwe wortels. En toen zag ze, in de koeling, blikjes van een goedkoper soort kaviaar – sevroega, niet haar favoriete beloega, maar ze wist meteen dat dit precies was waar ze trek in had. Kaviaar. Zonder erbij na te denken greep ze een blikje en liep snel naar de kassa.

Maar toen ze daar met haar armen vol boodschappen stond, verscheen er een foto van Jeff op het tv-scherm. Haar knieën knikten. Maar ze glimlachte stralend naar de jongeman achter de kassa. 'Hallo.' Ze zette het eten op de toonbank neer en stak haar hand uit naar een papieren zak.

Zijn gezicht zat onder de pukkels. Toen hij haar aankopen aansloeg, vroeg hij: 'Kom je hier uit de buurt?' Hij likte zowat aan zijn lippen toen hij haar aankeek.

Ze glimlachte nog eens, in de hoop zijn aandacht af te leiden van het nieuws. 'Ik ben net naar Thurmont verhuisd. Werk jij hier wel vaker?' Ze gaf hem het geld en borg haar boodschappen in de zak. 'Jazeker.' Toen hij zijn hand met het wisselgeld uitstak, begon er een nieuw nieuwsitem. Nu stond ook haar foto op het scherm. '... *jurist, kortgeleden ontslagen bij een prominent advocatenkantoor in Washington. Volgens een getuige heeft zij in Georgetown een man doodgeschoten. Volgens het rijbewijs van het slachtoffer was het een toerist uit Miami. Het wapen is nog niet gevonden. Convey bevindt zich naar verluidt in gezelschap van Jeffrey Hammond, met als voertuig een gele Plymouth stationwagen uit 1987. Tegenstrijdige berichten...*'

De hand van de jongeman bleef halverwege hangen, zonder dat hij haar het wisselgeld had gegeven. Zijn ogen werden rond van verbazing en hij keek haar aan. 'Ben jij dat?'

'Doe niet zo mal.' Ze greep het geld en haar boodschappen en liep de deur uit. Haar hart bonsde zo hard dat het tegen haar ribben leek te daveren. Hield dit dan nooit op? Zouden zij en Jeff hun leven lang opgejaagd worden?

Zodra ze in de Ferrari sprong, voegde Jeff weer in het verkeer in. De zon hing nu nog lager en legde een vuurrode gloed over de bergtoppen. Al rijdende aten ze, en ze vertelde over de nieuwsuitzending. Ze raakte al zo gewend aan het zoeken naar gevaar dat het automatisch leek te gaan. Niet dat ze daar blijer van werd. Het was een drukkend, claustrofobisch gevoel om zich zo opgejaagd te weten.

'Heb je kaviaar gekocht?' vroeg Jeff na een tijdje. Hij onderdrukte een glimlach. 'Is dat niet wat aan de rijke kant voor vluchtelingen?'

'Nou en of. Ik weet dat het extravagant overkomt, maar ik had er zin in. Ik móést het gewoon kopen, meestal doe ik niet zo aan impulsaankopen,' antwoordde ze zwakjes.

'Nou, ik vond het erg lekker. Bedankt.'

'Bedank Michaïl Ogust maar,' zei ze glimlachend. 'Wat betreft bepaalde dingen had hij een goede smaak.'

Jeff keek hoe ze haar pillen innam. 'Die moet je heel regelmatig innemen, nietwaar? Het lijkt me heel wat.'

'Welnee. Het had veel erger gekund.'

Het hoorde nu eenmaal bij haar leven. Plotseling voelde ze de behoefte om hem er alles over te vertellen, maar ze durfde niet goed. Zijn reactie zou heel veel over hem zeggen.

Ze legde uit: 'Deze blauw-met-bruine capsule is CellCept. Die vermindert de kans dat mijn lichaam een "vreemd voorwerp" gaat afstoten. In dit geval dus mijn nieuwe hart. En dan moet ik Cytovene nemen. Dat is deze groene. Die helpt om ziekten te voorkomen. Die andere zijn prednison, een ontstekingsremmer, en Prograf, om immuunreacties te remmen. Verder neem ik co-enzymen, vlaszaadolie, vitamine E en alfa-vetzuur. Zoveel is dat niet.'

Zolang de geneeskunst niet nog meer vorderingen had gemaakt, moest ze de rest van haar leven al deze of vergelijkbaar sterke medicijnen blijven innemen. Maar dat deed er niet meer toe. Ze genoot van het ritmische slaan van haar hart en vroeg zich af wie Michaïl Ogust was geweest. Vroeg zich af in hoeverre hij van invloed was op wie zij nu was, en of ze daarmee ooit in het reine zou komen. Maar in stilte zegde ze hem en zijn familie ook dank. Zij hadden haar het leven geschonken.

Zonder er doekjes om te winden vroeg Jeff: 'Ben je bang om je toekomst, na die transplantatie en nu je al die medicijnen moet innemen?'

'Als je vraagt of ik een normaal leven kan leiden, neem ik aan dat het amper normaal is wat we momenteel doen. Althans, voor mij. Maar het ziet ernaar uit dat ik me aardig red.'

'Je redt je meer dan aardig,' corrigeerde hij. 'Maar die pillen hebben gevaarlijke bijwerkingen, vooral als je ze lang achter elkaar gebruikt.'

'Je bedoelt, als ik niet doodga door m'n hart, dan kan ik doodgaan door een van de bijwerkingen. Dat is zo. Nierbeschadigingen, hoge bloeddruk, suikerziekte, bloedarmoede.' Ze haalde iets te nonchalant haar schouders op. 'Het hele leven is een risico. Ik ben gewoon van plan alles te doen om gezond te blijven en ik verwacht geen bijwerkingen. Intussen, als ik maar lang genoeg wacht, komt de wetenschap vast wel met nog betere antwoorden voor transplantatiepatiënten.' Hij bezorgde haar een akelig gevoel door vragen te stellen die ze zelf het liefst vermeed.

'Prima houding. Zou ik ook doen, of althans proberen.' Hij zag haar onbehagen en vroeg zich af of ze lang zou leven – als ze de huidige problemen tenminste overleefde.

'Zit je ermee, die onzekere gezondheidstoestand van mij?' vroeg ze.

'Ik sta er zelf niet vaak bij stil. Maar het is wel altijd aanwezig. Ik zou er begrip voor hebben, als je ermee zat. Als het andersom was, zou ik jou waarschijnlijk dezelfde vragen stellen die jij mij nu stelt.' Haar gezicht stond weer neutraal, haar schoonheid verborgen onder een onpersoonlijk masker. Hij had het gevoel dat ze haar rechtszaalgezicht had opgezet. Of misschien het pokergezicht dat ze zichzelf aanmat als ze voor het eerst een directiekamer vol tegenstanders binnenliep. Ze had een bolwerk rond zich opgetrokken, en dat had ze snel en automatisch gedaan. Hij was blij. Opgelucht. Afstand, dat wilde hij. Fantasie was één ding, maar het echte leven was iets anders.

'Dat kan niet makkelijk voor je geweest zijn, om op een hart te liggen wachten,' zei hij.

'Niet echt, nee. Het ergste is volgens mij dat je weet dat je alleen in leven blijft als er iemand anders sterft. Dat verandert iets in je geest. Profiteren van andermans dood als je zelf zo dicht bij de dood staat lijkt iets... onmogelijks. Onvergeeflijks. En toch is de drang tot overleven verschrikkelijk sterk. Onvoorstelbaar sterk.'

Hij wist niet wat hij zeggen moest. Ze reden nog een kilometer of tien verder naar het noorden, en toen stond zij erop het stuur over te nemen. 'Je bent moe, Jeff. Ik zie het aan je gezicht. We weten niet wat ons nog te wachten staat. Doe ons allebei een plezier en zorg dat je wat slaap krijgt.'

Ze had gelijk, en hij verzette zich niet. Hij zette de auto langs de weg, zodat ze van plaats konden ruilen. Toen ze wegreed, op de uitkijk voor politiewagens, viel hij in een onrustige slaap.

Ten noordoosten van Washington, in Silver Spring, Maryland, ijsbeerde een magere man van een jaar of dertig verbluft en bezorgd heen en weer door een hotelkamer. Hij streed tegen zijn opborrelende woede. Hij keerde terug naar de draagbare computer op het tafeltje naast het bed en logde voor de zoveelste maal in bij het internet. Hij stuurde een e-mail in code naar het Kremlin, verbrak de verbinding en kon toen niets anders meer doen dan wachten.

Al kettingrokend beende hij door de kamer. Na een tijd haalde hij een fles Miller Lite uit de minibar. Hij draaide de dop eraf en nam een enorme teug. Lekker, dat lichte bier in Amerika. Niet echt pittig, maar als hij dit bier dronk kreeg hij het gevoel dat hij dichter bij een begrip van de cultuur kwam. Eigenaardig, eigenlijk: een heel land dat bereid was om smaak op te offeren als je daardoor minder calorieën binnenkreeg. Er was hier veel te veel eten te koop. Ze moesten eens een stevige hongersnood meemaken, dan hadden ze wel iets serieuzers aan hun hoofd.

Hij liet zich in de bureaustoel vallen, doofde zijn Camel en stak een nieuwe op. Hij keek op zijn horloge, dat hij aan zijn rechterpols droeg boven een klein, wit littekentje. Een bijzonder nuttig horloge, waterdicht en met een verlichte digitale display, een stopwatch en een timer. Als hij aan het werk was, kon hij het omhoogschuiven onder de mouw van zijn strakke, zwarte coltrui, waar hij er nog wel bij kon, maar waar het alleen te zien was als hij dat wilde.

De tijd begon te dringen. Geagiteerd staarde hij naar de stapels uitdraaien op zijn bureau. Die bevatten achtergrondinformatie over Caleb Bates, Aleksej Berianov, Anatoli Joerimengri, Michaïl Ogust, Beth Convey en Jeff Hammond. Hij keek nogmaals of er al e-mail was. Ditmaal was het antwoord er. Meteen reageerde hij, ramde met zijn vuist op het bureau, kwam overeind en liep haastig de kamer uit.

Toen Beth de westelijke afslag naar een zoveelste snelweg in Pennsylvania nam, keek ze naar Gettysburg, dat ontsnapt leek aan de commerciële urbanisatie die Philadelphia en Pittsburgh overkomen was. Het lag buiten de doorgangsroutes, midden in een uitgestrekt landbouwgebied en zag er niet veel anders uit dan in 1863, toen de noordelijke en zuidelijke staten van Amerika de bloedigste strijd aller tijden hadden uitgevochten op Amerikaans grondgebied. Nu baadde het stadje in het violette licht van de schemering, de keurige boomgaarden, de bosjes en de oude boerderijen afgewisseld door braakliggende velden met rijke, donkere aarde. Een groot aantal wegen was afgezet met stenen muurtjes, en in de verte torenden glooiende richels. Langs de weg, boven de velden en in de bossen knipperden vuurvliegjes aan en uit.

Na een tijd maakte Beth Jeff wakker. 'We zijn er bijna.' Ze had de routebeschrijving uit de advertentie uit haar hoofd geleerd en stuurde de Ferrari zuidwaarts richting Emmetsburg Road op. Ze passeerden de boerderij van president Dwight D. Eisenhower, nu een nationaal historisch monument, en reden in zuidelijke richting tussen de landerijen door.

'Is er nog iets gebeurd terwijl ik lag te slapen?' vroeg hij.

'Nee, niets. Ik heb me zitten afvragen wat we daar zullen vinden. Misschien is dit allemaal niets meer dan wilde speculatie geweest. Misschien is de boerderij gekocht door een aardig echtpaar op leeftijd, mensen uit Buffalo, die daar nu wonen met hun kleinkinderen en een paar melkkoeien.'

'Zoiets had ik ook al gedacht, ja. Maar hoe dan ook, we zullen het snel genoeg weten.'

'Aan de andere kant...' Ze reden nu tussen opritten met genummerde palen. Terwijl ze de nummers aflas, zei ze: 'Ooit vertelde een klant me dat wij Amerikanen net schoothondjes zijn, terwijl Russen eerder op straathonden lijken. En in zekere zin had hij gelijk. Ze hebben noodgedwongen moeten leren door sluwheid in leven te blijven.'

Jeff knikte. 'En Brezjnev heeft het allemaal alleen nog maar erger gemaakt. Na de jaren zeventig begon de georganiseerde misdaad op te komen, en de regering liet dat oogluikend toe door gewoon de andere kant op te kijken. Daardoor werd het idee bevestigd dat iets niet echt een misdaad was zolang je niet betrapt werd. En dan vragen de mensen zich nog af hoe we aan die Russische maffia komen.'

'Toch wisten ze in de Sovjet-Unie wel hoe ze hun mensen moesten opleiden. Voor zover ik in mijn praktijk heb kunnen zien, konden ze zowat ieder systeem ontrafelen. En ze hadden geen problemen met ras, religie of afkomst. Het enige dat ertoe deed, was geld maken. Ze deden met werkelijk alles en iedereen zaken. Een soort tolerantie op basis van winstbejag.'

'Maar soms ging dat ook te ver – bijvoorbeeld door zaken te doen met criminelen. En dat is gedeeltelijk onze schuld. We hebben een belangrijk zwak punt genegeerd door te verwachten dat de Russische staat een middel tot ordelijke veranderingen zou zijn, terwijl het in feite niets meer was dan een bureaucratie die verstrikt was in smeergelden, incompetentie en onderlinge politieke strijd.'

'Dat is zo. Na vierenzeventig jaar communisme hadden ze nooit een Alan Greenspan kunnen voortbrengen, of een Robert Rubin, of iemand anders met ook maar een zweempje begrip van een markteconomie.'

'Ik herinner me dat onze fiscale specialisten daar soms drie weken achter elkaar zaten om te adviseren,' zei hij. 'We waren zo naïef, zo blij en hoopvol dat we dachten dat intensieve injecties van gedegen Amerikaanse kennis van zaken een compensatie konden vormen voor drie generaties geïnstitutionaliseerde onwetendheid. Als het IMF en de Wereldbank het onwillige Rusland niet met grof geweld de vrije markt op gedreven hadden, hadden we hen kunnen helpen om een solide basis te ontwikkelen, net als in Duitsland na de Tweede Wereldoorlog. Maar er was geen tijd, en het is nog steeds niet gebeurd.'

'Dat doet me denken aan een van mijn cliënten, vorig jaar. Die ging van start met twee bijzonder succesvolle fitnessclubs in Moskou. Maar plotseling zat hij dringend verlegen om nieuwe leden. Waarom? Omdat de oude bij bosjes tegelijk waren vermoord bij aanslagen.'

'Ik heb nog iets schokkends,' zei Jeff met een bezorgd gezicht. 'Sommige van onze veiligheidsanalisten menen dat Rusland weer is afgezakt naar de gebruikelijke cyclus van desintegratie en fragmentatie, en dat die cyclus ditmaal pas doorbroken zal worden als het land met geweld wordt herenigd door een of andere leider – waarschijnlijk een legerleider. En dan denk ik natuurlijk meteen aan Berianov.'

'Daar zit iets in. Berianov is natuurlijk geen echte legerleider, maar hij heeft bij de KGB-leiding gezeten, en dat betekent dat hij meer dan voldoende militaire contacten heeft bij zowel defensie als binnenlandse veiligheid.' Ze zweeg, haar blik gevestigd op het adres op een witte paal. 'We zijn er.' Ze knikte naar de paal, die op de weg stond, buiten een omheining met een afzetting van prikkeldraad. Achter die omheining en op de glooiing van een heuvel stonden een rode schuur, een paar andere bijgebouwen, weilanden met witte hekken en een landhuis in koloniale stijl, met twee verdiepingen en een zuilengaanderij. 'Dat is het huis uit de advertentie.'

Hij keek van links naar rechts. 'Prima beveiliging.'

De omheining liep langs de landweg en langs beide zijden van de boerderij. Daarbinnen stond een rij pijnbomen langs het hek. De oprit was afgesloten door een paar zware, smeedijzeren poorthekken tussen twee witte palen. Ondanks hun decoratieve uiterlijk za-

gen die hekken er bijzonder solide uit, en de omheining met prikkeldraad was nog onneembaarder.

Terwijl ze langsreden, glipten twee mannen in spijkerbroek en spij-
kerjacks en met werklaarzen aan het hek uit, en liepen in het maanlicht de weg op. Ze reed nog een kilometer door in de invallende
duisternis, keerde de auto en reed dezelfde weg terug. Nu stonden
de mannen bij een bushalte. Vuurvliegjes dansten om hun hoofd.
Ze reed verder langs de weg tot ze nogmaals het boerenbedrijf passeerden en heuvel opwaarts reden.

'Laten we aan de andere kant van de heuvel parkeren en dan te-
ruglopen om nog eens te kijken,' stelde Jeff voor.

Ze reed over de heuveltop heen, zodat ze vanaf de boerderij niet
meer te zien waren. Terwijl ze de auto langs de weg zette, pakte
hij de nachtkijker uit de kist met bewakingsapparatuur van de sluipmoordenaar. Het was nu donker, en de sterren begonnen net te
flonkeren aan de enorme hemel. Het begon kil te worden en er hing
een geur van vochtige aarde in de lucht.

'Ben je vertrouwd met dat wapen?' vroeg hij. 'Je vader had je meegenomen naar de schietbaan, zei je. Je kunt schieten, dat is gebleken.'

'Ja, maar echt goed getraind ben ik niet. Ik kan richten en vuren,
en ik heb enig gezond verstand. Als je bang bent dat ik jou zal vertellen wat je moet doen, zet dat dan maar uit je hoofd. Ik ken mijn
grenzen.'

Hij knikte. 'Mooi.'

Ze draafden door de donkere nacht. Even stond ze zichzelf toe, te
genieten van de manier waarop ze zij aan zij liepen, alsof ze meer
deelden dan de wens tot overleven. Hij liep met lange, soepele passen; iemand die hield van zijn lichaam en van wat het kon doen.
Maar zijn houding tegenover haar was veranderd. Eenzaamheid,
een emotie die ze maar al te goed kende, spoelde over haar heen
en bezorgde haar een kil gevoel. Vanaf het moment dat ze hem had
verteld over haar medicijnen en ze het hadden gehad over haar toekomst sinds haar harttransplantatie, was hij in zichzelf gekeerd gebleven, alsof hij in een ver land zat waar zij niet in mocht. Moest
ze hier altijd mee blijven leven? Met angst voor haar transplantatie, voor het onbekende? Met medelijden en afstandelijkheid?

Hij wees naar een plek achter een groot rotsblok, waarachter ze
vanaf de weg niet te zien zouden zijn. Daar hurkte ze, en hij kwam
naast haar zitten. Ze keek hoe hij de boerderij door de kijker bestudeerde. Hij kwam haar bijzonder mannelijk voor, zoals hij daar
volledig geconcentreerd bezig was. In de koelte was de warmte van

zijn lichaam in de strakke spijkerbroek en het tweedjasje bijna voelbaar.

'Geen beweging te zien,' mompelde hij. 'De kudde is naar de schuur of ergens anders heen gebracht. Daar brandt geen licht, en in de andere bijgebouwen ook niet. Maar boven zie ik licht achter twee van de middelste ramen, en beneden rechts naast de voordeur.' Hij gaf haar de kijker.

Ze keek naar het smetteloze terrein rond de boerderij en vroeg zich af of daar gevaar school.

'Zie jij iets?' vroeg hij.

Ze beschreef de diverse gebouwen, het licht, de afwezigheid van koeien en voertuigen. Alles lag er precies zo bij als hij gezegd had. 'Kijk nog eens naar de ingang.'

Ze verplaatste de kijker en bestudeerde het rijk versierde smeedijzeren hek, de palen en de omheining. 'Ziet er stevig uit. Wat heb jij gezien?'

'Kijk eens naar die pijnbomen aan weerszijden van de poort.'

Langzaam verplaatste ze de kijker om naar de naalden van een van de jonge bomen te kunnen kijken. 'Een camera!' Nogmaals verschoof ze haar blikveld. 'En nog een. De poort wordt bewaakt!'

'Ja. Geen idee hoe het met bewegingssensoren zit, maar ik wil erom wedden dat die ook bij de poort en de omheining zitten. Wie daar ook zit, hij is zeer bezorgd om z'n beveiliging. Meer kun je daaruit natuurlijk niet afleiden, maar interessant vind ik het zeker.'

'Wacht even. Ik zie een pick-up. Hij komt uit een gebouw onder aan de heuvels. Een garage, waarschijnlijk.' Ze keek naar de opening van het bouwsel – breed genoeg voor twee auto's en ongebruikelijk hoog voor een simpele garage. Zodra de pick-up buiten stond, begon de deur weer te zakken.

'Ik zie alleen koplampen op de oprit,' zei hij.

'Er is daar iets. Mensen, of spullen. Moeilijk te zien.'

'Geef eens?'

Ze gaf hem de verrekijker.

Snel stelde hij scherp, terwijl hij met zijn blik het gebouw zocht. 'Verdomme. Die deur zit alweer dicht. Dat is snel. Ik zie...' Hij onderbrak zichzelf. 'Valt jou iets op?' vroeg hij zachtjes.

Ze bleef in de richting van het licht bij het gebouw staren. En plotseling wist ze wat hij bedoelde. 'Het licht is uit. Plotseling. Allemaal tegelijk. Mij maak je niet wijs dat al die mensen alle lampen tegelijk uitgezet hebben. Of dat iemand een hoofdschakelaar heeft overgehaald terwijl er nog mensen binnen waren. Dat zou nergens op slaan.'

Hij knikte. Hij sprak nog steeds op gedempte toon, en ze kreeg het gevoel alsof er een cobra op het punt van aanvallen stond. 'Ik wil wedden dat het licht in dat gebouw daar nog aan is.'

'Hoe kan dat nou? Er komt altijd licht naar buiten bij ramen en deuren – door de spleten. Dat zou je moeten zien. Tenzij ze verduisteringsgordijnen hebben.'

'Precies. Op de een of andere manier hebben ze de hele tent lichtdicht gemaakt. Ik wil weten waarom.' Hij gaf haar de kijker, zodat zij weer kon kijken.

Ze staarde hem in het donker aan. Bij het licht van de opkomende maan kreeg zijn bruine haar een heldere glans. Ze waarschuwde hem: 'Jij gaat daar niet naar binnen zonder mij.'

Even keek hij verbaasd, toen grijnsde hij sardonisch 'Als ik het niet dacht. Ik leg me neer bij mijn lot.'

De spanning steeg, terwijl ze zaten te kijken om de toestand te analyseren. Zowat ieder halfuur kwamen er mensen uit de garage. Soms op een motor, of een gewone fiets. Andere keren twee of drie man te voet, in een auto of een pick-up.

'Er gaat helemaal niemand naar binnen,' zei hij grimmig. 'Het is een uittocht. Maar waar gaan ze in godsnaam allemaal heen?'

'En waar in die boerderij kwamen ze vandaan?' Ze voelde zich rusteloos worden. Diezelfde onuitputtelijke energie die ze had gevoeld na haar transplantatie. Zwijgend verzocht ze Michaïl Ogust te verdwijnen. *Het is nu mijn hart.* 'Volgende keer dat er iemand lopend naar buiten komt, proberen we hem te grijpen. We moeten erachter komen wat daar gaande is.'

34

Beth en Jeff lagen in de diepe schaduw naast de schutting, ver genoeg van de ingang af om buiten het bereik van de camera's te zijn. Jonge kikkers kwaakten het hoogste lied. De nachtlucht rook heerlijk naar vers gras. Maar Beth zag geen kans werkelijk te genieten van de landelijke sfeer. Haar bloed raasde door haar aderen terwijl ze lag te wachten. Toen er eindelijk weer twee mannen te voet door de dubbele poort kwamen, raakte Jeff haar schouder aan en mimede de woorden 'Nog niet.' Ze knikte, geïrriteerd dat hij kennelijk dacht dat ze te snel in actie zou komen.

Zacht pratend liepen de mannen de landweg op, in de richting van de bushalte. Zodra ze voorbij waren, tikte Jeff nogmaals op haar schouder. Tegelijkertijd sprongen ze overeind en renden ze door het gras langs de weg om het geluid van hun voetstappen te dempen. Zodra Jeff dicht genoeg bij de rechterman was, liet hij de loop van zijn Beretta neerkomen op de plek waar diens schouder overging in zijn nek. Op datzelfde moment ramde Beth een voet recht tussen de schouderbladen van de man links naast hem. Hij vloog naar voren en smakte met een klap tegen de grond. Aangezien de eerste man bewusteloos was, draaide Jeff zich om en drukte zijn Beretta tegen het oor van de tweede man.

Beth fouilleerde hem en tilde zijn jasje op. 'Hij heeft een pistool.' Het wapen zat in een holster achter in zijn broeksband. Ze trok het te voorschijn.

'Opstaan,' zei Jeff. 'Maar langzaam.'

'Wie zijn jullie?' wilde de man weten. 'Wat willen jullie?'

Zijn stem klonk gespannen, maar Beth hoorde ook een ondertoon van onderdrukte opwinding. Hij was opgefokt, klaar voor actie, wat die ook mocht inhouden. Langzaam kwam hij overeind. Hij had een lang gezicht, geschoren, met donkere, dicht bij elkaar staande ogen die in de nacht amper zichtbaar waren. Hij keek neer op zijn metgezel, in wie enige beweging kwam en weldra bij bewustzijn zou komen.

'Wij zijn zomaar een paar mensen met een heel echt probleem,' zei Jeff. 'En dat probleem is: jij en je vriend. Wie zijn jullie? En wat is er gaande op die boerderij?'

Beth was de man op de grond al aan het fouilleren, op zoek naar een wapen. 'Hij heeft ook een pistool.' Ze trok het wapen onder zijn jack vandaan. Ook bij hem had het op zijn rug in de broeksband gezeten.

'Wie zijn jullie eigenlijk – de politie?' wilde de man weten. 'De ATF?'

Jeff negeerde de vraag. 'Vertel maar eens over Caleb Bates en Aleksej Berianov. *Vy govorite po-roesski?*' Spreek je Russisch?

'Geen idee waar je het over hebt,' zei de man laatdunkend. 'Wat is dat nou voor taal?' Maar hij had met zijn ogen geknipperd bij Caleb Bates' naam en hij keek bang bij de klank van de Russische woorden. Hij bukte zich naar zijn gevallen vriend. 'Wakker worden, Chet. Verdomme, man. Wakker worden! Ze hebben ons te pakken. Begrijp je me? Ze hebben ons te pakken. De FBI.'

'Wij zijn een heel stuk erger dan de FBI,' vertelde Jeff hem.

'Val dood!' zei de overeindstaande man.

De man op de grond rolde zich op zijn rug. Zijn gezicht was krijtwit. Zo snel dat noch Beth, noch Jeff de tijd hadden om te reageren, keken de twee mannen elkaar aan. Een stilzwijgende boodschap leek te worden uitgewisseld, en ze maalden even met hun kaken.

'Nee!' brulde Jeff.

De staande man zakte met krampachtig schokkende ledematen ineen. Jeff probeerde zijn mond open te breken, terwijl ook de tweede man begon te stuiptrekken. Beide mannen kregen schuim in hun mondhoeken. Hun lichamen trokken krom, kronkelden en schokten. Hun gezichten vertrokken van een vreselijke pijn.

'Wat gebeurt er?' vroeg Beth. 'Wat moet ik doen?'

Jeff kreunde en leunde gehurkt achterover. 'Te laat.'

'Mijn god. Wat was dat?' Ze staarde naar het tweetal, dat onheilspellend stil lag. 'Het ging zo snel. Wat hebben ze gedaan?'

Hij boog zich naar de eerste man toe en rook even aan diens gezicht, daarna aan het gezicht van de tweede. 'Ik ruik bittere amandelen. Bij allebei. Ze hadden dus cyaankalicapsules ergens in hun gebit verborgen. Misschien in plaats van een kies. Ik weet alleen dat het een enorme dosis geweest moet zijn, als ze zo snel dood waren.'

Ze viel naast Jeff op haar knieën en staarde geschokt van de een naar de ander. 'Zelfmoord,' zei ze als verdoofd. 'Ik heb zojuist een jaar lang gevochten om in leven te blijven en deze lui... plegen zelfmoord. Zomaar.' Ze zweeg en probeerde de toestand te begrijpen. Eindelijk citeerde ze op fluistertoon: '"Het geheim van het menselijk leven, het universele geheim, het hoofdgeheim waaraan alle andere geheimen ontspringen, is het verlangen naar méér leven. Het ziedende, onverzadigbare verlangen om al het andere te zijn, zonder ooit op te houden onszelf te zijn."' Ze hief haar blik op om over de twee lijken heen naar Jeff te staren.

'Wie heeft dat gezegd?'

'Dat komt uit een geschrift van Miguel de Unamuno, de Spaanse filosoof. Dit is ongelooflijk. Afschuwelijk. Wat kon er in godsnaam zo erg zijn dat ze ervoor kózen om dood te gaan? We wilden alleen maar met ze praten.'

'Ik neem aan dat ze niet het risico konden lopen dat ze iets zouden vertellen dat geheim moest blijven. Maar een tragedie is het wel.' Hij doorzocht de zakken van de eerste man. 'We kunnen hier niet al te lang langs de weg blijven zitten. Het lijkt me geen goed idee als een toevallige passant ons hier ziet.'

Beth doorzocht de zakken van de tweede man. 'Stel je eens voor wat een macht: een groep met zo'n blinde toewijding dat ze bereid zijn zichzelf te vermoorden als de kans bestaat dat anders het doel in gevaar gebracht wordt. Wat er ook in die boerderij gaande is, de volgelingen zijn volledig loyaal.'

'Heel binnenkort weten we wat het is. Dat lijdt geen twijfel. En mij staat het niet aan. Niets gevaarlijker dan een paar fanatiekelingen. Als ze zover heen zijn, kun je ze bijna niet meer tegenhouden, tenzij je ze ter plekke neerschiet. En daartoe is onze regering niet bereid; althans, ik hoop van niet. En ikzelf ook niet. De vraag is, wat is er zo belangrijk dat mensen ervoor willen sterven?'

'Ik wed dat het niets is waardoor de samenleving erop vooruitgaat.'

'Inderdaad, je denkt meteen aan het woord "bloedbad". We moeten zo veel mogelijk uitzoeken.' Hij trok het jack van de grootste man uit en trok het over zijn eigen blazer aan. De mouwen waren iets te kort. 'Goed genoeg.'

'Ze hadden geen Russisch accent.' Ze paste het jack van de andere man aan. Het paste bijna precies.

'Dat had de zaken heel wat simpeler gemaakt. Dit betekent dat we nog steeds niet weten met wie we nu eigenlijk te maken hebben.'

Ze sleepten de lijken naar de overkant van de donkere weg, een bosje in. Toen ze terugkwamen om de spullen van de dode mannen op te halen, begon Beth bang te worden. Wie er ook achter de hele toestand zat, er was dus kennelijk zo weinig respect voor het menselijk leven – niet eens voor dat van de eigen mensen – dat hij hen eropuit had gestuurd met wat in wezen een bevel was om te sterven bij het eerste vermoeden van mislukking. De leider – Aleksej Berianov, Caleb Bates of wie dan ook – was niet zomaar een moordenaar. Hij was een monster. En als dit zijn manier van werken was, zou hij nergens voor terugdeinzen op zijn weg naar succes.

Aleksej Berianov liep met haastige passen door het huis. Hij deed de deur naar zijn slaapkamer op slot en ging de badkamer in. Hij bleef staan voor de passpiegel om zijn zware gestalte en zijn brede gezicht te bekijken. Caleb Bates had een soliditeit die stabiliteit en gezag beloofde. Van zijn vierkante kaak tot zijn forse torso straalde hij in alle opzichten succes uit. En nu hij zijn taak volbracht had moest hij, als het mannetje van de schorpioen, sterven. Berianov glimlachte ten afscheid naar Bates.
Opgelucht haalde hij de rubber vulstukken uit zijn mond. Zijn wangen vielen in, zodat zijn hele gezicht veranderde. Zijn neus en ogen leken niet klein meer. Hij kreeg zijn gelijkmatige trekken terug: rechte neus, mooi ver uiteenstaande blauw-bruine ogen en een brede mond. Bijzonder Noord-Europees. Zijn gezicht had een beweeglijke kracht die hij altijd in bedwang hield. Hij begroette zijn spiegelbeeld in het Russisch en bestudeerde het. Binnenkort was dit allemaal voorbij. Het was het waard geweest, bezwoer hij zichzelf.
Berianov trok Bates' gewatteerde kleding uit, terwijl hij terugliep naar de slaapkamer. Uit de kast haalde hij een oude spijkerbroek, een flanellen overhemd en een verschoten spijkerjack. Hij trok de kleren aan. Het paste allemaal volmaakt.
Hij liep terug naar de badkamer en boog zich voorover naar de spiegel. Hij fronste. Hij glimlachte. Hij bestudeerde de lijnen die op zijn gezicht ontstonden. Hij pakte een oogpotlood en zette de lijnen extra aan. Hij veegde een askleur onder zijn ogen en in de holtes van zijn wangen. Al doende werd Berianovs gezicht ouder... een jaar of zestig... zeventig... En daar hield hij op. Hij tekende bruine ouderdomsvlekken op de rug van zijn handen en pakte als laatste accent de verfomfaaide, smerige stetson die hij in de kast verborgen had.
Voor de passpiegel zette hij de hoed op. Hij lachte van plezier. Hij zag eruit als een bejaarde cowboy of een boer, iemand die door zon en wind verweerd was maar nog wel zo kras dat hij zich nuttig kon maken. Perfect.

Bij het licht van de twee kleine kaartleeslampjes in de Ferrari bestudeerden Jeff en Beth de spullen die ze uit de zakken van de twee overleden mannen hadden gehaald.

'Niets,' zei ze ontmoedigd.

'Ik word hier ook niets wijzer van,' bekende hij.

De oogst was het gebruikelijke assortiment: een stel zakmessen, portemonnees met bankbiljetten, creditcards, rijbewijzen uit de staat Arizona die natuurlijk net zo goed vervalst konden zijn, een Bic-aansteker en een kartonnen pakje Camel dat Jeff had leeggehaald en dat uitsluitend sigaretten bleek te bevatten. Niets waaruit bleek waarheen de mannen op weg waren geweest en wat ze van plan waren. Niet eens lucifers uit de plaatselijke eettent.

Beth had nog steeds overal spierpijn, maar het hielp dat ze in beweging bleef. Een tijdje tevoren hadden ze met de vochtige tissues uit de make-upkist van de sluipmoordenaar het bloed van hun gezichten gewassen en hun schrammen en overige wondjes schoongemaakt. Daarna hadden ze donkere poeder op hun gezicht aangebracht om de reflecties van het maanlicht op hun gezichten te verminderen.

'Ik kan geen honkbalpet dragen als we naar de boerderij gaan,' besloot hij. 'We hebben niemand gezien met een pet. Als ik die van mij ophoud of als ze mijn lange haar zien, valt dat veel te erg op.'

'Moet ik je haar knippen?'

'Dat lijkt me het enige, ja.'

Ze viste in de make-upkoffer en haalde een schaar te voorschijn. 'Mijn naam is Delila…' Toen ze zich naar hem toe draaide, had hij zijn pet al afgezet. In de nauwe ruimte van de Ferrari viel haar plotseling opnieuw op hoe mannelijk hij was. Dat stevig gebouwde lichaam, die aantrekkelijke lengte tussen zijn brede schouders en zijn smalle taille en heupen. Hij had een aantrekkelijk, krachtig gezicht met een vierkante kaak en grote, intelligente ogen.

Maar sinds ze hem had verteld over haar medicijnen en wat daarvan de consequentie was, had hij afstandelijk gedaan. Zelden keek hij haar recht aan. Zijn lichaam bevond zich naast haar, maar verder was er weinig. Ze voelde zich bestolen, alsof ze bij een vuur stond dat geen warmte meer uitstraalde. Ze onderdrukte een zucht. Haar toestand zou alle mannen afschrikken, daar kon ze niets aan veranderen. Rond haar hart werd een harde, eenzame knoop aangetrokken, leek het wel.

Hij draaide zich om. Met de schaar in haar hand reikte ze zwijgend omhoog om de achterkant van zijn lange haar glad te strijken. Het voelde stug aan, net zo sterk en springerig als hijzelf. Ze vond het vreselijk om het te moeten afknippen. Ze beet op haar onderlip en maakte toen de eerste knipbeweging. Een lok dik, bruin haar viel op haar schoot.

Ze zuchtte. 'Als we dit dan toch doen, kunnen we het maar beter goed aanpakken. Als jij er anders wilt uitzien, zal ik het echt kort moeten maken.'

'Weet ik. Doe maar.'

Ze aarzelde even, maar ging aan het werk. Snel knipte ze door, want het had geen zin om er langer over te doen dan nodig was. Ze millimeterde de bovenkant van zijn hoofd, rond zijn oren en uiteindelijk zijn achterhoofd. Bij het licht van de kaartleeslamp zag het er verre van perfect uit, maar kort wás het. Plotseling zag hij eruit als een bokser of een marinier.

'Later knip ik het nog wel wat bij,' besloot ze. 'Of beter nog, dan kun je naar iemand die weet wat hij doet om de boel af te werken.' Een zinnig advies, als ze dit avontuur zouden overleven.

Hij draaide zich naar haar om. 'Dank je wel.' Hij glimlachte.

Even leek het of ze teruggingen in de tijd, naar het moment dat ze voor het eerst hadden gemerkt dat ze elkaar leuk vonden. Dat leek een hele tijd geleden. Toen veranderde zijn uitdrukking. Hij werd weer kil, afstandelijk, zakelijk.

Hij liet de draagband van de nachtkijker om zijn hals vallen en opende zijn portier. 'Heb je je Walther en je zaklamp bij je?'

Ze stak haar pistool in haar broeksband. Gewapend met zaklantaarns stapten ze uit de auto en draafden de heuvel af naar de ingang van het boerenerf.

'Kijk,' zei ze. 'Nu gaan de lichten in het hoofdgebouw ook uit. De eerste verdieping is al helemaal donker. En op de begane grond wordt het ook donker.'

Hij tuurde door het gaas van de omheining en knikte. 'Neem geen overdreven risico's,' waarschuwde hij. 'Kijk eerst wat ik doe.'

'Jawel, commandant.' Ze dwong zich tot een luchthartigheid die ze niet voelde. Ze was tot het uiterste gespannen. Ze keek hoe zijn grote gestalte moeiteloos door het duister liep, bijna alsof het donker zijn vriend was. Toen liet hij zich in het hoge gras vallen en volgde zij zijn voorbeeld. Op hun buik tijgerden ze over het terrein. Takjes en steentjes beten in haar vlees toen ze de poort naderden. Ze keken op naar de boerderij, die spookachtig en verlaten in het maanlicht lag. De tijd verstreek. Ze kon het bonzen van haar hart bijna horen.

'Daar komt er een.' Jeffs stem klonk zacht in haar oor.

De koplampen schenen hoog boven de grond. Toen de auto om

een flauwe bocht kwam en naar de poort reed, zag ze dat het een pick-up was.

'We gebruiken het licht van de auto als afleiding voor het geval iemand die bewakingscamera's in de gaten houdt,' waarschuwde hij. 'Dadelijk wagen we het erop.'

De zware, smeedijzeren poort kierde langzaam open. De koplampen straalden met een oogverblindend, fel licht. Ze kneep haar ogen dicht tot spleetjes om te kunnen blijven kijken. De lucht werd warm van de hitte van de motor. De uitlaatgassen prikten in haar neus.

'Nu.' Zijn stem was bijna onhoorbaar door het motorgeronk.

De poort stond wijd open. De nacht werd fel verlicht door het schijnsel van de koplampen. Met bonzend hart volgde ze Jeff, die gehurkt en laag bij de grond langs de auto en de poort glipte. Ze waren binnen. Zonder iets te zeggen lieten ze zich opzij rollen in het donker, sprongen overeind en holden weg van de camera's.

Op de begane grond van het grote huis wendde de oude man zijn blik af van zijn eigen spiegelbeeld. Opnieuw had hij dat vreemde gevoel dat hij niet wist wie hij was. Hij had een hekel aan dat onzekere gevoel, en hij verlangde ernaar simpelweg en voor altijd zichzelf te zijn. Maar toen dacht hij aan de tragedie van zijn volk – de toenemende zelfmoordcijfers in Rusland, de honger, de dakloze kinderen die verwaarloosd en bedelend rondzwierven. Duizenden dorpen waren een langzame dood aan het sterven nu de kolchozen waren opgeheven. Dat was zijn land niet. Dat was een wrede parodie. Een misselijke grap die hem razend maakte, die hem vernederde. In de ogen van de wereld, in de ogen van zijn eigen mensen zelfs, was Rusland een wankelende reus, ziek en machteloos.

Met grote inspanning zette hij die gedachten van zich af en hervatte zijn tocht door het donkere huis. Hij plaatste een aantal explosieven met elektronische ontsteking die op afstand kon worden geactiveerd. Het grote huis leek klaar voor zijn lot, met het melkwitte maanlicht dat door de ruiten stroomde en de inktzwarte schaduwen achter de meubels. Nergens was een kleur te zien. Boven kraakte een vloerplank in reactie op de dalende nachttemperatuur. Zodra de explosieven op hun plek zaten, liep de oude man naar buiten om in zijn versleten jack en spijkerbroek op de veranda te gaan staan uitkijken over Caleb Bates' landerijen. Ook daar was alles rustig. Als gewoonlijk was hij de laatste die wegging.

De maan was opgekomen. Volle maan – een gunstig voorteken. Hij liep de traptreden af, de koele nacht in, voor een laatste ronde. Hij voelde de spanning in zich opkomen. Er was al veel gedaan, maar er viel nog veel meer te doen. En dan was er uiteraard die zeurende kwestie met Beth Convey en Jeff Hammond. De rustige gronden wenkten hem als een graf.

35

Op een gestaag drafje ging Jeff Beth voor, de oprit af en het gras op. Hun pistolen hielden ze losjes aan hun zijde, hun lantaarns waren uit. Ze liepen om schuttingen heen en zochten dekking onder de bomen. Het terrein leek verlaten te zijn en lag te glanzen in het maanlicht, zonder dat er waar dan ook maar iets bewoog – behalve zijzelf. Degene die de boerderij beheerde, leek voor zijn bescherming te vertrouwen op de hoge omheining en de bewaakte poort bij de ingang en had geen bewakers aangesteld. Of misschien was iedereen intussen weg.

Jeff zei niets tegen Beth. Hij voelde zich overlopen van schuldgevoel en hij durfde haar amper aan te kijken. Ze was krankzinnig dapper, en daardoor had hij haar niet durven zeggen dat hij haar niet mee wilde hebben. Als hij haar in de auto had achtergelaten, had ze gewoon gewacht tot hij uit het zicht was om dan te proberen op eigen houtje het erf te betreden. Dat wist hij zeker.

Vanuit zijn ooghoeken hield hij haar bezorgd in de gaten. Ze bleven staan bij het eerste gebouw, de donkere schuur. Met handgebaren beduidde hij haar dat ze op de hoek moest blijven wachten. Gelukkig had ze tot nu toe, zolang ze in actie waren, gedaan wat hij wilde. Maar ditmaal niet. Ditmaal liep ze door naar het raam, waar hij heen had willen gaan. Ze drukte zich plat tegen de muur, haar pistool in beide handen, en tuurde naar binnen. Hij kwam naast haar staan.

'Ik zie niemand,' fluisterde ze. 'Kippen en koeien, meer niet.'

'Voortaan doe je wat ik zeg!' Zijn stem klonk zacht maar woedend. 'Wou je soms dood of zo?'

'Waarom niet? Dat gebeurt toch wel, binnenkort. Dat denk jij toch?'

'Ik...'

Ze liep op een drafje naar de voorkant van de schuur. Hij volgde haar op de voet.

Bij de deur bleef ze staan. 'Geef me dekking. Ik maak hem open.'

'Beth, hou op. We gaan niet naar binnen. Dat is nergens voor nodig. We zijn op zoek naar bewijzen, niet naar problemen. Kom, we gaan naar die garage. Die staat wat verderop, en daar kwamen ze allemaal vandaan. Als we daar niets vinden, proberen we het huis.' Haar lange wimpers gingen even omlaag en kwamen weer omhoog. 'Je hebt gelijk.'

Weer renden ze, op zoek naar dekking waar ze maar konden. Uiteindelijk kwamen ze aan bij iets dat eruitzag als een grote garage, breed genoeg voor drie auto's en met een verdieping. De opening zag er net zo uit als door de verrekijker: dubbelbreed en twee verdiepingen hoog.

'Wat een gevaarte,' prevelde ze. 'Daar kan een hele tank in.'

Ze gingen op verkenning, maar vonden geen vensters. Er was nog één deur, in een achterhoek aan de heuvelkant. Heel even knipte Beth haar lantaarn aan om de omgeving te bekijken. Toen ze niets bruikbaars zag, drukte hij zijn oor tegen de deur om te luisteren. 'En?'

'Niets.' En terwijl ze om het gebouw heen slopen, hadden ze ook geen licht gezien. Hij voelde aan de deur. Die was van metaal. 'Wie niet waagt...' Hij probeerde de klink. 'Op slot, verdomme.'

Plotseling klonk achter hen een oude, beverige mannenstem. 'Kan ik jullie misschien helpen? Ik dacht dat iedereen al weg was. Jullie zijn wel aan de late kant, nietwaar?'

Beth en Jeff draaiden zich als door een wesp gestoken om. Hij had een cowboyhoed diep over zijn ogen getrokken. Zijn gerimpelde gezicht leek wel een schedel in het maanlicht. Hij had een lantaarn aangedaan en het licht op hen gericht. Hij stak een hand uit en haalde met een hand vol ouderdomsvlekken een muurschakelaar over.

Meteen wierp een schijnwerper licht over de achterkant van het betonnen bouwsel en het drietal dat gespannen bij de deur stond.

'Ik ben maar een sukkel van een opzichter,' zei hij op droge toon, 'maar volgens mij hadden jullie allang weg moeten zijn.' Hij keek naar hun pistolen, maar leverde geen commentaar.

Jeffs gezicht stond onbeweeglijk. Snel nam hij de oude man op, en registreerde het feit dat die niet verbaasd was en niet schrok van hun wapens. Hij ontspande iets. 'Dat is zo. We zijn te laat. Ik hoop dat we niet al te erg op onze donder krijgen. We hebben geen opdracht gekregen. Weet jij waar we de rest moeten ontmoeten?'

De onbekende kneep achterdochtig zijn ogen samen. 'Dat soort dingen krijg ik niet te horen. Dat weet je best. Als jij geen opdracht hebt, dan zit je in de stront. Sorry, mevrouw.' Hij keek verontschuldigend naar Beth. 'Ik ben blij dat ik niet in jullie schoenen sta. Je weet hoe de kolonel kan zijn.'

Beth zei: 'We hebben het niet goed uitgelegd. We zijn net terug; daarom zijn we zo laat. Wat is er met de kolonel? Hoe is het met hem?'

Afwerend zei de oude man: 'Hoe moet ik dat nou weten? Ik krijg niks te horen.'

Nu wisten ze zeker dat Bates – Berianov – deel uitmaakte van het grote geheel.

'Nou,' vervolgde de oude opzichter, 'jullie moesten maar eens naar binnen. Er zal wel iemand zitten te wachten om jullie op pad te sturen.' Hij keek omhoog. Vanuit alle richtingen kwamen witte nachtvlinders aanzetten, aangetrokken door het licht van de schijnwerper.

'De deur zit op slot,' zei Jeff. 'Kun jij die even openmaken?'

De oude man kakelde van het lachen. 'Over dom gesproken. Echt iets voor mij.' Hij haalde een rinkelende sleutelbos te voorschijn en maakte het slot open. 'Doe je de boel op slot als je weggaat?'

'Oké.' Jeff stapte over de drempel.

Toen Beth hem volgde, keek ze nog even om en zag een oude hand zo snel omhoogreiken en zich rond een nachtvlinder sluiten dat ze het gebaar bijna niet gezien had. Toen de opzichter omlaag keek naar zijn gesloten hand, trokken zijn schouders strak onder zijn spijkerjack en hoorde ze iets zacht kraken. Hij had de vlinder doodgeknepen. Hij deed de schijnwerper uit zodat ze weer in duisternis gehuld waren, en wendde zich af. Het laatste dat Beth van hem zag voordat hij de donkere nacht in liep, waren zijn heldere, scherpe ogen, die langzaam verdwenen als de grijns van de kat in Alice in Wonderland. Ogen die er absoluut niet oud uitzagen. Huiverend kreeg ze het gevoel dat ze die ogen al eens eerder had gezien.

'Kom op.' Het was een gefluister. Jeff had de garagedeur geopend. Ze legde haar hand op zijn schouder en liet zich de volslagen duisternis in leiden. Ze trok de deur achter hen dicht.

Jeffs voet raakte iets hards. Hij stak een hand uit en voelde een muur, tot hij even later ontdekte dat het een deur was. Een tweede deur. Hij opende hem op een kier. Fel licht scheen hen door de smalle spleet tegemoet. Hij luisterde nogmaals en tuurde door de deuropening. Toen opende hij de deur verder en keek nogmaals.

Hij draaide zich om en fluisterde in haar oor: 'Niemand.'

Ze keken elkaar even aan. Met handgebaren maakte hij haar duidelijk dat ze vlak achter hem moest blijven. Met een beklemd gevoel op zijn borst hief hij zijn pistool, drukte zijn lantaarn tegen de verrekijker om hem tegen zijn borstkas te houden en glipte de hoek om, een grote centrale hal in. Met zijn rug tegen de muur bestreek hij met zijn pistool een complete cirkel door de twee verdiepingen tellende ruimte, op zoek naar problemen. Zij volgde hem op de voet, haar pistool in de aanslag.

Ze staarden. Toen lieten ze langzaam hun wapens zakken. Er hingen geen gereedschappen aan de muren, geen lege benzineblikken, geen oude banden of verroeste auto-onderdelen. Het hele gebouw was niets meer dan een leeg omhulsel. Niet alleen was het geen garage, het was iets dat ze nooit hadden kunnen vermoeden. Verbaasd keken ze naar de betonnen vloer. In het midden was de opening van een enorme oprit die onder een hoek van zowat vijf graden omlaagliep en verdween.

'Wat is dit in godsnaam?' zei Beth.

'Dat moeten we maar eens uitzoeken.'

Ze luisterden of ze auto's of stemmen hoorden. Stilte. Ze liepen de tunnel in, hun wapens schietklaar. En op dat moment hoorden ze het gegons van het ventilatiesysteem. Boven hen hingen open en bloot pijpen, leidingen, ventilatie- en verwarmingsschachten, steunbalken en tl-balken aan het uit de rots gehouwen plafond. Niets was geschilderd. Het was een en al grof beton, kunststof, metaal en steen.

'Het gebouw is in de heuvel ingebouwd,' zei ze. 'Dat kan een verklaring zijn. Waar we nu in zitten, kan deel uitmaken van een natuurlijk grottenstelsel. Dat heb je wel vaker in Pennsylvania.'

De tunnel begon vlakker te lopen en ze kwamen uit op een geplaveide vlakte ter breedte van een voetbalveld, met witte lijnen die parkeerplekken afbakenden voor motorfietsen, auto's en vrachtwagens. Het was er nu helemaal leeg, een verlaten ondergrondse parkeergarage, waarschijnlijk het vertrekpunt van al die auto's die het terrein verlaten hadden. Het zachte gonzen werkte op Beths zenuwen. De alomtegenwoordige grauwe tinten werkten deprimerend.

Terwijl ze verder liepen, keek ze naar de muren of daar een opening te zien viel. 'Hé, een deur,' merkte Beth op. De deur zat in een donkere nis op een plek waar de muur een hoek maakte. Ze was verbaasd dat ze de deur überhaupt opgemerkt had. Hij was grijs geschilderd en viel nauwelijks op temidden van de omringende rotswand.

Ze voelde aan de deurknop. 'Op slot.' Ze staarde ernaar met de gedachte dat die deur iets bekends had.

'Waarschijnlijk gewoon een machinekamer met kleppen en schakelaars voor pijpen en ventilatie,' luidde Jeffs commentaar. 'Kom eens hier, Beth. Ik heb iets anders gevonden. Een soort oprit.'

Maar zij dacht nog na over die gesloten deur: nee, dat was geen machinekamer. Het was iets anders. Ze probeerde zich te concentreren. Iets van metaal. Planken? Een opslagruimte?

'Beth? Er is hier nog een tunnel. Kom op.'

Ze maakte zich los uit haar dagdroom. Jeff stond op de plek waar een tweede tunnel naar achteren en omlaag liep. Deze tunnel was even breed als de eerste, maar liep steiler omlaag, onder een hoek van zowat tien graden. Beth vergat de deur. Ze rende achter hem aan. Ze liepen tussen meer grofweg uitgehouwen rotswanden door. Even later hoorden ze het geluid van stromend water. De lucht werd muf. De temperatuur daalde. Het waterrumoer veranderde in een gebrul. Bijna tegelijkertijd bleven ze op de steile helling staan.

'Kijk nou eens!' zei Jeff.

Al even verbaasd zei Beth: 'Wie had dat nou gedacht?'

Aan hun voeten lag een gigantisch brede en hoge grot. De wanden waren minstens vier verdiepingen hoog. Links daverde een brede waterval neer in een poel die zo zwart was dat hij wel bodemloos leek. De grotwand daarboven was overgroeid met groene en bruine mossen. Maar het grootste deel van de grot strekte zich naar rechts uit en daar lag iets...

'Mijn god, dat is de werkkamer van de president! De Ovale Kamer!' Jeff staarde. In zijn brein werd groot alarm geslagen. 'Die ramen, die zuilen, het tuinmeubilair met uitzicht op de Rozentuin. Dit is een groot deel van de westvleugel van het Witte Huis.'

'Maar niets is af,' zei Beth verbaasd. 'Het lijkt wel of het gewoon aan elkaar geniet is, met een likje verf eroverheen.'

De replica van de Ovale Kamer lag daar als een knipperende waarschuwing. Met weergalmende voetstappen draafden ze verder naar beneden. De rest van de reproductie van de twee verdiepingen van de westvleugel van het Witte Huis was een soort open decor, met muren en vloeren die halverwege ophielden. Toch had iemand de tijd genomen om een groot deel van de Rozentuin in te vullen, van het brede gazon met bloemperken tot de 'kalkstenen' treden waarop een podium was aangelegd. Maar ditmaal was de kalksteen een stuk ongeschilderde spaanplaat.

'Alles is nep. Zelfs het gras.' Ze huiverde even.

Hij trok een terrasdeur open waar nooit glas in gezeten had en beende het namaakkantoor van de president binnen. 'De meubels ook.' Ook hier bleek spaanplaat het favoriete materiaal te zijn geweest, van het enorme bureau tot de fauteuils aan weerszijden van de nep-open haard.

Vol angst en verbazing wentelde ze om haar as om de derderangs-imitatie in zich op te nemen. 'Wat is dit hier? Wat heeft het te betekenen?'

'Misschien is dit waar dat terroristische complot om draaide. De president. Het Witte Huis. Waar je hier naar kijkt is het soort replica dat ze bij het leger of bij een geheime dienst opbouwen om troepen, guerrilla's, geheime agenten te trainen; iedereen die moet aanvallen, verdedigen of infiltreren. Weet je nog dat ik je vertelde over die nagebouwde Amerikaanse stad die de KGB had gemaakt als trainingsveld voor spionnen in het Oeral-gebergte? Daar doet dit hier me aan denken.'

Boven de grond, in het beveiligingsgebouw, zat Aleksej Berianov voor een muur vol beeldschermen hun voortgang te bekijken. Zodra Ivan Vok had gemeld dat hij de stationwagen had kunnen volgen tot de plek waar die op het parkeerterrein van de Philmalee Group was achtergelaten, had Berianov geweten dat hij in gevaar verkeerde. Beth Convey en Jeff Hammond waren niet langer te traceren en hij zat op een kwetsbare plek. Hij moest scherp naar hen uitkijken. Vanaf het moment dat ze zijn erf waren binnengedrongen, hadden zijn miniatuurcamera's al hun bewegingen geregistreerd. Die piepkleine cameraatjes zaten verborgen in bomen en onder dakgoten, en daarmee vielen zowel de binnen- als de buitenkant van gebouwen in de gaten te houden. Bijna onzichtbaar klein waren ze, heel anders dan de onbeholpen gevaartes die hij had besteld voor de poorten om de Hoeders tevreden te stellen.

Zodra het stel zijn erf was binnen gestruikeld, was het onvermijdelijk geweest dat ze in zijn val zouden lopen. Dat was niets meer dan een gevolgtrekking uit wat hij al wist: beiden werden gedreven door het verlangen naar succes. Nu hadden ze de hoofdprijs voor ogen... de simulatie van het terrein rond het Witte Huis dat hij had gebouwd zodat sergeant Austin en zijn guerrilla's daar konden oefenen.

Het was duidelijk te zien dat Convey en Hammond bezorgd, maar ook opgewonden waren. En op dit hoogtepunt, net als ze dachten dat ze de puzzel hadden opgelost, net als ze een zware verplichting jegens hun land voelden... op dit moment zou hij hen vernietigen. Het was niet erg spannend om zwakke mensen uit te schakelen. Maar een sterke tegenstander... die was intrigerend. Die was de moeite waard.

Terwijl ze dieper in de grot op onderzoek gingen, had hij explosieven in de garage en op de oprit naar de ondergrondse parkeergarage gelegd. Niemand mocht weten van die grotten of het huis en het daarin aanwezige bewijsmateriaal. Tegelijkertijd zouden ook Convey en Hammond bij de explosies om het leven komen. Hij glimlachte. Keurig opgelost, bijzonder efficiënt.

Hij stak zijn hand uit naar het bedieningspaneel en drukte de eerste knop in. Er klonk een oorverdovende klap, en de aarde beefde.

36

In Washington verlieten de twee FBI-auto's de voortrazende stroom bumper aan bumper voortrijdend verkeer op de rondweg I-495, namen afslag 13 en reden met grote snelheid Route 193 op. Directeur Tom Horn, in zijn eentje op de achterbank van de voorste auto, zijn persoonlijke FBI-limousine, was zich scherp bewust van het gewicht van de halfautomatische Smith & Wesson 10mm onder zijn linkerarm. Het gevoel van dat gewicht en de wetenschap wat het was hadden iets spannends. Het was al dertig jaar geleden dat hij voor het laatst regelmatig een wapen droeg, in de tijd dat hij nog rechercheur in Denver was. Als officier van justitie had hij af en toe een wapen gedragen, maar ook dat was intussen twintig jaar geleden. Er ging een eigenaardige, opwekkende werking uit van het pistool. Hij was weer in actie.

Die opkikker had hij wel nodig gehad ook. Alles, wat het ook was, kon hij gebruiken om de somberheid van de afgelopen paar uur van zich af te zetten en zijn gedachten af te leiden van wat hij zowel vreesde als hoopte dat hem te doen stond. Vanaf het moment dat Cabot Lowell die middag zijn kantoor uit gelopen was, was hij enerzijds lichtelijk gedeprimeerd, maar anderzijds ook opgewonden geweest bij het plotselinge vooruitzicht dat de mol die zo lang verborgen was gebleven, nu dan eindelijk ontmaskerd zou worden. Waar hij zo gedeprimeerd over was, dat was de identiteit van de man die hij ervan verdacht de mol te zijn. Het was de enige wiens misdaden gemakkelijk konden doorgaan voor die van Jeff Hammond. En toch vond hij de ontmaskering spannend. Uiteraard. Goddank zou het Bureau dan eindelijk van die plaag verlost zijn. De koplampen van de tegenliggers verlichtten het gezicht van de directeur even en hulden het dan weer in het donker, terwijl hij op de achterbank de situatie overpeinsde. Zijn telefoontje naar zijn verdachte om deze clandestiene ontmoeting te regelen was op zich niet zo ongebruikelijk geweest. Wanneer hij iets wilde bespreken zonder binnen de FBI nieuwsgierigheid te wekken, ontmoette hij de

leden van het hoogste kader altijd ergens buiten het kantoorge-
bouw, soms op de plek waar hij vanavond naar toe ging. Hij had
geen idee hoe zijn voorgangers dergelijke zaken hadden aangepakt,
hoewel hij vermoedde dat ze in grote lijnen hetzelfde hadden gedaan, maar hij had een sterke voorkeur voor besprekingen buiten
boven kantoorsessies achter gesloten deuren. In de paranoïde, verraderlijke en machtsbeluste wereld van Washington waren intriges
en complotten maar al te vaak reëel en was paranoia maar al te
vaak gerechtvaardigd.

'We zijn er, meneer,' kondigde de agent die zijn chauffeur was, aan.
Tom Horn keek uit over de donkere ingang van Great Falls Park.
Tweehonderd hectare vol bossen aan de oevers van de watervallen
en stroomversnellingen van de Potomac. Nog geen twintig minuten van het centrum af; het was ideaal. Het park was na zonsondergang dicht, en er was dus niemand die hem kon horen, zien of
onderbreken als hij deed wat hij moest doen. Op de een of andere
manier, terecht of onterecht, moest het zo zijn: alleen hij en zijn
verdachte zouden weten wat er was gebeurd als hij het bij het verkeerde eind had, en alleen hij en zijn agenten konden de lof oogsten als hij het goed had gezien.

Toen hij zijn hand uitstak naar de portierkruk, trok zijn maag even
samen in een bal van angst, een gevoel dat zo ongewoon was geworden dat hij het pas na een paar seconden herkende. Zo had hij
zich niet meer gevoeld sinds zijn eerste maanden als kersverse agent
op patrouille in Denver. De stier van de Colorado Buffalo's was
natuurlijk nooit bang of zelfs maar nerveus, dus hij schoof de nut-
teloze emotie opzij, stapte de avondlucht in en stond zichzelf even
toe, te genieten van de spanning en ooit zo bekende adrenaline die
hoorde bij fysieke actie.

'Wat moet ik doen, meneer?' vroeg de bestuurder, terwijl hij om
de auto heen liep om de wat zielige slagboom te inspecteren die de
ingang tot het park afsloot. 'Ik kan dit hier wel weghalen als ik u
verder moet brengen.'

De tweede auto was komen aanglijden en achter de limousine van
de directeur tot stilstand gekomen, en de agenten Graham en Thoma voegden zich bij de directeur en diens chauffeur.

Graham vroeg: 'Wat is het plan, meneer? Kunt u ons al iets vertellen?' Als altijd zag Graham eruit alsof hij zo uit een etalage was
gestapt, met zijn witte overhemd en zijn molières, en met een keurige plooi in de broek van zijn smetteloze donkere pak.

Op gedempte toon antwoordde Horn: 'Ik heb een afspraak met iemand in het park, bij de waterval. Het is een bijzonder gevoelige

kwestie en ik moet dit alleen afhandelen. Meer kan ik je niet vertellen. Jullie zijn mijn back-up. Ik verwacht geen problemen, maar de kans is natuurlijk altijd aanwezig. Dat hoef ik jullie niet te vertellen.'

'Inderdaad, meneer,' stemde Graham in.

Thoma knikte ijverig, zo vol verlangen om zijn directeur te dienen dat hij gekwispeld zou hebben als hij een staart had. Thoma had zijn allesverterende ambitie en zijn latente gewelddadigheid momenteel goed in bedwang, en dat wist de directeur. Maar goed, de ontmoeting van vanavond was dan ook precies het soort missie waarvoor een man als Thoma bij uitstek geschikt was.

'Wat voor afstand moeten we houden?' vroeg Graham.

'Blijf zo dichtbij als je kunt zonder gezien te worden. Je hoeft je geen zorgen te maken dat je de bespreking zelf moet volgen. Dat mag zelfs niet eens. En ik wil ook niet dat jullie ons afluisteren. Dit is een heel gevoelige, heel vertrouwelijke aangelegenheid. Pas als ik mijn stem verhef wil ik jullie in de buurt hebben.'

'Ja, meneer.'

'Begrepen, Thoma?' Horn was bezorgd: Thoma kon nogal heethoofdig zijn.

'Ja, meneer. We blijven uit beeld en buiten gehoorsafstand. Maar we moeten u kunnen horen als u ons roept. Geen probleem.'

'Dat dacht ik ook niet.' De directeur controleerde zijn Smith 10, stak die weer in de holster onder zijn arm en klopte even met een koesterend gebaar op de voorkant van zijn jasje. Hij knikte tegen zijn mannen en stapte over de slagboom het park in. Toen hij tussen de bomen verdween, de duisternis, de nachtelijke geur van pijnboomnaalden en het afkoelende bos in, voelde hij opnieuw even die vage onrust. Hij had geen andere auto's gezien. Was zijn verdachte er wel?

Tom Horn liep met ietwat onzekere passen, maar gestaag, verder over het donkere, door toeristen platgetreden pad. De maan en de sterren wierpen vage schaduwen, maar Horns ogen waren aan het duister gewend, en het pad was zo breed dat hij meestal kon zien waar hij zijn voeten neerzette. Het oeroude gezang van watervallen vulde de nacht, lang voordat hij in het zicht van de rivier kwam. In Colorado, waar hij vandaan kwam, had de muziek van stromend water hem zo lang hij zich herinneren kon, gekalmeerd. Vandaag zou die muziek een ander doel dienen – nu moest het geluid de woorden overstemmen die bij deze ontmoeting zouden worden gesproken, het gesprek onhoorbaar maken voor Graham en Thoma of wie dan ook, mocht hij het bij het verkeerde einde hebben. Toen hij bij de brede, zilverzwarte Potomac aankwam, zag hij beweging tussen een paar eiken en esdoorns links van hem, aan de overkant van een veldje en dicht bij de oever. Zijn oude rechercheursinstincten werden wakker. Dat was precies de plek die hijzelf gekozen zou hebben als hij zeker wilde weten dat de ander alleen kwam, en die keuze bevestigde zijn vermoeden dat de verdachte wist waarom zijn baas hem op het matje liet komen, of dat hij althans op die mogelijkheid voorbereid was.

Horn voelde een groot vertrouwen opkomen. De man was gekomen om te onderhandelen, en hij wilde niet dat iemand hoorde wat de inzet van die onderhandeling was. Vol nieuwe moed liep hij recht op de bomen af. Van Graham of Thoma was geen teken te bespeuren. Graham kende zijn werk en wist hoe hij de dingen moest aanpakken, en hij zou Thoma in de gaten houden. Toen Horn de rand van de schaduwkring van de bomen had bereikt, glinsterde het weerspiegelde licht van de rivier op de lichte ogen en de blanke huid van de man die in de schaduw stond te wachten.

Zonder aarzeling liep Horn het bos in, recht op de wachtende man af. 'Hallo, Bobby,' zei hij.

'Meneer.' In de duisternis onder de bomen knikte de adjunct-directeur even.

Tom Horn voelde het beleefdheidsgebaar meer dan hij het zag. Hij vatte het op als een teken van schuldgevoel en spijt, en zei op milde toon: 'Waarom, Bobby?'

'Waarom wát, meneer? Waar wilde u me hier mijlenver van de bewoonde wereld over spreken?'

Horn probeerde Kelseys ogen te zien, zijn gelaatsuitdrukking, zijn lichaamshouding, maar hij ving alleen af en toe een glimp op, als weerspiegelingen in een ruit die wordt verlicht door knipperende neonreclame. 'Kun je dat niet raden?'

'Raden? Nee, meneer, dat kan ik niet. Gaat het om Hammond? Ik verzeker u dat hij die twee jongelui niet vermoord heeft, en nu alle drie zijn sovjetoverlopers dood zijn, heb ik hem op die zaak gezet van dat gerucht over terrorisme waar onze informant het over had. Hij gaat...'

Horn zei: 'Het gaat niet om Hammond. Alhoewel – misschien indirect wel.'

'Indirect?'

Horn bewoog zijn schouder even om het gewicht van de Smith onder de mouw van zijn losgeknoopte jasje te voelen. Hij haalde diep adem. 'De procureur-generaal en Cabot Lowell hebben een geheim onderzoek uitgevoerd om de mol in de FBI boven de grond te krijgen. Ze denken dat ze hem hebben. Volgens hen wijst alles in de richting van Hammond. Maar het is Hammond niet, of wel soms? Nee, Bobby, het is Hammond niet. Jíj bent het.'

Bobby Kelsey leefde in een wereld vol grijstinten. Dat was geen bewuste filosofie die hij in de loop der jaren had ontwikkeld, maar simpelweg het resultaat van zijn leven. Hij was geboren op een arme boerderij in het afgelegen deel van Texas, waar hitte en koude genadeloos heersten en krasse opvattingen de ruggengraat van het dagelijks leven vormden. Al jong had hij geleerd dat een pak slaag iets was dat je in ontvangst nam zonder blijk te geven van enige emotie. Zijn vader wist alle antwoorden, had hij Bobby vaak genoeg verteld, en Bobby had meer Iers bloed in zijn aderen dan goed voor hem was. Leer dus je les en neem het pak slaag op de koop toe.

Met zijn felrode haar en zijn lachende blauwe ogen had de jonge Kelsey algauw begrepen dat charme een krachtig hulpmiddel was om te overleven. Toen hij op zestienjarige leeftijd de boerderij verliet, was hij met een beurs gaan studeren aan de universiteit van Texas. Zijn vader was daar op tegen geweest, wat de aantrekkingskracht van een studie alleen nog maar vergrootte. Hij ontwikkelde zich tot een echt feestbeest, maar haalde desondanks goede cijfers, en studeerde als beste van zijn jaar af in de rechten. Zodat hij meteen aan de slag kon bij de in manipulatie doorknede advocatenkantoren in Dallas en Houston. Maar hij had gekozen voor de FBI, omdat die een arm had die langer was dan zijn eigen vader, of wat voor advocatenkantoor ook, zich ooit had kunnen voorstellen. Die lange arm was de regering, gewapend met een badge, een pistool en een geheimhoudingsplicht. Nu ontbrak alleen het riante inkomen nog. Hij nam aan dat dat uiteindelijk ook wel zou komen.

Tien jaar later, toen hij uit het veld was overgeplaatst naar zijn eerste managementbaan in het Hoover-gebouw in Washington, had Kelsey zijn ziel verkocht aan de communisten. De koude oorlog liep langzaam ten einde, en de communisten waren wanhopig en vrijgevig. De dollars stroomden binnen. Hij was niet zo'n idioot als Rick Ames, die met geld smeet als een pooier en huizen en Jaguars kocht en contant betaalde. Kelsey bewaarde zijn geld op een buitenlandse rekening, behield zijn Ierse glimlach en zijn wrange gevoel voor humor en speelde het spel dat hij zo goed geleerd had. Zijn laatste contactpersoon in de koude oorlog was Aleksej Berianov geweest, hoofd van de geheime inlichtingendienst te Jasenevo. Toen Berianov overliep, had Kelsey hem aangenomen als privécliënt; Berianovs particuliere honorarium was te riant om te kunnen negeren. Natuurlijk deed hij af en toe nog weleens iets voor het Kremlin.

Toen Berianov wilde worden vrijgesteld van ondervraging, had hij bekendgemaakt dat Rick Ames al sinds het midden van de jaren tachtig voor de Sovjets spioneerde. Dat was een slimme zet: Ames' zorgeloze manier van omgaan met zijn spionage-inkomen zou hem toch binnenkort de das omdoen, en de schijnwerpers wendden zich af van de speurtocht van de FBI naar hun eigen verrader, Bobby Kelsey. Maar nu was zijn geluk kennelijk ten einde. Hij wist wat hem te doen stond. Misschien werkte de bekende Ierse charme nog. Bobby Kelsey glimlachte, zijn tanden glanzend wit in het weerspiegelde licht. 'Nou, vanwege het geld natuurlijk, Tom.'

Verbijsterd over dat nuchtere, bijna opgewekte antwoord, stamelde Horn: 'Dus je geeft het toe?'

'Waarom niet? Zo zit een mol in elkaar. Zodra ze een schijnwerper op je richten, wordt de illusie verstoord en is het spel voorbij. De bewijzen zijn nu niet moeilijk meer te vinden.'

'En voor geld? Niets anders?'

'Wat had je liever?'

'Overtuiging, misschien. Idealisme. Daar zou ik nog respect voor kunnen hebben. Maar géld? Je eigen mensen verraden, je vrienden, je familie, degenen die je na staan, de geschiedenis van dit land, alles waar dit land tegenwoordig voor staat... de vlág, god nog aan toe. Voor géld? Shit, Bobby.'

'Meer is er niet, Tom. Doe niet zo idioot. Iets anders is tijdverspilling. Religie kun je niet eten. Idealen houden je niet warm en droog in een sneeuwstorm. Probeer jij maar eens geld te verdienen door in die rotsen te graven die in Texas voor aarde doorgaan. Dan leer je wel wat belangrijk is en wat niet.'

'Excuses? Dat is nog verachtelijker dan het geld. Het was oorlog, Bobby! Tegen een vijand met zoveel macht dat hij ons in een oogwenk vermorzelen kon. Vandaag is dat al niet veel beter. Ze hebben nog steeds tienduizenden kernkoppen. Het is nog steeds oorlog, alleen wil niemand dat toegeven!'

'Gelul, Tom. De sovjets hebben nooit een echt gevaar gevormd. Dat was gewoon een oplichterspraktijk om de defensiecontracten te laten binnenrollen, om te voorkomen dat de brave burgers al te veel vragen gingen stellen over hoe de zaken gerund worden en voor wie.' Kelsey lachte. 'Kom nou, dat weet jij evengoed als ik. Het was een spel, en dat is het nog steeds. Dwight Eisenhower waarschuwde daar in de jaren vijftig al voor, maar niemand luisterde. "Het militair-industrieel complex", weet je nog? De afgelopen halve eeuw hebben al die mensen meer dan hun deel gekregen, dus waarom zou ik het mijne niet krijgen?' Hij lachte nogmaals. 'Idealen? Jij bent te naïef voor woorden.'

Tom Horn werd woedend. De euvele moed van een man die hij als vriend had beschouwd, als een van de meest waardevolle mensen binnen het Bureau, was met geen pen te beschrijven. Hij grauwde: 'Dit soort dingen doe je niet, al was het alleen maar omdat je niets overhoudt als het spel uit en het geld verdwenen is, snap je dat? Niets. Niet eens je zelfrespect om je warm te houden.'

'Maar waarom zou het spel ooit uit zijn? Het raakt niet uit, weet je. Daar is het veel te leuk voor. Dat vinden we allemaal. Jij ook, Tom. Doe nou maar niet alsof dat niet zo is. Kijk nou eens naar jezelf. Daar sta je dan, in het holst van de nacht, bij een clandestiene bespreking die net zo goed bij Harvey's had kunnen plaatsvinden. De enige idioten die niet houden van die spelletjes en de gevaarlijke speeltjes en de geheimen – die vele, vele geheimen – die doen niets. Die kopen een boerderijtje. Die willen in de gemeenteraad. Die verzinnen hoe ze zoveel kunnen sparen dat ze na hun pensioen een auto met vierwielaandrijving kunnen bekostigen. Wij zijn dus de bazen, nietwaar, vriend? Het is en blijft óns spel.' Hij grijnsde.

Het geluid van de waterval klonk steeds harder in de oren van de directeur. Het begon zijn gedachten te verdringen, maar hij vermande zich. Hij moest alert blijven. Hij verachtte Bobby Kelsey en alles waar die voor stond. Verachtte hem om de schade die hij Amerika had toegebracht. Maar Horn was directeur van de FBI, hij moest ook denken aan de toekomst van zijn land. Wat gebeurd was, was gebeurd.

'Dan moeten we maar eens onderhandelen, Kelsey.'

'Waarom niet? Ik kan nog steeds voor de FBI werken, of voor de CIA, of voor de NSA. Ik voer mijn huidige werkgevers valse informatie en geef jou de boodschappenlijsten door die ik van ze krijg, zodat jij hun zorgen en zwakke punten kunt vaststellen.'

'Als we je kunnen vertrouwen.'

'Vertrouwen heeft er niets mee te maken, dat weet jij ook. Betaal me gewoon hetzelfde als zij – of meer, dat is natuurlijk nog beter – en dan weet je gauw genoeg of ik dubbelspel speel.'

'We kunnen het erover hebben, maar voorlopig moet ik je arresteren.'

'In je eentje?' lachte Bobby Kelsey. 'Die is goed. Net als J. Edgar en Al Karpis.'

'Zoiets ja, Bobby. De FBI knapt zijn eigen werk op.'

Kelseys stem klonk als amper meer dan een gefluister. 'Maar ik ook, Tom.'

De directeur zag alleen dat een deel van het duister in beweging kwam, en aanvankelijk voelde hij niet eens pijn toen het mes tussen zijn ribben door naar binnen en omhoog schoot. Pas toen het zijn hart binnendrong en de pijn explodeerde, pas toen hij al viel, voelde hij iemand naast zich, handen die hem overeind hielden. Maar tegen de tijd dat Bobby Kelsey hem op de grond onder de bomen had laten zakken, voelde Thomas Horn helemaal niets meer.

Alert en op zijn hoede sloop Kelsey dieper de ondoordringbare schaduw onder de bomen in en bleef staan luisteren. De directeur had geen kik gegeven; dat was Kelseys beloning voor zijn grote kennis van wapens. Ergens in de buurt moest back-up zitten, maar niet te dichtbij. Daarom had hij dat bosje uitgekozen om te wachten. Kelsey had gespeculeerd op de dwaze fantasieën van de directeur; die zouden leiden tot roekeloos gedrag. Ze wilden allemaal J. Edgar spelen.

Zodra hij gebeld was en had gehoord wat de directeur van hem wilde, had hij vermoed wat er aan de hand was. En ook had hij, na jaren in de contraspionage, vermoed dat de directeur nog steeds niet zeker wist dat hij, Kelsey, de mol was. Dat betekende dat de directeur alleen zou komen en dat hij niemand zou inlichten over zijn vermoedens. Wat Kelsey had gezegd, was waar: zodra een mol ook maar enigszins verdacht werd, was het spel uit. Hij kon zich niet permitteren zich te laten arresteren, of de directeur de kans te geven zijn verdenkingen tegenover derden te uiten.

Bobby Kelsey bleef in het donker zitten luisteren. Toen hij er zeker van was dat niemand Tom Horn had zien of horen sterven, pakte hij een klein, plat, luchtdicht metalen doosje uit zijn zak, opende het en haalde er een speciaal behandelde chirurgische handschoen uit. Voorzichtig stak hij die aan zijn rechterhand en greep het gladde lemmet van het mes dat nog tussen Horns ribben stak. Hij ging weer staan en liet een roerstaafje vallen uit die bar in Stone Point waar Jeff Hammond zoveel vragen had gesteld. Toen draaide hij zich om en liep onhoorbaar weg, de nacht in.

Vanuit de rand van het bos staarde Chuck Graham naar de overkant van het veldje in het heiige maanlicht naar de bomengroep waardoor de directeur het bos in gelopen was. Vanwaar hij zat kon hij niets zien tussen de bomen, en boven het lawaai van de waterval uit viel er niets te horen.

'Zie jij iets?' vroeg Thoma nerveus.

De maan was nog geen tien minuten geleden boven de bomen uit gekomen. 'Niets.' Graham bleef naar het stille bos staren.

'Hoe lang is het nu?'

'Zowat een uur.'

Terwijl hij sprak, rees de maan hoger. Het licht scheen schuin tussen de schaduwen van het bos door. De twee agenten zagen de afzonderlijke bomen rij voor rij verschijnen, totdat het midden van het bosje zichtbaar werd.

'Ik zie niets. Waar zitten ze nou?' vroeg Thoma bezorgd.

Graham staarde. Plotseling kwam hij overeind. 'Kom op! Laag blijven.'

De twee agenten renden gehurkt over het veldje heen. Bij de bomen keek Thoma om zich heen en merkte op: 'Er is hier niemand.'

'Jawel, er is hier wel iemand.'

Graham duwde een paar struiken uiteen en liep langzaam verder, tot hij over het lichaam van FBI-directeur Thomas Earle Horn gebogen stond. Thoma kwam naast hem staan. Ze keken van elkaar naar de man die ze hadden moeten beschermen, maar die het hun onmogelijk had gemaakt om hun werk te doen.

'Jezus,' fluisterde Thoma.

Graham bukte zich. 'Een mes. Het zit nog in hem. Geef eens een zakje.'

Terwijl Thoma met zijn zakdoek het moordwapen vastpakte, doorzocht Chuck Graham centimeter voor centimeter het gras. Toen hij het roerstaafje vond – rood met gouden vlekken, half ingegraven in het zand, maar met de naam van de bar nog zichtbaar – tilde hij het voorzichtig op met zijn zakmes en stond op.

Hij hield Thoma zijn vondst voor. Grahams stem bevatte een wereld van haat. 'Hammond!'

37

Zodra de grond begon te trillen, trok Jeff Beth omlaag naast een steunbalk in de tunnel. Samen hurkten ze, zijn arm om haar schouders. Haar hart bonsde en haar keel vernauwde zich. Het steengruis daalde op hen neer, tot ze er helemaal mee overdekt waren. Al niezend probeerden ze lucht te krijgen.

Nog voordat de aarde ophield met beven, greep Jeff haar arm en rukte hij haar overeind. 'We moeten hier weg.' Ze borgen hun wapens in de holsters en renden de oprit op in de richting van de parkeergarage.

'Wat was dat?' vroeg ze. 'Een aardbeving? Zijn er dan aardbevingen in Pennsylvania?'

Toen ze boven aankwamen en het parkeerterrein op renden, zei hij: 'Dat was geen aardbeving. Het voelde eerder als een bom of een ander explosief. Ik hoorde het door de grond, net als donder.'

'Denk je dat er nog meer komt?'

Precies op dat moment begon de aarde weer te schudden. Ditmaal vielen ze samen neer, met hun armen over hun hoofd geslagen. Ze hoorde ergens in de verte een doffe dreun. Dat moest de explosie zelf geweest zijn, besloot ze. Toen de grond weer tot rust kwam, bleef er een gedempt kreunen klinken, alsof de rotsen met elkaar aan het vechten waren.

'Kom op!' Hij had haar alweer overeind gehesen. Ze renden verder voordat zij begreep wat er aan de hand was.

Toen drong het tot haar door: 'Ze zijn de boerderij aan het opblazen.'

'Dat denk ik, ja.'

'Als het Berianov is... en als hij weet dat wij hier zitten... dan blaast hij de grotten op om ons te vermoorden.'

'Dat noem ik nou logisch deduceren.'

Plotseling schommelde de hele grot. Ze verloren hun evenwicht en vielen om. Ze hoestten en niesden. De ontploffing leek wel recht boven hun hoofd plaats te vinden. Er rolden stenen uit het plafond en van de wanden, die dreunend neerkwamen. Vanaf de oprit aan de andere kant van de parkeergarage kwam hun een grijs-met-bruine stofwolk tegemoet.

'Kijk.' Hij veegde het stof uit zijn ogen en wees recht vooruit. De aanrollende wolk werd dunner naarmate hij zich verspreidde. 'Kijk eens naar die grijze klont aan de muur. Het lijkt wel playdoh – dat is een kneedbom. En daar zit er nog een, en nog een. Die moet iemand hier aangebracht hebben nadat wij voorbijgekomen waren. Anders had ik ze wel gezien. Ze kunnen ieder moment afgaan. Het zijn er zoveel dat ik ze niet op tijd onschadelijk kan maken.'

'We moeten hier weg.' Wild keek ze om zich heen. Ze voelde zich gevangen, maar wilde dat niet toegeven.

'Maar niet zoals we gekomen zijn. Zo te zien aan de omvang van die stofwolk wordt de ingang intussen geblokkeerd door tonnen rotsblokken.'

Een nieuwe explosie deed de hele grot schudden. Ze werd tegen een muur gedrukt en voelde zich even verward. Hoe kwamen ze weg uit dit stenen graf? Maar plotseling kwam er een herinnering boven, als uit een afgelegen deel van haar verstand. Uit haar nachtmerrie. *Uit haar hart?* De droom kwam weer boven, ze zat er middenin, ze maakte het allemaal opnieuw mee...

Met beukende passen holde ze door een tunnel met ruw uitgehouwen stenen wanden. Uiteindelijk zag ze een grijze metalen deur. Ze rukte hem open. Daarachter begon een schacht, net breed genoeg voor één persoon. Ze sloeg de deur dicht en klom de ladder op, de vrijheid tegemoet...

'Die deur die ik net zag!' Ze zette het op een lopen. 'Kom op!'

'Maar dat is gewoon een machinekamer.'

'Nee! Die heb ik in mijn nachtmerries gezien. Michaïl Ogust moet geweten hebben over die grotten. Als ik gelijk heb, is het een schacht met een ladder. Een weg naar buiten!'

Jeff trok een sprint om haar in te halen. 'Je kunt natuurlijk gelijk hebben. Berianov zou nooit iets dergelijks bouwen zonder geheime uitweg als het hem te heet onder de voeten werd.'

Plotseling klonk er weer een ontzettende explosie. Ze werden als lappenpoppen op de grond gesmeten. Beth kwam op haar rug neer en de lucht werd uit haar longen geslagen. Er klonk een daverend gebulder, het regende rotsen en stenen. Beth en Jeff rolden naar elkaar toe om met hun armen het hoofd van de ander te beschermen. Alle lichten tussen hen en de ingang gingen uit, en er hing zoveel steenstof in de lucht dat het resterende schijnsel veranderde in een grijze schemering. Het begon te ruiken naar schimmel en steen.

'Beth! Gaat het?' Hij trok haar naar zich toe. Zijn hart bonsde van angst om hen beiden.

Ze kuchte. 'Prima... het gaat prima.'

'Dan gaan we verder. De volgende explosie overleven we misschien niet. En er zitten nog meer kneedbommen op de muur. Er komt nog minstens één klap.'

Om de puinhopen heen hinkten ze naar de verborgen deur. Er vielen nog steeds stenen uit het plafond, en overal lagen bergjes rotsblokken. De overkant van de grot, waar ze waren binnengekomen, was verdwenen achter een enorme steenmassa.

'De deur zit op slot.' Ze vloekte.

'Geen probleem.' Met zijn pistool vuurde hij in het sleutelgat, draaide de knop om en rukte de deur open. Daarachter lag de schacht die ze zich uit haar dromen na de operatie herinnerde. Smal, met een ijzeren ladder in de rotswand geschroefd. Hij steeg loodrecht omhoog, zo te zien minstens dertig meter. Ze werd duizelig bij de aanblik van die enorme, steile hoogte. In het verleden had ze hoogtevrees gehad. Ver weg, alsof ze onder in een put stond, zag ze een rond stukje nachthemel, glanzend van de sterren. Ondanks haar angst had ze nog nooit zoiets moois gezien. *Dank je, hart.*

'Jij eerst,' drong hij.

'Maar, Jeff...'

'Ga nou! Ik kom vlak achter je aan.'

Met Jeff op haar hielen krabbelde ze de ladder op, naar de sterrenhemel toe. Ze mocht nu geen aanval van duizeligheid krijgen, want als ze viel, zou ze Jeff meesleuren. Ze keek dus noch omhoog, noch omlaag, maar richtte haar blik strak op de rotswand voor haar. Ze dwong zich regelmatig adem te halen. Ze klom langzaam, bouwde een regelmatig ritme op, de ene voet na de andere, de ene hand na de andere, en probeerde niet te denken aan waar ze was of wat ze deed.

Weer klonk er een explosie, en de hele schacht schudde en beefde. Ze grepen de ladder beet. Haar lantaarn viel en miste Jeff op een haar na. Ze kneep haar ogen dicht en probeerde niet duizelig te worden. Stenen en stof explodeerden rondom haar. Een paar zenuwslopende seconden lang leek het wel of de ladder loskwam van de wand. Onder hen barstte de deur open met een verschrikkelijk gekrijs van scheurend metaal. Ze opende haar ogen lang genoeg om rotsen en puin de schacht in te zien vliegen, langs de deuropening die daardoor geblokkeerd werd. Ze zaten vast. De enige uitweg was omhoog.

Ze schudde haar hoofd in een poging haar evenwicht terug te vinden. Ze móést zich beheersen, prentte ze zichzelf in. Ze mocht haar zelfbeheersing niet verliezen. Niet hier.

Plotseling daverde de schacht van een ander geluid. Het klonk of er een deel van de grot was ingestort. Weer spoot een massa stof en puin als een omgekeerde waterval omhoog en brandde in hun longen. Hoestend en proestend probeerden ze lucht te krijgen.

Toen volgde er een lege, dodelijke stilte. Af en toe tuimelde er nog een steentje voorbij dat in hun handen of gezichten stak. De ladder wiebelde tegen de wand. Hij zat los.

'We kunnen niet terug!' riep Jeff onder haar. 'Laten we maken dat we hier wegkomen!'

Kuchend tilde ze haar voet op. De ladder wankelde. Het zweet brak haar uit en ze vloekte.

'We moeten om beurten een stap zetten,' zei Jeff. 'Als we allebei tegelijk dezelfde voet optillen, gaat die ladder zwaaien als een slang, en dan valt hij – en dan vallen wij mee.'

Hij liet zijn lantaarn los zodat hij beide handen vrij had. Met een metalige klank sloeg de lamp tegen de rotsen onder hen. Hij telde, en om beurten verplaatsten ze handen en voeten – haar linker, zijn rechter – zodat ze samen de ladder op konden.

'Nog één zo'n klap en die ladder stort in als een spel mikado,' prevelde ze.

'Doorgaan!'

Hoe hoger ze klommen, des te duidelijker werd het dat de ladder los zat. Ze was doorweekt van het zweet en haar maag was een bal geworden. Toen ze boven aangekomen was, stak ze haar hand over de rand van de schacht en voelde gras. Hete tranen van opluchting rolden over haar wangen. Ze kroop naar buiten en kwam terecht op een open plekje, omringd door rotsblokken. Daar liet ze zich op de grond zakken. Ze legde haar hoofd in haar nek en staarde naar de sterrenhemel. Ze haalde diep adem en bracht enkele emotionele woorden van dank uit.

Toen veegde ze haar tranen af en stak een hand omlaag. 'Kan ik je helpen, Jeff?'

Hij keek op, en even dacht hij dat hij een engel zag. Het maanlicht glansde rondom haar. Haar gezicht zat vol modderstrepen en haar haar hing in smerige pieken. Haar jack en haar spijkerbroek zaten onder de vlekken, maar voor hem had ze er niet mooier uit kunnen zien.

'Nee, bedankt,' zei hij nors. 'Ik red me wel.' Hij hees zich overeind. Ze zat naast de ingang van de schacht, die onzichtbaar achter een dichte kring van hoge rotsblokken verborgen lag. Er was geen ruimte voor twee personen, dus klommen ze over de rotsen heen.

'Je hebt gehuild,' zei hij achter haar.

'Even maar.'

Ze lieten zich op het gras op de heuvel vallen, uitgeput en bijna duizelig van opluchting. Zijn rug en benen bonsden nog na van de klappen van vallende rotsblokken. Hoger op de heuvel loeide een lichtbruine koe, en haar roep echode tussen de heuvels. Hij keek om en zag een kudde. Hij haalde diep adem, verbijsterd dat ze nog in leven waren.

Een stukje lager op de helling stond Berianovs boerderij, met daarnaast twee enorme, rokende kraters. Een van die grote gaten was de plek waar het huis had gestaan, het andere was de garage geweest.

'Denk jij dat die oude man de kneedbommen heeft geplaatst?' vroeg ze.

'Misschien. Die vent zou ik wel graag eens in handen krijgen. Hij zag er niet gevaarlijk uit. Maar hoe dan ook, ik wil wedden dat hij meer wist.'

'Straks komt de politie, of wat ze hier ook hebben. Die klappen moeten iedereen in de wijde omtrek wakker geschud hebben.'

'Als je over de duivel spreekt...' Hij knikte en bracht de nachtkijker naar zijn ogen.

Er reed een auto vanaf de weg het terrein op. De koplampen vormden lichtkegels die door de opkomende grondmist heen priemden. Geconcentreerd keek hij naar de auto.

'Wat is het?' wilde Beth weten.

'Een donkergroene bestelwagen. Geen politie. Verdomme. Dit zul je niet geloven. Hoewel, misschien ook wel. Onze welbespraakte vriend, de vriendelijke opzichter. Hij loopt erheen.'

Ze dacht terug aan haar laatste blik op zijn ogen, die zo helder stonden – en zo helemaal niet oud. En de advertentie voor deze boerderij, die ze verstopt in Berianovs kantoor had gevonden. 'Ik wil wedden dat het Berianov is. In alweer een andere vermomming. De opzichter! En dat hebben we geen van beiden gezien.'

'Je hebt gelijk. Het kan hem zijn. Hij is altijd al een meester geweest in... Wacht eens even!' Hij staarde door de nachtkijker. 'Daar is nog iemand. Zie je dat? Achter de bestelwagen!'

De man was van top tot teen gekleed in zwarte werkkleren: coltrui, jack, skimasker, handschoenen, broek, sokken en schoenen. Aan een zwarte riem rond zijn middel hing zijn apparatuur, waaronder een pistool. Hij versmolt met de rand van de pijnbomen en verdween langs de rand van de weg, waar hij als een spookachtige schaduw gehurkt afstak tegen de witte omheining. Zijn enkels verdwenen in de grijze mist.

Toen hij de bestelwagen naderde, die nu tot stilstand was gekomen, pakte hij zijn pistool en keek hij naar de oude man, die wegliep van de smeulende resten van wat een groot gebouw geweest moest zijn. Dit was de boerderij die in de advertentie had gestaan die hij bij Aleksej Berianov thuis had afgepakt van Beth Convey. Maar het huis viel nergens te bekennen. Die rokende puinhoop moest dus ooit datzelfde huis geweest zijn, nam hij aan.

Hij begreep er niets meer van. In de e-mail van zijn bazen in het Kremlin had gestaan dat ene kolonel Caleb Bates dit perceel had gekocht. Verder strekten zijn inlichtingen niet. Maar dat feit was voor Beth Convey wel zo belangrijk geweest dat ze de advertentie in beslag had willen nemen.

Hij keek naar de grijsaard in zijn spijkerbroek en met de cowboyhoed, terwijl die in de bestelwagen stapte. Hij herkende hem niet. Maar toen zag hij Ivan Vok achter het stuur zitten. Hij voelde een juichkreet opkomen. Ivan Vok: de bekende KGB-moordenaar... in de Verenigde Staten... op de boerderij van die mysterieuze Caleb Bates. Opgewonden, met het pistool stevig in zijn hand geklemd, liep hij op de enorme auto af.

Zodra Aleksej Berianov het portier openschoof en de auto in sprong, gaf Ivan Vok gas en keerde hij de bestelwagen om op de oprit voor de nog nasmeulende resten van het hoofdgebouw. Hij knikte naar Berianov en glimlachte even koeltjes ter begroeting, waarbij zijn mongoolse trekken slechts een heel vluchtige indruk gaven van zijn loyaliteit en zijn trots op wat hij, Vok, samen met zijn jarenlange leider aan het bewerkstelligen was.

'*Kak vi pazhiváyitye?*' vroeg hij de generaal. Hoe is het gegaan?

Berianov was al even onaangedaan. Ze waren beiden KGB'ers. Er bestond geen betere training om de waarde van het understatement te leren kennen. Bovendien wist hij dat Ivan Vok de zaak met een vurige passie toegedaan was. Hij zette zijn stetson af, ging goed zitten en gaf in het Russisch het gebruikelijke antwoord. '*Kharashóh. A vi?*' Goed. En bij jou?

'Een lange nacht, Aleksej,' vervolgde Vok in het Russisch. 'Convey en Hammond zijn me ontglipt. Ze hadden een andere auto geregeld voordat ik ter plekke was.'

Berianov glimlachte. 'Mij zijn ze niet ontkomen.'

'O?'

Terwijl Vok de bestelwagen de oprit af reed naar de autoweg, vertelde Berianov van de explosies waarbij Hammond en dat mens van Convey waren omgekomen. 'Daar zullen we geen last meer van hebben.'

Vok lachte geamuseerd en opgelucht.

Plotseling zei Berianov: 'Wat is dat?'

Er schoot een schaduw voorbij, links, voor de witte omheining. Iemand op zijn hurken, met een geheven pistool. Vok zag het ook. Voordat ze konden reageren, schoot er een kogel dwars door het portier aan de bestuurderskant van de rijdende bestelwagen en trad op enkele centimeters van Berianovs borstkas naar buiten.

Vok wrong het stuur om en trapte het gaspedaal in. Zonder een woord stak Berianov zijn hand uit en greep de hendel boven het portier om zich vast te houden, terwijl de grote bestelwagen over de weg brulde, recht op de donkere gestalte af.

De man stond op en begon op de auto te schieten, maar die meerderde zo snel vaart dat hij maar één schot kon lossen. Dat leek geen effect te hebben. Hij draaide zich om en rende weg.

Vok gromde even van genoegen toen hij de wagen over het gazon stuurde, met zijn bumper de man neermaaide en vervolgens door de omheining brak, een weiland op. De bestelwagen hobbelde over het gras en nogmaals gooide Vok het stuur om, nu om in een lus terug te rijden naar de oprit.

'Wie kan dat geweest zijn, denk je?' vroeg Berianov.

Vok haalde zijn schouders op. 'Doet er niet toe, Aleksej. Als hij niet dood is, is hij wel zo zwaargewond dat hij buiten kennis is.' Hij draaide de bestelwagen weer de oprit op en reed opnieuw heuvel afwaarts naar de poort toe, die gastvrij openstond tussen de pijnbomen.

Boven het geluid van de motor uit was in de verte een sirene te horen. Berianov glimlachte. Nu Convey en Hammond dood waren, lagen zijn plannen weer op schema. Binnenkort zou de politie ter plekke zijn, maar die zouden weinig meer aantreffen dan lege gaten in de grond – en nu dus ook een gewonde of dode man. Daar zouden ze van opkijken. Ze zouden uitzoeken wie de eigenaar van de boerderij was en tot de ontdekking komen dat een ultrarechtse nationalist, ene kolonel Caleb Bates, de eigenaar was. En ook daar zouden ze de nodige vragen bij hebben. Dan zouden ze erachter komen dat Caleb Bates spoorloos was. En tot slot zouden ze te weten komen over de Hoeders der Waarheid en zouden alle stukjes van de puzzel op de door hem gewenste plaatsen vallen: een web van leugens dat solide als de waarheid aanvoelde.

Hij hoorde Ivan Vok vloeken. 'Foute boel, Aleksej. Daar, achter ons.'

Berianov draaide zich om en keek. Twee stoffige figuren kwamen de heuvel af rennen en hadden de weg achter hen bereikt. De razernij sneed door zijn ingewanden. Beth Convey en Jeff Hammond. *Dit was onmogelijk.* Geschokt starend zag hij dat zij de man vonden die Ivan met de bestelwagen had aangereden. Tegelijkertijd zag hij vanuit zijn ooghoeken een rossige gloed aankomen vanuit het zuiden. Politielichten. De sirenes werden luider. Binnenkort waren ze hier.

'Hoe kan dat nou?' Hij vloekte. 'Daar kunnen we momenteel niet mee afrekenen. Ze zouden sowieso te zeer voorbereid zijn op een aanval.'

'De politie is hier voordat we ze kunnen liquideren,' stemde Vok in. 'Dat is te gevaarlijk.'

Berianov dacht razendsnel na. 'Ze moeten hun auto hier ergens in de buurt hebben staan. Heb jij zendertjes bij je?'

'Ja, maar geen lezer.' Vok stond zichzelf een glimlachje toe. 'Ik bel even om hulp.' Hij drukte het gaspedaal in en de bestelwagen scheurde de landweg op. Ze moesten de auto van Convey en Hammond zien te vinden, het apparaatje aanbrengen en contact opnemen met een van hun mensen, zodat die de auto kon volgen.

Terwijl het gekrijs van de sirenes luider werd, hurkten Beth en Jeff naast de bewusteloze gestalte van de man op de grond. Jeff voelde zijn halsslagader en Beth trok het jersey-masker af.

'Ken jij hem?' vroeg Beth.

Hij was zowat van haar leeftijd, giste ze – begin dertig. Hij had een sterk, driehoekig gezicht met een gladde huid en dunne wenkbrauwen. Zijn kin was vlak en vierkant. Hij had iets beweeglijks in zijn gezicht, ook nu hij bewusteloos was, alsof de krachten die hem voortdreven zelden rustten. Hij zag er opvallend uit, vond ze. Op een spannende manier aantrekkelijk.

'Nooit gezien. Maar hij leeft nog.' Jeff liet zijn handen over het lichaam van de man glijden op zoek naar voelbaar gebroken botten. 'Hij lijkt niet veel te mankeren, maar dat weten we pas als hij iets kan zeggen. Zo te zien is de bumper afgeketst. We nemen hem mee. De ene bron van informatie na de andere glipt ons door de vingers, en dat moest maar eens afgelopen zijn.'

Ze stond te kijken hoe de lichten van de patrouillewagens naar Berianovs boerderij reden. 'Dan moeten we wel opschieten. Met een paar minuten zijn ze hier.'

Jeff pakte de voeten van de man, terwijl Beth zijn handschoenen uittrok en in de zak van haar windjack stak en zijn handen greep. Haastig droegen ze hem zijdelings naar de kapotgereden witte omheining en de heuvel af, naar de pijnbomen die langs de weg stonden aan de andere kant van het hoge hekwerk.

Terwijl de patrouillewagens met hun zwaailichten de oprit op raceten, legden Beth en Jeff de man neer op de pijnboomnaalden en bleven gehurkt tussen de bomen verscholen zitten wachten. De zwaailichten streken over hen heen, en ze liet haar blik zakken. Toen zag ze het: ze had de handen van de man over elkaar geslagen op zijn borst gelegd. En op zijn rechterpols zat een litteken.

'Jeff! Hij is het.' Ze wees naar het witte littekentje. 'Dat is de man over wie ik je verteld heb. De man die mij bij Berianov thuis overvallen en vastgebonden heeft!'

Hij onderdrukte een krachtige opwelling om de gewonde vent tot moes te slaan. Op neutrale toon zei hij: 'Dan heeft hij ons vast wel iets interessants te vertellen.'

De man begon in beweging te komen. Hij kwam bij. Jeff doorzocht de riem met instrumenten en nam een pistool en twee messen in beslag. Ze pakten hem op en droegen hem opnieuw langs de omheining, onzichtbaar tussen de bomen, tot ze bij de open poort kwamen. Daar legden ze hem weer neer. Behoedzaam keken ze naar het einde van de lange oprit, waar de agenten hun auto's uit stroomden. De zwaailichten draaiden nog steeds rond. Er werden bevelen geschreeuwd. Binnenkort zou de hele farm potdicht zitten, alles afgezet met geel politieband. De brandexperts waren waarschijnlijk al op pad, klaar om de as te doorzoeken, te zeven en te analyseren.

Maar momenteel stond de smeedijzeren poort nog wijd open. Beth en Jeff keken goed om zich heen en glipten toen met de bewusteloze man tussen zich in de poort door. Ze renden de heuvel op over het grasveld tussen de stille weg en de omheining. Dankzij de pijnbomen waren ze vanuit de boerderij niet te zien, en er was maar weinig verkeer op de weg. Met enig geluk zouden ze de Ferrari bereiken voordat er een auto passeerde.

Beth zweette en hijgde. De afstand werd steeds langer. Haar armen werden gevoelloos. De indringer was even lang als zijzelf, maar hij moest meer dan zeventig kilo wegen. Keer op keer moest ze zichzelf aanpraten dat dit een goed idee was. Uiteindelijk, toen ze aan de andere kant van de heuvel waren, uit het zicht van de boerderij, lieten ze hem op het gras zakken. Hij landde iets harder dan ze hadden gewild.

Jeff haalde hijgend adem en rechtte zijn rug. Zijn brede, gebruinde gezicht glinsterde van het zweet. Beth dacht terug aan de eerste keer dat ze hem gezien had, in de lobby van *The Washington Post*, met zijn gouden oorring en zijn lange paardenstaart. Ze had zijn zelfverzekerde houding aantrekkelijk gevonden, had zijn zelfvertrouwen hypnotiserend aantrekkelijk gevonden. En ze voelde zich aangetrokken tot zijn onconventioneel knappe gezicht.

Hij zette zijn handen in zijn zij en schudde zijn hoofd alsof hij het helder wilde krijgen. 'Ik haal de Ferrari.' Op een drafje liep hij weg.

De bewusteloze man had geen identiteitspapieren bij zich, en ze hadden geen andere auto's langs de weg geparkeerd zien staan. Wie was het dus, en hoe was hij bij de boerderij gekomen? Terwijl Beth op de uitkijk stond, bond Jeff snel zijn enkels en zijn handen en wurmde hij hem op datgene wat bij de Ferrari voor een achterbank doorging.

Beth nam het stuur, terwijl Jeff naast haar, half omgedraaid en met zijn Beretta ontspannen in zijn hand, zat te wachten tot de man zou bijkomen.

'Geduld is niet mijn sterkste kant,' mompelde Jeff.

'O nee? Nou, het is dat je het zegt.' Ze glimlachte en voelde zich even triomfantelijk omdat ze het allemaal overleefd hadden. Toen kwam alles met een klap terug, en plotseling zag de toekomst er niet best uit.

Jeff keek hoe ze de auto terugreed, dezelfde weg als ze gekomen waren, zodat ze niet langs de boerderij hoefden. Het ergste aan haar was dat hij haar aardig vond. Wanneer je net samen met iemand aan de dood ontsnapt bent en die iemand zich kranig gehouden heeft, kan dat je mening over die persoon ingrijpend wijzigen. Nee, dat was het niet. Die verklaring was te eenvoudig. Er woedde een innerlijke strijd in zijn hart.

De gewonde man achterin begon te kreunen.

Met een ruk belandde Jeff weer in het heden. Hij zag de ogen van de man heen en weer schieten terwijl hij nogmaals kreunde. Plotseling onderbrak de man zichzelf bij iets wat een vloek had kunnen zijn, en zijn ogen vlogen open. Hij probeerde rechtop te gaan zitten, maar zijn hoofd sloeg tegen het dak boven de nauwe achterbank. Hij viel achterover en staarde naar de touwen rond zijn polsen. Tot slot hief hij zijn ogen naar Jeff, en in die ogen zag Jeff heel even iets van woede en sluwheid. Maar die blik duurde maar een fractie van een seconde. Toen stonden de ogen, het hele gezicht, van de man weer neutraal.

'Luister, ik zal je wat zeggen,' zei Jeff op zakelijke toon. 'Ik heb jouw wapens. Je bent uiteraard een professional, maar voorlopig ga je nergens heen, want ik ben zelf ook niet bepaald een beginner. Momenteel zul je wel pijn hebben. Je vraagt je af wie ik in godsnaam ben en of je me kunt overbluffen of overtroeven. Maar omdat ik ook de beroerdste niet ben, zal ik je een eindje op weg helpen. Ik ga je de waarheid vertellen. Dankzij ons zit je niet bij de politie. Aangezien je als een tweederangsbandiet dat erf op sloop, moet ik wel denken dat je liever bij ons zit dan bij hen. En aangezien je gisteravond mijn vriendin hier hebt uitgeschakeld...'

Jeff zag dat de bleekblauwe blik van de man naar Beths achterhoofd schoot. Die beweging had iets... De man had belangstelling voor Beth. Sensuele belangstelling. Hij voelde zich tot haar aangetrokken.

Ze draaide zich even om en wiebelde met haar vingertoppen. 'Fijn om je weer eens te zien, ditmaal onder zoveel gunstiger omstandigheden.'

Jeffs borstkas kromp ineen. Maar hij liet niets merken. 'Zij koestert geen wrok. Maar ik wel. Daar hebben we het later over. Zoals ik al zei... aangezien je ook mijn vriendin had uitgeschakeld, weten we dat je het huis van Aleksej Berianov hebt doorzocht en... gelukkig voor jou... dat je mijn vriendin ongedeerd hebt gelaten. Dat waarderen we. Misschien mogen we zelfs concluderen dat we enkele dingen gemeen hebben.'

Jeff bestudeerde hem – het driehoekige gezicht, de diepliggende, bijna kleurloze blauwe ogen. De ongeïnteresseerde blik van de man was onveranderd gebleven, behalve toen hij even naar Beth had gekeken. Zo kwam Jeff op een idee.

'Misschien wil je graag weten wat jij niet ontdekt hebt, maar wij wel,' zei hij.

Hij wachtte. De man was net een rotsblok. Hij herinnerde zich dat Beth had verteld dat de man geen woord gezegd had terwijl hij Berianovs huis had doorzocht. Jeff had één voordeel: hij had niets te verliezen. Dus leunde hij achterover tegen zijn portier, hield zijn Beretta duidelijk zichtbaar voor de gevangene in de aanslag, zodat die niet zou vergeten wie van hen gewapend was, en floot de Internationale, het lied dat populair was geworden na de opstand in Parijs en dat het strijdlied van de communisten was geworden.

Dat deed het hem. De stem klonk zacht en heel erg Russisch: 'Oké. Zeg me wie je bent. Misschien kunnen we praten.'

Beth lachte. 'Kom op zeg, zo'n accent, daar trapt niemand in.'

Het gezicht van de man betrok. Hij kneep zijn ogen samen en leek tot een besluit te komen. 'Uitstekend. Jullie moeten Beth Convey en Jeff Hammond zijn. Dat heb je te danken aan de grondigheid van de Amerikaanse pers. Jullie foto's hangen werkelijk overal. Ik wil graag weten wat jullie ontdekt hebben en ik niet.' Hij hief zijn gebonden handen. 'Nee. Je hoeft het niet eens te zeggen, Hammond. Ik zie het al aan je blik. In ruil daarvoor vertel ik wat ik te weten ben gekomen. Dan kunnen we, zoals jullie hier zeggen, een deal maken.'

38

Beth en Jeff keken elkaar even aan. Ze keek over haar schouder en zag iets in het gezicht van de man dat haar vertelde dat hij zwaarder gewond was dan hij hun wilde laten merken. Desondanks zag ze ook de koele intelligentie waarmee hij hen observeerde. Dat beeld van de in het zwart gehulde, dreigende indringer die haar in Berianovs kantoor had overvallen, zou ze nooit vergeten. Of hoe gemakkelijk hij haar had overmeesterd.

Ze greep terug op haar beroep. Dit was een simpele onderhandeling, hield ze zichzelf voor. Soms was de slimste tactiek om een bot op tafel te smijten. Al haar instincten vertelden haar dat ze momenteel in dat stadium verkeerden. Dat betekende dat het tijd was om te gokken.

Ze richtte haar blik op de donkere weg, terwijl ze verder reed over de donkere weg. Naast hen werden de bomen gegeseld door de aanwakkerende nachtbries. Af en toe kwam hun een tegenligger tegemoet. In de verte scheen er licht vanuit huizen die op enige afstand van de weg lagen.

Abrupt vroeg ze: 'Wist jij dat Caleb Bates en Aleksej Berianov een en dezelfde man zijn?'

Op de achterbank ontstond een verbijsterde stilte. Toen werd er langzaam uitgeademd en klonk er een vloek in het Russisch. 'Dat verklaart een hoop. Ik wist dat ze met elkaar te maken hadden, maar... dit had ik moeten zien.'

'Had jij gehoord dat Berianov kortgeleden in Moskou was overleden?' vroeg Jeff.

'Nee. Jij wel?'

Jeff knikte. 'Dat bericht moet hij voor ons de wereld in gestuurd hebben, niet voor jou. En dat betekent dat hij misschien niet weet dat jij hem nog op het spoor bent.'

'Mooi zo. En in ruil voor dat nieuws zal ik jullie iets vertellen. Berianov, Anatoli Joerimengri en Michaïl Ogust hadden een enorm bedrag aan geld gestolen toen ze de Sovjet-Unie verlieten. En kortgeleden hebben ze nog meer gestolen van de voormalige KGB-fondsen hier in Amerika.'

'Zover was ik ook, ja. Zo financierden ze hun bedrijven, en die geheime fondsen dienden voor de financiering van expansie en misschien nog iets anders.' Jeff wierp een sluwe blik op de man op de achterbank. 'Gezien het feit dat je dat allemaal weet, moet je van de MVD zijn.' Hij keek Beth aan en legde uit: 'De MVD is het ministerie van binnenlandse zaken van Rusland. Daar valt de politie onder. Die zijn al tijden bezig hun mensen hierheen te sturen op zoek naar de verdwenen roebels.'

Weer werd het stil achterin. De man gaf niets toe, maar zei: 'Toen Jeltsin president was, heeft hij Kroll Associates aangesteld om staatseigendommen op te sporen die al sinds het begin van de jaren tachtig uit de staatskas aan het verdwijnen waren.' Kroll Associates was een onderzoeksbureau met internationale vestigingen. 'Alleen al tussen 1989 en '91 hebben onze communistische functionarissen geheime decreten van het Centraal Comité gebruikt om acht ton platina, zestig ton goud, bergen diamanten en, in jullie dollars uitgedrukt, tussen de vijftien en de vijftig miljard in contanten te verduisteren. Allemaal overgeboekt naar onbekende personen.'

Beth was verbijsterd. 'Maar dat is meer dan de jaarbegroting van de meeste landen.'

De stem achter haar gaf haar gelijk. 'Het is een nationale schande. En het waren niet alleen de communisten. Onze nieuwe regeringsfunctionarissen en zakenlieden hebben sindsdien op hun beurt het land geplunderd, hoewel we wanhopig behoefte hadden aan geld om ons herstel te financieren. Alles was een volslagen chaos toen Berianov en zijn vrienden in '91 gebruik maakten van de staatsgreep tegen Gorbatsjov. Samen hebben ze vijftig miljoen dollar afgeroomd die de KGB voor onze mensen aan het witwassen was via Zwitserse banken...'

Jeff onderbrak hem: 'Ongetwijfeld doorgesluisd naar agenten, provocateurs en frontorganisaties.'

'Ach, ja. Je begrijpt hoe zoiets werkt. Jullie CIA gebruikt vergelijkbare kanalen. Pas vorig jaar hebben we Berianovs diefstal ontdekt. Kroll traceerde het geld tot aan een particuliere Zwitserse bank, die het op Wall Street had geïnvesteerd. We weten allemaal wat er gebeurde met mensen die in de jaren negentig hun geld verstandig hadden belegd, en de Zwitsers waren daar bijzonder goed in. Voor zover Kroll kon achterhalen, hadden Berianov, Joerimengri en Ogust regelmatig geld van de rekening gehaald om hun ondernemingen te financieren. En drie jaar geleden hebben ze het complete bedrag opgenomen.' Hij zweeg even. 'Het was bijna een miljard van jullie dollars geworden.'

Beth hapte verbaasd naar adem. 'Dat is een verschrikkelijk bedrag om te verliezen, voor ieder land.'

De MVD-man knikte. 'Twee weken geleden kwam Kroll plotseling niet verder meer. Ze konden het geld niet meer traceren, en daarom stuurden ze mij eropaf.' Hij zweeg. 'Jij zit nog steeds bij de FBI, nietwaar, Hammond? Maar dan undercover.'

Jeffs gezichtsuitdrukking veranderde niet. 'Ik ben al tijden geleden opgestapt.'

De jongere man grinnikte even. 'Ik heb zo mijn bronnen. Ken jij ene Evans Olsen?'

Meteen antwoordde Beth: 'Dat is een assistent van het Witte Huis. Ik heb hem weleens gesproken bij partijtjes op de ambassade, hoewel ik hem al in geen tijden gezien heb.'

Jeff keek haar aan. 'Ik heb nog nooit van hem gehoord,' bekende hij.

'Caleb Bates heeft hem regelmatig gebeld op zijn mobiele nummer,' ging de MVD-man verder. 'De gesprekken waren gecodeerd, dus we konden niet verstaan wat ze zeiden. Maar we konden het signaal wel traceren. Het is op zich al eigenaardig dat ze elkaar spraken.'

Jeff zag het verband: 'Jij bent degene die de informatie naar de FBI lekte dat een ondergrondse groepering een terreurdaad aan het plannen was. Je bedoelde Caleb Bates' mensen. Jij moet "Perez" zijn.'

De MVD-man zat roerloos. Hij erkende niet dat hij Perez was, maar hij ontkende het ook niet. 'Ze noemen zich de Hoeders der Waarheid,' vervolgde hij. 'Of kortweg de Hoeders. Dat is het enige bruikbare dat ik weet. Nu moet ik aan het werk, ik moet verslag uitbrengen. Willen jullie me afzetten? Mijn motor staat een kilometer of twee van de boerderij af. Volgens mij zal de politie ons niet zien.'

Beth schudde haar hoofd. 'Je bent gewond. Ik heb je in de binnenspiegel zitten bekijken. Bij iedere beweging vertrekt je gezicht van de pijn.'

'Gewoon een paar gekneusde ribben.' Hij glimlachte naar de spiegel.

Jeff zag de glimlach. Met moeite onderdrukte hij zijn opkomende jaloezie.

Beth zei: 'Jij moet naar een dokter. Die ribben kun je zelf niet verzorgen.'

'Natuurlijk wel. Het zou niet voor het eerst zijn. Nu is het jullie beurt. Ik heb jullie bruikbare informatie gegeven. Breng me terug en vertel me wat jullie weten.'

Beth minderde vaart, reed een oprit op en zette de Ferrari in zijn achteruit. Even meende ze achter hen een auto te zien die ook vaart minderde om afstand te houden, maar de koplampen verdwenen een zijweg in.

Samen vertelden Jeff en zij de hoogtepunten van de afgelopen drie dagen: Meteor Express, Stone Point, de moordenaar die achter Beth aan gekomen was en de zelfmoord met cyaankali van de twee Hoeders bij Bates' boerderij. Ze vertelden over Michelle Philmalee en de lijst van HanTech, en over de bejaarde opzichter die ze voor het laatst hadden gezien toen hij in de bestelauto stapte die Perez had aangereden.

Perez had er ontspannen, bijna gezellig, bij gezeten. Maar nu verhardde zijn blauwe blik zich. 'Dus dat was hij, in die bestelwagen. Ik herkende alleen de bestuurder – Ivan Vok.'

'Ivan Vok!' Jeff schudde zijn hoofd. 'Dat klinkt niet goed.' Hij beschreef de simulatie van het Witte Huis diep onder de heuvel.

Perez' wenkbrauwen schoten omhoog van verbazing. 'Het Witte Huis. Dan zijn ze dus van plan om president Stevens te vermoorden. Dat dacht ik al. En dat moet dan binnenkort gebeuren, want volgens jullie zijn alle Hoeders intussen weg bij de boerderij.'

'Dat denken wij ook,' zei Beth. 'Jullie president is gisteren in Washington aangekomen. Misschien heeft dat iets te maken met de timing. Wat denk jij dat Bates, of Berianov, erbij kan winnen door onze president te vermoorden?'

'Vanuit ons standpunt niets,' zei Perez. 'Vanuit zijn standpunt misschien een boel. Volgens mijn bronnen zijn Berianov, Joerimengri en Ogust altijd blijven hopen dat de communisten weer aan de macht zouden komen en dat de voormalige Sovjet-Unie herenigd zou worden.'

'Daar staan ze niet alleen in,' mompelde Jeff.

Perez knikte. 'Negen jaar geleden zou het onmogelijk geweest zijn. Er werd in het parlement zelfs over gesproken dat de hele partij verboden moest worden. Maar de communisten hebben nog steeds macht binnen de Doema, en het is nog steeds de enige politieke beweging met een nationaal netwerk dat in staat is om honderdduizenden mensen de straat op te roepen voor een meeting. De partij stond bijzonder kritisch tegenover de nieuwe vrije-marktbenadering, een soort shocktherapie die de schuld krijgt van het feit dat onze economie is geslonken tot iets ter grootte van Nederland, en voor de bijna volkomen desintegratie van ons leger. En natuurlijk is sindsdien de roebel ineengestort, is de aandelenmarkt in een zwart gat gevallen en konden we niet voldoen aan onze buitenlandse verplichtingen. Het is één grote puinhoop. Die ramp met de onderzeeër Koersk. De brand in de televisietoren van Ostankino. Terroristen in Moskou. En dan natuurlijk die eindeloze ellende in Tsjetsjenië.'

Beth zei: 'De communisten hebben geen schijn van kans op hernieuwde macht in een stabiel Rusland. Dat weten ze toch zeker wel?'

Perez gaf haar gelijk. 'Dit kon weleens hun laatste kans zijn. Vele Russen denken nog steeds met trots terug aan het communistische regime, omdat dat het fascisme heeft verslagen. Die internationale schuldenlast die we niet meer konden afbetalen bedroeg op zich niet meer dan de waarde van een van jullie nieuwe internetbedrijven. Maar mijn land is door buitenlandse regeringen en het IMF afgerekend alsof wij de onverantwoordelijke slechterik van de wereld waren, en daardoor werd de positie van de communisten versterkt. Die hebben namelijk een eenvoudig en aantrekkelijk platform: wij zijn nog steeds de op één na grootste kernmacht, ons land beslaat drie continenten, we hebben enorme en rijke bodemschatten en we hebben het vetorecht binnen de Veiligheidsraad van de VN.'

'Wil je daarmee zeggen dat Berianov ervan uitgaat dat hij, door president Stevens te vermoorden, voor voldoende onrust in Rusland kan zorgen om de communisten de kans te geven het roer over te nemen?' concludeerde Jeff. 'Als dat zo is, had hij hier toch al wel enig grondwerk verricht?'

Voor het eerst keek Perez nerveus. 'We weten dat ze bezig waren met het vormen van allianties en dat ze zich aan het inkopen waren in Russische nutsbedrijven, fabrieken en in de politiek. Afgezien van de hardnekkige communisten zouden ze contacten hebben gelegd met de gedesillusioneerde militaire leiders, de ultranationalisten en de ouderwetse apparatsjiks. Ik zal het mijn superieuren melden. Die kunnen jullie HanTech-lijst checken en uitvinden hoe diep de penetratie is.'

'Maar waarom moet president Stevens juist nú vermoord worden?' vroeg Beth zich af.

'Het is mij in de loop der jaren duidelijk geworden dat er geen op zichzelf staande gebeurtenissen bestaan,' zei Jeff. 'In het begin van de jaren zeventig, toen Henry Kissinger minister van buitenlandse zaken was, bevond hij zich ooit een paar dagen lang buiten de schijnwerpers toen hij in het buitenland verkeerde. Verslaggevers wilden weten wat er gaande was. Zijn woordvoerder zei dat hij ziek was. Griep, geloof ik. De pers pakte dat dus op en meldde dat Kissinger ziek was geworden terwijl hij voor zijn werk op reis was. Pas later hoorden we dat hij in werkelijkheid bezig was geweest een geheime overeenkomst voor te bereiden met wat toen nog Rood China heette, om dat land voor het eerst in twintig jaar open te stellen voor het Westen. Misschien gaat het bij deze moord om iets dergelijks. Misschien komen de presidenten Stevens en Poetin bijeen om veel belangrijker redenen dan de gebruikelijke staatsceremonies. Misschien willen ze een akkoord afkondigen waardoor Rusland eindelijk gestabiliseerd kan worden, de communisten de pas wordt afgesneden en het land stevig wordt verankerd in de democratie. Als dat zo is, zal Berianov misschien gedacht hebben dat het hele verdrag niet doorgaat als hij onze president vermoordt.'

'Hij zal er in ieder geval genoeg tijd mee kopen om af te maken wat hij in Rusland in beweging heeft gezet,' meende Beth.

Er viel een gespannen stilte in de sportauto, terwijl die verder reed door de sterrennacht. Uiteindelijk beduidde Perez dat Beth moest stoppen. Ze waren weer bijna bij Gettysburg, maar op een rustig stuk van de weg. Nergens vielen lichten van huizen te bekennen. Er raasde één pick-up voorbij terwijl Beth de Ferrari langs de kant van de weg zette.

Ze zette de motor uit, en Jeff stofte Perez wat af en hielp hem de auto uit.

Met zijn armen rond zijn borstkas geslagen knikte Perez naar het dichte struikgewas. Jeff vond een pad, verdween en kwam terug met een grote BMW-motorfiets. Aan de andere kant van de smalle tweebaansweg ritselde het bos van de nachtgeluiden. Boven hun hoofden waren stoffige wolken verschenen, die het maanlicht filterden.

Perez strompelde naar de grote motorfiets en zwaaide met pijnlijk vertrokken gezicht zijn been over het zadel. 'Mag ik mijn wapens terug?' Jeff gaf ze hem aan, en Perez zei: 'Ik geef je nog één stukje informatie dat van nut kan zijn.' Hij beschreef de politiek van Caleb Bates' extreem-rechtse haviken. 'Nu ik weet dat Berianov en Bates een en dezelfde zijn, begint alles wat ik te weten ben gekomen over Bates en de Hoeders me heel wat duidelijker te worden. Zo te zien heeft Berianov alles zo gepland dat de Hoeders de schuld zullen krijgen van de moord, terwijl hij vrijuit gaat.'

'Waarom denk je dat?' wilde Beth weten.

'Ik heb een van Bates' hooggeplaatste mensen gevolgd. Die bestelde een massa riemgespen met zenderchips, voldoende voor de hele groep. Hoogstwaarschijnlijk hebben de Hoeders geen idee dat er iets bijzonders is met die gespen. Tegenover diegenen die het wel moesten weten, kan Bates de apparatuur natuurlijk verklaard hebben als een manier om bij te houden waar iedereen zich tijdens de operatie bevindt. En nu we weten dat Berianov weer in vermomming rondloopt, ditmaal als oude man, begin ik te denken dat hijzelf niet van plan is om mee te doen. Hij wil binnenkort verdwijnen.'

Beth begreep wat Perez bedoelde. 'Na de moord belt hij anoniem naar de geheime dienst om te vertellen over de Hoeders en de riemen. Dan hoeven ze maar één Hoeder gevangen te nemen of te doden, en daarna kunnen ze ze dan allemaal opsporen. Als Berianov zelf geen riem draagt, en we weten allemaal dat hij dat natuurlijk niet doet, blijft hij op vrije voeten.'

'Dat denk ik,' stemde Perez in.

'Dat kunnen we uitzoeken.' Beth wisselde een blik met Jeff en dacht terug aan de twee mannen die zelfmoord hadden gepleegd. Zij, en hun riemen, moesten nog steeds tussen de bomen liggen. Tegen Perez zei ze: 'Waar ga jij nu naar toe?'

Perez glimlachte naar Beth, en even zag hij er jong en onbezorgd uit. 'Nee, laten we dat maar niet zeggen. Maar we moeten wel in contact blijven. Hoe kan ik jullie bereiken?'

'Dat kun je niet,' zei Jeff kortaf. 'Tenzij jij ons een nummer wilt geven.'

Met een glimlach schudde Perez zijn hoofd. De maan kwam te voorschijn tussen de wolken en deed de boom baden in een koel licht. Perez zette zijn motorhelm op. Zijn stem klonk gedempt toen hij rechtstreeks tegen Beth zei: 'Bij Berianov zag ik jouw medicijnen. Je bent heel ziek geweest, en nu ben je sterk. Als dit hier niet goed uitpakt,' – hij knikte in Jeffs richting – 'dan kom ik daarachter, en dan kom ik je opzoeken. Dan kunnen we kijken of we dezelfde smaak hebben qua muziek en... andere dingen.' Hij legde even zijn vingers aan het zwarte glas van zijn helm in een saluut aan Beth. 'Tot volgende keer.'

Een eigenaardige rilling liep even langs Beths ruggengraat. Ze dacht terug aan de medicijnflesjes die ze in Berianovs werkkamer achter haar stoel had zien staan: keurig op een rij, als soldaten voor inspectie. Hij wist alles over haar, en toch had hij belangstelling.

Perez startte de motor. De motor kwam daverend tot leven, en door het zilveren maanlicht scheurde hij de weg op. Met razende vaart reed hij in zuidelijke richting naar Washington. Jeff en Beth keken zijn steeds kleiner wordende achterlicht na.

'Eigenaardig hoe dingen in de loop der tijd veranderen,' zei ze. 'Perez probeert gewoon het belang van zijn land te verdedigen, maar vroeger zouden we vijanden geweest zijn.'

'Inderdaad. De Vrije Wereld versus het Rijk van het Kwaad.'

'Het leek me een dapper man. Vastbesloten om zijn volk te helpen. Rusland zou meer van dat soort mensen moeten hebben. Wat vind jij?'

Jeff fronste zijn voorhoofd. 'Je zult wel gelijk hebben...' En toen onderbrak hij zichzelf. In de verte doemden de koplampen van een auto op, die ook in zuidelijke richting reed, dezelfde kant uit als Perez. Met grote snelheid. Toen Perez uit het zicht verdween, werden de koplampen van de nieuwe auto groter en dreigender.

Jeff greep Beths arm. 'Kom op!'

Al rennend greep hij zijn pistool. Ze rukte het portier van de Ferrari open. De tegenligger, een sedan, kwam een meter of tien van hen vandaan met de voorkant naar hen gericht en met krijsende banden tot stilstand. De koplampen schenen oogverblindend.

'Instappen!' brulde Jeff. Hij holde naar de bestuurderskant en zette de motor aan.

Met bonzend hart sprong Beth naast hem en sloeg het portier dicht. Met twee salvo's werden de voorbanden van de Ferrari aan flarden geschoten. De voorkant van de auto zakte in en uit de sedan kwamen twee mannen gesprongen. Al schietend renden ze op de Ferrari af.

39

'Volgens de reclame hoort een Ferrari zo goed als onverwoestbaar te zijn,' gromde Jeff. 'Nou, daar zijn we zó achter.' Hij smeet de auto in de versnelling en gaf plankgas. Moeizaam schoot de auto op zijn bumper naar voren door de berm. De twee aanvallers waren amper zichtbaar, twee zwarte schaduwen in het schijnsel van de koplampen. Ze doken opzij, de een naar links, de weg op, en de ander rechts, de bosjes in. De een bleek een geweer bij zich te hebben, de ander een pistool.

Jeff stak zijn kin vooruit. Hij greep het stuur en ramde de Ferrari recht op de sedan af.

'Je bent gek!' Beth haalde diep adem en klemde zich vast.

Als hij in het leven één ding geleerd had, hield Jeff zichzelf grimmig voor, was het wel om nooit te doen wat van je verwacht werd als je leven op het spel stond. Hij had gezien hoe Ivan Vok Perez genoeg tijd gaf om de ergste botsing met de bestelwagen te voorkomen. Diezelfde fout zou Jeff niet maken.

De aanvallers verstarden, besluiteloos, niet wetend of de Ferrari een duizend kilo wegende zelfmoordtorpedo was geworden en hun opdracht voor hen zou uitvoeren.

In de laatste seconde gooide Jeff het stuur om. De laaghangende Ferrari maakte een haakse bocht en reed met brullende motor recht op de aanvaller af, die als aan de grond genageld op de weg stond. Het was zo'n snelle manoeuvre geweest, dat de bandiet geen tijd had gehad om te vluchten. Hij werd geramd. Zijn ogen en mond sperden zich wijd open in een kreet van doodsangst die hij al niet eens meer kon slaken. Door de klap werd hij hoog op het dak van de Ferrari geslingerd. Met het geweer nog in een reflex vastgeklemd gleed hij op zijn buik naar hen toe. De bovenkant van zijn gemillimeterde hoofd klapte op enkele centimeters van hun gezichten tegen de voorruit. Het bloed spatte over het glas. Hij vormde geen probleem meer.

Vanaf de kant van de weg vuurde de tweede man zijn pistool af.

Er vloog een kogel door Beths raampje, die via de voorruit weer naar buiten schoot. Het glas barstte in scherven uiteen over de gesneuvelde aanvaller heen. Hij werd bedekt door een laag splinters, zodat hij in het schijnsel van de koplampen van de sedan glinsterde als ijs.

Beth had het allemaal aangezien, gespannen, maar elk detail grondig in zich opnemend, bijna alsof de tijd stilstond: de sedan rechts van hen... de man die nu van de schuinhangende motorkap van de Ferrari af gleed als een slappe boksbal... de tweede aanvaller die alweer klaarstond om te schieten.

Weer floot er een kogel door de Ferrari heen, ditmaal rakelings over Jeffs knokkels heen. Hij vloekte, ramde de versnelling in zijn achteruit en trapte het gaspedaal in. Met knerpende achterbanden schoot de auto naar achteren.

Voordat de aanvaller nogmaals kon schieten, leunde Beth naar buiten, richtte en schoot. Met een luide vloek stortte hij neer. Het was slechts zijn dijbeen, maar haar 9-millimeterkogel had voldoende kracht om hem tegen de grond te smijten. Toch zag hij nog kans, zijn pistool te blijven vasthouden.

Jeff rukte aan de handrem en sprong net op tijd uit de auto. De man lag al op één knie zijn wapen te richten. Zijn vinger kromde zich rond de trekker. Het wapen was op Jeff gericht...

Beth en Jeff vuurden tegelijkertijd. De kogels explodeerden in de borst van de aanvaller. Hij vloog achterover het struikgewas in, zijn armen wijd gespreid. Zwart-rode vlekken bloeiden plotseling op zijn jack toen hij bleef hangen tussen de stijve, houten klauwen. Beth hapte naar adem. Voelde zich plotseling uitgelaten. Ze had zo snel geschoten om Jeff te redden, dat ze er niet eens bij had kunnen nadenken. Ze had geen tijd gehad om de gevolgen te overdenken, de moraliteit van haar daad te overwegen. Om haar daad te beoordelen of zich er zelfs maar van bewust te worden. Toch was ze ditmaal niet doorgegaan de trekker over te halen. Ze keek naar haar handen met daarin de Walther. Ze trilde. Maar die verschrikkelijke neiging om haar pistool leeg te schieten... te blijven doden... die had ze niet gevoeld.

Toen ze eindelijk weer een vaste hand had en opkeek, stond Jeff gebogen over de man die ze hadden neergeschoten. 'Dood.'

Ze rende naar de andere. 'Deze ook.'

Jeff begon de Buick van de aanvallers te doorzoeken. 'Dit verklaart een hoop – een elektronische lezer. Ik wil wedden dat er een zendertje in de Ferrari zit, en zo hebben ze ons gevonden. Maar ik begrijp niet hoe ze dat ding hebben kunnen plaatsen.'

'Berianov of Vok moet ons gezien hebben toen we de heuvel af gingen na hun poging om Perez dood te rijden. Althans, dat lijkt me logisch. Zo konden ze weten dat wij nog in leven waren.'

Jeff knikte. 'Dat is zo. En als ze een zender bij zich hadden, hoefden ze alleen nog maar op zoek te gaan naar onze auto.'

Ze wendde zich van de Buick af om de ooit zo gestroomlijnde rode Ferrari te bekijken. Die lag langs de kant van de weg, met zijn neus zo dicht op de grond, dat hij iets had van een hond die op een kleedje ligt te slapen. De voorbanden waren aan flarden en de velgen waren gedeukt. De voorruit lag aan gruzelementen. De dure carrosserie zat vol kogelgaten.

'Die Ferrari komt voorlopig niet ver,' zei ze. Ze voelde een steek van schuldgevoel. De Ferrari was Michelles lievelingsspeeltje geweest. Maar Michelle zou nergens over klagen – niet als Beth naar haar terugging. Hoe dan ook, Michelle was tot aan haar geëpileerde wenkbrauwen verzekerd en ze kon gewoon een nieuwe kopen. 'Zullen we hun auto nemen?'

'Dat lijkt me geen goed idee. Misschien zit daar ook een zender in, en ik heb niets bij me om daarnaar te zoeken.' Vol afkeer schudde hij zijn hoofd.

Toen herinnerde ze zich iets: 'Volgens mij zijn we een paar honderd meter terug langs een telefooncel gereden. Daar ga ik naar op zoek, als jij intussen verder wilt zoeken in die sedan en de zakken van die vent. Zal ik je baas bellen? Misschien wordt het tijd dat we hulp inroepen.'

'Nee. Maar je kunt wel een oude vriend van de familie bellen.' Hij gaf haar het nummer plus instructies.

Beth knikte, herhaalde de informatie en ging op een drafje op weg. Ze was uitgeput, maar ze dwong zichzelf om door te gaan. Haar hoofd voelde zwaar aan van de gebeurtenissen van de afgelopen paar dagen, en haar ogen waren moe van het constante zoeken naar gevaar. Terwijl ze scherp om zich heen kijkend verder draafde, piekerde ze over de president. Ze moesten Berianovs plannen zien te verhinderen.

Toen ze eindelijk bij de telefooncel aankwam, hijgde ze. Ze greep de hoorn en... verstarde. Er was geen kiestoon. Toen zag ze dat het snoer was doorgesneden. Iemand had het opzettelijk doorgesneden: een keurige, rechte snee. Die gekken van Berianov? Om te verhinderen dat iemand te lang in de buurt van de boerderij zou rondhangen? Geërgerd schudde ze haar hoofd.

Ze maakte rechtsomkeert en zette het opnieuw op een vermoeid sukkeldrafje. Er gleden grijze wolken door de nachthemel die de maan en de sterren verborgen. Ze droop van het zweet. Een paar minuten later naderde ze de plek waar ze Jeff bij de twee beschadigde auto's had achtergelaten. Ze zag de donkere omtrekken van de voertuigen, en toen de wolk boven haar hoofd opzij schoof, verlichtte de maan de silhouetten van twee mannen. Haar borst kromp ineen en ze voelde een misselijkmakende angst opkomen. Ze hurkte om goed te kunnen kijken. Een eindje verderop, tussen de Buick en de Ferrari in, hield iemand een pistool recht op Jeff gericht.

Jeff hoorde het geluid een fractie van een seconde te laat. Hij was bezig geweest een aantal vermommingsspullen en andere gereedschappen van de moordenaar uit de zwarte kisten achter in de Ferrari te halen en had alles wat hij nodig had, samen met Beths tas, in de kleinste kist gepakt. Terwijl hij daarmee bezig was, had hij wel iets horen fluisteren in de bosjes, maar omdat er geen auto te bekennen viel, had hij gedacht dat het een konijn of een eekhoorn moest zijn. Pas toen hij vlakbij een takje hoorde knappen, draaide hij zich als door een wesp gestoken om en greep naar zijn Beretta. 'Dat is genoeg, Jeff.' Eli Kirkhart stond met zijn gerichte Smith 10mm achter hem. 'Geef mij die Beretta maar. Voorzichtig. Kolf naar voren, graag.'
'Wat is dit in godsnaam, Eli?'
'Ik vrees dat ik je moet arresteren.' Kirkhart gebaarde ongeduldig met de Smith. 'De Beretta. Nú!'
Jeff draaide zich verder om en gaf hem het wapen. 'Hoe heb je me in godsnaam gevonden?'
'Zo dom ben ik nou ook weer niet. Je bent me al een jaar lang aan het afschudden. Maar uiteindelijk moest het tij wel keren en moest het mij ook eens een keer grandioos meezitten.'
'Een jaar lang? Zit je dan al een jaar lang achter me aan?'
'Met tussenpozen. Wat denk je dat er gebeurd is nadat ik had toegezegd dat ik je zou zien in dat winkelcentrum?'
Jeff staarde hem aan. 'Sinds wanneer is de FBI geïnteresseerd in een verslaggever met een obsessie die hem heeft verjaagd uit haar moederlijke schoot?'
'Hou toch op met die onzin. Lopen. Die kant uit.' Kirkhart gebaarde met zijn pistool naar de bomen en struiken langs de westkant van de weg.
Jeff zette zich in beweging. 'Hoezo, onzin? En wie heeft jou achter mij aan gestuurd?'
'Momenteel werk ik niet direct voor de FBI. En "onzin" betekent dat ik heel goed weet dat jouw naam nog op de loonlijst staat en

dat je al tien jaar undercover bent, en dat je dankzij die baan en die "obsessie" van je dicht bij de gemeenschap van overlopers kon blijven.'

Jeff zei niets. Kirkhart had hem verbaasd. Hoeveel anderen waren op de hoogte, binnen of buiten de FBI? Berianov? Dat zou verklaren hoe die hem altijd een stap voor kon zijn. Maar hoe kon dat? Kirkhart had gezegd dat hij momenteel niet in opdracht van de FBI werkte, maar uiteraard was hij nog wel werknemer van de FBI. Wie had dus de leiding over het onderzoek?

'Oké,' zei Jeff. 'Ik hap. Voor wie werk je dan wél, en hoe heb je me gevonden?'

'Dat is tweemaal dezelfde vraag, Jeff. Ik heb gezien hoe je met dat mens van Convey aan het praten was, bij de krant, en ik heb je gevolgd naar dat misselijke gehucht in West Virginia. Daar zag ik hoe Graham en Thoma je oppakten. Daarna kwam natuurlijk dat opvanghuis waar je de benen nam. Toen wist ik het pas zeker. Je had kennelijk een hooggeplaatste bondgenoot, en je ontsnapping was van tevoren afgesproken. Ergo, je werkte dus nog steeds voor de FBI, maar dan als undercoveragent. Vervolgens zag ik je bij die schietpartij in de buurt van Conveys schilderachtige woning, raakte je weer kwijt, maar herinnerde me dat Convey ooit voor de Philmalee Group had gewerkt. Daar ging ik dus heen, en inderdaad, daar was jij. Met de dame. En nu ben ik hier.'

'Oké, ik ben nog in actieve dienst. Dan weet jij dus ook dat ik die twee jongelui niet heb vermoord, dus...'

'Dit heeft daar niets mee te maken. Hoewel je ze uiteraard best had kunnen vermoorden, gezien de hele rest.'

Nu was Jeff totaal verbluft. 'Gezien welke hele rest?'

Maar Kirkhart zei: 'Aha, we zijn er. Als jij nu instapt, kunnen we ervandoor.' Hij haalde een paar handboeien uit zijn zak. 'Sorry, maar je weet hoe het gaat.'

Ze stonden op een zandpad dat naar een afgelegen boerderij leek te leiden. Daar waren de lichten op de begane grond nog aan. Een solide grijze Volvo, amper het gebruikelijke soort FBI-auto, stond in de berm geparkeerd. Eli opende een achterportier.

Jeff maakte geen aanstalten om in te stappen. 'Ik heb je iets gevraagd, Eli. Wat is die "hele rest" waar je het over hebt? Voor zover ik weet, heb ik al bekend wat er gebeurd is. Ik werk undercover, dat doe ik al...'

'O, undercover ben je beslist. Maar niet alleen voor de FBI, nietwaar?'

'Waar héb je het over? Heb je plotseling zaagsel in je hoofd?'

'Niet bepaald,' snauwde Kirkhart; zijn beschaafde stem klonk plotseling kil, zijn buldoggezicht en zijn gespierde schouders waren strijdlustig gespannen. 'Wou je weten voor wie ik werk? De afgelopen twee jaar voer ik een speciale missie uit voor de president en het ministerie van justitie.' Hij noemde de namen van zijn drie bazen: Millicent Taurino en Donald Chen bij Justitie, en de adviseur voor binnenlandse veiligheid Cabot Lowell. 'Ik heb gezocht naar de mol binnen de FBI, vriend. En nu heb ik hem.'

Jeff was verbijsterd. 'De mol?' Er waren geruchten geweest dat er binnen het Bureau een mol aan het werk kon zijn, maar daar had hij amper naar geluisterd. In de loop der jaren waren die geruchten keer op keer opgedoken, maar na de arrestatie van Aldrich Ames bij Langley en Pitts bij de FBI meende hij dat de kwestie daarmee uit de wereld was.

Ongeduldig zei Kirkhart: 'Waarom had je anders zo'n belangstelling voor Beth Convey? De Philmalee Group, HanTech, Uridium en, uiteraard, Minatom? Ik kan me zo voorstellen dat je je bescheurde toen je bezig was allerhande berichten op te snuffelen om door te sluizen naar Minatom. Een tamelijk lucratieve maar gevaarlijke business. Wereldschokkend, nietwaar? En dat doet me eraan denken... waar ís onze mevrouw Convey eigenlijk? Heb je...?'

Vanuit het duister klonk Beths stem. 'Vlak achter u. Mijn pistool is midden op uw rug gericht. Uw ruggengraat, zeg maar. Ik heb weinig schietervaring, dus mik ik op...'

Kirkhart wervelde om zijn as, en zonder aarzelen sloeg Beth met de loop van haar Walther op zijn pols, zodat zijn Smith uit zijn hand vloog. Tegelijkertijd ramde Jeff zijn vuist tegen Kirkharts half afgewende kaak. Eli Kirkhart zakte op de grond en bleef roerloos liggen.

Jeff haalde diep adem. 'Prima timing. Bedankt.'

'Een beetje melodramatisch, maar ik moest uitkijken dat hij me niet hoorde.'

'Zag je dat hij me te pakken had?'

Ze knikte en vertelde over de doorgesneden telefoonlijn. 'Dus holde ik terug om je het laatste slechte nieuws te vertellen. Daarna was het niet moeilijk om jullie hierheen te volgen. Breedsprakig type, nietwaar? Hoort zijn eigen stem graag. Ik had algauw door dat hij van de FBI was en jou kende. Wat was dat met die mol?'

'Ik zou het bij god niet weten. Ieder jaar werd wel een keer gesuggereerd dat er ergens een diepe mol zat die verantwoordelijk was voor een boel fouten binnen de veiligheidsdienst. Maar ik heb nooit iets gehoord over een extern onderzoek, en ik heb geen flauw idee waarom Eli bij mij terechtkwam. Een geheim extern onderzoek naar het Bureau is nog nooit voorgekomen. Althans, ik heb er nooit van gehoord.'

'Dan is dit dus een primeur.' Ze knikte naar de gevallen Kirkhart. 'Wat doen we met hem?'

'Laten liggen.' Hij raapte de handboeien op die Kirkhart had laten vallen en vond de sleutel in de zak van de agent. Hij hees de slappe gestalte overeind en sleepte hem naar een jonge eik. 'Ik houd zijn armen vast rond die boom. Jij doet hem de boeien om.'

Ze klikte de boeien vast rond Kirkharts polsen. Jeff haalde de sleutels van de Volvo uit Kirkharts broekzak en ze lieten hem geboeid achter. Hij begon te kreunen. Hij was vanaf de zandweg zichtbaar en zou de volgende ochtend wel gevonden worden.

'Tegen die tijd zitten wij in Washington en kunnen we de Volvo dumpen,' zei Jeff. 'Gelukkig dat Eli voor deze klus geen auto van de zaak gebruikt heeft. Hij was natuurlijk bang dat ik hem zou herkennen. Dit zal wel een huurauto zijn. Kom op.'

Ze stapte achter het stuur, en Jeff ging naast haar zitten. Terwijl ze de weg op reed, zocht hij in het dashboardkastje en vond de papieren waaruit bleek dat de Volvo inderdaad een huurauto was. Ze zette de auto even stil op de plek waar de Ferrari nog steeds met zijn neus op de grond lag te rusten in de berm, recht tegenover de Buick.

Hij sprong naar buiten, greep de zwarte kist van de sluipmoordenaar en smeet die op de achterbank. Toen hij weer instapte, zei hij: 'Daar zit je handtas ook in, samen met alle make-upspullen en andere zaken die we misschien nog nodig kunnen hebben.'

'Goed. Nu die riemen.' Ze drukte het gaspedaal in en reed met grote snelheid naar de plek waar ze de twee lijken hadden achtergelaten. 'We moeten wel uitkijken voor politie.'

'Inderdaad. Stel dat we die riemen te pakken krijgen, dan nemen we ze mee naar die oude vriend van me. Ik heb wel een idee, maar het probleem is dat hij niet gemakkelijk te bewegen zal zijn om ons te helpen.'

'Waarom niet?'

'Omdat hij denkt dat ik een moordenaar ben.'

'Nou, daarin is hij niet de enige. Dat is niets nieuws.'

Hij grijnsde naar haar. 'Niemand heeft ooit gezegd dat dit gemakkelijk werd, raadsvrouwe.'

'Nee,' antwoordde ze met een glimlach, hoewel haar maag zich samenbalde. Zou het leven ooit weer logisch in elkaar komen te zitten? Alsof haar onuitgesproken vraag werd beantwoord, begon er ergens in de auto een schel, onderbroken zoemgeluid te klinken. Een mobiele telefoon.

'Waar zit dat kreng?' Jeff tastte rond in het donker, terwijl het gekmakende gegons maar doorging. Uiteindelijk vond hij de telefoon, onder de bestuurdersstoel.

'Ze verwachten een mannenstem,' zei Beth. 'Doe alsof je Kirkhart bent.'

Snel zocht hij in zijn geheugen tot hij wist hoe Eli's stem had geklonken als hij de telefoon aannam. 'Ja, hallo. Met Kirkhart.'

'Waarom duurde dat zo lang, verdomme?' Er werd gevloekt door een boze mannenstem. 'Laat ook maar. Kom terug naar kantoor. Nú!'

'Gaat niet. Ik zit op een kritieke...'

'Gaat wél! Luister! We hebben zojuist van het ministerie van justitie vernomen dat de identiteit van de mol is achterhaald dankzij een extern onderzoek. De directeur heeft vanmiddag zijn naam vernomen. De directeur zei dat hij dit zelf zou afhandelen, en een paar uur later is hij naar een geheime bespreking gegaan. Aangezien hij niets anders van plan was en de twee agenten die hij als back-up meenam zeiden dat het eruitzag als iets uitzonderlijk belangrijks, denken we dat hij de zaak meteen heeft willen "afhandelen". Alleen ging het andersom en heeft de mol de directeur vermoord. Neergestoken, en de vingerafdrukken op het mes zijn die van Jeffrey Hammond. Dezelfde naam die we voor de mol hadden. Je kent hem wel – jouw voormalige partner. Nou, die fijne Hammond van jou is dus de mol. Vanaf nu zit iedereen op deze operatie, jij ook. Waar zit je in godsnaam?'

Geschokt dwong Jeff zich om snel na te denken. 'Tussen de hooibergen, vrees ik. In Iowa.'

'Zorg dat je morgen terug bent!'

De verbinding werd verbroken. Jeff gaf de telefoon aan Beth. Alle kleur was uit zijn gezicht weggetrokken. 'Ik word gezocht in verband met de moord op FBI-directeur Thomas Horn. Het was niet alleen Kirkhart... de hele FBI denkt dat ik de mol ben.'

'Schitterend. Dan is dus nu het hele land naar jou op zoek.'

'De hele wereld.'

Er viel een gespannen stilte in de Volvo. Het zag ernaar uit dat het antwoord op Beths vraag of het leven ooit nog logisch in elkaar zou zitten, zonder enige twijfel 'nee' luidde. 'Moet je je dan niet gaan melden? Je kunt je begeleider toch bellen? We hebben hulp nodig, Jeff. Het is niet slim meer om op eigen houtje verder te gaan. Er staat intussen te veel op het spel. We hebben het hier wel over het léven van de president!'

'Verdomme!' Jeff sloeg met zijn handpalm op het dashboard. 'Kon dat maar. Kon ik Bobby maar bellen! Maar niet alleen denken ze nu bij het Bureau dat ik de mol ben, nu denken ze ook nog eens dat ik de directeur heb vermoord. De kans bestaat dat zelfs Bobby dat gelooft. Dus stel dat ik hem bel... zelfs als ik niet word afgeknald door een gefrustreerde agent, áls ik de eerste vijf minuten in leven blijf, dan zullen ze nog niet luisteren naar wat ik ook maar kan zeggen en wat in de verste verte zou kunnen klinken als een afleidingsmanoeuvre of een excuus. Ze hebben tenslotte mijn vingerafdrukken op het wapen waarmee de directeur is afgemaakt. Ze zullen denken dat ik een verhaal over moord op de president heb verzonnen als afleiding. Tegen de tijd dat ik iemand zover heb dat ze luisteren, kan de president wel dood zijn.' Zijn gezicht vertrok van ergernis. 'Ik kan me alleen melden als ik onomstotelijke bewijzen heb, geen ideeën of gokwerk. *Waar, wanneer, hoe.* Alles. Naar specifieke details zullen ze luisteren, dus we moeten verder met ons plan. Het wordt alleen nog moeilijker. Een heel stuk moeilijker.'

40

Het was vroeg in de ochtend in Moskou, en in de schitterende nachtclub Russisch Roulette was het bericht aangekomen over een tragisch ongeval waarbij een grote Mercedes 600 met daarin de beroemde uitgever Oleg Doedasj, twee beveiligingsmensen en een chauffeur van de weg was gedrukt door een van de anonieme clandestiene taxi's in de stad. De grote luxewagen had zo hard gereden dat hij zich door de vangrail van de brug over de Tverskajastraat had geboord en de rivier de Moskwa was ingedoken, een ijsschots had verbrijzeld en was gezonken. Alle inzittenden waren verdronken in het ijskoude water, lang voordat de auto uit het water en op de kant kon worden gehesen.

De ondernemer die het nieuws over het ongeluk had gebracht, was vanuit de nachtclub op weg naar huis geweest toen zijn chauffeur het verhaal had gehoord via de politiescanner. Verbijsterd over het feit dat hij nog maar een paar uur geleden in dezelfde tent had gezeten als de beroemde krantenmagnaat, had de man zijn chauffeur onmiddellijk opgedragen, terug te rijden naar de club.

Op trillende benen was hij binnengekomen, had een stevige borrel besteld en zijn tragische verhaal gedaan. De muziek stopte, er werd met stemverheffing gepraat en glazen werden keer op keer gevuld terwijl hij steeds opnieuw zijn verhaal moest doen – iets waartegen hij geen bezwaar maakte. En passant had hij het meteen over zijn nieuwe serie zakcomputers en deelde hij links en rechts zijn kaartje uit. De miniatuurcomputers waren tweede keuze die hij tegen de volle prijs verkocht, maar dat hoefde niemand te weten. Naarmate er meer alcohol vloeide, steeg de stemming. Muziek en dansen werden hervat en professor Georgi Malko vertrok, nadat hij bedroefd ieders deelneming in ontvangst had genomen wegens de dood van zijn jarenlange vriend.

Zijn chauffeur bracht Malko linea recta naar huis, naar zijn gerestaureerde negentiende-eeuwse herenhuis nabij de kathedraal van Christus de Verlosser. De butler hielp Malko uit zijn jas en Malko liep meteen door naar zijn slaapkamer. Het beddengoed was teruggeslagen, zodat de pas gestreken satijnen lakens zichtbaar waren. Naast zijn bed stond een pot warme chocolademelk onder een geborduurde theemuts klaar. In het hele vertrek hing de uitnodigende geur van brandend pijnboomhout van het vuur dat in de open haard knapperde.

Malko trok zijn das los en trok zijn jasje uit, terwijl hij naar het olieverfportret boven de haard staarde. Peter de Grote, keizerschepper, hervormer en tiran. 'Nou, Peter,' kondigde hij op vertrouwelijke toon aan, 'we zijn weer in beeld. Buiten is het koud, maar in minder dan een etmaal gaat het sissen in het Kremlin.' Hij grinnikte bij de gedachte hoe naïef en idealistisch Oleg Doedasj zijn leven lang geweest was. Koppig, stom en nu zo dood als het nieuws van gisteren.

Voordat hij, nog steeds grinnikend, op weg ging naar de badkamer, zette hij zijn televisie aan op de nationale zender ORT, de enige zender die alle uithoeken van het land bereikte. Vanaf vandaag hadden hij en Aleksej Berianov het grootste particuliere aandelenpakket daarvan in handen, en daarmee was ORT hun eigen, persoonlijke medium geworden.

Even dacht hij aan zijn afkeer van Berianovs arrogante manier van doen, zijn hooghartigheid. Toen haalde hij zijn schouders op. Je kon er niet omheen: professor Georgi Malko was niet verkiesbaar, zoals Oleg al had beweerd. En daarom had hij Aleksej Berianov even hard nodig als Berianov hem. Aan Berianov kleefde geen enkel schandaal; hij was een legitieme, internationale zakenman die nieuwe handelskanalen kon aanboren met de Verenigde Staten. Daarbij was hij knap, hoog opgeleid en charmant. In de ogen van het grote publiek was hij de ideale opvolger voor Poetin.

Terwijl hij zich klaarmaakte om naar bed te gaan, verscheen de tweede herhaling van die dag van het programma van de eigenaardig hypnotiserende Roman Tyrret, die zes maanden geleden voor het eerst op de ORT was verschenen met zijn geheel eigen vorm van populistische humor, die het hele land in zijn ban hield: 'Vanavond heb ik een grap voor jullie, mensen – recht vanuit een van die chique clubs waar ze mensen als ik of,' – hij wachtte even, voor een extra dramatisch effect – 'jullie niet binnenlaten. Maar ja, zulke entreeprijzen kunnen wij toch niet betalen, nietwaar? Onthoud goed: deze hebben jullie híér voor het eerst gehoord, daar komt-ie: Zegt de ene oligarch tegen de andere: "Ik heb net een schit-te-rend horloge gekocht in Genève. Twintigduizend roebel." Zegt de ander trots: "O ja? Nou, ik heb net hetzelfde gekocht voor dértigduizend!"'

Tyrret legde zijn hoofd in zijn nek en huilde van het lachen. Zijn sproetige gezicht met die aanstekelijke grijns was onweerstaanbaar. Hij was zesendertig jaar oud, zat vol energie en straalde charisma uit. 'O, wat een arrogantie,' zei hij, terwijl hij zijn ogen droogveegde. 'Die lui weten niet eens dat ze elkaar een loer draaien. Maar wij weten het wel, mensen, wij weten het wel. Dus waarom zijn wíj niet rijk?'

In werkelijkheid was Roman Tyrret wel degelijk rijk. Hij was de best betaalde tv-persoonlijkheid in de hele geschiedenis van het land, met de best bekeken show. Hij was van nieuwslezer bij een plaatselijke zender in Sint-Petersburg opgeklommen tot de Olympische hoogten van een eigen, persoonlijke, nationale televisieshow die gelijkheid, gemeenschappelijke waarden en een terugkeer van Rusland naar zijn gerechtvaardigde plek aan het firmament predikte.

Maar zodra hij zich een duurdere levensstijl kon permitteren dan Jan met de pet, greep hij die kans. Nu verzamelde hij dure vrouwen, werd rondgereden in zijn eigen kogelvrije limousine, en alsof hij in een B-film speelde, telde hij onder zijn vrienden juist die mensen die hij voor zijn dagelijks brood aan het kruis nagelde. En dat bewees maar weer eens, vond Malko, dat alles een spel was, zelfs de waarheid als die in handen was van iemand met een miljoenenpubliek.

Grinnikend en hoofdschuddend vervolgde de televisiester zijn geruststellende tirade, waarbij hij de wrokkigheid, de verwarring en de jaloezie van het volk verwoordde, het brandhout voor de politiek van vandaag: 'Onze kerkse maffia telt bendes die in gestolen auto's handelen en die aan beschermingspraktijken en import-exportschandalen doen. Onze gerespecteerde aktetasbaronnen kopen functionarissen van het Kremlin en parlementsleden om en verkrijgen daarmee contracten, licenties en juwelen uit de enorme oplichterspraktijk die "privatisering" heet. En dan, terwijl ze uit hun vestje barsten, gaan ze ons vertellen dat ze hun succes te danken hebben aan het feit dat ze zulke gewiekste *biznesmeny* zijn. Terwijl de rest van het volk als vliegen onder een vliegenmepper bezwijkt omdat die lui het eten uit onze mond stelen, hebben zij het gore lef om ons voor te houden dat het onze eigen schuld is, omdat we niet hard genoeg werken, niet slim genoeg zijn, geen *biznesmeny* zijn!' Hij sloeg met zijn vlakke hand tegen zijn voorhoofd en rolde met zijn ogen. 'Misdadigers zijn het, vrienden! Gangsters! Oligarchen! En volgens mij is het hoog tijd dat we ze dat eens vertellen, wat jullie?'

Voordat hij zijn hoofd schuin kon houden en met een theatraal gebaar zijn hand achter zijn oor hield om te luisteren, brak er al een instemmend gejuich uit in de studio. De studiomedewerkers waren uiteraard bevooroordeeld. Ze hoorden alle soorten onzin en volksverlakkerij, maar vijf dagen per week joelde zelfs de meest kritische ORT-medewerker voor Roman Tyrret. En om de waarheid te zeggen vond Malko hem ook leuk. En nu was hij dus zijn eigendom, net als – eerder vroeger dan later – het hele Kremlin zijn eigendom zou zijn.

Toen de bestelwagen met daarin Ivan Vok en Aleksej Berianov in het holst van de nacht door Pennsylvania reed, verzonk Berianov in een dagdroom. De verkeersborden, de bomen, de typisch Noord-Amerikaanse architectuur smolten allemaal samen en vervaagden, terwijl de bestelwagen voortraasde, en plotseling was de vegetatie anders, stonden er andere gebouwen en verkeersborden, zag het landschap er anders uit, zagen de auto's er anders uit... alles was anders en hij was weer thuis in Moskou.

Het was in de jaren zeventig, en de hele lucht was vervuld van hoop. Opgewonden planologen van het Kremlin verwachtten dat Moskou nog voor het jaar 2000 een model van nieuwe urbanisatie zou zijn. Er stonden nieuwe flatgebouwen en nieuwe fabrieken en er waren zoveel banen, dat er een tekort aan arbeiders heerste. Er werd een nieuw handelscentrum gebouwd aan de oever van de Moskwa. Een Frans bedrijf wilde luxehotels gaan bouwen. Maar ondanks al die groei hield het Kremlin wijselijk vast aan het behoud van het stadscentrum van Moskou, met zijn klassieke schoonheid en zijn lange geschiedenis, zodat ook toekomstige generaties daarvan konden genieten.

Hij had een zoontje, zijn eerste kind. Hij was gek op zijn vrouw, met haar satijnen huid die in sproeten uitbrak zodra de laatste sneeuw gesmolten was. Zij was werktuigbouwkundig ingenieur. Iedere ochtend gingen ze samen naar het werk en leverden hun bijdrage aan de nationale droom van een arbeidersparadijs. De baby lieten ze achter in een crèche, waar hij liefdevol verzorgd werd. In die dagen werden kinderen gevoed, gekleed, opgeleid en gekoesterd.

Teleurstelling is een ongrijpbaar iets. Een emotie die begint met korte momenten van wanhoop, in de schaduwen van de geest blijft hangen en groeit totdat ze het hele leven beheerst. Vijf jaar later had hij promotie gemaakt binnen Afdeling Acht. Hij was goed in zijn werk en meende een reële bijdrage te leveren. Hij plande evenementen, zoals dat heette, waarbij zijn eenheden vijandige leiders neermaaiden en samen met guerrilla's trainden en vochten om de provincies te bevrijden, zodat die konden toetreden tot de inspirerende communistische familie.

Maar thuis was zijn vrouw dik en verdrietig geworden. Ze ging lijden aan acne. Hij kreeg nog een kind, een dochter. Zijn vrouw begon onophoudelijk ruzie te zoeken. Hij bleef tot laat op kantoor en begon te drinken.

Zijn nieuwe secretaresse had gitzwart haar, mysterieus als een poolnacht. Dus scheidde hij van zijn vrouw en trouwde hij met zijn secretaresse. Ze trokken bij haar ouders in, die een overheidsappartement hoog boven de Moskwa bewoonden. Urenlang stond hij aan het raam en keek hij uit over de brede vlakte van de rivier, al sinds de Middeleeuwen een handelsader. Nu voeren daar moderne schepen en boten met dieselmotoren. Als altijd waren er ook zwemmers. Zelfs in de winter spetterden er altijd wel een paar onbevreesde zielen rond tussen de ijsschotsen. 'Walrussen' werden zulke mensen genoemd, echte Moskovieten die de vreugden van een ruig klimaat begrepen.

Ook bij zijn nieuwe vrouw kreeg hij twee kinderen, weer een jongen en een meisje. Haar ouders verwenden de kinderen, maar dat was niet erg, want mettertijd kreeg hijzelf minder tijd voor hen. In de zomer ging het hele gezin, behalve hijzelf, naar de datsja aan de Zwarte Zee, terwijl hij op zakenreis ging of in Moskou bleef voor bureauwerk. In het begin stuurde zijn vrouw hem de ene brief na de andere. Maar iedere zomer werden dat er minder, totdat er uiteindelijk niets meer kwam. Ze vond niet dat Aleksej haar goed behandelde, klaagde ze – die woedeaanvallen, die eindeloze reizen. Ze vond het vreselijk dat hij pistolen in huis had. Bovendien was ze verliefd geworden op een houthakker. Ze bleef met haar houthakker en de twee kinderen in de datsja aan de Zwarte Zee wonen en liet zich scheiden van Aleksej.

Die hele winter doolde hij rond tussen de geel gepleisterde muren en de schaduwrijke binnenplaatsen van Moskou. De steile daken waren voorzien van ijzeren balustrades ter bescherming van de mannen die sneeuw ruimden. Op de koudste dagen was de hemel doorschijnend blauw, maar als het warm was viel de sneeuw in grote, stille vlokken.

Tijdens een wandeling door het Gorki-park werd hij bijna omvergereden door een trojka. Hij dook een sneeuwberg in en liet zich op zijn rug rollen. Toen hij opkeek, zag hij een vrouw met een smal gezicht en een glanzende rode neus en glinsterende ogen voorbijrijden in de winterzon, hoog boven op de trojka. De bellen van de traditionele Russische slee rinkelden en de drie paarden met hun opengesperde neusgaten en dansende manen zagen er schitterend uit. Ze wendde de galopperende dieren in een wijde boog en kwam vol verontschuldigingen terug om te vragen of hij hulp nodig had. Hij trouwde met de menster met haar trotse kozakkenziel en haar vlammend rode haar, en samen betrokken ze een flat die helemaal van henzelf was. Intussen was hij een snel rijzende ster aan het KGB-firmament, en zijn superieuren hielden hem scherp in de gaten. Tamara heette ze.

Toen de mobiele telefoon in zijn binnenzak tegen zijn ribben begon te trillen, dwong Berianov zich met een schok terug naar het heden. Het was stil in de bestelwagen. Ivan Vok concentreerde zich op de weg. Ze naderden het geheime appartement in de buurt van Washington. Het gezicht van de moordenaar stond streng. Hij was niet blij met het chaotische verkeer, dat volgens hem te wijten was aan de aangeboren slordigheid van de Amerikanen.
Berianov nam met een neutrale stem op, omdat hij niet wist welke van zijn twee groepen – Bates' Hoeders of Berianovs agenten – belde.
'Kolonel?'
Meteen veranderde Berianovs stem in de lage, roestige klank van Caleb Bates. 'Ja, sergeant. Uw rapport, graag.' Nu ze in de slotfase verkeerden, had hij het directe commando overgedragen aan de sergeant, die het team van moordenaars zou leiden.
De energieke stem van de sergeant klonk vol trots. 'Precies op schema, kolonel. Bijna iedereen is bij de depots gearriveerd. De mensen rusten. Om 0700 precies begin ik met de expeditie. We kunnen het natuurlijk eerder doen, maar dat trekt aandacht.'
De meeste Hoeders zouden langs de ontsnappingsroute worden gestationeerd, zodat de moordenaars weg konden uit het Witte Huis. Ze zouden Washington verlaten via een ingewikkelde route, waarbij een aantal malen van auto werd gewisseld. De rondrijdende bestelwagen zou iedereen traceren om zeker te weten dat de mensen terugkwamen bij de jachtclub in West Virginia, waar ze zouden worden klemgezet door de federale politie. Als het even meezat, zouden ze allemaal hun cyaankalicapsule kapotbijten. De enige die niet getraceerd of klemgezet zou worden, was Caleb Bates. Die droeg geen riem en zou zich van zijn levensdagen niet meer uit vrije wil in de buurt van een Hoeder begeven.
'Het moreel is uitstekend,' vervolgde de sergeant. 'Maar er is iets

vreemds – twee van onze mensen zijn niet komen opdagen. Ze moesten met de bus komen, en het is natuurlijk mogelijk dat ze verdwaald zijn. Ze moesten morgen op de uitkijk staan.'

'Geef ze een paar uur,' besloot Bates. 'Je kunt altijd nog correcties aanbrengen om hun taken opnieuw in te delen. De afwezigheid van twee mannen die zo gemakkelijk verdwalen kan ons plan niet in de war sturen, wat u, sergeant?'

'Nee, kolonel! Geen sprake van.'

'En de uitnodigingen? Die zijn heel wat belangrijker.'

'Die ga ik volgens orders om 0700 precies ophalen bij de postbus bij de Mall.'

'Mooi. Zo vroeg in de ochtend kun je probleemloos naar binnen en buiten komen. Nu heb ik een laatste order. Dit is heel belangrijk. Cruciaal. Zorg ervoor dat je morgen je mobiele telefoon op zak hebt, zodat je me vijf minuten voordat je het Witte Huis binnengaat, kunt bellen. Er komt een kleine wijziging in je missie. De andere plannen veranderen daardoor niet. Ik kan erop rekenen dat je dit bijzonder belangrijke telefoontje niet vergeet, nietwaar, sergeant?'

'Jazeker, kolonel.' Austins stem klonk afkeurend. Hij kende zijn taak, hij wist wat er op het spel stond.

'Natuurlijk, sorry,' glimlachte Berianov. Niets was zo betrouwbaar als een goed getrainde soldaat met hart voor de zaak. Zolang hij ademde, zou hij bellen. 'Verder nog iets, sergeant?'

'Nee, kolonel.'

'Dan wacht ik op je telefoontje.' Hij zweeg even, helemaal in de sfeer van Caleb Bates' manier van denken. 'Ik ben trots op je, Aaron.' Nog nooit had hij iemand bij de voornaam genoemd, maar hij wist dat dit het juiste moment was om de trouw van de soldaat te verstevigen door hem bij zijn voornaam te noemen.

Aan de andere kant hapte de sergeant naar adem van pure vreugde. 'Dank u, kolonel. U zult geen spijt krijgen van het gestelde vertrouwen. Dat weet u toch?'

'Jazeker, Aaron. Ik wacht jullie op bij de jachtclub, en zodra jullie terug zijn nemen we een glas van die heerlijke *sour mash* die ik voor de gelegenheid bewaard heb. Spreken we dat af?'

'Jazeker, kolonel!'

Berianov lachte hardop toen hij de verbinding verbrak. Hij voelde zich grootmoedig. Het evenement was al zo goed als ten uitvoer gebracht. Al die jaren van wachten en plannen... de opoffering van een leven in dit buitenland... dat alles ging terugbetaald worden op een manier die Joerimengri en Ogust met hun kleinzielige ideeën nooit hadden kunnen voorzien of uitvoeren.

Hij leunde achterover en nam onbewust weer de meer gepolijste houding van de hooggeplaatste KGB-functionaris Aleksej Berianov aan.

'Aleksej!' Vok had de radio aangezet. Een opgewonden stem meldde dat een vijandige mol binnen het Bureau, ene Jeffrey Hammond, FBI-directeur Thomas Earle Horn had vermoord. 'Hoort u dat, Aleksej?'

Berianov glimlachte. 'Ik hoor het.' Plotseling voelde hij zich vol vertrouwen. De FBI-directeur vermoord... dat was wat! Hammond was ten dode opgeschreven. Berianov had geen idee wat er gebeurd was, maar hij vermoedde dat zijn mannetje binnen het Bureau daar de hand in gehad had. Hij haalde zijn mobiele telefoon weer te voorschijn.

Vok keek hem aan. In zijn zware gezicht zag Berianov zijn eigen opluchting weerspiegeld. 'Dit gaat fantastisch. En de Hoeders? Is daar nog iets nieuws over te melden?'

'Die zitten op hun posten, Ivan, en morgenochtend om zeven uur komen ze in actie, zoals gepland. Het kan niet beter.'

Voordat Berianov zijn nummer kon kiezen, begon de telefoon weer te trillen. Opnieuw zei hij met zorgvuldig neutraal gehouden stem: 'Ja?'

Het was een van Voks mensen, Sergej, die ademloos en onzeker in het Russisch ratelde: 'Geen idee hoe dit heeft kunnen gebeuren, maar Hammond en Convey hebben twee van onze mensen vermoord. Onze auto stond er, uiteraard, net als de Ferrari.' Hij gaf een gedetailleerde beschrijving van wat hij aangetroffen had. 'We hadden onze mensen valse papieren meegegeven. Het zal eruitzien als een mislukte drugsdeal. De politie zal geen enkel spoor naar ons vinden.'

'Dat is dan tenminste in orde.' Berianovs borst trok samen van de spanning. Met grote wilskracht dwong hij zichzelf, te ontspannen. 'Prima. Convey en Hammond zullen ergens, waar dan ook, moeten opduiken. Zorg dat al je teams zich opsplitsen. Eén persoon per surveillancepost, zodat we ons kunnen verspreiden. Dan hebben we meer kansen. Ik bel je nog over de lokaties.' Hij verbrak de verbinding.

Vok was razend. 'Zijn ze ontsnapt, Aleksej?'

Berianov stelde hem op de hoogte. 'De Hoeders móéten door. Nog maar twaalf uur, hoewel, niet eens meer twaalf uur, hoeven we ze te beschermen en op het juiste spoor te houden.' Berianovs ogen flitsten en de adrenaline stroomde door zijn aderen. Hij dacht even na en koos toen een nummer.

Vok schudde zijn hoofd. 'Die Hammond en Convey zorgen voor meer problemen dan we ooit hadden kunnen denken.' Als gewoonlijk drukte hij zich mild uit. Zijn ogen vertelden een ander verhaal: die straalden moordlust uit.

Berianov luisterde hoe de telefoon voor het laatst overging. Er werd niet opgenomen. In plaats van een stem klonk er een langdurig gepiep, dat voor ieder ander zou aanduiden dat dit een faxlijn was. Maar na zo'n zestig seconden hield dat geluid plotseling op.

In de stilte beval Berianov: 'Bel me onmiddellijk.' Hij hing op. Nog geen twee minuten later begon zijn telefoon te trillen. Hij zette hem aan en zei in het Engels: 'Wat is er gebeurd met die FBI-directeur?'

Op gedempte toon antwoordde Bobby Kelseys stem: 'Op de een of andere manier had die klootzak het idee gekregen dat ik de mol was, en hij wilde me aangeven. Gelukkig was hij niet honderd procent zeker van zijn zaak, dus hij heeft het tegen niemand gezegd en hij kwam in z'n eentje naar de bespreking. Hij had het waanidee dat hij een groots gebaar zou maken en mij hoogstpersoonlijk zou arresteren. Het enige resultaat was uiteraard dat ik de tijd kreeg om me voor te bereiden.'

Berianov glimlachte. 'En zo kon jij die bewijzen tegen Hammond deponeren.'

'Je moet nooit een kans laten lopen, zeg ik altijd maar.'

'Uitstekend,' prees Berianov hem. 'Maar we zitten met nog een probleem. Helaas zijn Hammond en Convey te veel aan de weet gekomen, of vermoeden ze te veel. En die twee lopen nog steeds vrij rond. Ik heb alle info nodig die je over dit tweetal hebt. Alle namen van mensen met wie ze eventueel contact kunnen opnemen. Er is geen tijd meer om ons zorgen te maken over risico's, dus je doet wat nodig is.'

'Duidelijk. Hoe wil je de info hebben?'

'Gecodeerde e-mail. Het gewone adres.' Berianov zette de telefoon uit en stak hem in zijn zak. Hij sloeg zijn armen over elkaar en trok een gezicht alsof hij wilde dat de rit ten einde was.

41

Het was middernacht bij Dupont Circle, een minuut of tien van het Witte Huis verwijderd en zo'n vijf minuten van de chique Embassy Row. Beth en Jeff stapten uit de Volvo en liepen het laatste stukje naar het huis van senator Ty Crocker, dat aan een straat met historische huizen en hoge, brede bomen stond. Het hele huis was stil en donker, en Jeff ging Beth voor naar de zijtuin, langs een magnoliaboom, en vandaar naar een ommuurde achtertuin vol donkere rozenstruiken en kruidenplanten. Hij belde aan bij de achterdeur. De achtenzeventigjarige senator, zo uit zijn slaap gehaald, probeerde de deur dicht te smijten zodra hij die had geopend en Jeff op de stoep zag staan. Jeff zette zijn voet tegen de deur, plaatste beide handen op de rand en duwde hem ondanks het boze verzet van de oudere man open.

'Ty...'

'Geen woord! Hoor je me! Wou je mij soms ook vermoorden?' Crocker was razend. In gestreepte pyjama, een Chinese zijden kamerjas en op leren pantoffels stond hij in de deuropening. 'Het idee dat ik... dat ik...' Van woede kwam de senator niet meer uit zijn woorden, dus zweeg hij. Tien lange seconden lang keken beide mannen elkaar furieus aan.

Met een van emotie verstikte stem schudde Jeff uiteindelijk zijn hoofd en zei: 'Het spijt me, Ty. Het is nooit bij me opgekomen dat jij nog steeds zou denken dat ik die jongelui heb vermoord. Niet na de moord op Tom Horn. Je moest toch inzien dat de moord op hem, na die eerste twee, simpelweg te veel was? Dat is ongeloofwaardig, dat ik alle drie gedood zou hebben. Dacht jij nou echt dat ik de directeur had kunnen vermoorden, Ty? Ik had gedacht dat uitgerekend jíj wel beter zou weten.' Hij aarzelde. 'Of heb ik te veel van je verwacht?'

Ty Crocker vertrok zijn gezicht. Eindelijk kreeg hij zijn stem terug. 'Je had ze gemakkelijk kunnen vermoorden, als je inderdaad een Russische mol bent.'

Jeff keek om zich heen in de donkere achtertuin. Hij zag niemand, en er lag een flinke afstand tussen Ty's huis en de buurhuizen. Toch dempte hij zijn stem. 'Dacht jij nou echt dat ik al die jaren een mol was geweest? Je kent me al mijn hele leven. Is je beoordelingsvermogen dan zó slecht?'

Ook Ty sprak zachtjes. 'Wat dan? Waaróm? Ontslag genomen... die jongelui... dat opvanghuis... de directeur, notabene! Tom Horn was een goed mens!'

'Mijn ontslag en die ontsnapping uit het opvanghuis zijn een en dezelfde zaak: ik werk al jaren undercover. Dit was een nieuw opvanghuis, verdomme. Dat weet jij. Daar was ik nooit geweest. Ik moet hulp gehad hebben om eruit te komen.'

Ty Crocker fronste zijn voorhoofd en knikte. 'Het was inderdaad nieuw, ja.'

'En die jongelui, de directeur... bij het opvanghuis zei ik je al dat iemand me erin wilde luizen. Iemand wil mij verschrikkelijk graag uit de weg hebben.'

'Waarom?'

'Omdat we heel dicht bij de onthulling zitten van een complot om president Stevens te vermoorden.'

Toen de senator ongelovig zijn hoofd schuin hield, zei Beth op indringende toon: 'Dat is zo. Ze wilden mij ook tegenhouden.'

Ty Crocker keek van de een naar de ander. Hij slaakte een zucht. 'Kom binnen. Dan praten we.'

Binnen legde Jeff de riemen op de keukentafel. Beth en hij vertelden het hele verhaal, terwijl Ty Crocker een pot Earl Grey zette. Beth bleef totdat de thee eindelijk klaar was bij de deur staan om in de achtertuin te speuren naar tekenen dat ze gevolgd waren. Met een zucht ging ze bij de senator aan de keukentafel zitten, waarop hun theekoppen stonden. Jeff bleef ijsberen.

De senator dronk met kleine slokjes van zijn thee. Hij had zijn stralenkrans van wit haar achterovergestreken, maar de rimpels op zijn gezicht waren diep van onzekerheid. Hij zag er moe uit: de schokken van de afgelopen paar dagen hadden hun tol geëist. Op zijn schoot zat zijn kortharige zwart-witte kat Flubby te spinnen. 'Dus die riemen bevatten een zendertje?' Crocker knikte naar de twee leren riemen met de zware gespen die opgerold op de blankhouten keukentafel lagen. 'En die Hoeders over wie je vertelde, kunnen dus opgespoord en in de kraag gevat worden?'

'Het is allemaal waar wat we verteld hebben, Ty.' Jeffs robuuste gezicht was vertrokken tot een ongeduldige grimas. 'Alles.'

Daar voegde Beth aan toe: 'Volgens ons wil Berianov hen laten oppakken. We denken dat hij verwacht dat ze zelfmoord zullen plegen, zodat hij vrijuit gaat.'

Jeff begon weer over het parket te ijsberen in zijn krokodillenleren cowboylaarzen. Hij was een studie in beweging – meer dan levensgroot, van dat grote hoofd van hem tot zijn vierkante schouders en die schuiten van voeten. Voor een antieke kast bleef hij staan. Hij draaide zich naar hen om. Zijn handen had hij diep in de zakken van zijn windjack gestoken.

De senator gromde: 'Russen. Ultrarechtse Amerikaanse nationalisten. Grotten in de buurt van Gettysburg. Een nagebouwd Witte Huis. Aleksej Berianov. En nu dan die mysterieuze mol binnen de FBI, die steeds maar weer opduikt als er iets gebeurt waarvoor niemand een verklaring heeft. Ik heb mijn kleinkinderen weleens iets horen zeggen dat volgens mij de hele lading dekt van wat er vanavond gezegd is: "Vet!" '

'Oké,' zei Jeff. 'Laten we eens aannemen dat we je één grote leugen verteld hebben. Wat heb ik daaraan? Wat heeft Beth daaraan? Leg mij dan eens uit waarom we allebei ons leven hebben geriskeerd?' Hij schudde zijn hoofd. 'Ty, ik vraag je om hulp. Ik heb je nooit iets gevraagd, maar wat ik nu van je vraag is dat je me gelooft. Al was het maar voor mijn ouders. Voor die keer dat mijn vader jou geholpen heeft. Beschouw het als een manier om een oude schuld van jouw familie aan de mijne af te betalen.'

Beth keek van de senator naar de gespannen uitdrukking op Jeffs gezicht. Daarop was een eigenaardig soort heimwee te lezen, alsof het verleden plotseling met een klap in het heden was beland.

Ty Crocker staarde voor zich uit. Afwezig streelde hij Flubby. 'Dat is een hele tijd geleden. Maar je hebt gelijk. Als Henry toen niet had ingegrepen...' Hij keek weer naar Beth. 'Het was tijdens de McCarthy-crisis. Mijn carrière stond op het spel. Ik was een jonge diplomaat en mijn eerste vrouw was als tiener lid geweest van de communistische partij, in de jaren dertig, toen socialisme nog een goede manier was om mensen te helpen. Ik had kunnen scheiden en Denise kunnen aangeven om te ontsnappen aan die schuld-door-associatie waarmee McCarthy iedereen zwartmaakte, maar ze had kanker, ze lag op sterven... en ik hield van haar...' Zijn stem brak. 'Maar als ik voor die commissie was verschenen, was mijn carrière voorbij geweest.'

Jeffs toon was somber. 'Mijn vader wilde helpen, Ty. Hij vond het een eer.' Hij keek neer op Beth, die vermoeid aan tafel zat, en legde uit: 'Mijn vader was via zijn werk bij de CIA iets te weten gekomen over McCarthy. Ik weet niet wat het was, maar het was genoeg om ervoor te zorgen dat McCarthy de zitting annuleerde die hij bijeengeroepen had om Ty te beschuldigen van "roze" communisme, zoals dat in die dagen heette. Een maand later was het allemaal voorbij. McCarthy was op het laatst zo extreem geworden in zijn beschuldigingen, die hij via de televisie uitte, dat duidelijk werd dat hij gestoord was, bezig met een heksenjacht. Dat was het einde van zijn macht.'

Wat hij daar niet aan toevoegde, was dat Ty's vrouw diezelfde maand was overleden. Het was allemaal tien jaar voordat Jeff werd geboren, gebeurd; maar het was een verhaal dat Ty van tijd tot tijd had verteld als de twee gezinnen bijeenkwamen. Een verhaal van de ene man die de ander helpt als boven diens hoofd een donkere wolk van verdenking hangt. En nu bevond Jeff zich onder een soortgelijke wolk.

Het werd stil in de ouderwetse keuken. Ty slaakte een diepe zucht. 'Oké, Jeff. Sorry dat ik aan je getwijfeld heb. Je hebt gelijk, dat was niet direct een vriendendienst. Soms vergeet je als senator, als openbare waakhond, dat je mens bent, dat je een hart hebt. Althans, totdat je zeker bent van de waarheid. Ik zou zelf wel graag weten of er inderdaad zendertjes in die riemen zitten. Ik ga maar even bellen. Als het zo is, en als blijkt dat dit deel uitmaakt van de uitrusting van een paar militante terroristen, dan neem ik aan dat zelfs zo'n oude senator wel moet begrijpen dat dit hele verhaal waar is, nietwaar?' Ty glimlachte, klopte Flubby op zijn kop en zette hem op de vloer. Flubby geeuwde en likte aan een voorpoot. Met weloverwogen passen ging de senator op weg naar de deur. 'Ik ga even naar boven. Blijven jullie hier maar wachten, hier is het veilig.'

'Sorry, Ty, dat zal niet gaan.' Jeff tikte ongeduldig met zijn voet op de vloer.

'Als we gelijk hebben, dan draagt Berianov geen riem,' legde Beth uit. 'Dan moeten we hem dus op een andere manier tegenhouden.'

'We vertellen niet waar we heen gaan,' voegde Jeff daaraan toe. 'Je bent er al genoeg bij betrokken. Ik zie niet in hoe iemand ons had kunnen volgen, maar er zijn al zoveel mensen dood dat we onder ogen moeten zien dat jij misschien ook in gevaar verkeert. De enige manier om in leven te blijven en Berianov tegen te houden, is nergens naar toe gaan waar ze ons kunnen zoeken.'

'Precies. Ik zal voorzorgsmaatregelen treffen. Maar dat moeten jullie ook doen. Neem mijn auto.' Ty Crocker haalde de sleutels van een haak naast het fornuis en gaf ze met instructies aan Jeff. Toen bleef hij in de deuropening staan en draaide zich om op zijn magere, witte benen boven zijn pantoffels. 'Gezien de omstandighe-

den kan ik maar beter niet via het Bureau gaan. De president is erbij betrokken, dus het moet sowieso de Geheime Dienst worden.
Want kijk, als de voorzitter van de senaatscommissie voor Inlichtingen dit soort dingen niet meteen kan aanpakken, wie kan dat
dan wel? Wat betreft president Stevens, dat is een koppig mannetje. Die blijft echt niet weg uit het Witte Huis, alleen omdat een
stelletje gekken het op hem voorzien heeft. Maar we kunnen wel
de bewaking verscherpen en die moordenaars hopelijk opsporen
voordat ze iets doen.'
Beth zei: 'Misschien komt de president op andere gedachten als u
het bewijs kunt leveren dat er zenders in die riemen zitten.'
'Dat is zo. Maar voordat ik wat dan ook doe, moet ik Anna kalmeren. Ik weet dat die boven ligt te schuimbekken omdat ik niet
voldoende nachtrust krijg. Bel me straks, dan vertel ik wat ik te
weten gekomen ben. Doe de lichten uit en de boel op slot. En wees
verschrikkelijk voorzichtig.' Hij draaide zich om en liep de hal door,
vol liefhebbende gedachten aan zijn tweede vrouw. Toen dwaalden
zijn gedachten angstig af naar wat Jeff en Beth hem hadden verteld.

Bezorgd en overstuur zat Ty Crocker in de lichtkring van zijn bureaulamp in zijn donkere werkkamer. De wanden waren bedekt
met boeken. De koele lucht bevatte een zweempje van de geur van
goed onderhouden leren meubilair. Hij toetste het privénummer in
van de directeur van de Geheime Dienst, Dean Jennings. Nadat hij
zijn naam had genoemd, was de senator vijf minuten lang aan het
woord. 'En meer kan ik je niet vertellen,' besloot hij zijn verhaal.
'Maar die bronnen van je...?'
'Nee. Als het inderdaad zo is van die riemen, dan zal ik je vertellen hoe ik eraan kom en wat ik verder weet. Intussen moet je dit
beschouwen als een onmiddellijk gevaar voor president Stevens. Je
moet iedereen opsporen die die dingen draagt.'
Lange tijd bleef het stil. Eindelijk zei Jennings: 'Ik stuur binnen vijf
minuten iemand langs om die riemen op te halen. Eerst analyseren
we de gespen, dan praten we verder.'

Evans Olsen woonde op een keurig adres in Foggy Bottom. Dat
wist Beth doordat ze hem ooit thuisgebracht had na een feestje
waarop hij zoveel had gedronken, dat hij niet meer wist waar zijn
auto stond. Nu parkeerden zij en Jeff de auto van de senator in een
zijstraat verderop en liepen haastig naar de dure flat. Ze bleven zo
dicht mogelijk bij de muren en liepen van schaduw naar schaduw.

Ze zagen geen verdachte personen en niets gevaarlijks. Voorlopig hield hun geluk even aan. In de lobby liet Beth haar vinger langs de namen op de postbussen glijden.

'Dat is vreemd.' Ze fronste haar wenkbrauwen. 'Zijn naam staat er niet bij. Maar hier heb ik hem die avond afgezet. We vragen het aan de beheerder.'

De beheerder van het gebouw was een man op leeftijd met een slaperig gezicht, die niet bepaald blij was dat hij uit bed werd gebeld. Hij werd meteen achterdochtig toen Beth informeerde naar Evans Olsen. 'Bent u van zijn kantoor?'

'Nee, gewoon een vriendin. En ik heb hem dringend nodig,' antwoordde Beth. 'Is hij verhuisd?'

'We moesten hem verzoeken om te vertrekken, vrees ik. Jammer, ik mocht hem wel.'

'Zijn drankgebruik?' giste Beth.

De man knikte, en iets van de achterdocht verdween uit zijn ogen. 'De eigenaars pikten het niet langer.'

'Akelig. Ja, het kon weleens uit de hand lopen met hem. Weet u waar hij nu woont?'

Hij keek haar even aan en knikte nogmaals. 'Ergens in Noord. Ik zal eens kijken of ik het adres kan vinden. Misschien kunt u iets voor hem doen.'

Olsens nieuwe adres bleek een verwaarloosd huisje in een sjofele buurt te zijn. De vuilnisbakken kleefden aan het trottoir vast. Er hing een geur van marihuana en verschaald bier. Ze zagen donkere achtertuinen die meer zand dan gras bevatten, vol speelgoed uit tweedehands-winkels. Ze hadden Ty's Mercedes een eindje verderop laten staan en renden nu door de koude nacht naar de overkant van de straat. Daar gingen ze een tijdje naar het donkere huis staan kijken.

'Dit is toch hoop ik geen ex-vriendje van je?' vroeg Jeff op geïrriteerde toon.

'Geen sprake van. Eén blik op zijn alcoholgebruik en ik wist genoeg. Als ik eens echt uit de band wil springen, kan ik me spannender dingen voorstellen dan het op een zuipen zetten.'

Hij glimlachte even.

'Zal ik eens aanbellen? Correctie: zal ik eens probéren aan te bellen, kijken of de bel werkt?'

'Dadelijk. Wacht even, ik ben zo terug. Als er ook maar iemand knipoogt, geef je een gil.' Op een drafje stak hij met lange, lenige passen over. Hij werd mager en bijna onzichtbaar, hij versmolt met de schaduwen. Hij duwde de gebroken planken van een houten schutting opzij en verdween in de zijtuin van het huisje.

Beth bleef het huis in de gaten houden, maar er viel niets te zien. Geen licht binnen, zelfs niet het grijze geflikker van een televisie. Ze kreeg het koud. Maar wat ze het allerliefst wilde, was afkomen van dat alomtegenwoordige gevoel van gevaar dat haar overal achtervolgde. Het was zaterdagochtend vroeg. Vier dagen na haar telefoontje naar Meteor Express, toen die Rus – wiens naam ze nog steeds niet wist – had opgenomen.

Nerveus en gespannen ging ze van het ene been op het andere staan. Tot slot sprintte ze de armoedige straat over en rende ze de treden naar het huisje op. Ze luisterde. Niets. Ze sloop over de houten veranda. Toen er een plank kraakte, bleef ze een hele tijd staan. Uiteindelijk kwam ze aan bij de voordeur. Ze stak haar hand uit.

Plotseling floepte binnen het licht aan. Verbouwereerd deed ze een stap achteruit. Draaide zich om om op de vlucht te slaan.

'Beth!' De deur ging open en daar stond Jeff. 'Ik zei toch dat je moest wachten!'

'Ik heb gewacht. Nu wacht ik niet meer. We hadden geen tijdslimiet afgesproken. Ik heb zelfs helemaal nooit gezégd dat ik zou wachten.'

'Kom binnen. Je bibbert helemaal.'

Ze liep haastig naar binnen. 'Waar is Olsen?'

Jeff liet het gordijn naast de deur zakken. 'In zijn auto, achter het huis, dronken. De sleutels heeft hij nog in zijn hand. Hij kon niet eens meer de auto uit. Hij ziet er niet uit en hij stinkt een uur in de wind. Ik heb hem in de keuken geplant.'

Achter hem aan liep ze een smalle gang door die over de hele lengte van het huis liep. Het behang vertoonde vergeelde rechthoeken en vierkanten waaraan te zien was dat daar ooit foto's hadden gehangen. Ze stelde zich de gezichten voor van een gezin, kinderen van klein tot groot. Trouwfoto's. Ze schudde haar hoofd. Wat was er gebeurd met de wereld – met háár wereld – dat het idee van het verslag van een gezinsleven haar zo aantrekkelijk en zo onhaalbaar voorkwam? Automatisch klemde ze haar tas tegen zich aan met de geneesmiddelen die haar leven redden.

'Hou hem in de gaten, wil je?' zei Jeff. 'Ik ga de gordijnen dichtdoen en kijken wat voor soort beveiliging hij hier heeft. Als er al iets is. Dit gaat langer duren dan we gedacht hadden.' Hij liep weg, zijn voetstappen bijna onhoorbaar toen hij door het kleine huisje doolde.

Ze staarde naar wat ooit een aantrekkelijke, dynamische man was geweest. Evans Olsen was achter in de dertig. Hij had krullend zwart haar dat al vroeg grijs begon te worden. Hij lag als een foetus opgerold op de geschilderde houten bank van een erker. Zijn handen waren tot vuisten gebald onder zijn ongeschoren kin. Hij had zijn ogen stijf dichtgeknepen, met rimpels aan de hoeken alsof hij door het licht buiten te sluiten ook de hele wereld kon buitensluiten. Hij had een zwarte overjas aan die naar braaksel rook, basketbalschoenen die hij bij de enkels over elkaar had geslagen en een Dockers-broek vol vlekken van onbekende herkomst.

'Evans!' Ze liet zich op haar hurken zakken, zodat haar gezicht even hoog was als het zijne. 'Evans, wakker worden!' riep ze.

Hij gaf geen kik. Zelfs het geluid van zijn eigen, geschreeuwde, naam was niet voldoende om hem in beweging te krijgen.

Ze zuchtte. 'Evans, je bent verschrikkelijk. Kom op. Je moet nuchter worden.'

Nog steeds geen reactie. Ze trok haar jack uit en greep zijn hand. Die voelde kleverig aan. Dit werd beslist geen leuk karweitje. Ze trok een van zijn mouwen uit, pelde de jas van zijn rug en rolde hem zover om dat ze zijn andere mouw kon uittrekken. Ze hield haar adem in om de vreselijke lucht niet te hoeven inademen en bracht de overjas naar de achterveranda, waar ze hem liet vallen. Toen ze weer binnen stond, deed ze de deur op slot en draaide zich om.

Jeff had Evans overeind gezet op de bank in de eethoek, met zijn hoofd in de kussens gesteund. Evans' mond hing open en hij snurkte.

Beth zei: 'Hij is zover heen dat ik bang ben dat hij zal stikken als we proberen koffie in zijn keel te gieten. Misschien gaat hij dan overgeven, en als hij braaksel inademt zijn we nog verder van huis. Dan kan hij doodgaan.'

Jeff fronste zijn wenkbrauwen. 'Bedoel je dat we moeten wachten tot hij vanzelf wakker wordt?'

'Volgens mij hebben we niet veel keuze. Hij heeft zelfs in zijn broek gepiest. Over een paar uur begint hij wel bij te komen. Dan kunnen we dat met die koffie proberen. We hoeven geen acht uur te wachten.' Ze zuchtte. 'Hoe ziet de beveiliging eruit?'

Met een ongelukkig gebaar haalde hij zijn schouders op. 'Niets. Sloten op de ramen en deuren, dat is alles. Als iemand werkelijk naar binnen wil, is dat geen enkel probleem.'

Ze staarden naar de gehavende keukenvloer. Heel Washington en grote delen ten oosten, westen, noorden en zuiden daarvan, waren naar hen op zoek, en zij zaten opgescheept met een dronkenlap die

niet kon praten, in een huis dat niet beveiligd was. Opgescheept...
met elkaar.

Jeff schudde zijn hoofd. 'Je hebt gelijk. We moeten gewoon wachten. God, hoe lang is dit al gaande? Als ze bij de Geheime Dienst
uitvinden hoe diep hij gezonken is, smijten ze hem binnen tien seconden het Witte Huis uit.'

'Ik heb hem nog nooit zo erg meegemaakt. Hij moet tot over zijn
oren in de ellende zitten. Dat doen alcoholisten, die verdrinken hun
problemen.' Beth keek om zich heen in de sjofele keuken. 'We moesten maar eens op zoek gaan. Er moet een reden zijn waarom Berianov hem gebeld heeft. We moeten er gewoon achter komen wat
die reden was.'

'Ja, en ze hebben hem niet vermoord, hoewel hij waarschijnlijk gemakkelijk te vinden is. Gezien Berianovs reputatie moet dat iets te
betekenen hebben. Het moet betekenen dat ze hem nog om de een
of andere reden nodig hebben.'

Beth hielp Jeff om Olsen naar de badkamer te sjouwen. Jeff bleef
achter om Olsen uit te kleden en onder de douche te zetten, en Beth
doorzocht snel het huisje – twee slaapkamers, een badkamer, een
woonkamer, een kleine eetkamer en een keuken. Alles rook er naar
stof, goedkope drank en verschaalde sigarettenrook. Er was een
grote kelder met een stokoude wasmachine die eruitzag of hij in
geen jaren gebruikt was. Ze zocht op een oude werkbank met een
paar stoffige gereedschappen en in een hoek met oude autobanden
en wieldoppen. De troep van jaren lag overal verspreid, in wille-
keurige hopen. Niets van de laatste tijd.

Ze liep de keldertrap weer op naar de woonkamer, waar in een
hoek een bureau stond. Het bureaublad lag vol wikkels van repen,
rekeningen, junkmail en catalogi. Ze ging zitten om de post open
te maken en te lezen – een illegale handeling, maar intussen had ze
al zoveel misdaden begaan dat dit er ook nog wel bij kon.

Ze ontdekte dat Olsen een paar maanden geleden vanuit Foggy
Bottom hierheen was verhuisd en dat dit een huurhuis was. De rekening bevatte een briefje met de waarschuwing dat hij zijn borg-
som verspeelde als de eigenaren merkten dat hij het huis niet onderhouden had. Ze schudde haar hoofd en betwijfelde of het huis
in veel betere staat had verkeerd toen hij erin trok. Er lagen oude
rekeningen van schuldeisers die onmiddellijke betaling eisten en cre-
ditcardrekeningen met de mededeling dat zijn kredietlimiet over-
schreden was. Automatische stortingsbewijzen vertelden haar dat
Evans Olsen nog steeds bij het Witte Huis werkte, en uit zijn bank-
afschriften bleek dat het geld er veel sneller uit stroomde dan het

binnenkwam. Hij bevond zich in een neergaande spiraal en hij zakte snel dieper en dieper.

Achter haar klonk Jeffs stem. 'Hij ligt schoongewassen en wel in bed. Heeft zijn ogen niet eens opengedaan. Het leek wel of ik een lijk onder de douche zette.'

Ze draaide zich om en begon te vertellen hoe slecht Olsen er financieel aan toe was. Maar haar woorden kwamen steeds trager en ze begon te stamelen. Ze merkte dat haar ademhaling sneller werd. 'Wat zou Berianov van hem willen?'

'Daar komen we wel achter.' Jeff stond zich in de deuropening aan te kleden.

Zijn huid gloeide na de douche, goudkleurig en verleidelijk. Hij was in zijn onderbroek komen aanlopen, een miniem stukje ondergoed dat niets verhulde. Hij bukte om in zijn spijkerbroek te stappen. De spieren in zijn schouders bolden op en rolden onder zijn huid toen hij de broek ophees en de gulp op de bovenste knoop na dichtknoopte. Over een van zijn schouders liep een rode streep waar een kogel langs geschroeid was. De broek sloot aan rond zijn platte buik en smalle heupen alsof het maatwerk was. Onder zijn navel waren kleine toefjes goudbruin haar te zien. Hij reikte naar zijn overhemd, dat aan de deurknop hing. Er glansde iets in zijn ogen, iets gevaarlijks en aantrekkelijks. Hij was veranderd. De twijfels die hij misschien over haar gehad had, waren nu op de een of andere manier verdwenen.

'Moet je die knoop niet dichtdoen?' Haar stem klonk hees.

'Dadelijk. Zijn dat M&M's?' Hij liep naar haar toe.

Zijn korte haar zat in de war. Terwijl hij haar kant uit liep, stak hij een hand omhoog en haalde er zijn lange vingers doorheen. De knokkels van zijn rechterhand waren rood waar er een tweede kogel langs geschampt was. Hij had zijn nagels kort geknipt. Dat zag ze zelfs op die afstand. Hij rook naar zeep. Hij rook naar man.

Onwillekeurig liep ze weg van het bureau, om hem uit de weg te gaan. De oude wieltjes van de bureaustoel knersten over het dunne tapijt. Het was een scherp en hard geluid in het rustige huis. Ze moest zich dwingen om gewoon door te ademen.

Hij negeerde haar en liep door naar het bureau, en ze voelde de spijt opkomen. Hij pakte het zakje M&M's dat ze samen met de andere chocoladetoestanden opzij had geschoven toen ze door Olsens papieren was gegaan.

Hij grijnsde naar haar. Weer was er dat licht in zijn ogen, dat glansde als gloeiende kolen. 'Kom mee. Ik weet iets dat je eens moet proberen.'

Ze kon de rest van haar leven – hoe lang of hoe kort dat ook zou blijken – wel naar zijn naakte rug blijven staren. Zelfs langs zijn ruggengraat liepen spieren. Die bewogen en strekten zich verlokkelijk uit naar zijn smalle taille. Onder aan zijn rug hing zijn spijkerbroek iets van zijn rug af doordat de bovenste knoop nog niet dichtzat. En dan die achterkant van zijn knappe hoofd, het korte, bruine haar nog vochtig glinsterend.

Ze volgde hem zonder zich af te vragen of dat wel verstandig was.

42

'Aha. Ik dacht al dat ik een magnetron gezien had.' Jeff opende een paar kastdeurtjes tot hij een geschikte kom had gevonden. Hij scheurde het pakje M&M's open, strooide de inhoud in de porseleinen schaal en zette die in de magnetron. Hij zette de timer op vijfenzestig seconden. 'Je zet ze een minuut en vijf seconden op vol vermogen. Niet langer, want dan verbranden ze. Niet korter... en je ziet het wel. En nu maar wachten. Vertel eens, wat heb je verder nog op Olsens bureau gevonden?'
Haar lippen waren droog. Ze wilde er niet aan likken. Ze dwong zichzelf hem een overzicht te geven van haar bevindingen.
Hij luisterde zorgvuldig, zijn hele aandacht op haar gericht. Hij had niets kleins over zich, nergens. Hij vonkte van de energie en de intelligentie en hij zag er fantastisch uit, en dat wist hij. Om de een of andere reden werd hij daar nog aantrekkelijker door. Zijn wangen en kin vertoonden een paar kleine wondjes, waarschijnlijk van de splinters en cementscherven die hem geraakt hadden toen de kogels al te dichtbij kwamen. Ze waren goed te zien nu zijn huid schoon was. Van zijn ver uiteen staande donkere ogen tot zijn aristocratische neus en volle lippen straalde hij mannelijkheid uit. De testosteron was bijna tastbaar. En wat het nog veel gecompliceerder maakte, was dat ze hem zo aardig vond. Veel te aardig.
Toen de timer van de magnetron klonk, zei hij: 'Olsen is er financieel zo slecht aan toe dat hij een prima doelwit vormt voor chantage. Hij werkte bij het Witte Huis, en volgens ons is Berianov van plan om de president te vermoorden. Dus ik denk dat de grote aantrekkingskracht voor Berianov exact is wat we al dachten – Olsens baan. Misschien had hij Olsen nodig om iets voor hem uit te zoeken of voor hem te doen.'
Hij opende het deurtje van de magnetron, en de keuken werd gevuld met de verleidelijke geur van warme chocola.
Ze moest zich beheersen om helder na te denken. 'Of Olsen moet hem iets geven.'

'Precies.' Met een glimlach draaide hij zich om. Hij had regelmatige, witte tanden waarvoor een grote tandpastafabrikant een vermogen zou neertellen. Hij hield haar de goedkope schaal voor. Daarin lagen de snoepjes in een mengeling van bonte kleuren.

'Toe maar. Probeer er maar eens eentje.'

Voorzichtig koos ze een rode uit. Hij was heet. De rand was gebarsten en de donkerbruine chocolade droop eruit. Ze liet hem in haar mond vallen. De suikerlaag was knapperig en aan de binnenkant zat warme, half gesmolten chocolade. De heerlijke smaak streelde haar tong.

'Lekker?' vroeg hij.

Ze knikte.

'Hier, neem er nog een.' Hij koos een bruine uit. 'Mondje open.' Gehoorzaam opende ze haar mond. Ze keek op. Hun blikken raakten elkaar. Hij liet de chocolade in haar mond vallen, pakte zonder zijn blik van haar af te wenden een tweede uit de schaal en liet die in zijn eigen mond vallen. Glimlachend kauwden ze.

'Ik ben bijna maagd,' zei ze. Haar stem klonk schor. 'Het is een hele tijd geleden. Héél erg lang. Volgens mij is dit geen goed idee. Ik geloof niet meer in "zomaar" seks. Bovendien zit je met al die vragen van hoe lang ik nog leef. Het is voor mezélf de vraag hoe lang ik nog leef.'

'En Phil Stageman dan, was dat niet "zomaar" seks?'

'Dat was gewoon impulsief en dom. Op dat moment had ik nog niets tegen een avontuurtje. Ik strijd nog steeds tegen impulsiviteit en domheid. Bovendien, die relatie, als je het al zo kunt noemen, was lang voor mijn transplantatie al voorbij. Vergeet niet dat ik een mannenhart heb. Misschien kan ik het niet eens meer als vrouw.'

'Dat risico neem ik.' Hij grinnikte. 'Neem er nog een.' Zijn zwarte ogen waren mysterieus en uitnodigend. Hypnotiserend.

Al haar pijnen en pijntjes waren plotseling verdwenen. Zonder zijn blik van haar af te wenden nam hij nog een chocolaatje.

Ze greep zijn hand, die op weg was naar haar mond. 'Ik kan wel een hartaanval krijgen en doodgaan tijdens het vrijen. Dan zou jij je behoorlijk schuldig voelen.'

'Als dat zo was, had je de afgelopen twee dagen wel tienmaal dood kunnen gaan door de stress en de fysieke inspanningen. Trouwens, wat heeft de dokter gezegd over seks?'

'Dat ik zes weken na de operatie weer mocht autorijden en vrijen.'

'Tegelijkertijd?'

'Dat vroeg ik ook. Hij moest lachen.' Wat een prachtige, zwarte wimpers had hij. Hij straalde hitte uit.

Jeff trok zich naar haar toe. 'Jij lacht niet.'

'Volgens mij heb ik mijn gedachten er niet bij.' Ze liet zijn hand los en hij voerde haar nog een M&M. Ze kauwde. 'Wist jij al dat we gingen vrijen?'

'De gedachte was bij me opgekomen,' bekende hij. 'Vind je dat erg?'

'Ik had er zelf ook aan gedacht. Hier, nu mag ik.' Ze kwam dichterbij, stak haar hand in de schaal en bracht een M&M naar zijn lippen. Hij boog zich naar haar over en omsloot met zijn lippen de chocola en haar vingers. Zijn lippen waren heet en vochtig. Er voer een elektrische schok door haar heen.

'O, jee.' Ze wankelde tegen hem aan.

Hij ving haar met één arm op en zette met zijn vrije hand de schaal neer. Ze keek nog steeds op naar dat brede gezicht, nu zo vlak boven het hare. Hij had een frisse, heerlijke adem. Hij sloeg zijn andere arm om haar heen. Een naakte borst. Twee blote armen. Zo ontzettend mannelijk.

Ze hapte naar adem. 'Nu kun je nog terug. Het is nog niet te laat.' Zijn stem klonk bijna een octaaf lager. 'Dat lijkt me geen goed idee. Ik heb iets met beeldschone vrouwen met een helder verstand en heldenmoed. Je kunt wel zeggen dat ik daarop val. Maar ik moet toegeven dat ik geen al te beste staat van dienst heb, dus je zult me moeten helpen bij deze... deze...'

'Relatie?'

'Eigenlijk is het niet zo'n heel eng woord, nietwaar?' Zijn lippen streken even langs de hare en waren alweer weg.

'Soms is het moeilijk om te zeggen. Ik had al een hele tijd zin om je te kussen. Je hebt kuiltjes in je wangen. Even voelen, goed?'

Hij slikte. 'Goed.'

Ze strekte haar vingers uit naar de kuiltjes in zijn wangen en streek zijn huid glad. Hun lippen raakten elkaar. Ze vloog in brand. Het laatste restje zelfbeheersing verdween. Hij rukte haar tegen zich aan en kuste haar. Ze voelde hoe ze tegen hem aankroop, in hem wegzonk. Ze drukte zich dichter en dichter tegen hem aan. Haar hart bonsde. Hij kuste haar hals, haar ogen, haar neus, haar oren. Ze huiverde van verlangen.

Hij streek met zijn handen door haar korte haar, legde zijn handen rond haar achterhoofd en trok haar een eindje weg, zodat hij haar kon aankijken. 'In de tweede slaapkamer staat een bed.' Zijn stem was schor. Zijn ogen vielen half dicht. 'Ik heb het beddengoed eraf gehaald, en er een deken op gegooid die er schoon uitzag. De deur kan op slot.'

Ze knikte sprakeloos, niet in staat iets te zeggen. Dus trok ze zich los en holde weg. Hij kwam achter haar aan. Ze renden de logeerkamer binnen. Daar brandde een nachtlampje.

Hij greep haar hand en draaide haar om. 'Ik ga je uitkleden. Langzaam. Je zult het heerlijk vinden.'

Ze hijgde. 'Fijn, een man met een uitgesproken mening.'

Plotseling waren zijn handen weg. Hij deed een stap achteruit en keek alleen maar.

Ze zag zijn blik, de honger erin en voelde opnieuw de hitte door zich heen stromen.

Toen waren zijn handen terug. 'Ik ben van gedachten veranderd. Snel is momenteel toch beter.'

Hij trok haar coltrui omhoog. Zijn vingers gleden langs haar litteken. 'Prachtig. Dat heeft je leven gered.'

'Dank je,' fluisterde ze.

Hij kuste de bovenkant van het litteken en keerde terug naar haar hals, terwijl hij haar spijkerbroek open ritste. Hij stak zijn duimen in de tailleband en duwde de broek omlaag. Ze wiebelde met haar heupen om hem te helpen. Toen zijn handen lager dwaalden, volgde zijn gezicht, zijn adem vochtig en hijgend tegen haar borst, haar buik, haar kruis, haar dijen.

'Ga zitten,' fluisterde hij hees.

Ze ging op de grond zitten en hij trok haar sportschoenen, haar sokken en tot slot haar spijkerbroek uit. Hij stond weer op en torende hoog boven haar. Ze keek met een duizelig gevoel vanaf de vloer naar hem op. Hij was prachtig, hij rees als een berg boven haar uit in zijn strakke spijkerbroek, met die gouden spieren. De seksuele fantasie van iedere vrouw.

Hij stak zijn handen uit. Ze liet zich optrekken.

'Wat ben je mooi,' prevelde hij toen hij de aanblik indronk van haar lichaam in de zwarte kanten bh en de zwarte tanga. Door de zijde heen raakte hij haar tepels aan. Hij kon zijn ogen niet afwenden van haar lange lichaam, de vloeiende rondingen en de bleke huid. Ze had kleine, hoge borsten en een platte buik. Ze was zo gespierd dat ze er als gebeeldhouwd uitzag. Hij haalde diep maar hortend adem.

'Nu ik.' Ze frummelde met de knopen van zijn spijkerbroek tot ze eindelijk de eerste knoop los had, en toen de volgende, tot ze allemaal open waren en zijn broek openviel. Ze streek met een vinger over de verticale lijn van krullend, lichtbruin haar die vlak onder zijn navel begon. 'Over mooi gesproken...' Moeizaam ademhalend liet ze haar handen in de voorkant van zijn broek glijden.

Hij kreunde. Ze trok haar handen weg en rukte de spijkerbroek omlaag, waarna ze de binnenkant van zijn dijen kuste.

Zijn hart hamerde. Hij dwong zich gewoon adem te halen, langzaam aan te doen... voordat hij zou exploderen. Ze trok zijn onderbroek omlaag en hij was bloot. En ze kuste hem. Met gretige, blije geluidjes kuste ze hem.

Het bloed schoot naar zijn hoofd. Hij verloor zijn zelfbeheersing... Hij greep haar onder haar oksels, tilde haar op en bleef tillen, tot haar voeten het tapijt niet meer raakten. Hij voelde de pijn in zijn spieren; een prima afleiding. Hij drukte zijn lippen tegen haar buik en proefde haar, fris als karnemelk.

Hij droeg haar naar het bed en begroef zijn gezicht in haar, terwijl zijn lippen kusten en proefden. Ze kreunde boven hem. Toen hij haar voeten weer op de grond zette, keken ze elkaar aan. Even konden ze elkaar alleen maar heet aanstaren. Erkenning en een vreemd soort opgewonden begrip vonkten tussen hen over.

Hij stak zijn hand om haar heen en maakte haar bh los. Haar kleine borsten kwamen vrij. Hij kuste eerst de ene en toen de andere tepel en pelde haar tanga uit. Hijgend schopte ze het broekje weg. Toen hij overeind kwam, wikkelde ze zich helemaal om hem heen, haar armen over zijn schouders en nek en een been rond zijn dij, haar borsten tegen zijn ribben. Ze liet zich achterover vallen en trok hem mee naar het bed. Als ze al doodging tijdens het vrijen, dan maar meteen. Ze kusten elkaar, raakten elkaar aan, bewogen samen met lijven die glad werden van het zweet.

In haar achterhoofd was die angst er nog. Dat ze dood zou gaan als ze klaarkwam. Toch kon ze niet ophouden. Ze verlangde meer naar hem dan ze ooit naar een man verlangd had. Maar het was meer dan seks. Het kwam ook door al het andere. Ze had hem gezegd dat het leven bepaald werd door risico's, en dit was misschien haar grootste risico – niet dat ze zou doodgaan, maar dat ze in leven zou blijven.

Toch hief ze haar knieën op en spreidde ze haar benen. Hij boog zich over haar heen, trok haar benen rond zijn nek en ging haar binnen. Al haar zintuigen stonden in brand. Haar nagels schramden over zijn rug. Hij drong dieper binnen, en algauw nam ze zijn ritme over. Ze bewogen samen. Staarden elkaar diep in de ogen. Gehypnotiseerd door de sensaties en het verlangen, en door elkaar. Gevangen in die andere wereld waar één nooit genoeg is. In en uit, bonzend, tot ze wist dat ze ging klaarkomen. Hij maakte een grommend geluid achter in zijn keel. Zijn ogen waren half gesloten en hij staarde haar met een animale blik aan. Ze staarde terug, en de eerste golf van haar explosie begon. De climax barstte los op exact hetzelfde moment dat hij schreeuwend klaarkwam. Samen wiegden ze, hijgend en met gekromde ruggen. Hun harten bonsden. Ze leefden.

Twee staten verder naar het noorden zat Eli Kirkhart, met zijn wang tegen de ruwe bast van een boom geperst, te vloeken in de donkere nacht. Hij vervloekte Jeff Hammond en Beth Convey en het hele perverse universum in het algemeen, alles wat had samengespannen om hem dwars te zitten. De boeien sneden in zijn polsen en zijn schouders deden pijn doordat hij al zo lang met zijn armen voor zich uit zat. Hij was zo boos op Jeff Hammond en de smerige streek die het leven hem geleverd had, dat hij zich niet eens bewust was van de pick-up die over de zandweg kwam aanrijden. Toen zag hij hem. 'Hé! Help! Stop! Help!'
Te midden van een stofwolk die maar een fractie lichter was dan de schaduwen van de nacht kwam de pick-up ter hoogte van Kirkhart tot stilstand. Het enige dat hij zag, was een vage omtrek van het hoofd op de bestuurdersplaats, dat recht voor zich uit keek.
'Hallo daar! Help! Hierzo! Stop! Help!'
De truck reed door, gevolgd door een stofwolk die als een spookverschijning in het donker bleef hangen.
'Wel verdomme nog an toe!' brulde hij.
Met gierende remmen kwam de pick-up een eindje verderop tot stilstand. Bewegingloos bleef hij staan, terwijl de stofwolk weer neerzakte in de diepe geulen van de weg. Uiteindelijk reed hij achterwaarts terug tot hij weer naast Kirkhart stond. Het raampje aan de bijrijderskant ging omlaag en er tuurde een bol, bleek gezicht naar buiten.
Eli rinkelde met zijn handboeien en riep: 'FBI! Ik ben gekidnapt. Hoor je dat? *Federal Bureau of Investigation!* Ik heb hulp nodig.'
Het gezicht bleef nog een tijdje staren en toen werd de motor uitgezet. Het portier aan de bestuurderskant ging open en de man kwam met een geweer in zijn handen om de achterkant van de pick-up lopen. Met samengeknepen ogen door de nacht turend kwam hij behoedzaam dichterbij.
'FBI,' herhaalde Kirkhart. 'Ik zit vast aan die stomme boom, en...'
'Wat zit je daar in godsnaam te doen?'
Kirkhart haalde maar eens diep adem. 'Ik ben een *special agent* van de FBI,' zei hij geduldig. 'Als je in mijn binnenzak kijkt, vind je daar mijn badge en mijn papieren. Ik was bezig een moordenaar te arresteren, maar...'

De man luisterde al niet meer en liep om naar de andere kant van de boom. 'Mijn portefeuille zit in mijn zak,' meldde Kirkhart.

Hij voelde hoe zijn jasje werd opgetild, en daarna werd zijn portefeuille voorzichtig verwijderd. De man gromde van verbazing. 'Wel heb ik nou.' Hij draaide zich om naar Eli, het geweer tegen zijn schouder gelegd en een brede grijns op zijn getaande gezicht. 'Hoe ben je in godsnaam in zo'n toestand terechtgekomen – jullie zijn toch het neusje van de zalm?'

Kirkhart zuchtte. Hij legde nogmaals uit wat er gebeurd was, en daarbij begon hij zich even idioot te voelen als de man hem kennelijk vond. 'Kun jij die boeien loskrijgen?'

'Ik denk van wel.' Hij controleerde nog eenmaal de papieren in de portefeuille. '*Special agent* Kirkhart. Blijf even zo zitten.' Grinnikend liep hij terug naar zijn pick-up, groef wat achterin rond en kwam terug met een grote betonschaar in zijn hand. Zonder verder commentaar knipte hij de boeien door. Toen Eli Kirkhart weer overeind stond en stampend en armenzwaaiend zijn bloedsomloop had hersteld, liepen ze terug naar de auto.

'Je hebt nog geluk dat ik zo laat in de stad was,' zei de man. 'Ik woon een eindje verderop, en verder komt hier geen sterveling langs.'

De boer nam een zaag en zaagde voorzichtig de twee stalen ringen rond Eli's polsen door. Dat was moeilijker en tijdrovender, maar uiteindelijk vielen de ringen uiteen in twee helften. Intussen had Eli de man overgehaald om hem naar Gettysburg te brengen.

'Dus jij bent er een van de FBI,' grinnikte de man toen ze met grote vaart op weg gingen. 'Lijkt me spannend werk. Jullie zullen het wel druk hebben, zeker nu de directeur dood is en zo.'

Kirkhart staarde hem aan. 'Onze directeur? Thomas Horn, bedoel je?'

'Precies, dat was 'm. Doodgestoken, heb ik gehoord. Door een of andere spion.'

Kirkhart had het gevoel dat zijn maag naar zijn schoenen zakte. 'Wanneer is dat gebeurd?'

'Afgelopen nacht, volgens mij.'

'Heb je hier een radio? Een nieuwszender?'

De boer stak zijn hand uit, zette de radio aan, drukte op een knop en daar klonk de stem van de nieuwslezer. Ongeduldig zat Eli te wachten, terwijl hij met zijn vingers op de armleuning van het portier trommelde.

En toen hoorde hij het bericht. 'Een binnengekomen bericht: er is massale zoekactie gestart naar Jeffrey Hammond, de vermoedelijke moordenaar van FBI-directeur Thomas Horn, die rond negen uur gisteravond is doodgestoken tijdens een poging om Hammond, die verdacht wordt van verraad binnen de FBI, te arresteren. Alles wijst erop dat Hammond zowel de moordenaar als de dubbelspion is, volgens onze FBI-bronnen. De president heeft...'

Eli Kirkhart hoorde de rest van het bericht amper. Er brak een bittere strijd in hem uit tegen verwarring en woede, tegen het plotselinge besef dat hij zijn tijd verknoeid had – ieders tijd – met zijn pogingen om zijn vermoeden te staven dat Hammond de lang gezochte mol was. Wat had hem gemankeerd? Het verdriet sloeg door hem heen, samen met een diepe eenzaamheid die hem van alle kanten leek te overvallen. *Aida.* O god, wat miste hij haar nog. Hij was een leeg omhulsel zonder haar, en hij had niets gedaan om die leegte op te vullen. Zelfs die weken die hij aan haar bed had zitten rouwen terwijl zij langzaam wegzakte naar de dood, waren beter geweest dan de leegte die hij had gevoeld toen haar frêle lichaam eindelijk was opgehouden met ademen. En die leegte voelde hij nog steeds.

Nu hij naar het einde van het nieuwsbericht zat te luisteren, kreeg hij het misselijkmakende gevoel dat hij te hard geprobeerd had om Jeff te ontmaskeren – Jeff, die hem ooit bijna even na gestaan had als Aida. Dat hij sinds Aida's overlijden iets onmenselijks was geworden, iets gevaarlijks, simpelweg doordat hij een wapen en een badge op zak had. Vervolging... geen áchtervolging. Was dat zijn manier geweest om het verdriet buiten te sluiten en weer tot zichzelf te komen? Door andere mensen in zijn plaats te laten lijden?

De akelige waarheid was dat de FBI het nu bij het verkeerde einde had, net zoals hij het tot nu toe bij een nog veel verkeerder einde had gehad. Jeff Hammond was hier geweest, in Pennsylvania, op het moment dat de directeur werd vermoord. En als Hammond de directeur niet had vermoord, als dat het werk was van de echte mol...

Hij voelde zich ziek van bezorgdheid. Hij drukte zijn schuldgevoel opzij en dacht snel na. Hij had heel wat goed te maken. In zijn hoofd bladerde hij door de namen van de hoogste mensen binnen de FBI, alsof hij een kaartenbak voor zijn neus had. Wie kon de mol zijn? Hij dacht aan deze, hij dacht aan gene. Wie was het? Wie kon het in godsnaam zijn?

43

Een uur later rook het in Evans Olsens armzalige huisje nog steeds naar seks. De slaapkamer was schemerig bij het licht van het kleine nachtlampje. Beth lag op het bed, rekte zich uit en geeuwde. 'Ik heb een geheel nieuwe kijk gekregen op M&M's.'
'Het was een geïnspireerd moment.'
'Althans, als je niet denkt aan het bekende: "Wou je eens van me snoepen, kleine meid?" '
Jeff lachte. 'Daar had ik even niet aan gedacht.' Met een glimlach gaf hij een tik op haar blote dij.
'Dat was mijn dijbeen, meneer.'
Meteen had hij spijt. 'Sorry, liefste. Kusje erop.' Hij maakte zich los uit haar omhelzing, trok haar opzij en likte aan de rode huid.
'Hmm. Heerlijk.'
'Dat is geen kusje.'
'Daarnet vond je het anders ook niet erg. Nu wel? Zal ik je soms even bijten? Ik ben een man met vele talenten.'
Ze grinnikte. 'Zeg dat wel. Ik ben bereid dat voor de rechter te getuigen. Heb je nu dan een hogere dunk van juristen gekregen?'
'Hoger én lager. Van binnen en van buiten. Ja, jij bent wel zo'n beetje het summum.'
'Ik ken een mop. Over al mijn in het oog springende talenten. Die van een domme, blonde en hebzuchtige jurist.'
'Geweldig. Vertel.'
Ze ging rechtop zitten, haar borsten bloot en roze. Ze grijnsde onbekommerd. 'Een mannelijke jurist en een blonde vrouw zitten naast elkaar in het vliegtuig. Hij wil een spelletje met haar spelen. Zegt hij: "Ik stel een vraag en als jij het antwoord niet weet, krijg ik vijf dollar. Dan stel jij een vraag en als ik het antwoord niet weet, krijg jij van mij vijftig dollar." Dat mens is zo blond dat hij wel móét winnen, denkt hij. Zij gaat akkoord. Vraagt de jurist: "Hoe ver staat de maan van de aarde af?" De blonde vrouw zegt niets. Ze steekt haar hand in haar tas en geeft hem een biljet van vijf dol-

lar. Nu mag zij. Ze vraagt hem: "Wat gaat de heuvel op met drie benen en komt omlaag met vier?" De jurist denkt eindeloos na, maar hij komt er niet uit. Tot slot geeft hij haar vijftig dollar en zegt: "En, wat wás het nou?" Zonder een woord te zeggen geeft ze hem vijf dollar.'

Ze huilde van het lachen. Ze klapte dubbel en moest haar buik vasthouden. Ze lachte en lachte.

'Dat was een goeie. Ik kan niet anders zeggen. Een heel goeie.' Hij grinnikte.

Nog steeds lachend wiste ze de tranen uit haar ogen. 'O, jee. Vond je hem niet leuk?'

'Ontzettend leuk.'

'Maar je moest helemaal niet lachen.'

'Jawel. Maar het was nog veel leuker om naar jou te kijken. Je geniet zo ontzettend van het leven. Dat is iets kostbaars voor je. Dat was ik vergeten. Misschien wist ik het niet.' Hij kuste haar, en zijn hart stroomde over van emotie. Het was een vreemd maar... een goed gevoel. 'Jij leert me weer te leven.'

'Nee. Dat leer ik juist van jou.'

Ze glimlachten naar elkaar. Ze legde haar hoofd op zijn schouder en geeuwde. Hij trok haar tegen zich aan. In het lamplicht lagen ze zachtjes te praten. Ze probeerden niet te denken aan het gevaar dat hen ergens in de stad opwachtte.

'Jij moet slapen,' zei hij na verloop van tijd. 'Je moet goed voor jezelf zorgen. Ik zal je helpen. Ik wil dat je leeft.'

Ze werd haast verpletterd door de oude eenzaamheid en angst. 'Maar als ik nou doodga?'

'Uiteindelijk gaan we allemaal dood. Dat is toch het cliché? Maar ik wil een afspraak met je maken. Wie van ons ook het eerste gaat, de ander zal erbij zijn. Ik zal jouw hand vasthouden. Houd jij de mijne vast?'

Ze voelde de tranen branden. 'Natuurlijk.'

Senator Ty Crocker begon aan zijn vierde kop thee in zijn kantoorruimte thuis bij Dupont Circle, omringd door zijn boeken en het rustige gekraak van zijn oude huis. Flubby de kat lag opgerold rond zijn in pantoffels gestoken voeten te snurken en met zijn poten te trekken – in zijn droom zat hij achter een muis aan.

Nog steeds in pyjama en ochtendjas zat de senator ongeduldig te wachten tot de telefoon zou overgaan. De zorgen over wetsvoorstellen in de senaat en de biopsie van zijn prostaat, waarvan de uitslag volgende week kwam, waren naar de achtergrond verdwenen.

Nu voelde hij een diepe, knagende bezorgdheid die hem aan zijn bureau geketend hield. Hij moest toegeven dat hij nog steeds enkele twijfels koesterde omtrent Jeff Hammond. Hij schaamde zich, maar hij kon zijn achterdocht niet tegenhouden. Hij werkte al te lang bij de overheid, hij was al te lang waakhond over het welzijn van zijn land. Zijn benige hand lag naast de telefoon gekromd. Hij staarde naar het toestel, alsof hij het kon dwingen om te gaan rinkelen. Hij wilde van Dean Jennings van de Geheime Dienst horen dat er inderdaad zendertjes in die twee gespen zaten. Dat zou betekenen dat Jeff Hammond niet gek geworden en geen moordenaar was. Tegelijkertijd vreesde hij de implicaties van die informatie: dat president James Emmet Stevens in levensgevaar verkeerde.

Als de senator in zijn lange leven één ding geleerd had, was dat wel dat iemands karakter niet veranderde in de loop van één nacht – iets dat hij de laatste paar dagen vergeten had in zijn ijver om het land te beschermen. Hij kende Jeff al sinds die een kleuter was, had hem zien opgroeien tot een atletische en intelligente jongeman, en had gezien hoe trots hij was toen hij bij de FBI ging werken. En hoe trots zijn ouders en zijn zusje waren. Niemand had begrepen waarom Jeff daar was weggegaan, en het feit dat hij bij *The Washington Post* was gaan werken, had amper een compensatie gevormd. Nadat Jeffs ouders waren overleden, had hij regelmatig, eens in de twee maanden zowat, met hem geluncht. En nooit had hij tijdens die lange gesprekken over de meest uiteenlopende onderwerpen enige afbrokkeling van Jeffs karakter waargenomen.

Jeff had zich met enthousiasme op zijn werk bij de krant gestort. Algauw was hij dé expert op het gebied van Rusland en Oost-Europa bij de krant geworden, en hij had meerdere prijzen gewonnen met zijn artikelen en beschouwingen. De senator had niet willen geloven dat hij een moordenaar was, zoals de politie van twee verschillende staten en Washington beweerde, ondanks de ogenschijnlijk verpletterende bewijzen. Maar hij hád het wel geloofd. Tot zijn schande had hij hen, en niet Jeff, geloofd.

Daar had hij nog steeds moeite mee op het moment dat eindelijk de telefoon begon te rinkelen. Hij greep de hoorn.

Dean Jennings klonk hevig verontrust. 'Je had gelijk, Ty. In beide riemen zitten miniatuurzendertjes. Hightech. Alleen zenden, op vooraf ingestelde frequenties. Gemakkelijk te volgen binnen een straal van acht kilometer. We kunnen de positie vanuit de auto weergeven op digitale kaarten.' Als directeur van de Geheime Dienst was zijn hoofddoel de bestrijding van alle soorten gevaar voor de president, en nu zag het ernaar uit dat hij zojuist het eerste gerommel van een nationale aardverschuiving had gevoeld.

'Daar was ik al bang voor,' zei de senator op beheerste toon, hoewel hij inwendig wel kon schreeuwen van vreugde. Jeff had de waarheid verteld. 'Wat kan ik doen?'

'Ik heb alle informatie nodig waarover jij beschikt. En wel nú. Sorry dat ik je op dit uur van huis moet slepen... hoe laat ís het eigenlijk? Verdomme! Het is al vier uur. Sorry, Ty. Maar je snapt het. Kun je hierheen komen zodat we je verhaal kunnen opnemen? Ik ben al bezig een team bijeen te roepen. We beginnen met de identiteit van die geheime bron van jou.'

'Dan kleed ik me even aan. Geef me een halfuur. Minder, als ik kan wegsluipen zonder dat mijn vrouw me betrapt.'

'Dank u, senator. Heel erg bedankt. Intussen gooien wij onze netten vast uit om te zien wat voor ongedierte we kunnen opvissen.'

In de felverlichte vergaderzaal smeet Dean Jennings zich achteruit in zijn bureaustoel. Zijn ongeschoren kin vertoonde zwarte stoppels in het schelle licht boven zijn hoofd en de rimpels rond zijn grijze ogen waren diep van bezorgdheid.

'Dadelijk komt senator Crocker hierheen,' zei hij tegen de hoogste mannen en vrouwen van de Geheime Dienst, de politie en de FBI die hij had bijeengeroepen. 'Volgens zijn bron zijn er circa vijftig mensen die naar verluidt zo'n riem dragen. De bron beweert geen idee te hebben waar deze mensen zich ophouden. Hij weet alleen dat het ultranationalisten zijn die ergens in de loop van vandaag een aanslag op de president beramen. Zodra we de senator hebben gehoord, moet iedereen in stelling komen om meteen te kunnen overgaan tot actie. We moeten die lieden overrompelen. Ze allemaal tegelijk oppakken, als dat kan. Er mag niemand ontkomen. Vragen?'

De twintig specialisten en afdelingshoofden vuurden vragen heen en weer, dachten na over de weinige feiten die bekend waren en speculeerden, dit alles in afwachting van de problemen en rampen die in het verschiet lagen. Er werden liters zwarte koffie gedronken.

Toen de discussie uiteindelijk begon te luwen, excuseerde een van de aanwezigen zich. FBI-man Bobby Kelsey. Zodra de deur van de vergaderzaal achter hem dichtviel, rende hij de donkere hal door. Hij voelde aan alle deuren tot er een opening. Een opslagruimte. Hij glipte naar binnen, deed de deur op slot en greep zijn mobiele telefoon.

Kort nadat Aleksej Berianov was aangekomen op zijn geheime hoofdkwartier in Bethesda, een voorstad van Washington, had hij de grime van een oude man afgewassen en had hij zich verkleed in een vrijetijdsbroek en een open overhemd van Egyptisch katoen. Hij gespte zijn schouderholster om, borg zijn pistool erin weg en ging zitten voor de glazen wand met uitzicht over de zee van lichten die de nachtelijke metropool vormde.

Maar in gedachten verkeerde hij weer in het verleden, in Moskou. Hij zag zijn derde vrouw Tamara voor zich, met haar schitterende vlammende haar en haar hoekige gezicht, haar groene kozakkenogen en haar bijna tastbare aanwezigheid. Wat Berianov betrof had de dichter Aleksandr Poesjkin de kozakken het best omschreven: 'Eeuwig in het zadel, altijd klaar om te vechten, altijd op hun hoede.' Dat was Tamara.

Ze was geboren in Novotsjerkassk aan de legendarische rivier de Don in zuidelijk Rusland. In haar jeugd had ze walnootbomen en kippen verzorgd, geurige kruiden op de zandvloer van haar ouderlijk huis gestrooid en geholpen bij de opvoeding van haar tien jongere broertjes en zusjes. Zoals gebruikelijk had haar vader elk van haar broers een sabel omgebonden zodra het kind veertig dagen oud was. Toen zijzelf tien jaar was, had ze uiteindelijk haar eigen sabel omgebonden. Paarden zaten haar in het bloed, en haar bloed was niet minder heet dan dat van haar broers.

Daarom had ze de benen genomen naar Moskou. Seks met haar was wild en opwindend. Haar ogen leken licht uit te stralen en haar huid rook naar rijpe olijven. Hoewel hij haar smeekte, had ze nooit compleet naakt voor hem gestaan. En zelfs toen ze al een tweeling hadden, twee meisjes, had ze geweigerd haar trojka op te geven. Ze reed er lachende Moskovieten en avontuurlijke toeristen in rond die niet beseften dat ze geen enkele belangstelling voor haar passagiers had, alleen voor haar paarden.

Zodra de meisjes groot genoeg waren, nam ze hen mee. Ze droeg haar platte militaire pet als een kozak, schuin op haar roodharige achterhoofd, en in haar hoge laars droeg ze de traditionele *nagajka*, de traditionele zweep van de cavalerie.

In die tijd was hij vaak op pad – naar Afghanistan omdat die bittere oorlog eindeloos voortsleepte, naar de Verenigde Staten vanwege de technologische dreigementen van president Reagan en naar Oost-Duitsland vanwege de toenemende politieke spanningen. De Sovjet-Unie was de koude oorlog aan het verliezen. De Amerikanen bleken meer geld en een langere adem te hebben, maar alleen de allerhoogste kringen binnen de regering wisten hoe slecht het er voor stond.

Zijn werk, dat ooit het middelpunt van zijn bestaan had gevormd, bezorgde hem nu buikpijn. Een laag salaris, een steeds geringer gevoel van eigenwaarde en steeds strengere maatregelen drukten zwaar op zijn agenten en op de staat. Hij moest zijn uiterste best doen om zijn werk en zijn land weer sterk te maken.

Het Kremlin beloonde hem door hem drie jaar achter elkaar spectaculaire promoties te geven, tot hij uiteindelijk hoofd van de GPOE was geworden, de buitenlandse spionagetak van de KGB. In Jasenevo. Er werden nog meer beloften gefluisterd: eerst het politbureau, dan Gorbatsjovs baan. Ja, zo goed was Berianov. Loyaal, intelligent, een geboren leider. Op hen kon men rekenen, wat er ook gebeurde. Maar door de ene politieke crisis na de andere begon de regering, tot aan de kleinste lokale sovjet, te wankelen alsof ze op drijfzand rustte. Zijn agenten begonnen te morren, iets wat ze vroeger nooit gedurfd hadden. Sommigen verdwenen gewoonweg, en via het Gavrilov-kanaal – een ultrageheim communicatienetwerk dat hij samen met de CIA had opgebouwd – vernam hij dat ze waren overgelopen naar het Westen. Het kon onmogelijk erger worden.

Dat voorjaar kwam hij erachter dat Tamara een verhouding had met een vriend van haar broers, ook een kozak. Ziek van jaloezie was Berianov het appartement uit gestormd, zijn dochters aan zijn broekspijpen geklemd. Hij pelde hun garnalenvingertjes weg en reed als een dolleman naar het Rode Plein. Tijdens die rit kwam alles hem absurd voor: de Lenin-heuvels zagen groen van de ontluikende berken. Kleurige rondvaartboten voeren op de rivier. Hele gezinnen zaten in de zon te picknicken en kinderen waren aan het spelen. Hoe kon de wereld er zo normaal uitzien, terwijl zijn land en zijn huwelijk aan het instorten waren?

Vol bitterheid sloeg hij de voorbereidingen voor de jaarlijkse meiparade gade. Een van de spandoeken vervulde hem van verlangen naar de dromen die hem ooit zo dierbaar waren geweest: LANG LEVE DE ARBEIDERSKLASSE VAN ONS LAND, DE BEZIELENDE KRACHT IN HET LICHAAM VAN HET COMMUNISME!

Op dat moment had het gewicht der jaren hem gedwongen tot een keuze die sindsdien al zijn beslissingen had bepaald. Hij moest kiezen. Hoe veel respect had hij nog voor dit zieke land? Hoe kon hij zijn leugenachtige vrouw blijven respecteren? Op dat moment wist hij wat hem te doen stond.

Hij reed naar zijn kantoor aan de rand van de stad, riep zijn favoriete moordenaar Ivan Vok bij zich en gaf hem een opdracht. Net zoals Peter de Grote het hoofd van de befaamde onafhankelijkheidsleider Kondrati Boelavin naar Tsjerkassk – tegenwoordig Starotsjerkassk – had meegevoerd om de kozakken onder de duim te krijgen, zo verscheen Ivan Vok aan Tamara's deur met een vurenhouten kist met kunststof voering.

Hij opende het deksel voor haar, zodat het bloederige hoofd van haar minnaar onthuld werd. Op Berianovs bevel had Vok dat afgehakt. Terwijl zij verstijfd van afgrijzen stond te kijken, maakte Vok bekend wat Berianovs voorwaarden waren: ze mocht zich niet van hem laten scheiden. Ze mocht nooit meer een minnaar hebben. Ze moest haar dochters opvoeden tot trouwe communisten. Zolang ze zich daaraan hield, zou hij haar in leven laten.

Later meldde Vok dat ze had gegild en gehuild. Dat de meisjes zich verstopt hadden toen ze wegrende om haar lange zweep te grijpen. Maar uiteindelijk had ze toegegeven en had Berianov zijn kozakkenvrouw onderworpen. Hij had haar nooit meer gezien. Dat kon hij niet. Hij begon aan een nieuwe toekomst, waarbij veel meer op het spel stond dan een van hen beiden de ander had kunnen bieden, veel meer dan hij ooit met wie dan ook gedeeld had. Uiteindelijk schonk hij zichzelf aan zijn land.

In zijn schuilplaats in Bethesda had Ivan Vok borden vol eten op de glazen eettafel neergezet: koude steur, donkerbruin brood, zure room en verse komkommers. De lichte geur van de heerlijke vis bezorgde Vok heimwee naar Moskou. Hij strooide zeezout op de komkommers. Terwijl hij met Aleksej praatte, at hij gretig – hij schoof het brood tussen zijn dikke lippen en stoptc daar een gigantisch stuk steur met een flinke dot zure room achteraan, gevolgd door een plak knapperige komkommer.

Ze hadden een groot aantal zaken besproken, maar nu hadden ze het over de manier waarop ze Rusland moesten voorbereiden, zodat het land ontvankelijk zou zijn voor hun plannen. 'De sovjets moeten hun geschiedenis terugkrijgen,' vond Vok. 'Niemand zou verstoken moeten zijn van zijn geschiedenis.'

Vanuit zijn fauteuil voor de hoge ramen knikte Berianov instemmend. 'Zeurders en timide types komen niet voor in de geschiedenisboekjes.'

Berianovs mensen stonden al in positie om de zeven opslagmagazijnen voor blaartrekkende gassen en zenuwgassen over te nemen. Samen konden ze de leiding over bijna honderd kernwapendepots gemakkelijk aan, evenals over de vierduizend kernkoppen voor oorlogsdoeleinden en alle splijtbare materiaal op Russisch grondgebied. Dankzij de transactie die hij uiteindelijk had gesloten met HanTech en Minatom had hij de garantie dat ze een sterk kernprogramma konden blijven voeren. En uiteraard was er het *pièce de résistance*: de intercontinentale raketbases.

Bedachtzaam zei Berianov: 'Een paar jaar geleden hebben ze in Novgorod een opiniepeiling gehouden. Een van de vragen was: "Wie zijn de vijanden van vandaag?" Je kon kiezen uit drie mogelijkheden: gangsters, zakenlui of de regering. Vijftien procent koos gangsters. Vijftien procent koos zakenlui.' Hij zweeg even om zijn woorden extra nadruk te geven. 'En zeventig procent koos de regering. Een overgrote meerderheid. Van de tsaren tot Brezjnev hebben we altijd autocratische leiders nodig gehad.'

Vok knikte al kauwend. 'Dat is bekend. Geef een beer altijd de honing die hij het liefste heeft.'

'Onze kameraden missen het vertrouwde sovjetmedicijn: nationalisme. Ze hebben een leider nodig die voor hen zal zorgen en ervoor zorgt dat iedereen brood en werk heeft en naar school kan. Maar tegelijkertijd willen ze ons land terugzien op de plek die Rusland toekomt in de wereld.' Van zijn donkere haar tot aan zijn blauw-bruine ogen en zijn schijnbaar ontspannen mond straalde hij het soort vertrouwen uit waarmee men een volk kon leiden. Een land. Zijn normale lengte en lichaamsbouw waren aantrekkelijk, maar meer ook niet. Waar mensen zich voor omdraaiden, dat was zijn aanwezigheid.

Vol overtuiging zei Vok: 'Gelijk hebt u, Aleksej. U hebt altijd gelijk. Jou hebben we nodig. Een leider als u rijst op uit de toendra met een zwaard in de ene en een brood in de andere hand. Er mag niet meer van het volk gestolen worden. Die anderen houden niet van ons land, maar wij wel.'

Berianov knikte en staarde weer door de ramen naar de buitenlandse metropool waarin hij nu al tien jaar leefde. In heel Bethesda, tot in Washington, zag hij lichten uitgaan. Naarmate de ochtend naderde, was de hele rusteloze stad in een lichte lethargie weggegleden, terwijl hier in dit appartement een gewelddadige wrok sluimerde. Hij had zo ontzettend genoeg van dit land. Hij wilde naar huis, waar hij iedere dag zijn eigen mooie, sterke taal kon horen en waar hij kon samenwerken met mensen die wisten wat écht belangrijk was.

Vok stond op van de tafel. De borden waren leeg. Hij rekte zich uit. Zijn korte, gedrongen lichaam werd even langer en keerde toen weer terug tot zijn gebruikelijke compacte, sterke vorm.

Berianov woof met zijn hand. 'Ivan, breng de wodka. Dit is een nacht voor wodka, vind je niet?' Terwijl hij dat zei, begon zijn mobiele telefoon te trillen.

Hij drukte het toestel tegen zijn oor en luisterde naar de fluister-stem van Bobby Kelsey, die in haastig Engels tegen hem sprak. Be-rianovs borst kromp ineen als in de greep van een monster. 'En jij deed helemaal niets? Hoe kon je het zover laten komen!'

Kelsey vloekte. 'Verdomme, Aleksej, probeer nou niet de schuld op mij af te schuiven. De senator heeft die riemen rechtstreeks naar Dean Jennings van de Geheime Dienst gestuurd. Daar ga ik niet over. Tot een paar minuten geleden wist ik van niets. Als iemand dit al uit de hand heeft laten lopen, dan zijn het jouw eigen men-sen. Ik kan me maar één manier voorstellen waarop die riemen bij Crocker beland zijn: via Jeff Hammond. Die families zijn bevriend.'

Een vloedgolf van woede spoelde over Berianov heen. Alweer Ham-mond. Hij snauwde: 'Zorg dat ze niet achter de Hoeders aangaan.'

'Onmogelijk. Niet alleen de Geheime Dienst en de FBI zijn hierbij betrokken, ook de plaatselijke en de rijkspolitie. Ze zijn al bezig de riemen te traceren. Die Hoeders van jou kunnen onmogelijk door-gaan met de aanslag. Je moet het afblazen. Maak dat je wegkomt zolang het nog kan.'

'*Njet!*' Het was een reactie vanuit zijn tenen. Zijn bloed raasde door zijn aderen. Hij werd rood van woede. Hij moest en zou een op-lossing vinden. Er stond te veel op het spel voor zijn volk. 'Zorg dat je die Hammond en Convey opspoort voordat ze nog meer schade kunnen aanrichten. Zodra je weet waar ze zitten, stuur ik er mijn mensen op af. Ik blijf ook zoeken, maar dit is mede jouw probleem.'

'Dacht je dat ik dat niet wist?' vroeg Kelsey op grimmige toon. 'Ik heb notabene de directeur van de FBI vermoord. Je moet het af-blazen. Er komt wel een andere dag.'

'Nee! Dít is de dag. Dit is de dag van mijn lánd! Hoor je me? En als jij soms denkt dat jouw grootste zorg is dat bekend wordt wie je bent, dan ben je een naïeveling. Als je nu probeert weg te ko-men, stuur ik Vok op je af om je te *vermoorden*.'

Er volgde een geschokte stilte. 'Aleksej, je bent niet goed bij je hoofd.'

'En jij denkt te klein, Kelsey. Ik ben nog nooit van mijn leven zo goed bij mijn verstand geweest. Zoek Hammond en Convey op en roei ze uit.'

Hij drukte op de UIT-knop van zijn telefoon. Hij voelde Ivan Voks aanwezigheid nog voordat hij hem vanuit zijn ooghoeken zag. 'So-demieter op, Vok. Verdomme nog aan toe, rot op!'

44

Plotseling brak het geweervuur los. Een man met een Russisch accent schreeuwde dat ze terug moest naar het adres in Chevy Chase. Dat was van cruciaal belang. 'Ja, daar heb ik je vaak genoeg mee naar toe genomen, maar nu is het iets anders. Je móét!'
Ze greep haar AK-47 *en rende totdat ze Berianovs grote huis zag liggen, badend in het ijle maanlicht. Huiverend zag ze de garagedeur opengaan, net als voorheen. Er brulde een motor en in de deuropening verscheen een motorfiets. Vol afgrijzen stond ze als aan de grond genageld. Ze deed een stap achteruit. Ze zou Michaïl Ogust niet nog eens vermoorden. Geen sprake van.*
Maar ze was gered: er stapte iemand anders op. Tot haar verbazing zag ze dat het Berianov zelf was. Hij zat schrijlings op de machtige machine, zijn schouders vierkant en zijn hoofd opvallend geheven. Hij bewoog even met zijn schouders en hield zijn hoofd achterover toen hij een helm met een metalig glanzend vizier over zijn gezicht trok. Meteen gaf hij gas en reed hij in volle vaart op haar af. Ze wilde weg. Ze wilde met het geweer op hem schieten. Maar ze kon zich niet verroeren.
In paniek keek ze hulpeloos toe hoe de motorfiets zich in haar lichaam boorde en haar omhoogsmeet in de zilverglanzende lucht. Ze zag haar eigen spiegelbeeld in Berianovs vizier – maar zij was het niet. Het was Ogust, zijn grijze haar wild rondvliegend, zijn gezicht vertrokken van de pijn. Haar schedel barstte open en ze gilde…
Meteen zat ze rechtop in bed, bezweet en trillend.
'Beth, Beth.' Jeff noemde haar naam. Hij trok haar weer in zijn armen in het warme bed in het kamertje in Evans Olsens huis. 'Het was maar een nachtmerrie. Meer niet. Niets aan de hand. Gewoon een nachtmerrie.'
Ze drukte zich tegen hem aan. Begroef zich in hem als een dier dat wil schuilen. 'Berianov heeft Ogust vermoord. Ik weet het nu zeker.' Terwijl ze de droom beschreef, wist ze dat ze iets over het hoofd had gezien. Iets belangrijks.

Jeffs rustige stem kalmeerde haar. 'Je bent hier veilig. Lieve Beth toch. Je bent veilig.'
'Stephanie zei dat andere ontvangers van cellulair geheugen ook meldden dat ze in de loop der tijd andere dromen en ideeën kregen.' Sinds ze zich had beheerst en de Russische vrouw bij Watergate niet had doodgeschoten, had ze minder last van woedeaanvallen en rusteloosheid. Ze ontspande zich in zijn armen. Hij had een gladde huid, maar wel met de aantrekkelijke, iets ruigere textuur van een mannenhuid. De stoppels van zijn ongeschoren kin kriebelden tegen haar oor. Ze wilde hier blijven. Nooit meer weg. Voorgoed veilig.

Senator Ty Crocker kwam zijn huis uit en keek omhoog naar de sterren, een ver strooisel van diamanten over de zwarte ochtendlucht. Hij voelde zich opgewonden. Zijn aderen waren dan misschien aan het verkalken, maar zijn bloed kon nog steeds heel snel stromen. Hij ging op weg om alles wat hij wist aan de Geheime Dienst te vertellen.
Maar hij was aan de late kant. Anna was wakker geworden, en hij had een tijdlang op haar moeten inpraten. Uiteindelijk had ze hem weg laten gaan. Nu verheugde hij zich op de bespreking met Dean Jennings. Niet alleen zou hij een stokje steken voor wat voor krankzinnig complot er ook beraamd werd tegen de president, maar hij zou ook Jeffs naam kunnen zuiveren.
Hij liep langs de pioenrozen en irissen, de tuin in van het huis waar hij bijna veertig jaar had gewoond. Hij hield van die witte dorische zuilen, de bakstenen gevel en de drie hoge verdiepingen. Op de bovenste verdieping was de speelkamer van de kinderen geweest. Er fluisterde een zacht windje door de hoge magnoliaboom die schaduw wierp op een groot deel van de achter- en de zijtuin. Achter zich hoorde hij zijn kat luidruchtig geeuwen op de veranda.
Met een glimlach trok hij de zijdeur van de garage open en stapte naar binnen. Voordat hij ook maar iets kon doen, greep een paar handen zijn schouders. Er gleed een dun koord rond zijn nek dat strakker en strakker werd getrokken tot het in zijn vlees sneed. Hij vocht uit alle macht. Hij hapte naar lucht, maar er was geen lucht. De garage wentelde en er verschenen vreselijke kringen om hem heen, met groene en rode en zwarte flitsen... Vage gezichten. Geen licht. Zwarte schaduwen. Beelden van Anna, hun twee dochters en zijn kleinkinderen schoten door zijn hoofd. Gedachten aan de doktersafspraak van volgende week, de uitzichtloze situatie met de se-

naatsvoorzitter, het nieuwe wetsvoorstel voor transport. Nog zoveel te doen... zoveel...

Een uur later rolde Jeff in Evans Olsens huisje in het noordoosten van Washington weg van Beth. Plotseling werd hij onrustig. Zij had niet goed geslapen, maar nu sliep ze dan eindelijk. Hij had de afgelopen drie uur eindeloos op en neer gelopen om naar Olsen te kijken en in het huis te luisteren, bang voor indringers.

Zijn Beretta lag op de vloer naast het bed. Hij raapte hem op en keek met een hulpeloos gevoel in zijn maag op Beth neer. Er lag een streep maanlicht over haar gezicht, die haar trekken verlichtte terwijl ze rustig lag te slapen. Haar lippen waren iets geopend en haar wimpers wierpen schaduwen op haar wangen. Haar blonde haar lag als een stralenkrans om haar gezicht. Wat zag ze er kwetsbaar uit. Hij dacht terug aan de seks met haar. Bij de herinnering alleen al kreeg hij weer een erectie. Hij rolde met zijn schouders en onderdrukte zijn woede en zijn verlangen om haar te kussen. Hij moest aan het werk.

Jeff trok zijn onderbroek en zijn spijkerbroek aan en liep Olsens slaapkamer binnen. Olsen lag nog steeds te snurken. Telkens wanneer hij was gaan kijken, zat er meer beweging in hem, dus hij hoopte dat hij hem ditmaal wakker kon krijgen. Hij deed de deur dicht, knipte het licht aan en ging naar de slapende man staan staren. Olsen ademde uit, en een vlaag alcohol waaide door de koele lucht. Jeff greep hem onder zijn oksels en hees hem overeind tegen de muur – het bed had geen hoofdeinde. De huid van de Witte Huis-assistent was bleek en zijn gezicht was gezwollen van de vele drank. Zijn zwarte stoppels waren minstens een halve centimeter lang en kleurden zijn kin paars. Hij had niet meer aan dan de pyjamabroek die Jeff op de badkamervloer had gevonden.

'Evans! Wakker worden!' Hij sloeg hem op beide wangen.

Olsen kreunde.

'Evans Olsen! Doe je ogen open!'

De oogleden van de man knipperden even.

Jeff gaf hem nog een klap en riep zijn naam.

'Wie... wie ben jij?' vroeg Olsen, onduidelijk prevelend. Hij was nog steeds dronken. Zijn rood omrande ogen straalden angst uit. Hij hief een trillende hand en voelde aan zijn wang.

Jeff was opgelucht. Hij praatte tenminste. 'Ik ben de duivel in eigen persoon, klootzak,' bulderde hij. 'En jij bent dood als je niet vertelt waar jij en Aleksej Berianov mee bezig zijn!' Hij hief zijn Beretta voor Olsens gezicht.

Olsen sperde zijn gezwollen ogen wijd open. Hij slikte. 'Ik moet k...' Hij holde naar de badkamer.

Zuchtend luisterde Jeff naar de braakgeluiden. Na een tijd werd de wc doorgetrokken. Daarna begon Olsen opnieuw over te geven. Uiteindelijk werd er nogmaals doorgetrokken.

Beth verscheen in de deuropening, gekleed in haar spijkerbroek en coltrui. 'Is hij wakker?'

'Ik neem aan dat niemand daarbij had kunnen doorslapen. Sorry dat ik zo'n lawaai heb gemaakt.'

Ze glimlachte, liep naar hem toe en sloeg een arm om zijn schouders. 'Heb je me gemist?' Ze kuste hem.

Hij greep haar en hield haar in zijn armen. 'Meer dan je voor mogelijk houdt.'

'Ohhh.' Vanuit de deuropening klonk een gekreun. En toen op geschokte toon: 'Beth? Wat doe jíj hier?' Te zwak om op zijn benen te kunnen staan liet hij zich langs de deurpost omlaag zakken.

'Hi, Evans,' zei ze. 'Het lijkt wel of je de laatste tijd steeds maar valt als we elkaar ontmoeten.'

Jeff raapte hem op en hielp hem naar de keuken. Terwijl Jeff koffie zette, zette Beth in de woonkamer de nieuwsberichten op tv aan. In de keuken pootte Jeff Olsen weer in de ontbijthoek neer. Zwak en duizelig leunde Olsen voorover tot hij met zijn wang op de tafel rustte. Hij zuchtte en sloot zijn ogen.

'Maak het jezelf niet al te gemakkelijk,' waarschuwde Jeff.

Terwijl het aroma van versgezette koffie zich door het keukentje verspreidde, belde Jeff vanaf de wandtelefoon naar het huis van Ty Crocker. Toen Anna met een slaperige stem opnam, hing hij meteen op. Het had geen zin om haar bezorgd te maken. Als Ty er nog was geweest, had hij zelf wel opgenomen. Ty moest intussen in vergadering zitten met de Geheime Dienst.

Jeff probeerde de spanning van zich af te zetten toen hij koffie inschonk en naar Olsen bracht. 'Tijd om nuchter te worden, Olsen. Drink op. We moeten praten.'

Olsen kreunde.

'Koffie. Opdrinken. Of moet ik het door je keel gieten?'

'Jeff!' Dat was Beths stem vanuit de woonkamer. 'Kom eens luisteren!'

Hij draafde naar de kleine kamer aan de straatkant. De stoffige rolgordijnen waren neergelaten en het oude meubilair was gehuld in de schaduwen van twee zwakke gloeilampen.

Beth zat op de verschoten sofa. Ze perste een vinger tegen haar lippen en knikte naar het televisiescherm, waar het plaatselijke nieuwsprogramma *Up to the Minute* werd uitgezonden via wusa, de cbs-zender voor Washington.

Jeff bleef in de deuropening staan, zodat hij de tv kon zien maar tegelijkertijd de gang naar de keuken en de achterdeur in de gaten kon houden.

De jongste senator voor Mississippi was aan het woord: '... onze president is welhaast perfide te noemen vanwege zijn zogeheten liberale standpunt ten opzichte van internationale betrekkingen. We hebben het volmaakte voorbeeld voor onze neus. De Russische president logeert vanavond op de Russische ambassade, maar morgenavond slaapt die... *communist* in Lincolns slaapkamer. Wie weet wat die twee gelijkdenkende leiders verder nog van plan zijn om ons mooie land te vervreemden van de democratie waarvoor we zo lang en zo hard hebben moeten vechten...'

'Misschien hadden we inderdaad gelijk,' zei Beth boven de stem van de senator uit. 'Misschien is Berianov van plan de president te vermoorden vanwege een of ander geheim pact tussen beide presidenten, iets dat ze willen tekenen en bekendmaken tijdens dit bezoek.'

'Niet dat ik weet.' Evans Olsens stem klonk door de gang.

Jeff en Beth renden terug naar de keuken. Hij zat rechtop. Zijn gezwollen gezicht was nog steeds bleek, maar hij keek helderder uit zijn ogen. Hij had de koffie opgedronken en de mok naar de rand van de tafel geschoven. Met een zucht leunde hij achterover.

'Ga door,' zei Beth ongeduldig. 'Vertel eens waarom jij denkt dat er geen geheime deal tussen die twee presidenten is.'

Hij leek zich te vermannen. 'Omdat ik dan wel iets gehoord zou hebben. Het Witte Huis is net een zeef. President Stevens doet stoer, meer niet. Ze gaan het Amerikaanse en het Russische volk live toespreken via radio en tv, en na die persconferentie blijft Poetin vannacht in het Witte Huis slapen. Als een vriendelijke geste om te laten zien dat de twee volken meer overeenkomsten dan verschillen vertonen. Daar is niets subversiefs aan. Maar daarover is zowel hier als in Rusland een grote controverse ontstaan. Ik neem aan dat er in beide landen mensen zijn die gewoon niet willen dat de koude oorlog voorbij is.'

Beth keek hem onderzoekend aan. Hij was uitgeput na de inspanning van een intelligent antwoord. Hij hing half over de tafel heen. Toen ze zo naar hem zat te kijken, kon ze zich niet voorstellen dat deze halve gare deel uitmaakte van een diabolisch complot. 'Je wordt gebruikt,' gokte ze. 'Is dat de reden waarom je zo verschrikkelijk drinkt? Wat moet je van Berianov doen?'

Op gekwetste toon zei hij: 'Ik heb een paar dagen vrij genomen. Als ik zin heb om te drinken, dan drink ik. En ik ken geen Berianov.'

'Aleksej Berianov, voormalig KGB-generaal,' vertelde Jeff, terwijl hij nog een beker koffie inschonk. 'Overgelopen in '91.'

'Ken ik niet,' herhaalde Olsen. Met vermoeide blik keek hij om zich heen, leek even te luisteren naar de tv in de woonkamer en richtte zijn aandacht toen weer op Jeff. 'Zitten de deuren op slot? En wie ben jij eigenlijk?'

Jeff keek hem streng aan. 'De deuren zitten op slot. De ramen ook. Waar ben jij zo bang voor?'

Olsens lippen werden smal. Zijn gezicht leek ineen te schrompelen van de angst. Hij keek op zijn pols hoe laat het was, maar Jeff had zijn horloge afgedaan voordat hij hem onder de douche stopte. 'Ik mag niet te laat komen! Dan vermóórdt hij me!' Het was een kreet van afgrijzen. Wanhopig gingen zijn ogen naar de klok aan de muur. 'O! Goddank, het is pas halfzes. Dan is er nog tijd om...'

Jeff greep hem beet. 'Rustig aan, Olsen. Vertel me eerst maar eens precies wíé jou gaat vermoorden.'

'Ik... ik...' Olsen hapte naar lucht, te bang om iets te zeggen.

'Wij helpen je,' beloofde Jeff. 'Ik ben van de FBI. Vertel maar wat je weet over de moord op de president.'

Verbaasd trok Olsen zich los. Hij liet zich achterover zakken op de bank in de eethoek. 'Gaan ze hem vermóórden? Nee, toch!' Hij haalde een hand over zijn gezicht, alsof hij een leven van verkeerde beslissingen wilde wegvagen. 'Ene Yakel heeft me bewerkt. Het begon toen hij me geld bood, maar toen ik besefte dat hij meer wilde dan wat souvenirs uit het Witte Huis, probeerde ik hem af te schudden. Maar het was al te laat. Hij had honderdduizend dollar voor me op een rekening in Mexico gezet. Hij zei dat hij uitnodigingen wilde voor zichzelf en drie vriendjes van hem voor de persconferentie van tien uur vandaag, in de Rozentuin. Zodat ze de president konden zien. Meer niet. Onschuldig, toch?'

'De Rozentuin!' Beth keek naar Jeff. 'Dan zaten we dus verkeerd.' Hij knikte en dacht terug aan de maquette van het presidentskantoor en de Rozentuin in de grote grot. 'Ik had het kunnen weten. Die tuin was veel zorgvuldiger opgebouwd dan het kantoor zelf.'

'Een bijeenkomst van de presidenten van Amerika en Rusland is natuurlijk altijd een historische gebeurtenis, en zo groot is de Rozentuin niet. Er zal gevochten worden om kaarten voor de persconferentie,' zei Beth. Ze had erover gehoord tijdens het nieuwsoverzicht van de planning voor die dag.

'Hoe zag die Yakel eruit?' vroeg Jeff.

'Ik heb hem maar één keer gesproken, in een bar. Verder hebben we alles telefonisch geregeld. Oud. Niet bijzonder lang, maar hij deed alsof hij de hele wereld in zijn zak had. Een cowboy met een versleten spijkerbroek en een stetson.'

Beth en Jeff keken elkaar even aan. 'De oude opzichter,' zei Beth.

'Nou, als dat een opzichter was, dan was het wel een heel aparte,' meende Olsen. 'Die vent was goed op de hoogte. Hij had massa's boeken gelezen, hij had alles in de hand en, wat nog het ergste was, hij wist dingen over mij en mijn familie die hij niet gemakkelijk achterhaald kon hebben. Hij had in mijn verleden zitten snuffelen. Of iemand anders. Toen ik niet meer wilde meedoen, dreigde hij me te vermoorden. En ik geloofde hem. Hij zei dat hij me kon laten lijden op manieren die ik niet voor mogelijk gehouden had.'

'Heb je gezien in wat voor auto hij reed?' vroeg Jeff. 'Een kenteken, misschien? Of heeft hij gezegd hoe je met hem in contact kon komen?'

Olsen schudde zijn hoofd. 'Nee, hij was heel voorzichtig. Ik heb zijn auto nooit gezien, en hij belde mij, nooit andersom. Ooit heb ik een keer geprobeerd zijn nummer te traceren, maar dat was afgeschermd. Een of ander soort elektronische deur, volgens een vriendje van me, een hacker.'

Beth fronste haar wenkbrauwen. 'En hoe zat dat met die uitnodigingen?'

'O, god,' kreunde hij. 'Die moet ik voor zeven uur vanochtend vastplakken onder een postbus bij de Mall. Als ze er niet zijn, weet ik zeker dat ze naar me op zoek gaan. Zodra ik ze had afgeleverd, moest ik naar Rio vliegen en me schuilhouden. Hier zit ik niet veilig. Zodra ze hebben wat ze willen, komen ze me sowieso vermoorden. Dat lijkt me logisch.'

'Wij gaan je helpen,' verzekerde Jeff hem. 'We bergen je op in een opvanghuis. Waar zijn die uitnodigingen?'

'In mijn jas. Verborgen in een belastingenvelop. Niemand kijkt ooit wat er in een belastingenvelop zit, als het enigszins te vermijden is. Dat leek me de beste plek.'

'O, verdomme!' Beth rende naar de achterdeur. 'Die jas stonk zo ontzettend dat ik hem naar buiten gegooid heb. Hij kan wel gestolen zijn!' Ze rukte de grendel weg en de deur open. De koele ochtendlucht stroomde naar binnen.

'Wacht even!' Jeff holde haar voorbij en staarde buiten om zich heen. Hij greep de jas en droeg hem naar binnen. De belastingenvelop zat in een binnenzak. Hij smeet de stinkende jas weer naar de deur en scheurde de dichtgeplakte envelop open. Erin zaten vier witte enveloppen, en in iedere envelop zat een fraaie uitnodiging in een duur lettertype op geschept papier. Elke uitnodiging bevatte een ets van het Witte Huis en de gekalligrafeerde naam van de gast. Smaakvol, ingetogen: de vervulling van Berianovs plan.

Olsen legde uit: 'Ik heb aangestreept dat ik van elk van hen een bevestiging had gekregen, en aangezien een van mijn taken is om achtergronden van mensen na te trekken, heb ik Yakels vrienden goedgekeurd met valse sofinummers en geboortedatums.'

'En wat nu?' vroeg Beth.

Olsen keek ongelukkig. 'Aan de poort van het Witte Huis wordt een lijst bijgehouden. Wanneer een gast arriveert, moet hij zijn naam noemen en de uitnodiging laten zien, samen met de normale identiteitspapieren met pasfoto. Daarna lopen de gasten door een metaaldetector heen, zoiets als ze bij luchthavens ook gebruiken. En er is een röntgenapparaat voor controle op tassen. Yakel zei dat hij de identiteitspapieren voor zijn vrienden zou verzorgen.'

'We moeten hem tegenhouden voordat hij zover is,' zei Jeff.

Beth knikte. 'Inderdaad. Die postbus. Daar gaat natuurlijk iemand heen om de uitnodigingen...' Ze zweeg om te luisteren. 'Horen jullie dat?' Ze rende terug naar de woonkamer, waar de televisie nog aanstond.

'... senator Ty Crocker, een van de meest populaire en vooraanstaande Republikeinse senatoren, is vanochtend vroeg dood in zijn garage aangetroffen. Hij was gewurgd. Zijn vrouw ontdekte het lijk toen...'

Jeffs gezicht werd asgrauw toen hij naar het scherm staarde. Hij leek te huiveren als onder een zware slag. Beth keek Jeff even aan en pakte zijn hand.

'Jeff...'

'Ze hebben hem vermoord. En dat is mijn schuld.' Zijn stem klonk schor, alsof hij diep in zijn keel vastzat en amper naar buiten te persen viel.

'Je hebt hem gewaarschuwd. Hij wist dat hij een risico nam. Je kunt niet iedereen redden.'

Hij wendde zich af van het nieuws. 'Ty was een hoofdstuk apart. Eerlijk. Fatsoenlijk. Toen mijn ouders dood waren... toen belde hij me om de paar maanden bij de krant, en dan gingen we lunchen bij zijn club. Wat golfen. Dan vertelde hij over zijn kleinkinderen en die kat van hem. Wat Anna aan het doen was. Je weet wel. Gewoon, al die dagelijkse dingen. Niets bijzonders... tot het je ontnomen wordt.' Er klonken tranen door in zijn stem.

'Vreselijk, Jeff. Ik vind het heel erg. Verschrikkelijk.'

Hij knikte. 'En uiteraard staan we er nu nog slechter voor. Vooral president Stevens.'

'Dat is zo!' De angst schoot door haar heen. 'Nu kunnen we onmogelijk nog achterhalen of Ty die riemen inderdaad bij de Geheime Dienst heeft gekregen.'

'Of als dat hem al gelukt was, of hij ze ook verteld heeft wat de gevolgen voor het leven van de president waren.'

'Of dat hij die riemen van óns had gekregen,' voegde Beth daaraan toe. 'Misschien worden we nog steeds niet geloofd. En dat betekent dat we weer terug zijn bij af.'

In Olsens slaapkamer begon een telefoon te rinkelen. Olsen veerde op alsof er een stuk vuurwerk onder hem was ontbrand. Verwilderd en angstig staarde hij om zich heen.

'Dat is 'm,' fluisterde hij. 'Daar zul je hem hebben!'

Met een van woede en verdriet vertrokken gezicht greep Jeff Olsen onder een oksel en sleurde hij hem de slaapkamer binnen. Op een tafeltje naast Olsens slordige bed lag een mobiele telefoon. Hij rinkelde nog steeds.

Jeff beval hem: 'Opnemen. Als het hem is, zeg je dat je onderweg bent. En zorg ervoor dat je de zaak niet verknalt, Olsen, ik waarschuw je!'

Met trillende onderlip nam Olsen de telefoon aan. 'Hallo?'

Met pijn in zijn buik stond Jeff te kijken en te luisteren. Hij kon nog steeds niet bevatten dat Ty dood was. Maar hoewel het in zijn hart kolkte, was zijn brein helder als diamant. Nu had hij nog een reden erbij om Berianov tegen te houden: hij had het gevoel dat er een belangrijk orgaan uit zijn lijf was gerukt. Hij wilde Ty terug.

En hij wilde zijn eigen leven terug. Met één woeste haal was Ty het symbool geworden van alles wat hij verloren had. Hij wilde terug naar de tijd dat alles logisch was geweest, toen hij jong was en zich kon permitteren om enorme risico's te nemen. De jacht op Berianov was de allergrootste gok van zijn hele leven geweest. Terwijl hij daar naar Olsen stond te staren, zag hij dat hij dat risico gedachteloos was aangegaan, zonder zich ook maar een moment af te vragen welke prijs hij zelf zou moeten betalen, maar wat nog veel belangrijker was: zonder zich te bekommeren om de gevolgen voor mensen die hem lief waren. En nu had die beslissing een van zijn dierbaarste vrienden het leven gekost. Gelijk hebben was niet altijd voldoende.

'Nee, Yakel, ik ben niet dronken,' zei Olsen met hoge, bange stem in de telefoon. 'Misschien een beetje een kater.' Hij luisterde, een gespannen blik op zijn gezwollen gezicht. 'Sorry, maar ik ben al aan de late kant...'

Olsen hield de telefoon een eind weg van zijn oor, en een razende stem bulderde: 'Volslagen proleet die je bent, jouw problemen interesseren me geen ruk! Zorg dat je die uitnodigingen aflevert!'

'Ik ben al weg.' Olsen klikte op de UIT-knop. Het zweet droop van zijn voorhoofd. 'Hij heeft me een ander afleveradres opgegeven, aan de voet van het beeld bij het Jefferson-gedenkteken.' Hij gaf een gedetailleerde beschrijving.

Nu wist Jeff voldoende: hij kende de tijd en de plek voor de moordaanslag, plus een manier om Berianov te vinden. Hij draaide zich meteen om en ging op weg naar de keuken. 'Ik moet mijn baas bellen.'

'Bobby Kelsey?' Beth liep achter hem aan. 'Wou je hem waarschuwen over de Rozentuin en de uitnodigingen?'

'Ja. We kennen nu de plek en, bij benadering, het tijdstip,' zei Jeff grimmig. 'Die uitnodigingen handel ik zelf af. Degene die ze oppikt, brengt me bij Berianov. Ik ga ze afgeven, en dan krijg ik Berianov in handen. Berianov is voor mij.'

'Nee, hij is ook van mij. Hij is van ons. Ik hoor er ook bij, verdomme!'

Hij hoorde haar amper. Hij wilde Olsens mobiele telefoon vrij houden, voor het geval dat Berianov weer zou bellen. Dus greep hij de telefoon van de keukenmuur en belde het geheime nummer van zijn baas. Hij wachtte tot het gesimuleerde faxsignaal ophield en sprak Olsens telefoonnummer en het afgesproken bericht in: *De hemel komt in vlammen omlaag.* Het was riskant om hier te blijven zitten wachten, want als iemand een zender op Bobby Kelseys lijn had geplaatst, kenden ze intussen het nummer waarvandaan hij had gebeld en wisten ze waar die telefoon zich bevond. Het gevaarlijke scenario dat hij eerder die nacht tegenover Beth had beschreven over de reden waarom hij zich niet wilde melden, was nog steeds geldig. Alleen had hij intussen bevestigde informatie en moest hij het risico wel nemen. Het leven van de president stond op het spel. Hij keek naar Beth en slaakte een zucht, terwijl hij aan Ty dacht. 'Sorry.'

'Geeft niet, Jeff. Ik weet hoe vreselijk het is om mensen kwijt te raken van wie je houdt.'

Ze sloeg haar armen om hem heen en hij bleef in haar omhelzing staan. Maar zijn gedachten waren bij Bobby Kelsey. O, ging die telefoon nu maar!

45

De verlaten puinhopen van wat ooit een fraaie stadsvilla was geweest, vormden niet meer dan een van de honderden oude, half ingestorte gebouwen van Zuidoost-Washington. De donkere straat was bezaaid met vuilnis en de zwartgeblakerde wanden zaten vol graffiti. De meeste lantaarns waren kapotgeschoten. Die nacht, net als alle andere nachten, dreven drugshandelaars en pooiers open en bloot hun oeroude handel. Maar in het vervallen huis deed dat er niet toe. De mannen en vrouwen die in de diverse kamers aan het werk waren, hadden wel iets anders aan hun hoofd.

Sergeant Aaron Austin had de Hoeders nog geen halfuur geleden uit een onrustige slaap gewekt. De meesten waren nu bezig hun wapens en uitrusting in orde te brengen, en Austin vergaderde met de drie andere leden van zijn persoonlijke team over de laatste plannen. Samen zou het viertal het terrein van het Witte Huis binnendringen met behulp van de uitnodigingen die Evans Olsen had geregeld. Sergeant Auston zelf kreeg het voorrecht om de verraderlijke president der Verenigde Staten, James Emmet Stevens, dood te schieten.

Austin was voor de zoveelste maal volkomen geconcentreerd iedere fase van de operatie tot in de kleinste details aan het doornemen op het moment dat alle deuren en ramen van de stadsvilla tegelijkertijd openvlogen, voeten de trap op en de gangen door daverden en oorverdovende commando's door megafoons klonken.

'Laat uw wapens vallen! Dit is de FBI!'

'Geheime Dienst! Staan blijven! Handen omhoog! Nu!'

'U bent omsingeld. Leg uw wapens neer en kom een voor een naar buiten!'

Wat hun opdracht ook geweest was, de verbijsterde Hoeders hielden er meteen mee op, verlamd van schrik, met bange en boze ogen elkaar aankijkend. In de woonkamer, waar hij met zijn mannen had zitten overleggen, aarzelde sergeant Austin geen moment. Hij knikte even, en zijn schreeuw klonk zo hard dat hij door het hele gebouw te horen was: 'Vooruit!' Hij maalde even met zijn kaken en viel toen neer. Van boven tot beneden, in de ene kamer na de andere, volgden de andere Hoeders gehoorzaam zijn, en kolonel Bates', orders. Stervend lieten ze het testament na van hun fanatisme en hun gehersenspoelde discipline.

Max Bitsche stapte uit de stacaravan die zijn hoofdkwartier vormde achter in het grote kamp langs de snelweg van Washington naar Dulles International Airport. Zijn ondersteuningstroepen, die het moordteam en de bijbehorende beveiliging zouden bevoorraden en naar West Virginia zouden brengen, kwamen hun trailers al uit om voor hem uit te marcheren. Bleek en met kromme schouders in het vage ochtendlicht, had Bitsche zich nog nooit zo levend gevoeld. In zijn levenslange obsessie voor details had hij nooit durven dromen dat hij ooit als leider voor een compagnie van keiharde mannen zou staan, klaar om hen mee te voeren op een grootse, heilige missie.
Hij legde een bevelende klank in zijn stem: 'In de pas, soldaten!'
De Hoeders waren zich nog aan het opstellen, toen de politieauto's en militaire wagens met zwaailichten het terrein op reden en de ME en soldaten naar buiten stroomden om de verblufte fanatiekelingen te omsingelen.
'Halt!' brulden de megafoons. 'Iedereen staat onder arrest!'
Vanuit de rangen klonk een bevende stem: 'O, god. Ze hebben ons te pakken.'
Max Bitsche sloot zijn ogen. Zijn magere lichaam begon te trillen. Hij verzamelde al zijn moed, dacht aan zijn dromen over een betere wereld en gilde: 'Vooruit!' Hij klemde zijn kaken opeen. Hij zag de anderen al niet meer in het zand kronkelen terwijl de politie en soldaten hun wapens langzaam lieten zakken en vol afschuw toekeken.

Het magazijn was het derde in een rij magazijnen achter de gebouwen van een bedrijventerrein voor lichte industrie in Arlington, Virginia. Toen de auto's vol politiemensen en FBI, allemaal in ME-uitrusting, met gillende banden tot stilstand kwamen, schoten twee gewapende mannen aan de zuidkant van het gebouw naar buiten. Hun ogen en lichaamstaal spraken boekdelen: zij waren van plan te ontsnappen.
'Ze hebben de riemen om!' riep de officier aan het hoofd van het opsporingsteam.
Vier FBI-ers zetten de achtervolging in en zagen na enige tijd kans

het tweetal klem te zetten in een doodlopende steeg tegen de hoge wand van een spoorbaan. Otis Odet en iemand die later werd geïdentificeerd als Jesse Crabtree, met verlof uit de staatsgevangenis van Huntsville, Texas, probeerden zich al schietend te bevrijden. Dat mislukte.

In het overigens verlaten magazijn troffen de politie en de FBI slaapzakken, wapens en vierentwintig lijken aan van mensen die een pijnlijke dood waren gestorven na kennelijk vrijwillige inname van cyaankali. Vreemd genoeg lag er, ondanks de vertrokken gelaatstrekken, een vredige blik in een groot aantal van de open, starende ogen.

Bobby Kelsey keek toe hoe de teams FBI-ers en leden van de Geheime Dienst de lijken van de Hoeders uit de bouwvallige huizen in Zuid-Oost-Washington droegen. Hij schudde bewonderend zijn hoofd. Verdomme, die Berianov was goed. De generaal wist werkelijk hoe hij zijn mensen moest kiezen en opleiden en motiveren. Uit de rapporten van de andere teams bleek dat er maar twee gedrevenen hadden geprobeerd te ontsnappen, en dat ook die zich niet hadden willen overgeven maar waren overleden bij een schietpartij. Jezus, misschien kreeg die halve gare het nog voor elkaar ook. Misschien zou hij inderdaad de macht in Rusland grijpen en Kelsey een nog rianter bestaan bezorgen dan hij nu al had.

Hij draaide zich om en liep achter de laatste agent aan toen zijn mobiele telefoon begon te rinkelen. 'Ja?'

Het was zijn kantoor. 'Er is een dringend bericht voor u, meneer. Op de beveiligde lijn.'

'Wat is het?'

De hemel komt in vlammen omlaag.

Bobby Kelsey glimlachte bitter. Dat was Jeffrey Hammonds code. Binnengekomen via de zwaar beveiligde, clandestiene lijn met wisselende nummers, die was toegewezen aan undercoveragenten en mensen op supergeheime missies. 'Heb je de lokatie?'

'Jazeker. Er is gebeld vanuit een particuliere woning in het noordoosten van de stad.' Ze noemde het telefoonnummer en het adres. Op neutrale toon zei hij: 'Oké.'

Bobby verbrak de verbinding. Er kon maar één reden zijn waarom Hammond contact met hem had opgenomen: hij wilde hem spreken. En meer hoefde hij niet te weten. Hij stak zijn mobiele telefoon in de hoes en blafte een aantal orders.

Bij Evans Olsen thuis schonk Beth een kop koffie in. 'Hier, drink op, Jeff. En ga in godsnaam zitten. Probeer je te ontspannen. Je ziet eruit alsof je ieder moment kunt ontploffen.'

Van zijn brede gezicht met de zware jukbeenderen tot zijn naakte borstkas en zijn strakke spijkerbroek straalde Jeff woede en gevaar uit. Hij schudde zijn kortgeknipte hoofd alsof hij het helder wilde krijgen. Hij greep de dampende kop koffie en liep ermee door de armoedige keuken heen en weer. Hij moest aan het werk, en het duurde wel heel lang voordat Bobby Kelsey hem terugbelde. Hij voelde zich gefrustreerd en boos.

Voor Olsen bleef hij staan. 'Hoe lang ben jij? Eén-tachtig?'

'Een-zevenentachtig,' antwoordde Olsen verontwaardigd.

Jeff knikte, terwijl hij hem schattend opnam. 'Je staat niet rechtop. Je bent breder rond de taille dan ik. Ik neem een jasje van jou.'

'Zeg, wacht eens even...'

Maar Jeff was de keuken al uit. In de slaapkamer die hij met Beth had gedeeld, trok hij zijn blauwe werkhemd aan en stopte het in zijn spijkerbroek. Hij liet zijn tweed jasje en het windjack dat hij van de dode Hoeder in Pennsylvania had gepakt, liggen. Hij liep Olsens slaapkamer binnen. Daar vond hij een flanellen overhemd. Toen hij zijn armen in de mouwen schoof, hoorde hij Beth schreeuwen vanuit de woonkamer.

'Jeff, kom gauw!'

'O, god,' zat Olsen te kreunen. 'Wat vreselijk. Al die arme mensen.'

Jeff rende de woonkamer in, waar Beth en Olsen verstard naar de televisie zaten te kijken. De nieuwslezer berichtte dat politiediensten onder leiding van de FBI en de Geheime Dienst die ochtend een reeks gelijktijdige invallen hadden uitgevoerd op een splintergroepering die zich de Hoeders der Waarheid noemde. De clandestiene bende had kennelijk een terreurdaad gepland, maar het enige dat de politie momenteel kon zeggen was dat het onderzoek nog gaande was. Alle Hoeders hadden zelfmoord gepleegd. Zo vlak na de moorden op senator Ty Crocker en FBI-directeur Thomas Earle Horn was dit een zoveelste schokkend incident, dat opnieuw het sluimerende geweld binnen de hoofdstad bevestigde.

Terwijl het land geschokt toekeek, werden er beelden getoond van tweeënzestig doden, stapels wapens, kledij in militaire stijl en de allernieuwste communicatieapparatuur. Een woordvoerder speculeerde dat als de groep van plan was geweest een gewelddaad te plegen, de leden hun rol uit het hoofd geleerd moesten hebben... of misschien zou er ergens een blauwdruk van het hele plan gevonden worden.

De ontmoetingen van de presidenten Stevens en Poetin vandaag op het Witte Huis waren uit de schijnwerpers verdwenen en vormden niet meer dan een bijkomstigheid na de tragedie van die ochtend. Niemand had het meer over de uitnodiging aan president Poetin om in Lincolns kamer te overnachten, maar er stond nog wel een live-verslag van de persconferentie vanuit de Rozentuin op het programma.

'Onvoorstelbaar,' zei Beth. Ze voelde zich misselijk. 'Die arme mensen. Berianov heeft ze misbruikt. Misschien hadden ze nooit hun toevlucht genomen tot geweld als hij hen niet was voorgegaan.'

'Hij heeft heel wat op zijn geweten.' Jeff knikte even. 'Maar dat geldt ook voor onze samenleving en die intussen gedegenereerde pioniersmentaliteit. Het enige goede is dat de Hoeders dus zijn tegengehouden. Nu moeten we Berianov nog te pakken krijgen.'

'Denk jij dan niet dat het voorbij is nu zijn volgelingen dood zijn?' vroeg Beth.

'Niet als ik Berianov ken.' Hij keek op zijn horloge. 'Verdomme, dit duurt te lang. Waarom belt Bobby niet terug?'

Eli Kirkhart parkeerde zijn gehuurde Chrysler op de smerige straat vol graffiti in Zuid-Oost-Washington. Voor de vervallen stadsvilla stond een rij ambulances, en teams agenten waren bezig de lijken naar buiten te dragen. Hij had het schokkende nieuws gehoord op het moment dat hij de lobby van het Hoover-gebouw binnenliep, en had meteen gehoord waar Bobby Kelsey en zijn team naar toe waren gestuurd.

De hele weg vanuit Pennsylvania had hij met grote snelheid door het donker van de uren voor de dageraad gereden en had hij zitten nadenken over de bewijzen die naar Jeff Hammond voerden. Daardoor was hij oorspronkelijk overtuigd geweest dat Jeff de mol was. Waar was hij de fout in gegaan? Hoe? Toen de zon in een gouden regen opkwam boven de Potomac, was het antwoord hem eindelijk te binnengeschoten. Zo simpel dat hij hardop moest kreunen. Wat een idioot was hij geweest... Stel dat in plaats van de directeur zelf Jeffs FBI-contactpersoon het hoofd was geweest van de laatste afdeling waarvoor hij had gewerkt – Bobby Kelsey?

Kirkhart trommelde opgewonden met zijn vingers op het stuur. Alle bewijzen die Jeff schuldig verklaarden, konden ook naar Bobby Kelsey verwijzen. Had de directeur zich dat ook gerealiseerd? Dat leek Kirkhart aannemelijk. Hij kon zich voorstellen dat de directeur misschien niet helemaal overtuigd geweest moest zijn dat hij het wat Bobby Kelsey betrof bij het juiste einde had, maar tegelijkertijd zou hij gewild hebben dat de FBI zijn eigen verrader ontmaskerde. Hij zou zichzelf voorgehouden hebben dat het een kwestie van interne trots was, terwijl het in feite niets meer was dan persoonlijke ijdelheid. En dat betekende dat de directeur misschien ijdel genoeg was geweest om de confrontatie met Bobby in zijn eentje aan te gaan. Met enige back-up, uiteraard, maar waarschijnlijk had die te ver weg gezeten om een steekpartij te horen of te zien.

Ja, het was logisch. Bobby Kelsey was de mol. Maar ditmaal moest Kirkhart het zeker weten, want hij had al een keer fout gezeten toen hij Jeff verdacht en hij wilde beslist niet nog zo'n fout maken. Bovendien kon je een adjunct-directeur van de FBI niet zomaar beschuldigen van dubbelspionage. Sinds Aida's dood was de FBI de kern van Kirkharts leven geweest, het enige dat hem nog restte, en bij de gedachte alleen al dat hij zijn carrière nog meer in gevaar zou brengen, bezorgde hem een akelig gevoel in zijn maag. Nee, hij zou niets ondernemen totdat hij onmstotelijk kon bewijzen dat Bobby Kelsey de mol was.

Kirkhart stapte uit en bukte zich onder het gele plastic politielint door. Hij zag Bobby nergens en nam aan dat die nog binnen moest zitten. Terwijl hij naar de voordeur liep, zag hij iets links van zich, ergens in een steeg, Bobby's grijs wordende rode haar. Bobby Kelsey liep druk gebarend met een vijftal agenten te praten. Kirkhart herkende twee mensen van de afdeling Misdaad van de FBI, plus Chuck Graham en Steve Thoma van Bobby's eigen afdeling voor nationale veiligheid. De vijfde man kende hij niet.

Voor Kirkharts ogen trok Bobby zijn Smith 10, controleerde het magazijn en stak het wapen weer weg. Graham en een van zijn agenten droegen M-16-geweren.

Kirkhart keek kritisch. Het leek wel of Bobby zijn team aan het organiseren was voor een of andere operatie. De zes mannen splitsten zich in twee groepjes en gingen in afzonderlijke FBI-auto's op pad. Thoma kwam Kirkharts kant uit. Er lag een fanatieke blik in zijn ogen.

'Hallo, Steve,' zei Kirkhart. 'Wat is er aan de hand?'

'Hammond! Bobby weet waar die hufter uithangt. We gaan hem oppakken.'

'O? Interessant. Dan wil ik wel graag mee.'

'Natuurlijk! Vraag maar aan Bobby.'

Kirkhart dacht snel na. Als Bobby Kelsey inderdaad Jeffs begeleider was en Jeff had gebeld om verslag uit te brengen of hulp in te roepen, dan wist Bobby exact waar Jeff zat. Hij betwijfelde ernstig of Bobby van plan was om het te laten bij een arrestatie.

Hij liep op Bobby af. 'Meneer, ik ben die operatie met de Hoeders misgelopen. Ik zou het op prijs stellen als ik tenminste mocht helpen met Hammond.'

'Kirkhart is het, nietwaar? Jij was toch redelijk bevriend met Hammond?'

'Dat kun je wel zeggen,' zei Kirkhart met een grimas. 'Iets té goed, zelfs.'

Bobby knikte. Kirkhart kon handig van pas komen als ze Jeff naar buiten moesten lokken. 'Oké, ik vind het best. Pak een geweer. Je kunt met Thoma meerijden.'

Bobby Kelsey keek Eli Kirkhart na, terwijl die haastig achter Thoma aan liep. De twee agenten stonden even te overleggen, en Kelsey glimlachte terwijl hij naar zijn eigen auto draafde. Zijn hart bonsde en hij voelde zich ontzettend belangrijk, alsof het lot van de hele wereld afhing van wat híj nu ging doen. Hij wist dat dat niet zo was, maar het was een weerspiegeling van zijn gevoel voor lotsbestemming. Wat ertoe deed, dat was wat er met hem, Bobby Kelsey, ging gebeuren, en hij was niet van plan zich te laten ontmaskeren, alleen omdat die idioot van een Jeff Hammond zat te zeuren over een paar overlopers achter wie hij al sinds 1991 tevergeefs aan zat. Even dacht hij aan de hete zomers en de ijskoude winters in Texas. Hij zag het smalle, gemene gezicht van zijn vader voor zich, de voortdurende angst waarin zijn moeder leefde, en de troosteloosheid van zijn dorpje, zo klein en arm dat het op geen enkele kaart voorkwam. Het leek nog maar gisteren sinds hij aan dat alles was ontsnapt, en hij ging niet terug. Niet naar zijn geboortedorp en niet naar een vergelijkbaar gat, waar dan ook op aarde.

Opnieuw had hij een duidelijk doel voor ogen. Jeff Hammond en Beth Convey stonden hem in de weg. Ze vormden een gevaar voor generaal Berianov en voor hemzelf. Ze mochten niet levend opgepakt worden.

46

Jeff Hammond ijsbeerde door Evans Olsens bungalow. Hij voelde zich boos en verontrust. Om de paar minuten trok hij de stoffige rolgordijnen een paar centimeter op om de straat op te kunnen kijken. Beth probeerde rustig te blijven zitten, maar ook zij was bezorgd. Evans Olsen was ten einde raad. Trillend leunde hij tegen de doorgang naar de hal, en het met alcohol bezwangerde zweet stroomde in beekjes van hem af. Zijn blikken schoten heen en weer tussen de klok aan de keukenmuur en Beth en Jeff. Het werd later en later, en als Beth en Jeff niet heel binnenkort bij Jefferson Memorial stonden, zouden ze geen kans meer zien om de uitnodigingen voor Berianov achter te laten. En dat betekende dat een paar minuten later Berianovs huurmoordenaars voor Olsens deur zouden staan.

Beth sprong overeind om naast Jeff door het raam te gaan staan kijken. Op dat moment hoorden ze iets in de keuken. Evans slaakte een gil en viel de hal in. Onmiddellijk draaide ze zich met geheven Walther om. Jeff zat al met zijn Beretta in de aanslag op zijn hurken.

Op dat moment liep *special agent* Eli Kirkhart de keuken binnen, met een sombere blik op zijn buldoggezicht en zijn handen boven zijn hoofd geheven. 'Ik zat fout. Sorry, kerel.' Hij wierp Jeff een ernstige blik toe.

'Echt waar?' Jeff kwam soepel overeind en stapte naar Kirkhart toe, nog steeds met gericht pistool. Hij had gedacht dat hij Eli kende, maar de gebeurtenissen van de afgelopen paar dagen hadden hem geleerd dat hij zichzelf niet eens kende – dus kon hij ook niet hopen dat hij iemand anders kende, zeker niet uit die lang vervlogen tijden bij de FBI, toen ze allebei nog zo jong en idealistisch waren. Nog maar kort geleden had hij iemand die hem aandeed wat Eli hem had aangedaan, tegen de grond gewerkt en ontwapend en had hij geen woord willen horen van wat zo iemand te zeggen had. Nu was hij voorzichtiger. 'Vertel. Ik ben een en al oor. Het hele verhaal, graag.'

Eli knikte. 'Ik bied je mijn verontschuldigingen aan. Jij zat in Pennsylvania toen de directeur werd vermoord. Dat weet ik uiteraard, vanwege die kleine woordenwisseling die we hadden. En dat betekent dan weer dat jij onmogelijk de mol kunt zijn, niet als de mol de directeur heeft vermoord, en alle bewijzen wijzen in die richting. De echte mol had de bewijzen kunnen vervalsen om jou in de val te laten lopen. Aangezien die bewijzen opnieuw bestonden uit jouw vingerafdrukken, net als in Stone Point, vermoed ik dat op beide plekken dezelfde techniek is gebruikt. Dat wil dus zeggen dat de mol achter beide rotstreken zit. Bovendien, Jeff, ben jij te slim om bij twee achtereenvolgende misdaden zo'n duidelijke aanwijzing achter te laten. Wat ik verder ook van jou zeggen kan, een amateur ben je niet.'

Jeff snoof, maar zei niets.

'Nu zitten we dus met een probleem,' ging Eli verder. 'We zitten allebei met een probleem. Hij zit daar buiten, bezig met voorbereidingen om jou en Convey dood te schieten, en daar ben ik beslist niet blij mee. Maar we hebben niet veel tijd om de dingen recht te zetten.'

'Jezus.' Jeff draaide zich weer om naar het raam, drukte zich plat tegen de muur en trok het gordijn net zover weg dat hij naar buiten kon kijken. 'Er zitten er daar vier. Ik zie Bobby Kelsey. Verdomme! Wou je zeggen dat Bobby de mol is? Nee, dat kán niet!'

'Jawel, Jeff. Hij is het. Hij heeft toegang tot dat soort informatie, en hij wist alles wat jij wist. Als jij het niet bent, dan moet hij het zijn.'

Terwijl Jeff die informatie liet bezinken, vroeg Beth: 'Hoe ben jij hier binnengekomen?'

'Achterdeur. Dat slot is een aanfluiting. Zou je het erg vinden als ik nu mijn armen liet zakken? Ik ben ook de jongste niet meer, en dit is niet goed voor mijn bloedsomloop.'

'Natuurlijk, doe maar,' zei Beth.

Eli Kirkhart wreef over zijn armen. 'Adjunct-directeur Bobby Kelsey. Je hebt al die jaren gerapporteerd aan de mol, Jeff. Zonder het te weten. Jij bent tot nu toe niet voor de bijl gegaan, en ik ook niet. Maar verder óók niemand. Nu zit die klootzak daar met een volledig bewapend team om jou te "arresteren".'

Jeff schudde vol afschuw zijn hoofd. 'Wat een toestand. Hij kan zich niet permitteren om me levend te pakken te nemen, niet als hij hoopt dat hij mij de schuld kan geven van zijn daden.' Hij vocht tegen het akelige gevoel dat hij verraden was. Hij had Bobby graag gemogen, had bewondering gehad voor de manier waarop Bobby de vorige directeur had ondersteund, en had erop gestaan dat hij undercover mocht gaan voor het Bureau. Maar dat was dus allemaal bedrog geweest. Bobby en hij hadden geen deel uitgemaakt van hetzelfde team. Nee, al die tijd had Bobby zijn land, de FBI en Jeff verraden. Hij had hen stuk voor stuk gebruikt en verraden.

'Met z'n hoevelen zijn ze?' vroeg Beth.

'Zes, mijzelf meegerekend. Ik heb Kelsey omgepraat om mij en Thoma de steeg en de achterkant van het huis te laten dekken. Thoma zit te slapen – ik heb hem een klein eindje op weg geholpen. En presto, daar ben ik dan. Ik zou het op prijs stellen als jullie tweeën door de achterdeur zouden willen verdwijnen en mij laten afrekenen met die bezige mol van ons.'

Er werd aan de voordeur geklopt. Niet hard, maar wel vastberaden. Het leed geen twijfel wie dit was: 'Jeff, ik ben het. Bobby. Ik heb je telefoontje gekregen. Laat me binnen. Ik kom je helpen.'

In de bungalow keken de vier aanwezigen elkaar zwijgend aan. Jeff keek door de spleet tussen het gordijn en het raam en zag Kelsey met een onschuldig smoel op de stoep staan. Zijn drie mannen stonden niet meer naast hem. Een zat er verborgen achter een dikke boom in de voortuin. Af en toe waren zijn elleboog en de loop van zijn geweer even zichtbaar. Een tweede zat op zijn hurken naast de stoep bij de voordeur, ook met een geweer, en de derde was nergens te zien. Bobby leek ongewapend, maar Jeff was ervan overtuigd dat hij onder zijn jasje een pistool had.

'Achter is de kust veilig,' zei Kirkhart op gedempte toon. 'Ik zal Kelsey en zijn mannen aan de praat houden totdat jullie veilig weg zijn. Vergeet niet: ze zijn niet op zoek naar mij, en ook niet naar die vent op de vloer. In feite bewijs je ons een dienst. Zolang jullie hier zitten, verkeren wij beiden in gevaar.'

Beth keek Jeff aan en zei snel: 'Dat is zo. Bovendien moeten we vóór zeven uur met die uitnodigingen bij Jefferson Memorial zijn. Als we nu niet weggaan, komen we te laat.'

Evans Olsen had zitten luisteren. 'Neem mijn auto,' drong hij aan. Kirkhart knikte. 'Zodra jullie weg zijn, geven wij ons over. Dan zeg ik tegen Kelsey dat ik door de achterdeur ben binnengekomen maar dat jullie al weg waren. Als jullie er niet meer zijn, zal Kelsey geen risico nemen door ons neer te schieten. En zouden julllie nu dan zo vriendelijk willen zijn om op te sodemieteren?'

Beth besliste. 'We gaan. Evans, geef me je sleutels.' Ze ving de sleutelbos op die hij haar toewierp en pakte Jeffs arm. 'We moeten Berianov tegenhouden. Je hebt zelf gezegd dat hij het niet zal opgeven. Hij heeft beslist een reserveplan. Kom op, Jeff. We moeten naar Jefferson Memorial, anders laten we deze kans lopen om Berianov voorgoed uit te schakelen.'

Vanaf de voordeur klonk Bobby Kelseys stem nu luider: 'Jeff? We moeten praten. Je moet me vertellen wat je gevonden hebt, en ik wil weten wat je gedaan hebt. Ze denken dat jij de mol bent. Wist je dat? Ik kom je helpen. Laat me erin, Jeff!' Hij rammelde aan de deurknop.

'Ga je nou, of niet?' vroeg Kirkhart ongeduldig. 'Dadelijk heeft Bobby door dat er iets mis is met zijn troepen aan de achterkant van het huis. Hoe sneller jij ervandoor gaat, des te sneller kunnen wij ons overgeven.'

Jeff stak zijn Beretta in de holster en greep Beth bij de hand. 'Ik vind het vreselijk om je hier achter te laten, maar... bedankt, Eli.' Ze renden de keuken door, de achterdeur uit en holden in de kille ochtend het tuintje door. Thoma lag roerloos op zijn rug in het onkruid, zijn wang roodgekleurd van een recente kaakslag. De zon was aan het opkomen en tastte met pastelgele en -roze tinten de hemel af. Olsens blauwe Oldsmobile Cutlass stond achter het huis, naast een gammele garage. Beth ging achter het stuur zitten en Jeff sprong op de plek naast haar. De auto stonk naar verschaalde drank en sigaretten, maar in hun ogen leek het een koninklijk rijtuig. Terwijl Beth gas gaf, staarde Jeff angstig over zijn schouder.

Het was vijf over halfzeven, en er was nog niet veel verkeer. Het merendeel van de drukke stad sliep nog, in blijde afwachting van het weekend. Terwijl Beth wijken binnenreed die meer door de middenklasse bevolkt werden en waar banen en carrières een belangrijke rol speelden, waren er al een paar mensen die kranten uit de bus haalden en met een koffiemok in de hand in hun auto stapten. Werktuiglijk keken Beth en Jeff uit naar eventuele gevaren.

Tijdens de rit door Washington kreeg Jeff het desoriënterende gevoel dat het hele fundament waarop zijn belangrijkste beslissingen de afgelopen tien jaar hadden gestoeld, plotseling tot stof uiteenviel. Even duizelde het hem.

'Ik lijk wel gek, ook,' zei hij plotseling. Zijn stem klonk gebarsten van de bittere woede. 'Hoe konden mijn vingerafdrukken opduiken in Stone Point, waar die twee tieners vermoord waren? Bovendien, hoe konden ze weten dat ik naar Stone Point ging? Berianov had het kunnen weten, als hij me toch al in de gaten hield. En natuurlijk deed hij dat, omdat ik jou gered heb nadat jij per ongeluk Joerimengri's lijk had gevonden. Die gorilla's van hem hebben me waarschijnlijk herkend, en zo moet Berianov het gevoel gekregen hebben dat ik veel te dichtbij kwam.'

'Denk jij dat Bobby Kelsey jouw vingerafdrukken aan Berianov heeft gegeven, en dat Berianov die tieners heeft vermoord en de afdrukken heeft achtergelaten, zodat jij beschuldigd zou worden?' Hij knikte. 'Bobby had toegang tot de technologie van de FBI. Daar weten ze niet alleen hoe ze vingerafdrukken moeten stelen, maar ook hoe ze die moeten zetten. God weet dat hij de mijne tientallen keren heeft kunnen nemen.' Hij aarzelde. 'Het was zíjn idee dat ik undercover zou gaan. Nu ik erover nadenk, was dat een prima manier om van mij af te komen, en van al mijn vragen over die overlopers. Op die manier gingen er geen alarmbellen rinkelen, en dat was natuurlijk wel gebeurd als mij een of ander fataal "ongeluk" was overkomen.'

Beth probeerde zich te concentreren op het verkeer. 'Wat die vent niet allemaal doorgegeven kan hebben aan het Kremlin. En als hij samenwerkt met Berianov...' Ze onderbrak zichzelf. Inwendig trilde ze bij de gedachte aan zo'n enorme operatie. Een spion die zo hoog binnen de FBI had gezeten, op zo'n vertrouwenspositie... en dat dan god weet hoe lang!

Hij knikte opnieuw. 'Hij had toegang tot zoveel geheimen dat ik er niet eens aan wil denken. De namen en adressen van onze agenten. Hun opdrachten. Operaties die we aan het plannen waren.' Onwillekeurig kromden zijn vingers zich in zijn schoot alsof ze rond Kelseys keel lagen. 'Dat verklaart een boel "betreurenswaardige incidenten" die we bij de FBI zagen gebeuren als er plotseling een belangrijke bron zomaar verdween, of als een belangrijke missie jammerlijk mislukte door een of andere bizarre samenloop van omstandigheden. En nu dan Ty... er is maar één manier waarop Berianov had kunnen weten dat hij die riemen naar de Geheime Dienst had gebracht: namelijk als Kelsey het hem verteld had. Bobby Kelsey, de mol. In feite heeft híj Ty vermoord.' Hij rouwde – om Ty, en om alle verloren jaren. Zijn hele lijf deed pijn van pure ellende. Van verdriet om alles.

Er hing een gespannen stilte in de Oldsmobile. Beth reed door het centrum van Washington met zijn neoklassieke architectuur en zijn schitterende standbeelden temidden van enorme gazons en bedden vol voorjaarsbloemen. Het werd wat drukker op de weg, maar in vergelijking met een normale werkdag was de hoofdstad nog heel rustig. De ochtendzon wierp lange, grijze schaduwen van gebouwen en bomen op de straten. Op dit uur hing er een eigenaardig vredige sfeer, alsof hier niets slechts kon gebeuren.

Beth keek naar Jeff. 'Bobby Kelsey heeft Berianov waarschijnlijk al ingelicht dat we Evans hebben gevonden. Ik wil wedden dat hij hem het hele verhaal over die uitnodigingen heeft verteld. Berianov kan zelf wel verzinnen dat de uitnodigingen ofwel vernietigd zijn, ofwel dat wij ze hebben. Zijn hele plan valt in het water en hij komt niet naar Jefferson Memorial of naar de Rozentuin. Hij zal iets nieuws moeten verzinnen. Of hij moet het opgeven.'

Jeff schudde zijn hoofd. 'Dat weet ik niet zo zeker. Vandaag moest het hoogtepunt zijn, de uiteindelijke uitvoering van al zijn plannen. Het hele gedoe heeft hem jaren van zijn leven en kapitalen aan geld gekost. Hj heeft twee van zijn oudste kameraden vermoord en enorme risico's genomen, risico's waaraan de meeste mensen onderdoor zouden zijn gegaan.' Hij zweeg even om na te denken. 'Misschien denkt hij dat wij komen aanzetten om hem te pakken, maar zelfs als dat zo is, kan ik maar één ding afleiden uit zijn hele geschiedenis: hij geeft het niet op. Dus voor het geval dat die uitnodigingen worden afgeleverd, zal hij er iemand heen moeten sturen om ze op te halen. En dat betekent dat we daar moeten zien te komen, de uitnodigingen achterlaten en de koerier volgen naar Berianov.'

'Maar Jeff, hij zal ervan uitgaan dat we dat proberen,' wierp Beth tegen.

'En zijn koerier zal er alles aan doen om ons af te schudden. Dat ben ik met je eens. We moeten er gewoon voor zorgen dat dat niet lukt.'

Beth fronste haar voorhoofd. 'Ik denk niet dat Berianov iemand stuurt. Ik denk dat hij zelf komt, waarschijnlijk samen met die KGB-moordenaar die hij in Pennsylvania ook bij zich had.'

'Ivan Vok.'

'Ja. Zo kunnen ze de uitnodigingen in handen krijgen én ons tweeën elimineren. Misschien zit hij er al, in de hoop dat hij ons zo te pakken krijgt.'

'Dan moeten we maar zien hoe het loopt,' zei hij. 'We moeten zorgen dat we slimmer zijn dan die klootzak.'

'Dat hoeft niet. Stel dat we juist te laat komen, en dat het gedenkteken al opengesteld is? Dan hebben we meer kans dat er bewakers in de buurt zijn, en parkwachters en toeristen. Hij zal proberen ons bang te maken en die uitnodigingen in handen te krijgen, maar de kans dat hij ons vermoordt en zelf wordt gearresteerd, is dan heel wat kleiner.'

'Maar die ophef kan ons niets schelen. Dan is híj degene in de kwetsbare positie.'

'Misschien zie ik het verkeerd,' zei ze. 'Misschien blijft hij niet wachten als wij niet komen opdagen. Of misschien heeft hij een heel ander plan.'

'Als hij weggaat, krijgt hij de uitnodigingen niet en zijn wij er niet slechter aan toe dan eerst.'

Ze knikte. 'Die hele toestand heeft me aan het denken gezet. Wij geloven het liefst dat iemand die kwaadaardig is, iets eendimensionaals is. Een monster dat monsterlijke daden verricht, een afwijking. Daar voelen we ons het best bij, want een monster is iets heel anders dan jij en ik. Maar in feite zijn normale mensen zoals jij en ik het allergevaarlijkst. Wij kunnen zo klem komen te zitten in onze eigen angst en hoop dat ideeën of vragen van buitenaf, zaken of personen die anders zijn dan wij... aanvoelen als een aanslag. Fanatisme is natuurlijk gewoon een tot in het extreme doorgedreven toewijding. Maar bij kritiekloze toewijding kunnen fanatiekelingen op grote en kleine schaal omhoogrijzen. En dan kunnen leiders die tot dan toe zo menselijk overkwamen op hun volgelingen, bijvoorbeeld Hitler die zo van honden hield, of een oprechte revolutionair als Stalin, of een patriot als Berianov, de macht grijpen.'

'Ja, en de fundamenten van de wereld in gevaar brengen,' stemde hij in. 'Aleksej Berianov gelooft absoluut in zijn visie van een herenigde en herstelde Sovjet-Unie. Hij is zo'n ideologische communist dat hij zelfs bij de staatsgreep van '91 bereid was om zijn leven te offeren. Hij heeft zijn gevoelens daarover nooit voor ons verzwegen, maar tegelijkertijd heeft hij tijdens de debriefing nooit bezwaar gemaakt tegen de algemeen heersende opvatting dat hij een tijger op leeftijd was, wiens kaken niet hard meer beten. En daarbij koesterde hij natuurlijk het sterke verlangen om de zaak te verraden en net als de rest van ons een "kapitalistisch zwijn" te worden. Wat niemand van ons besefte, ik ook niet, was dat hij toen al werkte aan een politiek plan voor de zeer lange termijn.'

'Maar je voelde het. Je wist dat hij iets van plan was.'

'Daar had ik anders maar bar weinig aan.' Hij haalde zijn schouders op. 'Wanneer fanaten een triomf beleven, dan komt dat doordat ze anderen hebben meegetrokken in hun dromen en beloftes. Op de een of andere manier is dat Berianov gelukt in zijn rol van Caleb Bates. Kijk maar hoe hij de Hoeders heeft gemanipuleerd en gebruikt. Daar staat tegenover dat zij hem zo te horen willens en wetens in de armen zijn gevallen, enthousiast gemaakt door hun eigen bekrompen visie.'

Ze keek op haar horloge. 'We hebben nog maar een halfuur.' Ze trapte het gaspedaal verder in, manoeuvreerde de auto door het verkeer heen en nam het ene na het andere oranje stoplicht.

Toen ze met gierende banden een bocht nam, zei Jeff: 'Als ik ooit een bank beroof, dan weet ik wel wie ik aan het stuur in de vlucht-auto wil.'

Ze keek hem aan en glimlachte even. 'Misschien heeft Michaïl Ogust daar ook iets mee te maken.'

Een eindje verder naar het zuiden kwamen de bijna tweeduizend bloeiende kersenbomen rond het Tidal Basin in het zicht. Het bloei-seizoen was bijna ten einde, maar nog steeds vormden de bomen een stralende, roze krans rondom het spiegelgladde meer. De aan-blik van die schitterende bloesemzee deed Beth weer denken aan de beloftes die ze zichzelf had gedaan toen ze op sterven na dood in het transplantatiecentrum lag te wachten op een nieuw hart. Ze had zichzelf beloofd dat ze, als ze in leven bleef, in de directie van haar kantoor zou komen, verliefd worden en een goede relatie op-bouwen, en dat ze de tijd zou nemen om te genieten van het leven – dat ze bijvoorbeeld tussen de bloeiende kersenbomen zou gaan wandelen. Dat eerste voornemen leek faliekant mislukt, maar de twee andere zagen er veelbelovend uit.

Toen zag ze het gedenkteken voor Jefferson liggen. Terwijl ze er-naar keek, kwam er een idee bij haar op. Ze keek even naar Jeff. 'Voordat we daar zijn, heb ik een idee. Een list. Misschien... heel misschien hebben we daar iets aan.'

Tien minuten later liep Jeff met een niet af te schudden gevoel van dreigend gevaar naar het witmarmeren Thomas Jefferson Memo-rial toe, waarvan de koepel hoog boven het Tidal Basin torende. Het was zaterdagochtend, en het cirkelvormige gedenkteken met zijn colonnades was nog maar pas open. Op het pad langs de vij-ver kwamen joggers en fietsers voorbij, op de oever stond een be-jaard echtpaar te vissen, en naast de trap van het monument was een parkwachter bezig afval op te rapen met een lange stok. Er stonden nog maar weinig auto's op het parkeerterrein, en Jeff zag niemand in de schaduwen van het enorme gedenkteken. Hij keek naar de auto's, maar geen daarvan zag er bekend of verdacht uit. Teleurgesteld concludeerde hij dat Berianov dan dus misschien tóch iemand anders had gestuurd om de uitnodigingen op te halen. Of misschien zat Berianov ergens verscholen te wachten totdat Jeff kwam opdagen. Terwijl hij naar de trap toe liep, schoot er een fiet-ser rakelings voorbij, laag over het stuur gebogen. Jeff bleef staan om hem na te kijken, maar de man reed weg en verdween.

Hij klom de marmeren treden op en ging de stilte van de hoge, open rotonde binnen. De vloer was van roze marmer en in het midden stond een bijna twee meter hoog voetstuk van zwart graniet, waarop een spectaculair bronzen beeld van president Jefferson troonde. Tussen de marmeren zuilen door had hij een panoramisch uitzicht over het Tidal Basin naar het Washington Monument en daarachter het Witte Huis.

Terwijl hij door de schaduwen naar het voetstuk liep waarop hij de vier uitnodigingen moest achterlaten, kreeg hij een akelig gevoel diep in zijn maag. Het was niet iets waarop hij meteen de vinger kon leggen – geen geluid, geen geur, niets dan de ervaring van jaren. Eerder uit instinct dan om een andere reden trok hij zijn pistool en wervelde om zijn as.

Hij staarde naar de gestalte achter hem. Het was de parkwachter, die buiten afval aan het verzamelen was geweest. Maar in plaats van de vuilniszak en zijn lange stok had hij nu een uzi-machinegeweer in handen, recht op Jeff gericht. Dat geweer moest in de jutezak verborgen gezeten hebben. De man had een officieel parkwachterspak aan en droeg een grote, spiegelende zonnebril. Maar nu hij rechtop stond en Jeff strak aankeek, was zijn identiteit onmiskenbaar. Plotseling deed Jeffs hoofd pijn en trilde hij van woede. Wanhopig probeerde hij de woede en ongerustheid die in hem opkwamen, te onderdrukken.

'Berianov!' snauwde hij.

47

De als parkwachter verklede generaal Aleksej Berianov, voormalig hoofd van de GPOe te Jasenevo, toekomstig staatshoofd van een nieuwe Sovjet-Unie, glimlachte koeltjes maar tevreden en stapte naar Jeffrey Hammond toe, de schaduw in, zijn uzi op de vijand gericht. 'Goedemorgen, meneer Hammond. Een schitterende ochtend, vindt u niet? Ja, een bijzonder schitterende ochtend. Maar waar is de dame? Die volhardende mevrouw Convey?' Geen spoor van een accent. Hij klonk Amerikaanser dan jazzmuziek en *chewing gum.*
Berianov zag er ontspannen uit, de uzi stevig in zijn greep, maar diep in zijn hart was hij witheet. Bobby Kelsey had even geleden gebeld om te melden dat hij op weg was gegaan om Hammond en Convey dood te schieten in Evans Olsens bungalow, maar dat hij hen daar geen van beiden had aangetroffen. In plaats daarvan had Eli Kirkhart hem willen overtuigen dat het tweetal het wachten beu was en ervandoor gegaan was. Maar daar had Kelsey geen woord van geloofd. Nee, Hammond was echt wel blijven wachten tot hij teruggebeld werd. En dat kon maar één ding betekenen: Eli Kirkhart, de mollenvanger, moest achter de waarheid gekomen zijn en had Hammond gewaarschuwd. Toen Kelsey tot dat besef kwam, was er een schietpartij uitgebroken waarbij Evans Olsen was omgekomen. 'Er liep een bloedspoor de achterdeur uit,' had Kelsey gemeld, 'maar dat verdween in het hoge onkruid. We hebben geen auto's zien rijden. Mijn mannen zijn nog op zoek naar Kirkhart. En ze zullen hem vinden ook.'
Omdat Berianov een groot deel van zijn plan geheim gehouden had en hij Kelsey nooit voldoende had vertrouwd om hem helemaal in te lichten, wist Kelsey niet dat het van vitaal belang was geweest om Evans Olsen in leven te laten. Op dat punt in het gesprek had Berianov opgehangen en had hij Ivan Vok opgedragen de auto stil te zetten langs Ohio Drive. Hij moest even nadenken.
Algauw was hij gekalmeerd. Nog niet alles was verloren. Die suk-

kel van een Evans Olsen had Convey en Hammond waarschijnlijk verteld over de Rozentuin en de uitnodigingen. En dat betekende dat de uitnodigingen intussen ofwel vernietigd ofwel spoorloos waren, of dat Convey en Hammond ze in beslag hadden genomen om hem in de val te lokken. Gelukkig was hij toch al van plan geweest om in vermomming aanwezig te zijn voor het geval er iets misging; en bovendien was hij nooit van plan geweest de Witte Huis-medewerker in leven te laten nadat deze de uitnodigingen had afgegeven.

In zijn parkwachtersuniform had Berianov Hammond zien arriveren. Maar nu begon hij zich zorgen te maken. Hij keek om zich heen. Waar zat Convey?

Jeff lachte. 'Je dacht toch niet echt dat ik haar zou meenemen? We dachten al dat je iets zou proberen. Als ik niet binnen een halfuur terug ben, gaat zij naar de politie, de FBI, de Geheime Dienst, de rijkspolitie... allemaal. Jij komt Washington niet uit.'

Berianov keek laatdunkend naar de lange Amerikaan, die er in zijn flanellen hemd en spijkerbroek uitzag als een of andere gevaarlijke plattelandsgangster. Hij concludeerde dat Hammond waarschijnlijk stond te liegen: Beth Convey kón helemaal niet naar de politie. Ze werd gezocht wegens misdrijven, en tegen de tijd dat er iemand luisterde, was het te laat. Dat moest Hammond ook weten.

'Nee hoor, die gaat niet naar de politie,' verzekerde Berianov hem. 'Maar ik zal geen aandacht schenken aan die belediging van mijn intelligentie – wat een belachelijke redenering. Als je de uitnodigingen maar bij je hebt. Waar zijn die?'

Jeff schudde zijn hoofd. 'Niet zo snel. Eerst wil ik precies weten wat je van plan bent.'

'O ja, meneer Hammond? Zijn we soms weer terug bij dat afgelegen opvanghuis voor overlopers, waar je ons gevangenhield vanwege je verhoren?'

Toen Jeff en Beth de nagebouwde Rozentuin en het Ovale Kantoor hadden gezien, hadden ze zeker geweten dat dit deel uitmaakte van een plan om president Stevens te vermoorden. Maar nu begon Jeff te twijfelen, en hij moest de waarheid achterhalen. Dus negeerde hij Berianovs poging om hem te provoceren. 'Wie is het doelwit?' wilde hij weten. 'Mijn president... of de jouwe?'

De twee mannen stonden elkaar roerloos aan te staren, elk met zijn wapen op de ander gericht. Er hing een zinderende spanning. Op Ohio Drive nam het verkeersgedruis toe naarmate meer zaterdagwerkers en bezoekers de hoofdstad binnenstroomden. Op de paden onder de halfduistere rotonde gingen joggers en fietsers door met hun ochtendrondes, zonder iets te weten van de twee tegenstanders die beiden wanhopig probeerden de ander iets afhandig te maken. Het was een kwestie van tijd voordat het tweetal in de volle zon zou staan of een of andere avontuurlijke ziel het in zijn hoofd zou krijgen om de trap op te klimmen.

'Oké,' zei Jeff op neutrale toon, terwijl hij maar één ding wilde: zijn geweer leegschieten op Berianov en zien hoe die in een zee van bloed lag dood te gaan. 'Je mag de uitnodigingen zien, als je mijn vraag beantwoordt. Wie is het doelwit?'

Berianov wierp hem een geringschattende blik toe en dacht snel na. Toen knikte hij. 'Jullie president, Stevens. Die heeft de Wereldbank, het IMF en alle geïndustrialiseerde landen gemobiliseerd om Poetin dieper en dieper het kapitalisme in te drijven. Stevens is Rusland kapot aan het maken. Maar wanneer hij voor de camera's van de hele wereld wordt vermoord, worden Poetin, zijn beveiligingsteam en heel Rusland te schande gemaakt. Dit is het ruige soort politiek waar wij Russen op reageren. Dan stelt Vladimir Poetin thuis niets meer voor.'

'Maar de Hoeders – jullie opgeleide moordenaars – zijn dood. Die vlieger gaat dus niet op. Wou je hem soms zelf doodschieten?'

Berianov grijnsde als een wolf – een grijns die alles en niets zei. 'De uitnodigingen, Hammond. Nu!'

Hij haalde zijn schouders op en keek Berianov strak aan, terwijl hij langzaam een hand in zijn flanellen shirt stak. Hij bewoog traag en begon op gedempte toon snel te praten in de hoop dat hij Berianov zou verleiden tot een fout, zodat hij hem kon neerschieten. 'Dacht je dat je op die manier Rusland kon redden? Dat je de Revolutie terug kon brengen? Dan heb je het fout. Het enige wat jij doet, is Stalins terreur nabootsen. Die is net als jij begonnen met een paar "noodzakelijke" sterfgevallen. Eerst zijn zogenaamde vrienden – net als Ogust en Joerimengri in jóuw geval. Toen iedereen die hem in de weg stond, zoals Ty Crocker en Stephanie Smith.' Met zijn vingertoppen trok hij de vier enveloppen te voorschijn voordat hij besloot met: 'En tot slot stuurde hij de massa's vervangbare mensen, zoals de Hoeders, de dood in. Jij doet exact hetzelfde, Berianov. Je bent niets anders dan een moordenaar.' Hij hield de enveloppen recht voor zich uit.

Berianov keek er even naar, maar zijn gezicht bleef ondoorgrondelijk. 'Dit doe ik niet voor mezelf. Dit is voor Rusland. Als je weet dat de dood van één persoon miljoenen levens kan redden, zou jij dan die ene moord niet plegen? Als jij de kans had gehad, had je Hitler dan niet vermoord? Natuurlijk wel!'

'President Stevens is iets heel anders dan Hitler. Hij hélpt Rusland.'
'Doe niet zo naïef, Hammond. In Moskou melden de ochtend-weerberichten alleen het weer voor vandaag. 's Avonds wordt het weer voor morgen aangekondigd, nooit voor de dag daarna. En weet jij waarom?' Zijn ogen flitsten van woede en hij wachtte niet op antwoord. 'Omdat mijn land bederflijk aanvoelt, alsof het een uiterste gebruiksdatum heeft. Zo was het vroeger niet. Als communisten hadden we werkelijke macht. We hadden ideeën, visie, we stonden ergens voor, we hielden vol. Allemaal samen. Alles konden we in die tijd, alles. We hadden een toekomst!'

Jeff keek naar Berianovs razende gezicht onder de parkwachters-pet. Daarop was ook verlangen te lezen, en een nostalgie die hem nog onbehaaglijker aandeed dan de woede. Tussen eerlijke aspiratie en cynische zelfrechtvaardiging lag maar een dunne lijn, en Berianov balanceerde daar al te gemakkelijk overheen, alsof hij dat al zo lang deed dat hij niet meer voor rede vatbaar was. 'Maar dat werkt niet zo, Berianov. Zelfs jouw eigen mensen willen wat wij hebben.'

'Straten geplaveid met goud?' Hij snoof van walging. 'Genoeg gepraat. Geef me die uitnodigingen. Nu.'

'Mocht het u niet opgevallen zijn, generaal,' zei Jeff op ijzige toon, 'u bent niet de enige met een wapen. Mijn pistool is op u gericht en ik schiet niet mis.'

Vanaf de plek waar ze zat te luisteren, achter een pilaar links van het monument, tuurde Beth naar de twee mannen. Elk gewapend, elk ontoegeeflijk in dit spelletje Russisch Roulette voor overleven-den van de koude oorlog. Ze kreeg een sterk gevoel van déjà vu, alsof ze dit soort scènes al vele malen eerder gezien had. Maar terwijl ze zich bleef concentreren op Berianov, nu ze hem voor het eerst echt goed opnam, kreeg ze een hol gevoel in haar maag en leek haar schedel uiteen te splijten van de pijn. Verzwakt leunde ze tegen de zuil. Waren dit denkbeeldige fysieke reacties? Was zij zo gevoelig voor suggestie dat de nachtmerries over hoe ze op haar hoofd viel, uitgerekend nu terugkeerden? Ze wist het niet, haar geest tolde van de beelden en gedachten, een cycloon van sensaties. En van de pijn boven in haar hoofd.

Maar ze dwong zich haar blik op Berianov gericht te houden. Ze zocht in haar nachtmerries en zag hem bij het kampvuur zitten... naast haar rennen, net als zij met een wapen in zijn armen... zijn hoofd optillen om een waarschuwing te roepen. Ze herinnerde zich hoe hij in het zadel van de motorfiets was gesprongen... *Zijn schouders recht, zijn hoofd uitzonderlijk geheven. Hij bewoog even met zijn schouders en kantelde zijn hoofd terwijl hij een helm met een ondoorzichtig vizier voor zijn gezicht trok...* Ze zou hem niet vergeten. Kon hem niet vergeten...

Ze keek even naar Jeff en dacht terug aan drie dagen tevoren, toen ze had gevreesd dat hij een moordenaar was. Nu ze zo naar hem keek, geloofde ze dat hij dat inderdaad kon zijn, hoewel hij dezelfde was met wie ze had geslapen, een man van wie ze wist dat hij vriendelijk en zachtaardig kon zijn. Geen van beide was voor hem een pose. Niet alleen was Berianov bereid om Jeff te vermoorden, maar Jeff was ook volkomen bereid om Berianov te doden. Ze zag amper kans in haar schuilplaats te blijven zitten en Jeff niet te hulp te schieten. Al haar spieren spanden zich om met haar Walther te voorschijn te komen en Berianov te overrompelen. Ze werd al razend als ze hem zag. *Schiet hem dood. Schiet hem dood. Hou daarmee op, Michaïl. Hoor je me? Ik heb jou niet nodig. Laat me met rust!* Ze moest wachten. Wachten wat Berianov verder nog in petto had.

Ze hoefde niet lang te wachten. Berianovs gedempte stem echode een opdracht door het weergalmende gedenkteken. *'Ivan.'*

'Hier ben ik, Aleksej.' De keelklanken klonken van achter het imposante, bijna twee meter hoge voetstuk.

Opnieuw kreeg ze dat griezelige gevoel van herinnering. Ze nam de vierkante, massieve gestalte van Ivan Vok in zich op toen die opdook aan de zijkant van de kubus, een pistool met een geluiddemper in zijn hand. In de geconditioneerde reflex van een getrainde agent draaide Jeff zich half om in de schaduw, zijn pistool heen en weer zwaaiend tussen beide doelwitten. Beth keek naar Vok. Die kwam haar bekend voor. Net als Aleksej Berianov moest hij een ronddolende geest uit haar verleden zijn.

Berianov glimlachte. 'Wat nu, *special agent* Hammond? Je kunt niet op Ivan of mij schieten voordat Ivan jou doodschiet.' Hij haalde zijn schouders op. 'Maar je hebt gelijk. We willen hier geen ophef veroorzaken. Geef mij dus die enveloppen, dan laten we je in leven.'

Jeff staarde van de een naar de ander. Met een zucht besloot hij: 'Ik neem aan dat ik niet veel keuze heb.' Hij liet zijn pistool zakken.

Beth bleef zitten kijken en dwong zich om langzaam en gelijkmatig door te ademen, dwong haar geest om onbevangen te blijven, zodat ze kon reageren als dat nodig was. Dit was het kritieke moment. Berianov zou Jeff niet in leven laten; dat was overduidelijk. Haar pistool lag stevig in haar handen toen Jeff de enveloppen voorzichtig uitstak naar Berianov.

Net op het moment dat Berianov zijn hand uitstak, liet Jeff de enveloppen op de marmeren vloer voor zijn cowboylaarzen vallen. 'Kom ze maar halen.'

Berianov grimaste. 'Achteruit,' beval hij.

Jeff deed een stap achteruit in de richting van de korte, krachtig gebouwde Ivan Vok, maar Vok bleef staan waar hij stond, zijn wapen gericht. Er was geen schijn van kans dat Jeff Vok kon overrompelen zonder dat hij zelf werd doodgeschoten.

Berianov stapte behoedzaam op de enveloppen af en bukte zich om ze op te rapen. Op dat moment, terwijl Berianov naar de grond keek en Ivan Voks aandacht op Jeff was gericht, daalde er een geruststellende zekerheid over Beth neer. Het leek wel of haar hele leven een voorbereiding op dit moment was geweest, hoewel ze wist dat dat onmogelijk was. Ze hief haar pistool en stapte te voorschijn.

Op kille toon zei ze: 'Geen beweging, Vok!' Haar pistool was op hem gericht.

Even was er een geschrokken moment in de schaduwrijke rotonde met zijn grote, open ruimtes in de koele ochtendlucht. De twee moordenaars stonden roerloos, Berianov zat op zijn hurken. Maar toen Jeff zijn pistool weer naar de generaal ophief, smeet Berianov zich onverhoeds op Jeffs benen.

Ivan Vok reageerde pijlsnel. Om zijn baas te beschermen richtte hij zijn pistool op Beth en vuurde, zonder dat hij tijd had om te richten. Op datzelfde moment haalde Beth de trekker over.

Beths kogel trof Vok onder de kraag van zijn witte overhemd en doorboorde zijn halsslagader. Bloed en rode stukken spierweefsel spatten door het dunne textiel heen de lucht in. De moordenaar zag het en was verbaasd. *Pizdjoek.* Klootzak. Het waren allemaal klootzakken. De pijn explodeerde in zijn hoofd en hij viel onder aan het voetstuk neer, ertegenaan gesmeten als een stuk vuilnis tegen een stoeprand. Met het gevoel dat hij onder een zwarte mantel verdween, stierf hij.

Tegelijkertijd scheurde Voks negen-millimeterkogel langs Beths zij, net boven haar taille. Het schampschot bezorgde haar een brandend gevoel en ze werd misselijk. Ze draaide zich om, haar schoudertas vloog weg, ze probeerde koortsachtig om haar evenwicht te bewaren, maar ze viel met haar hoofd tegen de marmeren pilaar die haar schuilplaats was geweest. De pijn sneed als een mes door haar brein, en ze viel.

Nog geen seconde na de twee schoten was Ruslands verhoopte leider, Aleksej Berianov, al in beweging. Vanaf de harde grond keek

Beth, bloedend en duizelig, net op tijd op om te zien hoe hij de trap af holde, de vier witte enveloppen in zijn vuist geklemd, terwijl Jeff zich op zijn ellebogen ophief en een schot afvuurde.

Zonder Berianov te raken landde de kogel in het gras, en Jeff sprong overeind om de achtervolging in te zetten. Zijn stoere gezicht was een masker van vastberadenheid. Toen zag hij Beth bloedend op de grond liggen. 'Beth!'

Ze moest het bewustzijn verloren hebben. Toen ze bijkwam, was een parkwachter – ditmaal een echte – via een mobiele telefoon een ambulance aan het bellen en zat Jeff boven haar geknield. Hij wreef haar polsen en praatte tegen haar. 'Beth, wakker worden. Het is in orde. Het is maar een kleine wond, en de ambulance komt eraan. Het komt allemaal goed. Beth?'

'Kun jij makkelijk zeggen. Het is míjn wond.'

Hij glimlachte. 'Dat lijkt er meer op. Ik maak me meer zorgen over je hoofd. Dat was een lelijke smak.'

'Kennelijk is marmer toch harder dan bot.' Ze glimlachte even. En toen wist ze het weer. Waar was Berianov? Ze ging plotseling overeind zitten, maar haar hoofd tolde zo erg dat ze weer moest gaan liggen. Angstig vroeg ze: 'Berianov?'

'Die is ontkomen, maar de uitnodigingen heeft hij niet.' Op haar suggestie had er alleen een stuk karton in de enveloppen gezeten, dat ze hadden afgescheurd van een toeristische gids voor Washington die ze in Evans Olsens dashboardkastje hadden gevonden.

'Goddank.' Haar zij brandde en klopte. Ze zag Ivan Vok in een plas bloed liggen, zijn pistool vlak bij zich. 'Vok?'

'Dood. Dat was een meesterschot.'

Alweer had ze iemand gedood. Bij de gedachte alleen al voelde ze zich ziek. Ook nu had ze geen keuze gehad, maar ze zou er nooit aan wennen. Ze haalde diep adem en ging weer zitten. Ditmaal tolde haar hoofd niet.

'Wat doe jij nou,' zei Jeff met stemverheffing. 'Liggen!'

Ze negeerde hem. Haar zij zat onder het bloed. Ze trok haar trui omhoog en keek naar de wond. Een paarse plak net onder haar ribbenkast, waar nog rood uit drupte. 'Ik heb gewoon een aspirientje nodig, en wat ontsmettende zalf en een verbandje.'

'Beth, doe niet zo idioot! Je bent bewusteloos geweest!'

Ze voelde iets ontembaars over zich komen. Ze moest verder. Logisch gezien was het aannemelijk dat Jeff haar hulp nodig had, maar het was geen rationeel verlangen dat haar dwong om door te gaan.

'Nou en, dan ben ik flauwgevallen.' Ze stond op. Ditmaal was ze bijna niet duizelig, en was het bijna meteen voorbij. Ze probeerde naar hem te glimlachen. 'Je dacht toch zeker niet dat je in je eentje achter Berianov aan ging?'

'Je moet naar die wond laten kijken. Met die transplantatie ben je gevoelig voor infecties!'

'Haha. Daarom neem ik altijd mijn medicijnen op tijd in, voor het geval dat een kleinigheid als een passerende kogel roet in het eten wil gooien. Luister eens, vroeger kregen vrouwen enorme baby's en gingen ze daarna gewoon terug naar het veld om te ploegen. Volgens mij kan ik zo'n schram wel aan. Waar is mijn tas? Daar zitten antiseptische doekjes in.'

Jeff was volkomen overdonderd. Daarna werd hij boos. Maar ze was niet te stuiten. Ze had al naar de parkwachter gezwaaid, haar tas opgeraapt en hinkte al weg.

De parkwachter keek haar verbluft na. Toen richtte hij met een eigenaardige uitdrukking op zijn gezicht zijn blik op Jeff. 'Ken ik jullie niet ergens van? Ik zou zweren...'

Jeff wendde zich af. Ze moesten daar snel weg. 'Misschien. We komen hier regelmatig. In feite zijn we niets meer dan toeristen. Nou, ik moest maar eens zorgen dat ik mijn vrouw naar huis krijg.' Hij rende achter Beth aan. Ergens op de achtergrond klonk een ambulance die hun kant uit kwam.

'Hé!' De parkwachter draafde achter hen aan en greep Jeffs schouder. 'Even wachten. Er ligt daar een dooie. De politie zal je willen spreken!'

'Sorry, maat.' Jeff draaide zich om, greep de man bij zijn arm en smeet hem ruggelings op de grond. De wachter kwam met een klap neer, en de lucht werd zijn longen uit geperst. Jeff rende achter Beth aan de trap af.

Zij zat al naast de bestuurdersplek in de Oldsmobile. Terwijl hij achter het stuur plaatsnam, zei ze: 'Ik hoop dat jij het niet erg vindt om te rijden.' Ze had haar vochtige antiseptische doekjes gevonden en was haar zij aan het schoonvegen.

'Aha, er zíjn dus grenzen aan wat jij doet!' Hij draaide het contactsleuteltje om, keerde de auto en reed naar de straat toe.

Beth leunde vermoeid achterover. Ze voelde zich weer duizelig worden, maar dat ging ze Jeff niet vertellen. 'Er is iets heel vreemds... ik praat niet meer met mijn hart. Toen ik daar achter die pilaar zat te wachten, begon ik rechtstreeks tegen Michaïl Ogust te praten. Volgens mij omdat ik Berianov zag. Misschien ben ik wel gek aan het worden.'

Hij schudde zijn hoofd. 'Zolang je maar in leven blijft.'

'Waar gaan we naar toe?'

'Jij bent een verschrikkelijk lastpak, weet je dat?'

Ze glimlachte liefjes naar hem. 'Maar wel een aanbiddelijk lastpak, Jeff. Kom op. Je raakt me niet kwijt. Ik moet het tot het einde toe meemaken. Niet alleen voor mij, maar ook voor Stephanie en Ty en Michaïl Ogust. Die ben ik allemaal heel wat verschuldigd.'

'Je bent Ogust helemaal niets verschuldigd vanwege deze hele rotzooi.'

'Daar heb ik over nagedacht.' Ze liet haar hoofd opzij vallen, zodat ze zijn gespannen profiel kon zien. 'Misschien niet, maar volgens mij wil hij dat ik Berianov voor hem tegenhoud.' Toen ze de drukke Ohio Drive op reden, racete er een ambulance voorbij in de richting van Jefferson Memorial. 'Maar hoe moeten we Berianov nu vinden? We weten niet waar hij nu naar toe gaat. Zijn hele plan is mislukt – hij heeft de uitnodigingen niet eens. Als hij het nu opgeeft, krijgen we hem nooit te pakken zonder een zoekactie in het hele land, misschien over de hele wereld.'

'De meeste mensen zouden het hele moordplan al opgegeven hebben zodra de Hoeders dood waren. Gewoon afgeblazen.' Jeff keek even naar de ambulance en dacht na. 'Maar Berianov niet. Alles wat we over hem weten, zegt dat hij het niet zal opgeven. Dat kan hij niet.' Hij knikte, alsof hij het met zichzelf eens werd over een eerder genomen beslissing. 'Ik zal je wat zeggen. Eerst parkeer ik ergens bij een telefooncel, zodat ik anoniem kan bellen naar de Geheime Dienst. Die waarschuwing heeft dan helemaal niets met mij te maken, dus ze zullen in ieder geval de bewaking verscherpen. En ze zullen hun best doen om de president over te halen zich te excuseren en af te zien van de plechtigheden.'

'Ik hoop dat dat lukt,' zei ze vurig. 'En verder?'

'Alle vier die uitnodigingen staan op naam van een man, maar een daarvan, voor ene Mercer Huppelepup, zou ook voor een vrouw kunnen zijn. Ik ken iemand die prima papieren kan vervalsen. Als jij werkelijk denkt dat je het aankunt, gebruiken we twee van die uitnodigingen om binnen te dringen op de receptie en de persconferentie in de Rozentuin. Als Berianov dan probeert om Stevens te vermoorden, kunnen we hem misschien nog tegenhouden.'

Bobby Kelsey zat in zijn eentje in zijn schemerige kantoor in het Hoover-gebouw en voelde zijn woede stijgen. Hij had geen idee meer waar Jeffrey Hammond en Beth Convey zich bevonden, en al doende had hij waarschijnlijk zijn enige kans verknoeid op de grote finale – Aleksej Berianov helpen om de dictator van een herboren Sovjet-Unie te worden. Dat had hem miljoenen dollars opgeleverd. Kelsey wist dat Berianov nog andere bronnen binnen de Amerikaanse overheid had, met name bij Buitenlandse Zaken en Handel, maar hijzelf was Berianovs belangrijkste contactpersoon binnen de Amerikaanse inlichtingen- en veiligheidswereld. Daar had Berianov riant voor betaald en daar zou hij riant voor blijven betalen.

Kelsey maakte zich geen illusies. Toen hij de ramp met Hammond en Convey aan Berianov had gemeld, had de generaal redelijk geklonken – niet overmatig boos, maar achter die afgemeten klanken had Kelsey een wereld van wantrouwen gevoeld die misschien nooit te overbruggen zou zijn. Berianov kon hem vermoorden en besluiten hem later te vervangen.

Bezorgd draaide hij zich om op zijn directeursstoel om te kijken of hij persoonlijke e-mails had ontvangen. Veel kans maakte hij niet, maar...

Wat hij zag, bezorgde hem in eerste instantie een uitgelaten gevoel. Daarna raakte hij vervuld van angst. Er was een nieuw, gecodeerd bericht van Berianov, met zijn codenaam, maar zonder enige aanwijzing of het goed of slecht nieuws was in de onderwerpregel. Onmiddellijk opende hij het bericht, en met opluchting decodeerde hij Berianovs bericht: 'Ik heb je nodig, Kelsey. Ik ben nog niet klaar. De beloning zal de moeite waard zijn.' Daarna een aantal instructies om Berianov te ontmoeten bij zijn geheime onderkomen ten noorden van Washington.

Nerveus en achterdochtig keek Bobby wanneer het bericht verzonden was, om zeker te weten of Berianov dit had gestuurd nadat hij het slechte nieuws over Hammond en Convey had ontvangen. Ja, het bericht dateerde van tien minuten geleden. Kelsey stond zichzelf een glimlach toe. Berianov had hem nog steeds nodig.

De activiteit in het ministerie van justitie werd steeds koortsachtiger. Mensen stroomden binnen, computers flitsten aan en het aroma van ochtendkoffie dreef door de gangen. In het fraaie kantoor van procureur-generaal Millicent Taurino was zijzelf al aan het werk, nadat ze om beurten de adviseur voor binnenlandse veiligheid Cabot Lowell en officier van justitie Donald Chen boos had aangekeken. Ze zaten in een driehoek, zij achter haar Spartaanse bureau, de twee mannen in fauteuils voor het bureau.

'We hebben het verpest,' zei Millicent somber, haar kin op haar hand gesteund. 'We hebben te lang gewacht voordat we Hammond oppakten. En nu heeft hij de directeur dus vermoord. Doen we, afgezien van de normale politieprocedures, verder nog iets om hem op te sporen voordat hij nog meer schade aanricht? Donald?'

'Millicent, als ik niet zo innig van mijn vrouw hield, zou ik jou op m'n knieën ten huwelijk vragen. Jij bent altijd zo positief.' Donald Chens boeddhagezicht stond al even somber als het hare. 'Ik weiger het hierbij te laten. Wat ik weleens zou willen weten: waar zit die Eli Kirkhart? Dát is degene die steken heeft laten vallen.'

Cabot Lowells gladde hoofd draaide van de een naar de ander. Zijn oogleden vielen neer en kwamen weer omhoog. Zijn lippen waren dunner dan anders, messcherp. 'Jullie zien allebei het belangrijkste over het hoofd,' zei de oudere man. 'We hebben langzamerhand voldoende bewijzen om de meeste mensen ervan te overtuigen dat Jeffrey Hammond de mol is. Het lijkt me bijzonder bevredigend om hem levend op te pakken, zodat hij ons exact kan vertellen wat hij in de loop der jaren heeft doorgebriefd aan de sovjets, en later aan de Russen, maar echt belangrijk is dat niet. In feite kon het voor het land weleens het beste zijn als hij níét levend werd opgepakt. Dat bespaart een hoop rotzooi, om nog maar te zwijgen van de kosten van een rechtszaak.'

'Godallemachtig, Cabot, je bent verschrikkelijk. Genadeloos, ook.' Millicent Taurino wierp hem een boze blik toe.

'Maar wel realistisch,' hield Cabot Lowell haar voor.

'We hebben heel wat vragen te beantwoorden als hij gearresteerd wordt,' stemde Donald Chen met een ongelukkig gezicht in. 'En over de persberichten durf ik niet eens na te denken. We staan er gekleurd op. We zullen eruitzien als een stel incompetente sukkels.'

'Wie de schoen past, enzovoort.' Millicent legde haar handen op het bureaublad en kwam overeind, een kleine vrouw die een overweldigende indruk van macht maakte. Grommend zei ze: 'Misschien hebben we de zaak verpest door Hammond niet eerder op te pakken, maar het is te laat om directeur Horn nog tot leven te wekken. Als jullie menen dat we er momenteel slecht voor staan, stel je dan eens voor hoe het publiek zou reageren als ooit uitlekte dat jullie tweeën hadden gesanctioneerd dat Hammond wordt doodgeschoten? Vergeet het maar, stelletje griezels. Niet zolang ík daar iets over te zeggen heb.'

Cabot Lowell stond ook op. 'Kom, kom, Millicent, je weet best dat we dat geen van beiden gezegd hebben. Dat hele onderwerp is niet ter sprake gekomen, toch, Donald?'

Chen stond op en staarde Lowell verbaasd aan. Toen besefte hij dat de NSA-directeur bezig was hen allemaal in te dekken door deze ontkenning. 'Inderdaad, ja. Geen moment. We houden ons aan de spelregels. Moord is tegen de wet.'

Millicent keek van de een naar de ander. 'Mooi zo. Dan zijn we het dus eens. Als een van jullie een serieus idee krijgt over een manier om Hammond sneller te arresteren, dan zou ik dat graag horen. Nú, bijvoorbeeld.'

Maar Cabot Lowell schudde zijn hoofd. 'Sorry. Ik kan helemaal niets verzinnen.'

Chen voegde daaraan toe: 'Als ik iets weet, bel ik je.'

Toen de twee mannen waren vertrokken en de deur weer dichtzat, liet Millicent Taurino zich bezorgd in haar stoel zakken. Ze pakte haar telefoon om te informeren naar het laatste nieuws over Hammond en over die groep idioten die kennelijk, althans volgens die mysterieuze informant van Ty Crocker, van plan was geweest om de president te vermoorden. Het publiek wist nog niets van die vermeende moordplannen, en de paar mensen binnen de regering die wel op de hoogte waren, mochten er niets over zeggen. Maar ze vroeg zich wel af of die twee gebeurtenissen – de mol die directeur Horn had vermoord en het vermeende complot van de groep patriotten – op de een of andere manier met elkaar in verband stonden.

Ze luisterde naar het rapport van haar assistent, vol bloedige details over het pijnlijke einde van de terreurgroep. De assistent excuseerde zich en was even later terug. 'De Geheime Dienst heeft vanochtend vroeg een tip gekregen dat een of andere sovjetoverloper... wacht even, hier heb ik zijn naam...' Ze spelde de naam: '... ene B-e-r-i-a-n-o-v. Dat die Berianov vanochtend gaat proberen om president Stevens in de Rozentuin te vermoorden.'

'O, nee. Daar hebben we al helemaal geen behoefte aan. Generaal Aleksej Berianov! Verdomme nog aan toe. Wat doet de Geheime Dienst daaraan?'

'Ze zeggen dat ze hun bewaking hebben verscherpt. Het bekende werk: de gebruikelijke extra sluipschutters op het dak. Nauwgezette controle van werknemers en gasten en hun identiteitspapieren bij de ingang van het terrein...'

Millicent onderbrak haar. 'Dat ken ik, ja. Verder nog iets bekend over Berianov en eventueel gezelschap?'

'Nee, mevrouw. Dit is alles.'

'Bedankt.' Millicent Taurino hing op en leunde achterover in haar stoel. Ze staarde in gedachten verzonken naar het portret van opperrechter John Marshall. Na een tijdje greep ze de telefoon weer om Dean Jennings te bellen. 'Ik hoor dat jullie groot alarm slaan

vanwege een aanslag op het leven van de president, die beraamd zou zijn voor tijdens die ontvangst voor Poetin in de Rozentuin.'
'Je weet dat ik daar niets over kan zeggen.'
'Oké, ik heb nog een tip: volgens mij heeft onze mol er iets mee te maken. Wij denken dat hij voor Aleksej Berianov werkte en dat een van hen vandaag de mogelijke schutter is. Als dat zo is, kun je beter naar beiden uitkijken. Inderdaad, ja. Jeffrey Hammond en generaal Aleksej Berianov. Heb je foto's van allebei? Mooi. Plak die overal aan. O, en Dean, zet mij op de personeelslijst voor het partijtje. Ik kom. Jazeker, lieverd, in vol ornaat!'

48

In Moskou was professor Georgi Malko rond het middaguur op-
gestaan, volledig verkwikt na zijn lange maar nuttige dienst bij zijn
nachtclub Russisch Roulette, de vorige avond. De ochtendbladen
en de nieuwsberichten waren vol geweest van de tragische dood
van Oleg Doedasj en het gerucht dat hij *Waar of Onwaar* had verkocht op de nacht van zijn dood. De hele ochtend had de telefoon
niet stilgestaan en was er talloze keren aangeklopt bij Malko's herenhuis, maar de butler had alle journalisten afgewimpeld totdat
Malko had ontbeten, gedoucht, zich geschoren en een van zijn keurige bankierspakken had aangetrokken, ditmaal een donkerblauwe
menging van zijde en wol.

Malko, bewonderenswaardig betrouwbaar en rijk ogend, ontving
vervolgens de achterdochtige pers in zijn kantoor hoog boven het
stadscentrum, waar hij het ondertekende contract liet zien en uiting gaf aan zijn verdriet over het verscheiden van de beroemde uitgever. Hij had geen idee of ze hem geloofden. Hoe dan ook, dat
was niet belangrijk. Het ondertekende verkoopcontract, dáár ging
het om.

Nu was het alweer avond, en terwijl hij over Tverskajastraat in de
buurt van het Kremlin slenterde, besloot hij dat dit een uiterst bevredigende dag was geweest. Ja, bijzonder plezierig. Het was prettig om weer betere vooruitzichten te hebben. Hij flaneerde over het
trottoir, sloeg zijn handen achter zijn rug ineen en liep samen met
de overige voetgangers door de sterrennacht. Boven hun hoofden
glansden de felle neonreclames voor Volvo, New Balance en kleding
en juwelen van modeontwerpers. Ja, er lag een schitterende toekomst
op Rusland te wachten voor diegenen die ervan wisten te profiteren.
Terwijl hij daarover nadacht, kwam er een lange, zwarte Zil-sedan
naast hem rijden. De auto minderde vaart en het raampje van het
achterportier schoof omlaag. Met geveinsde verbazing bukte Malko zich en zei op gedempte toon: 'Generaal Kripinski. Wat een verrassing.'

'Stap in, Malko,' gromde de generaal. 'Er wordt nog niet gestaard. Maar dat duurt niet lang meer.'

Zonder nog een woord te zeggen schoof generaal Igor Kripinski een eind op, zodat Malko kon instappen. Hij glimlachte koeltjes, rolde het raampje omhoog, de chauffeur drukte op het gaspedaal en de sedan voegde zich soepel tussen het drukke verkeer.

'We hebben nu tweemaal zoveel auto's,' mompelde de generaal terwijl, hij naar de verkeersopstopping keek, 'maar half zoveel tarwe. Ik zie daar de wijsheid niet van in, meneer de Oligarch.'

'Zo moeilijk is dat niet. Het is een vrije markt. De mensen geven hun geld gewoon liever uit aan auto's. Zo simpel is het.'

De generaal schudde zijn hoofd. 'Dat is niet simpel. Dat is stom. We hebben met ons allen die vrije-markttoestand volkomen uit de hand laten lopen. Hou je miljoenen maar, Malko. Dat is voorbij, en het kan me niet schelen. Maar genoeg is genoeg. We moeten dit land weer op de rails krijgen. Toen ik nog jong was, maakten we jacht op rijken en zetten we ze achter tralies. Nu klussen mijn soldaten bij als bewakers voor diezelfde rijken. Voor geld, want ik heb zelf niet eens genoeg om die zielige soldij te betalen die Poetin na veel zeuren heeft toegezegd. Kijk eens om je heen, naar al die nieuwe gebouwen. Afgrijselijk. Ons land is zijn tradities aan het kwijtraken. Alles is even pretentieus, en de constructie zelf is niets dan goedkope rotzooi.' Hij grimaste en vroeg hoopvol: 'Hoe staan de zaken in Washington? Gaat het Berianov lukken?'

'Ik heb hem gisteren gesproken, en toen ging alles nog volgens schema.'

Generaal Kripinski gromde tevreden. 'Mooi. Ik kan haast niet meer wachten. Wij drieën vormen wel een eigenaardige trojka, nietwaar? Berianov, de volhardende communist. Jij, de freewheelende ondernemer. En ik, het oude strijdros dat eigenlijk alleen maar stabiliteit wil. Maar zo is het altijd gegaan in ons land, nietwaar? Bizar, dat wel, maar die kracht begrijpen we... Echte macht... komt van een zwaard dat door velen geslepen is. En we zijn dol op trojka's. Een van ons zal uiteindelijk opstaan als hoogste leider, net als Lenin uitsteeg boven Stalin en Trotski, maar tot die tijd werken we samen voor het welzijn van Rusland.'

Hij wierp de oligarch een verholen blik toe toen hij zich herinnerde dat Stalin na Lenins dood de macht had overgenomen en later had bewerkstelligd dat Trotski in Mexico werd vermoord. Hij vroeg zich af of Malko daar ook aan dacht. Of misschien dacht Malko terug aan Chroesjtsjov, die Molotov en Malenkov in zijn machtsstrijd had verslagen en de zieke Molotov vervolgens, om zijn eigen positie te versterken, had verbannen naar Mongolië, waar hij bijna was overleden, terwijl hij Malenkov aan het hoofd van een onbelangrijke energiecentrale in Oost-Kamenogorsk had geplaatst, waarna officieel nooit meer iets van hem was vernomen.

Maar de voormalige wiskundehoogleraar zei niets en hield zijn blik op het straatgewoel gericht.

Generaal Kripinski bestudeerde zijn vierkante ossengezicht, dat er onschuldig als dat van een baby uitzag. Even later haalde hij zijn schouders op. 'Jij denkt dat je uiteindelijk de macht zult overnemen, nietwaar, Malko? De opperleider. Maar ik kan je verzekeren dat jij niet verkiesbaar bent, noch door het volk, noch door een ouderwets politbureau. Je hebt te veel bruggen achter je verbrand. Niemand is gesteld op een man die alleen van geld houdt, vooral hier niet, vandaag niet. Dat hebben we dan tenminste geleerd.'

Malko grinnikte koeltjes. 'Tenzij je uiteraard zelf degene bent met de bankrekeningen en investeringen. Of als je hoopt dat je dat op een dag zult zijn. Er is natuurlijk altijd een kans dat jij ook rijk zult worden na Berianovs evenement, als de nieuwe leiding aan de macht is. En wat denk je dan? Wie word je dan? Hoe iemand door rijkdom verandert is niet alleen een interessante, maar ook een zeer belangrijke vraag. In feite een van de vragen waarmee machtige rijken staan of vallen. En dat geldt al in het bijzonder voor Rusland. Waar draait het tenslotte om bij het communisme? Om geld, en om de verdeling van dat geld. Geen wonder dat de communisten zich zo gemakkelijk lieten corrumperen.'

'Wat een waanzin.' De generaal begon aan een woedende tirade tegen wat hij het cynisme van de professor noemde, en ze bleven ruziën over politiek en de juiste toekomst van het land, terwijl de chauffeur nog twee hoeken omsloeg en toen vaart minderde. De man die over het trottoir liep, had juist een gesprek met twee vrouwen afgesloten. Toen de auto naast hem kwam rijden en stopte, bukte hij zich en krabbelde iets in een klein boekje van de ene, en daarna van de andere vrouw.

'Waarschijnlijk fans,' legde Georgi Malko uit aan de generaal.

'Is dat Roman Tyrret? Niet veel bijzonders om te zien.' Kripinski nam de man met de met hermelijn afgezette hoed kritisch op. Achter in de dertig, gemiddelde lengte, geen enkele atletische uitstraling. Hij droeg een dure jas en glanzende schoenen en had een gladgeschoren gezicht. In de ogen van de generaal zag hij er week en verwend uit.

'Je zou eens naar zijn show moeten kijken,' zei Malko.

'Ik heb de pest aan al die populistische troep. Ze azen op ieders angsten, en ze bieden nooit een werkelijke oplossing, behalve stuur geld, geld, en nog eens geld.'

Malko knikte. 'Je leert het al, generaal.' Hij rolde zijn raampje omlaag. 'Meneer Tyrret, hebt u een ogenblikje?'

Ze hoorden hoe Tyrret zich excuseerde. Hij draaide zich om en reikte naar de portierkruk. 'Professor Malko? Bent u dat echt?' Er lag iets jongensachtigs en oprechts in zijn sproetige gezicht. 'Een hele eer, professor. Mag ik instappen?'

'Uiteraard. Anders had ik u niet geroepen.'

Georgi Malko keek even naar de generaal, die onwillig nog dichter naar het portier schoof. Malko volgde hem, en de televisieberoemdheid klom de luxe sedan binnen. Zodra het portier dicht was, gromde de generaal en stuurde de chauffeur de auto het verkeer weer in.

De professor wilde zijn buurman gaan voorstellen: 'Dit is...'

Maar Roman Tyrret onderbrak hem: '... generaal Igor Kripinski. De grote man in Afghanistan en Tsjetsjenië. U bent een van mijn helden, generaal. Het is een grote eer u te mogen ontmoeten.'

Er begon een gerommel van afschuw in Kripinski's keel, dat niet helemaal op gang kwam doordat ook hij onder de indruk was van Tyrrets honingzoete vleierij. In plaats daarvan luisterde en keek hij hoe professor Malko aan Tyrret verzocht iets over zichzelf en zijn doel in het leven te vertellen. Roman Tyrret had charisma, dat leed geen twijfel. Hij was ook een heel stuk slimmer dan hij liet doorschemeren, en hij verlangde meer van het leven. Achter zijn bescheiden wens van een groter publiek, zodat hij mensen kon helpen, zag de generaal een honger naar applaus en persoonlijke invloed. De generaal knikte in zichzelf. Ja, misschien had Malko het alweer bij het rechte eind. Mensen als Tyrret konden ze op allerlei plekken in de nieuwe Sovjet-Unie gebruiken.

Harvey Grossmans appartement keek uit over de Potomac in de historische stad Alexandria, iets ten zuiden van Washington. Aan de wanden hingen middelmatige abstracte schilderijen, en tegen alle meubelstukken leunden nog meer kunstwerken. In alle kamers hing de geur van olieverf, ten teken dat hier een artiest – in meerdere opzichten – leefde en werkte.

Beth en Jeff bevonden zich in Grossmans tweede slaapkamer. Jeff zocht in de kast, terwijl Beth op het bed lag.

Haar zij deed nog steeds pijn. 'Hoe ken jij die Grossman eigenlijk?'

Terwijl Jeff op zoek was naar geschikte kleding als vermomming, vertelde hij: 'Ooit, toen ik Economische Zaken moest adviseren bij een vervalsingszaak, was Harvey een van de verdachten. We kregen de bewijsvoering niet rond, en op dat moment kwam dat bijzonder ongelukkig uit.'

'Maar nu is het wel handig.'

'Harvey heeft geld nodig, zodat hij zijn meesterwerken kan schilderen.'

'Ik hoop dat hij beter vervalst dan schildert.'

Ze was gespannen, hoewel ze meer dan genoeg tijd hadden om tegen negen uur bij het Witte Huis te arriveren. En dat was nodig om samen met de andere gasten tijdig door de controles te komen. Ze voelde zich een beetje onpasselijk, maar ze stond op om Jeff te helpen zoeken. Achter in de kast vond ze wat vrouwenkleren, waarin nog een lichte parfumgeur hing. Ze trok een lange, strak gesneden jas te voorschijn, een witte kunststof broek en een stralend gele zijden bloes. 'Volgens mij moet het hiermee lukken. En nu ga ik m'n haar verven.'

'Goed. Daar zul je van opknappen, even douchen. Kijk je wel uit voor je zij?' Een van de spullen die Jeff uit de zwarte kist in de stationwagen van de moordenaar had gehaald, was een stel haarverfpakketjes.

Beth greep een van de doosjes en verdween de badkamer in, terwijl Jeff doorging kleren uit de kast te trekken en aan te passen. Hij liep de studio in, zei dat Grossman moest opschieten en keerde terug naar de slaapkamer. Toen Beth met bruin haar, in een badlaken gewikkeld, uit de badkamer kwam, kon hij niets anders doen dan staren. Het donkere haar was een grotere verandering dan hij had voorzien. Haar huid en ogen leken er lichter door. De ogen waren zeeblauw, van een verbluffend lichte kleur die een sterk contrast vormde met het donkerbruine haar.

Ze pakte de zonnebril van het nachtkastje en zette hem op. 'Ik heb mijn zij verbonden. Het doet nog wel pijn, maar het ziet er schoon uit, geen infectie. En ik voel me inderdaad een heel stuk beter. Wat vind je?' Ze had haar haar gedroogd en tegengekamd, zodat het nu niet in een gladde, goudgele helm over haar hoofd lag maar krullend alle kanten op sprong. Nu een groot deel van haar gezicht schuilging achter de zonnebril was ze beslist niet gemakkelijk herkenbaar.

'Goed. Prima, zelfs. Vooral die handdoek. Die maakt het áf.'

Ze grijnsde en sloeg het badlaken open. Haar ranke lichaam glansde vochtig na de douche. Er zat een verbandgaas op haar flank geplakt. Hij staarde geboeid naar haar sensuele rondingen, de roze tepels en het driehoekje blond bont. Het lange litteken over haar borstkas kwam hem al niet meer vreemd voor. Hij moest zich beheersen om die handdoek niet weg te sleuren en haar mee naar bed te nemen.

Hij keek op zijn horloge en schudde spijtig zijn hoofd. 'En dan kiest ze uitgerekend dit moment om me te verleiden. Vier uur geleden had ik daar nog iets aan kunnen doen...'

Zonder aan haar wond te denken rende ze naar hem toe, sloeg de handdoek ook om hem heen en drukte haar naakte borsten tegen zijn overhemd. Hij was onweerstaanbaar. Ze beet even in zijn nek en kuste hem.

Hij gromde. 'Wat een rottige timing heb jij. Maar wat maakt het ook uit?' Hij kuste haar lang en innig.

Ze wrong zich los uit zijn armen. Ze bloosde en haar ogen begonnen te glanzen terwijl ze probeerde haar zelfbeheersing terug te vinden. 'Geen sprake van. We hebben geen tijd. Dat zei je zelf.'

Hij lachte. 'Dat was om terug te pesten. Ik ga m'n haar verven.'

Ze drukte zich tegen hem aan en kuste hem. 'Je bent een ramp.'

Hij beantwoordde haar kus. 'Weet ik. Daar wen je wel aan. Maar nu moet ik me om mijn haarkleur bekommeren.'

Ze zuchtte. 'Tja, als je dat dan zo graag wilt...' Ze keek hem na toen hij de badkamer in liep, glimlachte en rekte zich voorzichtig uit om te kijken hoe het met haar zij was. Een beetje pijnlijk, meer niet. Er was geen bloed meer door het verbandgaas gekomen. Ze trok de nieuwe kleren aan en ging snel naar Grossman, zodat die een pasfoto kon maken met de nieuwe haarkleur. In de keuken nam ze haar medicijnen in. Tegen de tijd dat ze weer in de slaapkamer kwam, was Jeff klaar met douchen en aankleden.

Ze staarde hem aan. 'Je ziet er anders uit.'

'Dat was ook de bedoeling.' Weg was de zelfverzekerde piraat – hij droeg nu een donker krijtstreeppak. De mouwen en de broekspijpen waren iets aan de korte kant, maar Grossmans omvangrijke taille compenseerde dat net voldoende om het pak acceptabel te maken. Opvallender was de verandering in zijn gezicht. Met zijn van nature goudkleurige huid kreeg hij, nu zijn haar zwart geverfd was, iets mediterraans. Hij had het effect nog versterkt met behulp van inzetstukken in zijn wangen, waardoor zijn gezicht ronder werd. Een ovale bril met stalen montuur vervolmaakte de transformatie.

'Je ziet er duur uit,' vond Beth. 'Volgens mij zou ik je zelf niet eens herkend hebben.' Het gaf haar een eigenaardig gevoel, en ze glimlachte bij de plezierige gedachte dat hij vele aspecten had die ze nog kon ontdekken. 'Dan gaan we maar.'

'Weet je zeker dat je het aankunt? Je kunt nu nog terug. Dat vind ik helemaal niet erg.' Hij bestudeerde haar gezicht. 'Ik weet dat je zij pijn doet. Ik meen het, Beth. Voor ons allebei. Ik wil je niet kwijtraken.'

Ze nam zijn kin in beide handen. Hij had zich geschoren en zijn huid voelde zijdeachtig glad als een babyhuidje. 'Wie had ooit gedacht dat ik met een undercoverspion zou gaan? Ik lijk wel gek.' Hij grinnikte even. 'Wij allebei. Kun je nagaan, alweer een jurist.' 'Wat wou je dan, in Washington? Het stikt hier van de juristen. Maar wat een einde. God verhoede dat we bij iets saais om het leven zouden komen.'

Jeff hield haar schouders vast. 'Dat mag je niet zeggen. Dat mag je niet eens denken. We gaan het redden.'

Hij keek haar gespannen aan, en ze wilde hem geloven. 'Dat is zo.' Ze schudde haar onzekerheid af. In de nachtmerrie van de afgelopen nacht had Berianov haar hartdonor vermoord, niet haarzelf. Nog maar een paar uur geleden had ze Ivan Voks kogel overleefd. Ze zouden het redden, ze móésten het redden.

In zijn grote, zonnige studio leunde Harvey Grossman achterover aan zijn tekentafel. Beide identiteitsbewijzen waren klaar. Op de werktafel vol verfvlekken en op bergjes op de grond stonden en lagen verfkwasten en -blikken. Op een ezel stond een half afgemaakt doek met losse strepen rood en geel. Kleurige koi-karpers zwommen rond in een groot aquarium aan de andere kant van het vertrek. Grossman stond op – een lange, zwaargebouwde man met hangwangen en een roze gezicht.

Hij reikte hun twee rijbewijzen uit de staat Virginia aan. 'Klaar, mensen. Dat is dan duizend dollar per stuk, contant. Het goedkoopste kunstwerk in het hele gebouw.'

'Maar ongetwijfeld een van de beste,' zei Beth ad rem.

'Even kijken.' Jeff inspecteerde de rijbewijzen die Harvey had gemaakt van gestolen papieren. 'Mooi werk,' vond hij. 'En wat zou je zeggen van een paar van je verborgen pistolen?'

'W-wat?' Grossman leek ineen te schrompelen.

'Geen gelul, Harvey. We weten allebei dat je ook in wapens handelt. Alleen konden we die de vorige keer niet vinden. Ik heb momenteel geen badge op zak om te verhinderen dat ik iets illegaals doe. En je zou toch zeker niet willen dat ik iets illegaals deed, Harvey?' Hij pakte zijn Beretta en richtte hem nonchalant op Grossman. 'Ik heb dat spul hard nodig, Harvey. Iets dat ongezien door een röntgenapparaat komt.'

Grossman slikte. Hij had een geprononceerde adamsappel die even opwipte en halverwege leek te blijven steken. Hij slikte nogmaals. 'Oké. Maar dat komt er dan bovenop.'
'Dat dacht ik niet. Duizend dollar lijkt me meer dan genoeg, gezien de omstandigheden.' Ze hadden niet meer genoeg geld op zak, maar dat hoefde Grossman niet te weten.
Grossmans blik schoot naar het pistool. 'Eigenlijk wel, ja.'
Hij liep de studio door naar het grote aquarium waar het zeegras stond te wuiven en de karpers lui rondzwommen. Hij drukte op een paneel aan de achterkant van de houten aquariumkast. Er zoemde iets en er gleed een acht centimeter diepe lade te voorschijn, vlak onder het aquarium. Grossman trok de hele lade uit.
Daarin lagen drie pistolen met keramische loop en vuurpinnen. De veren waren van metaal en de overige onderdelen van harde, doorzichtige kunststof. Ze konden uiteengenomen worden en als camera of machineonderdelen door een röntgenapparaat worden gehaald. Daarnaast lag een solide ogende stok met een doorsnede van zowat acht centimeter.
'Wat zit er in die stok?' wilde Jeff weten.
Even blonk er trots in Grossmans ogen. 'Een verrassing.' Hij draaide aan een van de koperen sierknopen langs de zijde van de stok en schoof de knoop naar binnen. Meteen kwam het koperen handvat iets naar buiten. Grossman schroefde het handvat los, hield de holle stok schuin en er gleden metalen onderdelen voor twee kleine pistolen naar buiten, plus een miniatuur-gereedschapsset en vier in papier verpakte .22-kaliber kogels.
Jeff knikte waarderend. 'En de binnenkant is bekleed met lood?'
'Nou en of. Daar kijkt geen machine doorheen. Het beste van het beste.' Hij kon zich niet weerhouden om daaraan toe te voegen: 'Een van mijn beste uitvindingen.'
'Je bent een echte artiest, Harvey,' zei Beth dubbelzinnig.
Jeff inspecteerde de onderdelen. 'Ziet er goed uit. Prima zelfs.' Hij kon de kleine eenschots-pistolen zonder problemen in elkaar zetten. 'Zijn ze betrouwbaar als vuurwapen?'
'Zoals ik al zei, voor hun formaat is dit het beste van het beste.' Grossman klonk trots.
Jeff ging niet graag de confrontatie met Berianov aan met slechts één .22-kogel voor hen beiden, maar als hij kans zag zelfs maar die ene kogel voorbij de beveiliging van het Witte Huis te krijgen, zou dat al een enorm succes zijn. 'De metalen veer op die grote kunststof wapens komt nooit voorbij de scanners, tenzij ze verborgen zijn in iets met metaal erin. Heb je iets dat ik daarvoor kan gebruiken?'

'Nee. Daar zorgt de klant voor. Ik koop en verkoop de wapens, meer niet.'

'Dan wordt het de stok,' besloot Jeff.

'Is dat genoeg?' vroeg Beth. In gedachten was ze de deur al uit.

'Voor mij wel.' Jeff schoof de onderdelen van het pistool de stok weer in. 'Zo'n beetje. Veel vuurkracht is het niet, maar hopelijk net genoeg. Betaal jij even?'

Beth haalde de duizend dollar baar geld uit haar tas die ze donderdagnacht nadat Stephanie Smith was vermoord, uit haar bureaulade had gehaald. Even zag ze Stephanies vreselijke dood in de vlammenzee na het auto-ongeluk weer voor zich.

Ze keek naar haar hand die het geld aan Harvey gaf. Die trilde niet. En op dat moment zag ze hoeveel sterker ze was geworden. Ze was nog dezelfde persoon, maar ze was ook veranderd. Al die nieuwe rusteloosheid en woede waren gesublimeerd tot een eigenaardig soort zelfvertrouwen waardoor ze emoties kon voelen die ze nooit eerder had beleefd. Ze keek op naar Jeff.

Die overhandigde haar een van de identiteitsbewijzen. 'Die is voor jou. Jij heet Mercer Bell en ik ben Thomas Koster. De sofinummers hebben we van Olsen, en nu hebben we deze papieren. We zijn zover.'

Grossman stond het geld te tellen. 'Opkrassen, mensen. Mijn schilderij roept.'

'Niet zo snel, Harvey,' zei Jeff.

Grossman keek weer naar de Beretta in Jeffs hand. Zijn wenkbrauwen schoten omhoog en zijn hangwangen trilden. 'Kom nou, Jeff. Je gaat me toch zeker niet neerschieten vanwege duizend dollar? Dat is een klotestreek.' Zijn gezicht stond strak van de angst.

'Niet als je doet wat ik zeg. Ga naar de woonkamer.'

'Dit lijkt me helemaal geen goed idee...' Grossman verstijfde toen hij zag dat ook Beth een pistool te voorschijn haalde.

'Kom op, Harvey. Vooruit. Snel een beetje!' zei ze.

Zonder nog iets te zeggen draafde de artiest de woonkamer in, met Beth en Jeff op zijn hielen. Terwijl Jeff hem aan een spijlenstoel vastbond, bond Beth een doek voor zijn mond. Daarna renden ze de deur uit.

Jeff greep de stok. 'Als het allemaal goed gaat, zijn we over een paar uur terug om je los te maken. Hou die gedachte vast, Harvey. En doe een schietgebedje dat we het redden – en dat de president het redt.'

De grijze ochtendhemel was steenblauw gekleurd. Een paar rokerige wolken hingen boven de rondweg toen Jeff de auto langs Reagan Airport joeg op weg naar de binnenstad van Washington. Hij zat met Beth te praten over alles wat er gebeurd was sinds ze de stervende kolonel Joerimengri had gevonden bij Meteor Express. 'Heb je gezien hoeveel mensen denken dat wij de koude oorlog hebben gewonnen?' vroeg ze. 'Man, wat hebben die het bij het verkeerde eind. We hebben onze overwinning gekócht, we hebben ervoor betaald. Uiteraard hebben de sovjets geholpen door ons zwart af te schilderen en hun eigen schatkist te plunderen. Een eigenaardig complot.'

'Wat ik zo interessant vind, is dat de Amerikanen geloven dat wij de enige overgebleven supermacht zijn, terwijl je maar hoeft te kijken naar enorme internationale ondernemingen als Microsoft en Enron om te beseffen dat die een budget hebben dat groter is dan dat van de meeste landen, en winsten boeken waarbij al het andere verbleekt. Wereldmarktleiders zijn tegenwoordig de echte supermachten, en afzonderlijke landen zijn een soort illusie die ze koesteren als een lievelingstante.'

Ze knikte. 'In mijn praktijk is wel duidelijk geworden dat er niets fundamenteels is veranderd, ondanks al die verhalen over een technologische revolutie en onze nieuwe economie op basis van informatica. Machiavelli en de Medici's hadden het prima kunnen vinden met Carnegie, Ford en Rockefeller, en vandaag de dag zouden ze algauw een verwante ziel ontdekken in Bill Gates en hofhouding. Het is nog steeds niets dan macht en winst op die eenzame hoogte, en zo is het altijd geweest.'

Terwijl ze verder reden, maakte ze zich zorgen over wat er zou gebeuren in de Rozentuin. Wat het zou inhouden als Berianov er werkelijk in zou slagen, de president te vermoorden.

Na een tijdje vroeg ze: 'Heb jij enig idee hoe Berianov eruit zal zien?'

'Dat heb ik me ook al zitten afvragen. Ik heb bij de FBI en de CIA maskers gezien met een huid die zo echt leek dat je zou denken dat hij zweet, bloost en last van pukkels kan krijgen. Die kennis hebben we te danken aan de universiteitslaboratoria en ons ruimteprogramma. Als je bedenkt hoe goed Berianov tot nu toe geëquipeerd was, mag je aannemen dat hij nog steeds beschikt over dezelfde middelen.' Hij zweeg even en zei toen vol afkeer: 'Ik dacht dat ik hem goed kende. Tenslotte heb ik hem wekenlang aan de tand gevoeld toen hij was overgelopen, en daarna ben ik jarenlang met hem in contact gebleven. Maar uiteindelijk had ik geen idee dat hij die oude man of Caleb Bates was. Hij vermomt niet alleen zijn gezicht, maar ook zijn stem en zijn hele houding. Ik geloofde echt dat hij de opzichter van die boerderij was. Sterker nog: daar geloofde hij zelf ook in.'

'Ik ook.' Ze slaakte een bezorgde zucht. 'Volgens mij verkeert de president in ernstige moeilijkheden.'

49

Het was vijf voor halftien die ochtend, en de Rozentuin gonsde van de activiteiten: televisie- en radioverslaggevers die hun microfoons, leidingen en kabels controleerden, woordvoerders van het Witte Huis die tussen de ploegen door liepen, vragen beantwoordden en interviews regelden voor na de persconferentie, en Amerikaanse en Russische beveiligingsteams die met strenge gezichten per portofoon op gedempte en dringende toon stonden te overleggen.

De Geheime Dienst had de staf geïnstrueerd om dubbel alert te zijn, omdat er een dreigement tegen het leven van de president was geuit dat serieuzer dan normaal klonk. Zoals verwacht hadden beide presidenten geweigerd hun plannen te wijzigen of te annuleren, dus de bewaking was niet alleen verscherpt, maar tot het uiterste opgevoerd.

Boven op de kalkstenen trap naar de westvleugel, voor de witte zuilen en met de witte terrasdeuren van de Kabinetskamer als achtergrond, stond een dubbel podium klaar voor het internationaal uit te zenden media-evenement.

Tegenover de podia stonden keurige rijen witte stoelen op het dichte, groene gazon van de Rozentuin. De middelste groep stoelen bood plaats aan meer dan honderd verslaggevers uit de hele wereld. Aan weerszijden van de verslaggeverssectie bevonden zich de plaatsen voor bijzondere gasten, van de middengroep gescheiden door brede, open paden. Een groot aantal stoelen was al bezet. Aan de rand van de tuin was een tijdelijk platform met uitzicht op het hele gebeuren opgericht waarop cameramensen en fotografen met lange telelenzen hun apparatuur aan het opstellen waren.

Vanaf de daken hielden scherpschutters van de Geheime Dienst de wacht. Intussen draafden kelners in witte uniformen in het Witte Huis af en aan naar de chique officiële eetzaal met zijn vergulde kroonluchters en consoles. Ze waren bezig een twintigtal ronde tafels te dekken met het klassieke Vermeil-bestek van het Witte Huis en het rood-met-gouden Reagan-servies. De bijzondere gasten zouden meteen na de persconferentie door assistenten naar binnengeloodst worden voor een lunch met de presidenten van Rusland en de Verenigde Staten.

Afgezien van de verscherpte bewaking was al deze activiteit niets bijzonders voor het Witte Huis. Maar er was een extra element – een lichte onderstroom van beheerste paniek vanwege de gewichtige aard van de gebeurtenis. Het bezoek van een Russisch staatshoofd was een evenement van wereldbelang, nu overschaduwd door mogelijk gevaar.

In het Ovale Kantoor zaten de twee mannen – het kalme middelpunt van het hele bedrijf – kennelijk ontspannen in gouddamasten fauteuils aan weerszijden van de open haard, met tolken naast en achter zich. Ze bespraken de gebruikelijke zaken – het weer, de oogsten in de Midwest van Amerika en het aan Rusland grenzende Oekraïne, en hoe lastig het was om tijd te vinden voor een vakantie. Niemand had het over de recente onlusten in Tsjetsjenië of Colombia, of Ruslands aanhoudende problemen met het IMF, of de gênante schandalen in verband met campagnegelden in Amerika. Dit was geen werkbespreking. Het was een sociale aangelegenheid, en beide presidenten leken opgelucht te zijn dat hun enige verantwoordelijkheid hun imago voor de pers was.

Op East Executive Avenue schoof de rij uitgenodigde gasten langzaam op onder de ontluikende bomen. Links lag het smeedijzeren hek met daarachter de struiken rond het terrein van het Witte Huis, en rechts torende het gotische gebouw van de nationale bank. Een lange stoet mensen, gekleed in keurige pakken en voorjaarsjaponnen, met gepoetste molières en fraaie lage pumps, stond met hun uitnodiging in de hand te kletsen. Er hing een feestelijke sfeer, en Beth en Jeff spanden zich in hun vermomming tot het uiterste in om niet op te vallen.

Maar hun scherpe blikken hielden alles in de gaten. Stond Berianov ergens voor of achter hen in de rij? Beth kreeg er bijna kippenvel van. Zouden ze Berianov herkennen? Misschien probeerde hij op ditzelfde moment hén te herkennen om hen in de gaten te kunnen houden.

Ze waren voorzichtig te werk gegaan. Ze hadden de auto een eind verderop geparkeerd. Jeff was als eerste uitgestapt en stond zo'n tien plaatsen voor haar in de rij. Ze keken elkaar geen moment aan. Hij was een elegante onbekende in zijn krijtstreeppak en met zijn stok. Hij liep een beetje mank.

Toen de vrouw voor hem zich omdraaide om zijn stok te bewonderen, schonk hij haar een dappere glimlach en zei: 'Oude oor-

logswond. Desert Storm. Dat was nog eens een onderneming.' Algauw was hij druk in gesprek met de vrouw, Grace, en haar man
Duane. Ze hadden het over de oorlogen die Amerika had gevoerd.
Van de grote oorlog – de Tweede Wereldoorlog – tot aan de vre-
desmissies in Joegoslavië.
Beth raakte in gesprek met een gezin met een zoontje van twaalf,
Justin. Justin kon zijn ogen niet van haar af houden, likte onophoudelijk aan zijn droge lippen en probeerde gespreksonderwerpen
te verzinnen die hem in het middelpunt van haar aandacht gevangen zouden houden. Schattig, die door hormonen gestuurde aan-
bidding, en ze zou aanzienlijk meer van zijn gezelschap genoten
hebben als ze hem niet misbruikte als dekmantel.
Boven hen was door de uitbottende takken te zien dat de wolken
intussen waren opgelost tot een vage sluier. De zon was vriendelijk warm. De opwinding rimpelde door de menigte heen naarmate de rij voorbij de betonnen palen in de richting van het smeedijzeren hek stroomde. Alles voelde verkeerd, dacht Beth. Een
schitterende dag. Een prachtige omgeving. Gezelligheid, een prima
sfeer. Maar ergens dichtbij kon de dood schuilen.
Die man met die hoornen bril, was dat Berianov? Of die gezette
vrouw met die grote hoed?
Een groep moordenaars moest inspanning verrichten om onzichtbaar in een menigte op te gaan, maar één moordenaar kon de
spreekwoordelijke naald in een hooiberg zijn, onmogelijk te vinden. Als het erop aankwam was er niets gevaarlijkers dan een eenling met een maniakale missie en de training, intelligentie en financiële middelen van een Berianov. Beths keel voelde strak aan.
Onwillekeurig legde ze een hand op de wond in haar zij.
Aan weerszijden van de entreepoort stonden bewakers van het Witte Huis in zwarte broeken, jasjes en petten met goudgalon op wacht.
Ze inspecteerden de uitnodigingen en instrueerden de gasten die
hun kaarten omhoogstaken op beleefde toon om door te lopen.
Beth glimlachte nonchalant en liet haar uitnodiging zien zonder
haar geanimeerde gesprek met Justin te onderbreken. Ze keek net
op tijd op om Jeff in een wit gebouw te zien verdwijnen.
Jeff stapte naar binnen en nam de omgeving snel in zich op. Als
FBI-er, en later als verslaggever, was hij hier vele malen geweest.
Nu was het belangrijk dat hij zich voordeed als een geïnteresseerde buitenstaander. Bovendien bestudeerde hij gezichten en lichaamsbouw van de andere aanwezigen, continu op zoek naar Berianov.
Het interieur deed denken aan de standaard-veiligheidscontrole op

een luchthaven, maar veel fraaier: hoge vensters en decoratieve varens. Als een gast zich al beledigd voelde vanwege die controle, dan hing hier tenminste geen gevangenissfeer. Uiteraard stonden er de gebruikelijke metaaldetectoren en lopende banden met röntgenapparatuur voor de controle van pakketten, tassen en andere spullen die gasten bij zich konden hebben. Een van de bewakers deelde de rij doormidden om sneller te kunnen werken. Maar de bewaking ging bijzonder grondig te werk, en er was maar weinig dat aan hun geoefende blikken ontsnapte.

Jeff zorgde voor een vrolijke stem en een opgewekt gezicht, hoewel hij zich broos van de spanning voelde. 'Natuurlijk, daar is de VN toch voor, Grace,' zei hij tegen de vrouw die naar zijn stok had geïnformeerd.

Ze bleek een volmaakte afleiding te zijn – een interessante en levendige gesprekspartner. Schijnbaar op zijn gemak legde hij de stok met de sinistere inhoud op de lopende band en stapte door de metaaldetector. Hij keek niet meer om naar zijn stok, hoewel al zijn zenuwen rauw aanvoelden van de zorgen. Toen er geen lichten knipperden en alarmbellen rinkelden, onderdrukte hij een zucht van opluchting en probeerde niet te denken aan de twee kleine pistolen in de met lood beklede stok.

'Uw sofinummer en identiteitsbewijs graag, meneer.' Aan de andere kant stonden bewakers te wachten om alle gasten afzonderlijk te spreken.

Jeff noemde het nummer dat hij uit zijn hoofd had geleerd en haalde het valse rijbewijs te voorschijn. 'Uiteraard. Hoe gaat het vandaag?' Jeff overhandigde het rijbewijs.

'Prima, meneer. Is dit uw stok?' De bewaker hield het rijbewijs vast en pakte de stok, die het einde van de lopende band had bereikt. 'Zwaar ding, zeg.'

Jeff fronste zijn wenkbrauwen. 'Ik ben nogal groot,' zei hij vlot. 'Een behoorlijk gewicht voor een stok, zelfs als die van metaal is.'

'Speciaal voor u gemaakt, zeker?' De bewaker knikte naar een collega, die zich bij hen voegde.

Jeff keek verbaasd uit zijn ogen. Door zijn ovale bril tuurde hij naar de bewaker. 'Ik weet niet of dit een uniek stuk is, als u dat bedoelt. Ik heb hem van een vriend gekregen.'

De bewakers bestudeerden de stok. De tweede pakte hem aan, draaide hem om, keek Jeff vragend aan en streek er met zijn hand overheen, al tastend en voelend.

Achter hem stond Beth met ingehouden adem te kijken. De bewakers hielden Jeff op, maar verder lieten ze iedereen door. Ze begreep het niet. Angstig probeerde ze het gesprek op te vangen, terwijl ze haar eigen tas op de band legde.

Jeff vervolgde: 'Een cadeautje na Desert Storm, als u begrijpt wat ik bedoel. Ik ben er nog steeds erg blij mee.'

'Was u gewond geraakt?'

Het zweet brak Jeff uit. Hij wankelde een pas achteruit alsof hij niet zeker van zijn zaak was. Ze moesten denken dat hij bescheiden was; dat maakte hem minder gevaarlijk. 'Granaatsplinters in mijn been.' Hij grinnikte. 'Niets bijzonders.'

De twee bewakers wisselden een blik. Geen van beiden hadden ze iets aan de stok kunnen ontdekken, maar iets zat hun dwars. Jeff herkende geen van beiden, maar misschien hadden zij het gevoel hem eerder gezien te hebben.

Toen riep een vrouwenstem: 'Tom, jij hier, wat een verrassing!' Beth zwaaide naar hem toen ze de metaaldetector door was. Met één hand pakte ze haar rieten tas, met de andere greep ze de hand van haar nieuwe vriendje Justin. 'Justin, ik wil je voorstellen aan Tom Koster. Die heeft in Desert Storm gevochten. Justin verzamelt miniatuurtanks. Had jij bij Desert Storm niet in een tank gezeten, Tom?'

Eerst was hij razend over het risico dat ze nam door hem te herkennen. Maar vanuit zijn ooghoeken zag hij dat beide bewakers onder de indruk waren van haar charme – de donkere zonnebril, het donkere, verwaaide haar, de schitterende rode lippen, het ranke figuurtje en de hese stem.

Als dit werkte, zou hij het gebruiken. 'Mercer, mijn god. Dat is lang geleden!' Enthousiast drukte hij Beths hand, voordat hij zich overboog naar de jongen. 'Het is me een genoegen, Justin. Ja, ik zat bij een tankbataljon. Massa's zand, daar. Meer zand dan ik ooit nog wil zien.'

'Wat voor bataljon?' vroeg Justin enthousiast.

'Het tweeënzeventigste. Tweede Brigade, eerste Tanks. Ik had een M-1 Abrams. Een echte zandvreter. Fantastisch ding.'

De knaap straalde. Hij kende waarschijnlijk alle eenheden van Desert Storm uit zijn hoofd. Intussen had Beth haar valse rijbewijs laten zien en haar valse sofinummer genoemd. 'Mogen we naar binnen?' Ze staarde vol ontzag om zich heen. 'Dit is mijn eerste bezoek aan het Witte Huis, en ik kan haast niet wachten om op mijn plek te zitten.'

De twee bewakers keken elkaar aan. De andere gasten begonnen ongeduldig naar voren te dringen.

Onschuldig vroeg Beth: 'Is er iets met mijn rijbewijs?' Natuurlijk vormde zij niet de reden voor het oponthoud, maar ze wilde hen dwingen om sneller dan ze wilden tot een besluit te komen. 'Kijk, Justin,' wees ze. 'Daar zijn je ouders!'

'Kom hier, Justin!' riep zijn vader.

'Wil je bij ons komen zitten, Tom?' stelde Beth voor. Ze glimlachte eerst naar Jeff, toen naar de bewakers.

'Zal ik dan maar?' drong Jeff aan. 'Tenzij jullie natuurlijk iets gevonden hebben...'

Dat was de laatste druppel. Nu had hij hen klem. Ze moesten een beslissing nemen. Dit was een blijde gebeurtenis, een gebeurtenis om de voortzetting van de relatie tussen de democratieën van Rusland en Amerika te vieren, en de bewakers hadden geen enkele reden om Jeff vast te houden – afgezien van een vage achterdocht, en vage achterdocht zonder feitelijke redenen zou niet goed vallen als de heer Koster, Desert Storm-veteraan, besloot om ondanks de ongebruikelijk scherpe bewaking moeilijk te gaan doen.

'Uiteraard, sorry. Veel plezier,' besloot de eerste bewaker. Hij gaf Jeff zijn stok en zijn rijbewijs aan.

'Doorlopen maar,' zei de tweede.

Zonder elkaar aan te kijken liepen Beth en Jeff achter Justin en zijn ouders aan over een pad met aan weerszijden tulpen en struiken, een aantal treden op naar de ingang van de begane grond van het Witte Huis.

'Jezus,' herademde Jeff. 'Dat scheelde niet veel.'

'Ik had geen idee dat de bewaking zo moeilijk zou doen,' fluisterde Beth.

'Ja, ze zijn heel goed. Ik weet nog toen Lesley Stahl haar autobiografie aan het schrijven was. Haar uitgever wilde haar perskaart voor het Witte Huis op de omslag zetten, maar daar kreeg de Geheime Dienst een rolberoerte van. Dat zou de beveiliging van het Witte Huis in gevaar brengen. Zo voorzichtig kunnen ze hier zijn.'

Ze liepen met de menigte mee naar binnen over het siena-kleurige tapijt in de gang van de begane grond. Ze spraken weer op normale toonhoogte en informeerden naar elkaars denkbeeldige familieleden als twee oude vrienden die elkaar in geen jaren hadden gezien. Ze passeerden de bibliotheek en de diplomatieke receptiezaal en staarden naar binnen, net als een paar andere gasten. Uiteindelijk bereikten ze de glazen corridor naar de westvleugel, waar de president en zijn naaste medewerkers hun kantoren hadden. Daar wenkten bewakers iedereen naar buiten, de Rozentuin in.

De tuin bood een schitterende aanblik. Het perfecte gazon, afgezet met bloeiende tulpen en buxus, raakte snel gevuld met goed geklede gasten. Assistenten en verslaggevers draafden tussen de aanwezigen door. In de verte lag het panorama van de Ellipse.

Medewerkers van het Witte Huis deelden hoofdtelefoons uit aan mensen die simultane vertalingen wilden horen van de twee presidenten en de journalisten. 'Kanaal 1 is Russisch,' legde een glimlachende assistent uit. 'Kanaal 2 is Engels.'

Jeff prevelde: 'Ik ga naar de toiletten om die twee pistolen in elkaar te zetten.'

Beth knikte, terwijl ze de gezichten om haar heen nauwgezet bleef bekijken. Hoe moest ze Berianov herkennen? Ze slenterde naar een buffet waar kelners punch serveerden, en koekjes op servetten met een afbeelding van het Witte Huis erop. Ze knikte en glimlachte vriendelijk tegen iedereen die oogcontact maakte. Justin ving haar blik en ze zwaaiden even naar elkaar.

Ze bleef staan om de festiviteiten te overzien en besefte plotseling dat ze met andere ogen keek, en dat dat al een paar dagen zo was. Vroeger had ze even gelet op een interessante gelaatstrek hier, een opvallend overhemd daar, maar dan gleden haar blikken verder en vergat ze wat ze voorheen gezien had. Ze had niets of niemand echt in zich opgenomen.

Maar nu haar blik over de menigte dwaalde, herkende ze de meeste mensen die voor en achter haar in de rij op het trottoir hadden gestaan – tien mensen voor haar en tien achter haar. Ze herinnerde zich die gezichten. Twintig mensen, en ze herinnerde zich zelfs de flarden van gesprekken en voor- en achternamen die ze had opgevangen.

Terwijl ze de massa bleef overzien, merkte ze dat ze probleemloos houdingen, gebaren, een manier van lopen, huidtinten, gezichten, kapsels en kleuren kon analyseren en onthouden… maar het allervreemdst was misschien nog wel dat ze in haar achterhoofd de hoek tussen hoofd en nek van de aanwezigen registreerde, en de positie ten opzichte van de schouders. Even leek het wel of een soort aangeboren kennis haar vertelde dat dit een even duidelijke aanwijzing was als een vingerafdruk of een DNA-patroon. Geen twee mensen hadden dezelfde houding van schouder, nek en hoofd, en geen twee mensen hadden dezelfde schedelvorm. Hoewel dergelijke zaken natuurlijk konden worden verhuld, was geen vermomming ooit helemaal compleet. *Is dat jouw idee, Michaïl Ogust? Deel van je training, misschien?*

Ze dwong zich om door te lopen, terwijl ze dacht aan Aleksej Berianov en hoe hij er bij Jefferson Memorial had uitgezien. Met zijn slanke, gespierde gestalte voor ogen bleef ze om zich heen kijken.

Ze herkende enkele gasten: de staatssecretarissen van buitenland-se zaken, justitie en defensie. De burgemeester van Washington. Plus een aantal beroemdheden uit de werelden van film, sport en zaken. Plotseling zag ze Zach Housley, haar voormalige werkge-ver. Haar keel werd samengeknepen. Ondanks haar veranderde ui-terlijk was er altijd een kans dat hij haar zou herkennen. Ze draai-de zich om.

En op dat moment zag ze een man met grijzend rood haar. Hij stond op de bovenste trede voor de westvleugel. Ze kon haar blik niet van hem afwenden. Hij had een donkere zonnebril op en had een normaal postuur. Belangrijker was dat hij een FBI-speldje op had. Van achter een bloeiende kweeappelboom hield ze hem in de gaten, terwijl zijn alerte ogen over de massa gleden als die van een hongerige havik op jacht. Ze bestudeerde de man en zijn houding. Hij kwam haar bekend voor. Al haar zintuigen schreeuwden dat ze hem op de een of andere manier kende. Koortsachtig zocht ze in haar geheugen en probeerde ze beelden uit haar vorige leven te-rug te halen. Maar toen had ze zo slecht opgelet... Even later wist ze wat het probleem was. Hij stamde helemaal niet uit het verre verleden; ze had hem kortgeleden ontmoet. Hij zag er precies zo uit als Jeffs beschrijving van Bobby Kelsey. Grijs wordend rood haar, normaal postuur, de traditionele FBI-zonnebril, de Ierse wip-neus, de zelfverzekerde houding. Angst schoot door haar heen. Dit was de mol. De verrader. Als Kelsey hier was, dan moest Aleksej Berianov er ook zijn. Maar waar?

50

In een hokje van de herentoiletten zette Jeff de handgemaakte pistolen in elkaar. Het waren echte precisie-instrumenten, waarbij ieder klein stukje in een ander klein stukje paste en onhoorbaar kon worden vastgezet met de miniatuurgereedschappen die ook in de stok zaten. Tijdens het werken dacht hij aan de indeling van de Rozentuin. Hij isoleerde de afzonderlijke sectoren. Analyseerde ligging en activiteiten. Overwoog waar Berianov – als hij er was – waarschijnlijk zou gaan staan om president Stevens dood te schieten.

Er beukte iemand op de deur.

Hij verschoot van kleur. Hij was te nerveus. 'Ik kom eraan.'

'Wat zit je daar in godsnaam te doen? Ben je een tent aan het opslaan of zo?'

'Ik zei toch dat ik eraan kwam?' De pistolen waren klaar. Hij liet ze links en rechts in de zakken van zijn colbert vallen en klapte snel de stok weer in elkaar. Het goede aan de beveiliging van het Witte Huis was dat je niet meer lastiggevallen werd als je eenmaal door de controle bij de ingang heen was... tenzij je probeerde ergens rond te lopen waar je niets te zoeken had of wanneer je dreigende bewegingen maakte. Hij trok de wc-deur open. Een man met een rood gezicht en een vastberaden blik wilde er net weer op gaan staan beuken.

Jeff keek de man goed aan en zei met een onschuldige glimlach: 'Heerlijk weertje, nietwaar?'

De onbekende leek verbluft over Jeffs goede humeur. Hij keek naar Jeff, en naar de stok. Keek hij te lang naar die stok? Was hij door de bewakers gewaarschuwd?

Maar de man snoof en schoof hem boos voorbij, het hokje in. Met een slag klapte hij de deur dicht, terwijl hij 'Buitenlanders!' mompelde.

Jeff haalde opgelucht adem en ging op weg naar de Rozentuin.

Beth liep om de witte stoelen heen. Ze had bij een van de witgedekte tafels een glas punch gehaald en liep tussen de achterste rij stoelen en het hoge platform voor de tv-ploegen door. Nu keerde ze aan de andere kant terug, weer met haar gezicht naar de podia waarop de presidenten zouden staan praten. Voor haar stond Zach Housley. Ze boog haar knieën om korter te lijken en staarde strak voor zich uit. Hij stond met twee andere mannen in dure pakken te praten. Zach droeg zijn gebruikelijke, voddige pak.

Hij leek naar haar te staren. Ze tuitte haar lippen, iets dat ze anders nooit deed. Ze hoopte dat haar gezicht daardoor zo zou veranderen dat ze met die nieuwe haarkleur en de grote, ronde zonnebril niets zou hebben van de Beth Convey die hij al die tijd misbruikt had. Maar even later moest ze bijna lachen. Ze had niet gedacht aan Zachs egocentrisme. Hij keek helemaal niet naar haar, of naar wie dan ook. Hij staarde in de verte met die alwetende blik in zijn ogen die hij altijd had als hij stond te oreren. Dan merkte hij niets en niemand op en hoorde hij alleen zichzelf. Terwijl ze voorbijliep, hoorde ze hem aan zijn tweekoppige gehoor vertellen wat de laatste roddels waren binnen de Amerikaanse advocatuur. Bij iedere stap bekeek ze de mensen en hun talloze kenmerken, vooral de houding van hun bovenlichaam. Al heel snel viel haar dat gemakkelijk, alsof ze ervoor opgeleid was. Datzelfde gevoel had ze gehad toen ze merkte hoe snel ze kon rijden. Toch begon ze ten prooi te vallen aan claustrofobie, bijna paniek. *Wie was Berianov?* Toen ze weer bij de voorkant van de Rozentuin aankwam, zag ze Jeff. Hij knikte even, ten teken dat de pistolen klaar waren.

De assistenten liepen nu tussen de mensenmassa door om gasten en pers te manen, plaats te nemen.

'Ja, graag,' zei ze tegen een van de geplaagde medewerkers die hoofdtelefoons aan het uitdelen was.

'Alstublieft. Kanaal 1 is Russisch, kanaal 2 Engels.'

'Bedankt.' Jeff nam de hoofdtelefoon aan en zette hem op, terwijl ze langs de trap liep waarboven het podium torende. Bobby Kelsey was verdwenen.

'Sorry!' Jeff liep tegen haar aan.

Ze voelde hoe haar tas plotseling zwaarder werd. Hij had het pistool erin laten vallen.

Ze nam de hoofdtelefoon af en zei opgewekt: 'Nee hoor, mijn schuld. Ik liep niet op te letten. Sorry.'

'Geen probleem,' zei hij. En toen, gedempt: 'Iets gezien?'

'Volgens mij heb ik Bobby Kelsey op het podium zien staan,' fluisterde ze. 'Doe voorzichtig.'

'Net wat we nodig hadden.' Zijn blik streek over de menigte. De mensen waren bezig hun plaatsen op te zoeken. Het was bijna tien uur. 'Jij blijft links, ik neem rechts.'
'Daar heb je Kelsey,' fluisterde ze.
Jeff volgde haar blik naar de veranda, waar de podia stonden te wachten.

Bobby Kelsey voelde zich in topvorm. Zijn gezicht jeukte, maar dat was een kleinigheid. Van zijn fraaie pak tot zijn FBI-identificatie en het pistool in zijn schouderholster voelde hij zich in zijn element. Hij genoot van al die activiteit, de vrijheid om tussen al die mensen door te lopen, de macht die bij zijn positie binnen de overheid hoorde. Hij had een paar uitgelezen agenten bij zich, en die had hij van hier tot helemaal aan zijn auto geplaatst, die hij op de parkeerplaats tussen het Witte Huis en het oude Executive Office-gebouw had neergezet. Die agenten zouden hem helpen om weg te komen, want hij had ze gewaarschuwd dat hij naar een belangrijke vergadering moest en kort na de persconferentie snel en onopvallend moest zien te verdwijnen.
Nu stond hij weer op zijn zelfgekozen positie bij de deuren naar de Kabinetskamer. Hij overzag het vrolijke gedrang in de tuin onder hem en keek hoe de gasten een plek uitzochten. De verwarring nam af, er begon orde te heersen. Over enkele minuten zouden de twee staatshoofden door de terrasdeuren komen en naar hun podia lopen. De televisiecamera's draaiden al en CNN en andere netwerken waren bezig met hun inleidende praatjes.
Maar toen kreeg hij een akelige schok. Er liep een lange man met een stok langs de rijen, schijnbaar op zoek naar een stoel. Geschrokken bekeek Bobby hem. Hij had iets bekends... ruim een meter negentig, met cowboylaarzen. Zo'n lengte liet zich niet vermommen. En hij was ook niet graatmager, maar zag er gespierd uit. Hij had een andere haarkleur en zijn gezicht had een andere vorm. Maar hij verried zich door zijn bezigheid: zijn verholen blikken schoten alle kanten uit.
Bobby Kelsey was niet honderd procent zeker van zijn zaak, maar hij had bij het betreden van het terrein vernomen dat de kans bestond dat Jeffrey Hammond zou komen opdagen. De beveiligingsman had erop gestaan hem een foto te laten zien, hoewel hij had verteld dat hij tot 1991 met Jeff had samengewerkt. Hij draaide zich op zijn hakken om en rende naar de dichtstbijzijnde agent van de Geheime Dienst. Hij praatte indringend en vol overtuigingskracht op hem in.

'Meneer de president, ik raad het met klem af.' De woorden van Linda Patton, de chef-staf van president Stevens. 'Op zijn minst moet de persconferentie worden afgelast. U kunt de lunch laten doorgaan; dan kunt u beiden daar uw opmerkingen plaatsen. De pers zal aanwezig zijn. Zo krijgt u bijna dezelfde impact, maar het risico is veel kleiner.'

President Stevens zag er waardig uit in een conservatief grijs pak met een beschaafd-rode das. Maar hij had het soort aantrekkelijk knappe gezicht dat kiezers lokte en hem meer problemen met vrouwen had bezorgd dan hem lief was. Maar nu was hij gelukkig getrouwd en vader van een peuterdochter, en hij was vast van plan om bij de volgende verkiezingen herkozen te worden.

Rustig zei hij: 'Kalm aan, Linda. Dit is een enorm evenement. Hoe zou ik overkomen als ik me bij ieder gevaar verstopte?' Hij knikte naar president Poetin, die Engels verstond, al gebruikte hij bij officiële gelegenheden het liefst een tolk. 'Wat vindt u, president Poetin?' Vladimir Poetin was niet de beste leider van een Nieuw Rusland die hij zich kon indenken, maar momenteel was hij de enige die in aanmerking kwam.

'Laten we de beer maar tegemoettreden, president Stevens,' zei Poetin zonder aarzelen. 'In mijn land is het raadzaam om nooit laf te lijken, vooral in deze onzekere tijden.'

Poetin was kleiner dan Stevens en had een onopvallend, vermoeid gezicht waarin alleen de ogen opvielen: die waren scherp, intelligent en misten niets. President Stevens dacht aan die kleine, onopvallende man en het land dat hij leidde, de wankelende reus die Rusland was. Stevens was nooit gesteld geweest op Poetins voorganger Boris Jeltsin. Hij had hem een egoïstische manipulator gevonden, een schreeuwerig type dat op een tank sprong en zijn vuist balde, maar niet de zelfdiscipline opbracht om in te zien wat de lange-termijnkosten waren van zijn wrede beslissingen. Erger nog, misschien had Jeltsin zich daar niets van aangetrokken.

Poetin daarentegen was een denker. Als Poetin zich uiteindelijk zou kunnen ontworstelen aan het drijfzand van Ruslands alomtegenwoordige corruptie en geweld... als hij een heldere visie kon ontwikkelen van een Rusland met een westers gevoel voor democratie... en als hij fermer kon optreden tegen diegenen die de Russische rijkdommen en economie schaamteloos aan het plunderen waren... dan kon hij de leider zijn die Rusland nodig had. In Stevens' ogen bezat Vladimir Poetin wel degelijk potentieel in die richtingen, en zijn plan was dan ook simpel: hij zou alle pessimisten en tegenwerking negeren en alles doen wat hij kon om Poetin op het juiste pad te helpen.

Over al die dingen dacht hij na terwijl ze in de Kabinetskamer stonden, omringd door hun echtgenotes en een tiental assistenten. Boven de lange ovale tafel keken de borstbeelden van George Washington en Benjamin Franklin op hen neer. Er hing een onzekere stilte in het vertrek.

'Oké dan,' kondigde president Stevens aan. 'President Poetin en ik zijn het eens. We gaan naar buiten.'

'Meneer! We hebben een indringer gezien...'

Zodra hij Bobby Kelsey zag praten met een van de agenten van de Geheime Dienst, wist Jeff dat er problemen op komst waren. Hij draaide zich om en liep door de slinkende menigte weg om zo veel mogelijk afstand te creëren tussen hemzelf en Kelsey, en tussen hemzelf en Beth. Maar dat haalde niets uit. De Geheime Dienst kwam van alle kanten op hem af. Hij kon niets doen, tenzij hij een van de agenten neerschoot.

'Meneer Hammond, geen beweging, graag.' De agent had gemillimeterd haar. Zijn pistool drukte in Jeffs ribben. Zijn stem klonk bedrieglijk beleefd.

Gespannen zei Jeff: 'Luister, dit is niet wat het lijkt. Bobby Kelsey is de...'

'Dat bespreken we verder binnen.'

De agenten waren met hun zessen, en daarboven waren er nog twee scherpschutters op het dak van de westvleugel, die hun geweren op hem hadden gericht. In de buurt verstarden de mensen, doodsbang. Televisie- en fotocamera's zoomden in op het gebeuren. Vanuit zijn ooghoek zag hij Beth, een meter of zeven verderop. Gelukkig toonde geen van de agenten enige belangstelling voor haar.

Op gedempte toon begon hij te praten. Hij liet zich rond de westvleugel naar een zij-ingang brengen. De pers werd tegengehouden. En de hele tijd beschreef hij zo overtuigend als hij kon wat er de afgelopen paar dagen was gebeurd. De agenten bleven zwijgen. Hun gezichten stonden strak en onaangedaan. Ondoordringbaar. Zodra ze hem uit het zicht van de Rozentuin hadden gebracht, ramden ze hem tegen een stenen paal om hem te fouilleren. Ze gingen niet bepaald zachtzinnig te werk.

'Hij is gewapend!' zei een van hen opgewonden.

Als ze al een woord hadden gehoord van wat hij had gezegd, dan maakte dat nu niets meer uit. Voor hen vormde dit verborgen wapen het bewijs van hun verdenking.

Wanhopig zei hij: 'Ik ben al tien jaar undercover! Dit is het moment waarop ik heb zitten wachten! Ik heb altijd geweten dat Aleksej Berianov iets in zijn schild voerde. Hij is hier, zeg ik je. Je moet hem vinden en hem tegenhouden!'

De agent met het gemillimeterde haar snoof. 'Jazeker, sportfanaat. En dat speeltje in jouw zak is een aardbeienlolly. We zullen jou eens even opsluiten en de sleutel weggooien!'

Op dat moment hoorden ze een vrouwenstem achter hun rug. 'Laat me erdoor, verdomme. Hier is mijn badge. Ik ben Millicent Taurino, procureur-generaal. Justitie, verdomme. Kijk me niet zo aan. Ik weet zeker dat Dean Jennings jullie heeft opgedragen om mij alle medewerking te verlenen.'

Voordat Jeff iets kon zeggen, rukten de agenten hem weg van de stenen paal, draaiden hem om en duwden hem naar een deur die naar een kale kamer zou leiden waar ze hem konden verhoren.

'Mevrouw Taurino,' probeerde hij. 'Ze zitten helemaal fout. De president verkeert in levensgevaar...'

'Nu niet meer, vriend. Zei je dat hij een pistool had?' Ze droeg een duur jersey pakje, open aan de hals, en vlak bij haar sleutelbeen was een blauwe vlindertatoeage te zien. 'Nou, *special agent* Hammond, je maakt je badge wel op een verschrikkelijke manier te schande. Breng hem naar binnen, mannen. Ik ben hier niet voor de gezelligheid. Laten we maar eens uitzoeken wat die verrader allemaal te weten is gekomen.'

'Een indringer, zei je?' President Stevens fronste zijn voorhoofd. 'Heb je hem te pakken?'

Hij had het tegen het hoofd van het Geheime Dienst-team van die dag, Bill Hughes. Hughes' sombere gezicht was rood en bezweet. 'Jawel, president. Maar ik vrees dat het niet zo soepel ging als we gehoopt hadden. Het staat op film. Het is Jeffrey Hammond, die voormalige FBI-man die gezocht wordt in verband met een aantal moorden, onder meer die op directeur Horn. We kregen een tip van adjunct-directeur Kelsey, hoofd van de nationale veiligheid bij de FBI.'

De president vloekte. 'Hoe is die Hammond in godsnaam binnengekomen?'

'Het is niet best.' President Poetin schudde zijn hoofd. 'Maar misschien betekent dit dat het probleem is opgelost?'

'Ja, dat neem ik wel aan,' zei president Stevens enthousiast. Hij wreef zich in de handen. 'Zullen we de wereld gaan toespreken, Vladimir?'

'Dat doen we, Jim. Laten we die ongelovigen maar eens gaan tonen dat wij twee landen zijn die zich verenigd hebben in de strijd tegen geweld en tirannie.'

'Maar...' probeerde het hoofd van de beveiliging.

'Kurk erop,' zei president Stevens op gedecideerde toon. 'Je hebt prachtig werk verricht. Nu mogen wij.'

Samen met de Russische president liep hij naar de openslaande terrasdeuren. Achter het glas zagen ze het dubbele podium en de massa mensen die gespannen zaten te wachten.

Uiterlijk kalm, met een verwachtingsvolle glimlach, vond Beth een stoel aan het rechter middenpad, tamelijk vooraan. Ze had gezien hoe Jeff opgepakt was, en nu stond Bobby Kelsey weer op de overloop van de westvleugel, boven de menigte, waar de twee presidenten over enkele ogenblikken zouden spreken. Er lag een tevreden glimlach op zijn gezicht. Even had ze het hevige verlangen om daar met beide vuisten op los te rammen.

Vol zorgen over Jeff speurde ze wanhopig de gezichten van de aanwezigen af, de gasten, verslaggevers en staf, op zoek naar iets waaraan Berianov te herkennen was. Waar zat hij? Hoe zag hij eruit? *Michaïl, waar is generaal Berianov? Waar is de man die jou heeft vermoord?* Haar blik dwaalde weer naar de tevreden Kelsey, die er zelf ook uitzag alsof hij ergens op wachtte. Het feit alleen al dat hij daar stond, bezorgde haar een gevoel van hopeloosheid, alsof ze weer in het transplantatieziekenhuis lag dood te gaan. Ze kon haar blik niet van hem afwenden. Wat was hier aan de hand?

Plotseling viel de menigte stil. Er ging een opgewonden huivering door het publiek heen. Verslaggevers pakten hun notitieboekjes en zetten hun taperecorders aan. En diegenen die hun hoofdtelefoon nog niet hadden opgezet, deden dat nu, terwijl de twee presidenten van de vroegere vijandige naties trots zij aan zij naar buiten traden vanuit de Kabinetskamer. Er barstte een daverend applaus los. De presidenten straalden en wuifden. Ze namen hun plaatsen in achter het spreekgestoelte.

'Dames en heren. Gasten, leden van de pers,' begon president Stevens. 'Het is mij een eer hier vandaag voor u te staan met een medeburger van de wereld, een vriend in de vrede...'

Ze keek naar Bobby Kelsey, die vol aandacht met een zelfgenoegzaam gezicht stond te luisteren. Hij stond iets opzij, temidden van de Amerikaanse en Russische beveiligingsagenten. Alle agenten hadden het gebruikelijke vertoon van nonchalante alertheid. Maar dat was een leugen. Net zoals die vrolijk gekleurde tulpen en de rondfladderende nachtpauwogen het geheel een sfeer van charmante onschuld bezorgden, maskeerde de informele houding van de agenten hun dodelijke training.

Verdiept in zijn missie als hij was, merkte Bobby Kelsey de naar hem omhoog starende lange brunette aan het middenpad niet op. Toen er een vlinder voorbijkwam, stak hij afwezig een hand uit en ving het insect. Met een geoefend gebaar verpletterde hij de vlinder en liet hem vallen. En toen stak hij zijn hand onder zijn jasje en greep zijn dienstpistool. Hij was aan alle kanten omsloten door Russische en Amerikaanse agenten.

Beths hart leek stil te staan terwijl ze Kelseys gebaren voor haar geestesoog opnieuw afspeelde. De hoek tussen zijn nek en zijn hoofd. De beweging van zijn schouders. Die souplesse, die ze maar eenmaal eerder gezien had. Ze dacht terug aan Berianov, hoe die die ochtend bij het Jefferson Memorial had gestaan, zijn houding, die schouders zo vierkant, het hoofd zo rechtop, net als Kelsey nu. Ze herinnerde zich haar laatste nachtmerrie: *Hij zette zich schrijlings op de gigantische motor, zijn schouders vierkant en zijn hoofd uitzonderlijk rechtop. Hij bewoog even met zijn schouders en kantelde zijn hoofd achterover, terwijl hij een helm met een ondoorzichtig vizier over zijn gezicht trok.* Ze zag weer voor zich hoe Kelsey daarnet even met zijn schouders had bewogen en zijn hoofd iets had gekanteld toen hij zijn hand uitstak naar die vlinder...

En toen wist ze het. Met een verpletterende helderheid wíst ze het. De oude opzichter had zijn hand uitgestoken en een nachtvlinder gegrepen, en die had hij fijngeknepen vlak voordat zij achter Jeff aan de donkere garage in gelopen was. Die oude man was Berianov geweest. Nu was Berianov Bobby Kelsey. Hoe het kon, wist ze niet, maar ze was ervan overtuigd.

Langzaam stond ze op, een geïnteresseerde glimlach op haar gezicht. Haar nieuwe zelfvertrouwen – *dank je, Michaïl* – daalde over haar neer en bereidde haar voor op wat haar te doen stond. Ze stak haar hand in haar tas en greep het pistool, terwijl ze naar de voorkant van de tuin liep. Ze was niet de enige die rondliep. Maar die anderen waren van de pers, rustig in de zijlijn aan het werk en aan het overleggen. Haar keel werd droog van de angst toen ze tussen hen door naar 'Bobby Kelsey' toe liep.

5 1

Millicent Taurino torende boven Jeffrey Hammond uit, die met gevouwen handen en een boos vooruit gestoken kin aan de enige tafel in het kleine, kleurloze vertrek van de Geheime Dienst zat.
'Gelul, Hammond,' verklaarde ze met haar handen in haar zij. 'Je
verwacht toch zeker niet dat wij geloven dat dit de rest van je verhaal bevestigt? Gewoon omdat je zogenaamd een telefonische tip
hebt gegeven dat we moeten uitkijken naar Aleksej Berianov, die
president Stevens vandaag zou willen vermoorden? Je bent niet alleen een moordenaar, je bent nog stom ook!'
Er kwam nog iemand van de Geheime Dienst binnen. 'President
Stevens is bijna klaar met zijn welkomstwoord, en iedereen is weer
gekalmeerd.' Zijn blik gleed over de vijf aanwezigen die in het vertrek zaten en stonden, en bleef uiteindelijk rusten op Bill Hughes,
het hoofd van het beveiligingsteam van die dag. 'Het ziet er allemaal normaal uit, Bill. Poetin gaat dadelijk beginnen. Volgens mij
zijn ze die toestand met Hammond wel zowat vergeten.'
'Mooi zo,' zei Hughes. 'Ga maar weer naar buiten. Laat even weten wanneer Poetin klaar is.' Hij keek naar procureur-generaal Millicent Taurino. 'Laten we zorgen dat we Hammond hier wegkrij-
gen voordat het feest voorbij is. Ik wil hem graag met zo weinig
mogelijk fanfare afvoeren.'
'Goed plan,' knikte Millicent Taurino.
Een van de FBI-agenten meldde: 'Hammond is onze man. Hij gaat
naar het Hoover-gebouw. Niet alleen wilde hij vandaag de president vermoorden, maar hij is ook onze mol. We moeten erachter
komen wat hij allemaal weet en wat hij doorgegeven heeft. Geen
pers. Geen bezoek. Geen telefoon...'
Abrupt sloeg Jeff met zijn handpalmen op het tafelblad. Iedereen
sprong overeind en greep naar zijn wapen, maar Hammond maakte verder geen dreigende gebaren. In plaats daarvan riep hij met
van woede fonkelende ogen: 'Zijn jullie nou helemaal gék? Ik dacht
dat jullie de president moesten beschermen. Luister nou toch, god-

verdomme! Ik heb Tom Horn niet vermoord. Ik zat in Pennsylvania, samen met Eli Kirkhart, op het moment dat Tom stierf. En als ik het me goed herinner, mevrouw Taurino, maakt u deel uit van het geheime team waaraan Eli verslag uitbrengt. En als ik dat weet, dan kan ik die supergeheime informatie van niemand anders hebben dan van Eli zelf, nietwaar?'

Millicent Taurino leunde met haar ellebogen op de tafel, legde haar smalle kin op een vuist, enkele decimeters van Hammonds gezicht af. Haar stem klonk zacht en dreigend. 'Jij hebt niets gezegd... ik herhaal, niets... om mij te overtuigen dat jij Tom Horn en dat jonge stel in West Virginia niet hebt vermoord. Sterker nog, je hele gedrag laat te wensen over, en nu ben ik er nog zekerder van dat je niets bent dan een uit z'n krachten gegroeide blaaskaak van een verrader. Je bent schuldig. Tom had jou best over mij kunnen vertellen voordat je hem vermoordde, en het is maar goed dat we je in de kraag hebben gevat voordat je president Stevens kon neerschieten. Dan was ik pas écht kwaad geworden!'

Jeff Hammond beantwoordde Millicent Taurino's woedende blik. 'U kunt wat mij betreft zo kwaad worden als u wilt, dame. Ga maar op zoek naar Eli. Die zal bevestigen dat alles wat ik gezegd heb, de waarheid is. En jullie zitten nog steeds met een kruitvat in de Rozentuin. Een kruitvat dat ieder moment tot ontploffing kan komen.'

'Ja, en ik heb ballen in plaats van tieten en jij bent eerste slagman voor de Red Sox. Mooi niet, vriend. Jij zit tot je oren in de stront en het is niet aan jou te danken dat de president nog leeft.'

Op dat moment ging de deur weer open en vroeg een vermoeide stem met een licht Engels accent: 'Jeff, ouwe rakker, wat is er aan de hand? Ze zeggen me dat je vast...' Eli Kirkhart zweeg verbijsterd. Hij hield zijn rechterarm vast. De hand en de mouw van zijn jasje waren donker van het geronnen bloed. Ook de rechterkant van zijn gezicht zat onder de bloedkorsten.

Toen ze naar de verhoogde omloop liep waar de twee presidenten boven de Rozentuin stonden, meende Beth de waarheid te kennen over Aleksej Berianov en Bobby Kelsey. Met het pistool stevig in haar hand geklemd bestudeerde ze Kelsey. Rondom hem vormden de goed getrainde mannen en vrouwen van de beveiliging een intimiderende barricade van pakken, uniformen en ernstige, waakzame gezichten.

Beth negeerde de rest en concentreerde zich op Kelsey. Wás dat Berianov? Misschien had ze het fout. Het was een verontrustende gedachte. Onmogelijk, maar toch... hij haalde zijn hand uit zijn jasje.

'Hou hem tegen!' gilde ze. Met een hand schoof ze een verslaggever opzij, terwijl ze naar voren rende. 'Hij heeft een pistool!' Ze trok haar eigen miniatuurpistool, terwijl alle aanwezigen op de zuilengaanderij van de westvleugel zich als in slowmotion naar haar leken om te draaien.

De Geheime Dienst schonk Bobby Kelsey geen enkele aandacht. Uiteraard had hij een wapen: hij was van de FBI, een van hen. Maar die dame niet. Een hartslag lang keken ze op haar neer, terwijl ze hun wapens trokken. Op datzelfde moment zag ze het open pad tussen Bobby Kelsey en de podia. Vanuit Kelseys standpunt zag het ernaar uit dat hij één schot kon lossen, en niet op president Stevens. Nee, vanwaar hij stond kon hij alleen de Russische president doodschieten.

Even voelde ze zich verward, maar toen kwam het antwoord duidelijk door: het was een list geweest. Berianov had gelogen. Hij moest vanaf het begin al gepland hebben om Poetin te vermoorden, en hij had verwacht dat de ultranationalistische Hoeders daarvoor verantwoordelijk gehouden zouden worden. Een Russische president op Amerikaans grondgebied vermoord door Amerikaanse fanaten zou heel Rusland in woede doen ontsteken en zou een vruchtbare voedingsbodem vormen voor een machtsovername door de onderscheiden generaal Berianov met zijn visie van een herenigd, herbewapend, moreel verontwaardigde Sovjet-Unie.

Voordat Beth die logica verder kon uitwerken, smeten de agenten zich van de gaanderij af, over de struiken heen op haar af. Anderen holden naar de presidenten toe om die te beschermen. Het publiek reageerde met gillen en krijsen. Sommigen sprongen overeind om te zien wat er gebeurde.

Maar in die paar seconden voordat de agenten hun doel bereikt hadden... voordat de menigte de tijd had om angstig op de vlucht te slaan... en voordat Beth hem kon bereiken... richtte generaal Aleksej Berianov – meester in vermommingen, genie van de geheime actie – de grote Smith 10 van Bobby Kelsey. Berianov glimlachte. Hij ging helemaal op in zijn droom, een gevangene van de schitterende visie waarvoor hij alles had opgeofferd. Hij hoorde de galmende woorden van de grote sovjetleider Lenin: 'De geschiedenis kent geen pardon voor revolutionairen die zaken uitstellen als ze de overwinning kunnen behalen.'

Toen de Russische en Amerikaanse agenten van hem weg renden om hun werk te doen, stond hij daar open en bloot, zijn pistool vol in het zicht. Maar in gedachten maakte hij zich geen zorgen, genoot hij van het moment. Hij zag zich al in het Kremlin, waar hij thuishoorde, aan het hoofd van de historische politbureau-tafel, bezig de reguliere donderdagmiddagvergadering tot de orde te roepen. Er was veel te doen. Fouten moesten worden rechtgezet. Een corrupte particuliere economie van gangsters die weer in handen gegeven moest worden aan het hele volk. De belangrijkste missie van zijn hele leven was bijna volbracht: hij zou de Sovjet-Unie als een gigantische feniks uit de as van het kapitalisme zien herrijzen, schitterender dan ooit.

Terwijl de agenten van de Geheime Dienst over haar heen vielen, lag Beths hand zwetend rond haar kleine pistool. De gezichten van de twee mannen die ze had gedood dreigden haar te overmannen: de gezette KGB-moordenaar, Ivan Vok. En die naamloze Rus die hen vanuit de stationwagen had aangevallen. Ze wilde niet nog iemand doden... maar ze zag Bobby Kelseys vinger aan de trekker...

Met een ruk trok ze zich los uit haar trance. *Dit is voor jouw volk en het mijne.* Inwendig knikte ze instemmend. In de volle zon, terwijl er een gegons van paniek door de menigte ging, vuurde ze op de man die ze ervan verdacht Aleksej Berianov te zijn, niet omdat hij misschien Berianov was, maar omdat ze wist dat hij zou proberen de Russische leider te vermoorden. Bijna tegelijkertijd schoot de moordenaar op Vladmir Poetin. Het lawaai van de twee haast gelijktijdige explosies leek de hemel aan scherven te breken alsof het een glazen ruit was. Het publiek begon te gillen.

Het bloed spatte uit Berianovs borst, en hij viel achterover. Hij werd duizelig, en daarna boos toen hij besefte dat hij neergeschoten was. Hij richtte zijn hoofd op om te kijken wie zoiets gedaan kon hebben... Een lange vrouw met verwaaid bruin haar... nee, met vlammend rood haar. Zijn eigen kozak, de prachtige Tamara, zijn grote liefde. Er stootte een schouder tegen hem aan, en met een klap viel hij neer. Iemand rukte het wapen uit zijn handen. Klootzak. Zijn vingers werden gevoelloos, en zijn bloed stroomde onwelriekend en heet over zijn huid. Ergens in zijn achterhoofd besefte hij dat de kogel zijn hart doorboord moest hebben. Nog een keer detoneerde de pijn, en toen werd alles donker.

De Russische president Vladimir Poetin lag onder een stapel lichamen. De geur van Amerikaanse aftershave werd hem bijna te veel. Hij kreunde onder het gewicht. 'Wat was dat?' vroeg hij, in de opwinding van het ogenblik weer vervallend in zijn moerstaal. 'Wat is er gebeurd?'

'Iemand heeft op u geschoten, meneer. De kogel heeft gemist. Blijven liggen, meneer.'

Een van zijn eigen agenten herhaalde het bericht in het Russisch, en Poetin dwong zich tot geduld.

Ook president Stevens was bedolven onder beveiligingsmensen. Zijn ribben deden pijn, en hij probeerde iets te zien te krijgen. Maar waar hij zich de meeste zorgen over maakte, was dat dit weleens een explosief internationaal incident kon worden. Als een Amerikaan had gepoogd het Russische staatshoofd te vermoorden... hij wilde niet eens denken aan de afgrijselijke gevolgen.

'Hoe is het met hem?' wilde hij weten. 'Wie was het? Iemand van ons?'

Aan de andere kant van de gaanderij, naast de struiken vanwaar uit Beth de mislukte moordenaar had neergeschoten, trokken ruwe handen het pistool uit haar handen en sleepten ze haar naar de trap. Een tweede agent rukte haar tas weg. Die barstte open, en al haar pillen rolden over het gras, juwelen op een bed van groen.

Toen hoorde ze Jeffs krachtige stem: 'Nee! Laat haar met rust! Blijf van haar af!'

Ze voelde zich eigenaardig. Niet meer zichzelf. Ze had de moordenaar opzettelijk doodgeschoten, en nu golfden de emoties door haar heen. Walging. Woede. Opluchting. En tegelijkertijd voelde ze zich vredig. Alsof er een jarenlange, pijnlijke last van haar was weggenomen. De man die haar hartdonor had vermoord en die had geprobeerd om haar en Jeff te vermoorden was...

Ze keek op en zag Jeff, zijn lange gestalte. Hij smeet mensen links en rechts opzij terwijl hij naar haar toe rende. 'Hoe is het met Poetin?' vroeg ze hem. 'Leeft hij nog?'

'Prima. En jij?' wilde hij weten. 'Laat haar los. Verdomme, loslaten zeg ik!'

Teamleider Hughes van de Geheime Dienst kwam vlak achter Jeff aan. 'Hij heeft gelijk,' beval hij zijn agenten. 'Doe wat hij zegt. Laat haar los.'

Bevrijd viel Beth in Jeffs armen.

De Rozentuin verkeerde in een beheerste chaos. Leden van de Geheime Dienst en van het Witte Huis-personeel bevalen iedereen terug te keren naar zijn of haar stoel. Een paar zaten er zenuwachtig te praten. De meesten verkeerden nog in een shocktoestand. Als een lopend vuurtje verspreidde zich het bericht dat een hooggeplaatste FBI-man had geprobeerd de Russische president te vermoorden. Of was het de Amerikaanse president? Hier en daar werd gehuild. Onder de felblauwe hemel van een schitterende aprildag en in de beschermende omgeving van de schitterende Rozentuin bij het Witte Huis schudden ze het hoofd en vroegen elkaar wat er nou precies gebeurd kon zijn.

Beth en Jeff liepen opzij. Ze deed een stap achteruit om hem te kunnen zien. De vulling was uit zijn wangen verdwenen en hij zag er weer uit als haar Jeff. Ze dronk de aanblik in van zijn adelaarsneus, zijn mooie, donkere ogen en zijn gezicht met de hoge jukbeenderen. Hij had iets dat zowel aristocratisch als ruig was, een onweerstaanbare combinatie die momenteel ook troostrijk aandeed. Hij trok haar tegen zich aan.

In zijn armen vroeg Beth: 'Is Kelsey dood?'

'Ja.' Onbegrijpend schudde hij zijn hoofd. 'Dat iemand zo in de fout kan gaan. Die moordaanslag op Poetin moet in opdracht van Berianov gepleegd zijn. Nu vinden we Berianov waarschijnlijk nooit meer.'

'Mag ik Kelsey eens zien, Jeff?'

'Waarom?'

'Noem het intuïtie...'

Hij ging haar voor, de trap op naar de zuilengaanderij voor de Kabinetskamer, waar het krioelde van de agenten. Jeff baande zich een weg tussen hen door, op de voet gevolgd door Beth. Telkens wanneer iemand hen wilde tegenhouden, beval Bill Hughes dat ze zich nergens mee moesten bemoeien.

Tegen de tijd dat ze bij het lijk aankwamen, stonden daar agenten met notitieboekjes, polaroidcamera's en mobiele telefoons. Er waren mensen bezig zijn zakken te doorzoeken. De dode lag op zijn zij, met omhoog gedraaid gezicht, alsof hij verbaasd was. Bobby Kelseys karakteristieke rood-grijze haar lag in de schaduw, maar zijn gezicht en lichaam bevonden zich in het zonlicht. Zijn rechterhand lag langs zijn zij, open, alsof hij wachtte tot iemand hem zijn pistool zou teruggeven.

'Hier is hij,' zei Jeff.

Beth knielde naast de dode man en tastte rond zijn gezicht. De huid voelde rubberachtig en wat stijvig aan, niet helemaal gewoon. Ze liet haar vingers onder de kin en rond de hals glijden. Daar zat iets... ditmaal wist ze zeker dat ze een laagje dun rubber te pakken had. Ze prutste eraan.

'Hé! Wat moet dat!' blafte een FBI-agent boven haar. 'Haal dat mens hier weg!'

Zwijgend concentreerde ze zich op haar werk. Ze begon bij de kin en pelde het rubbermasker omhoog, over de mond heen. Boven haar hoofd hoorde ze iemand naar adem happen. Met beide handen rolde ze het masker verder omhoog, totdat er uiteindelijk een glad, ovaal gezicht met Noord-Europese trekken verscheen. 'Wat...?' vroeg Hughes verbijsterd.

'Wie is dat?' wilde een van zijn agenten weten.

Op grimmige toon antwoordde Jeff: 'Dat is Aleksej Berianov. Generaal Aleksej Berianov, voormalig KGB-hoofd. Wel verdomme. Hij stond dus de hele tijd vlak voor onze neus. Zo dicht bij de twee presidenten dat hij in hun oor had kunnen fluisteren.'

Bij leven was Berianov een aantrekkelijke kameleon geweest. In de dood had zijn diepgewortelde woede zijn onderlip weggetrokken in een lelijke grimas en zag zijn lichaam er klein, bijna verschrompeld uit. De energie die zijn maniakale doorzettingsvermogen had aangestuurd, had hem ook het vermogen bezorgd een indruk te wekken van een imposant postuur, een aantrekkelijk voorkomen en een charismatische charme. De dood had die ondefinieerbare eigenschappen meegenomen waardoor Berianov op een haar na een legendarische hoogte had bereikt.

Terwijl de agenten verder praatten en meer foto's namen, trok Jeff Beth een eindje opzij. Hij bleef op de trap staan, nam haar schouders in zijn handen en keek neer in haar gezicht. Het afgrijzen en het verraad van de afgelopen paar dagen lagen als een loden bal tussen hen in. 'Hoe wist je dat het Berianov was?'

'Een combinatie van factoren. Misschien zelfs cellulair geheugen.' Ze vertelde hem over de nachtmerrie waarin Berianov de motorhelm had opgezet, en over de oude opzichter die de nachtvlinder uit de lucht had geplukt bij de boerderij in Pennsylvania. Ze beschreef hoe Berianovs bewegingen bij het vangen van de vlinder haar vandaag hadden gealarmeerd. 'Maar ik ben opgelucht dat ik gelijk had.' Met een zucht legde ze haar wang tegen zijn schouder. 'Toen ze jou weghaalden, was ik bang dat onze volgende ontmoeting achter tralies of in het mortuarium zou zijn. Dat was vreselijk. Hoe komt het dat ze je hebben laten gaan?'

'Dankzij Eli, hier.'

Beth keek even om en zag een grijnzende, bebloede, maar intussen verbonden Eli Kirkhart komen aanlopen. Zijn rechterarm zat in een mitella en de rechterkant van zijn gezicht was afgeplakt met een dikke laag wit verbandgaas. Achter hem liep een kleine, slanke vrouw met een paardenstaart en een duur jersey pakje.

'Fijn om u weer te zien, mevrouw Convey,' zei Eli. 'Vooral onder deze veel positievere omstandigheden.' Hij stelde Millicent Taurino voor. 'Mijn baas... nee, mijn ex-baas, nu ik niet meer op mollenjacht hoef. Ik ben blij dat ik Jeff kon helpen.'

'Daar zijn we allebei blij om.' Millicent slaakte een zucht. 'Daar hadden we het bijna verkloot. Dan hadden we later heel wat stront te ruimen gehad. Om nog maar te zwijgen van een presidentieel lijk en een verdomd groot internationaal incident.'

Eli draaide zijn buldoggezicht naar Millicent om. Hij keek haar aan, en zo te zien moest hij zich beheersen om niet te glimlachen. 'Ik zal u iets zeggen, mevrouw Taurino. U bent verschrikkelijk grof in de mond. Dat moest me al een tijd van het hart.'

Millicent knipperde verbaasd met haar ogen. 'Nou, daar kan ik het dan weer mee doen. Dank u, *special agent* Kirkhart. U bent een slimme vent, zij het dan lichtelijk seksistisch. Maar daar kunnen we het later over hebben.' Met schuin gehouden hoofd keek ze hem even aan.

Beth keek van de een naar de ander, en toen naar Jeff. Hij trok zijn wenkbrauwen op en grijnsde. Ze vroeg aan Eli: 'Waar is Evans? Is hij nog nuchter geworden?'

Eli schudde zijn hoofd. 'Het spijt me. Bobby Kelsey heeft die arme Olsen doodgeschoten, maar dat betekende mijn redding. Na een tijd begonnen ze allemaal te schieten, en Olsen raakte in paniek. Hij rende naar buiten en probeerde zich over te geven. Ik had hem een M-16 gegeven, maar hij was zo bang dat hij vergat dat hij dat ding nog in z'n handen had. Dus werd hij uiteraard neergemaaid door de FBI.' Hij zuchtte. 'Maar in de algehele verwarring zag ik kans om door de achterdeur te ontkomen. Bloedend maar verder ongeschonden. Ik kroop tussen de struiken, en niemand heeft me gezien. Ze hebben urenlang gezocht. Zodra ik kon, heb ik vervoer hierheen geregeld.'

'Daar hofte ik mee,' zei Jeff.

Kirkhart glimlachte grimmig. 'Het was me een genoegen.'

'Misschien hebben jullie belangstelling voor wat de heer Kirkhart en ik net hebben gehoord,' zei Millicent. 'Onze mensen hebben de echte Bobby Kelsey gevonden. In zijn auto op de oostelijke parkeerplaats. Je kon hem alleen zien als je vlak naast de auto ging staan. Hij lag op de voorbank, met een enorme wond in zijn schedel en een haastig neergepend zelfmoordbriefje op de grond.'

'Een briefje?' Beth begon het te begrijpen.

Eli knikte. 'Daarin stond dat de Hoeders gelijk hadden – als Poetin in Lincolns kamer mocht slapen, was dat niet alleen heiligschennis, maar tegelijkertijd het ultieme bewijs dat ons land helemaal de weg kwijt was. Als goed Amerikaans burger moest Kelsey een groots gebaar maken om dat morele verval te stoppen, maar hij wist niet goed hoe. Hij was tenslotte wél lid van de FBI. Uiteindelijk had hij geweten dat het nodig was om Poetin dood te schieten, maar de enige eerbare oplossing was om ook zichzelf op te offeren.'

'Wat een waanzin,' snoof Jeff. 'Wie gelooft er nou zoiets?'

'Een heleboel mensen, vrees ik. En het ergste is, een deel daarvan zou met hem meevoelen.' Beth fronste haar voorhoofd. 'Berianov moet een verdomd goede vluchtroute gepland hebben.'

'Inderdaad,' zei Millicent Taurino. 'De namaak-Kelsey had zijn team van agenten tussen de westvleugel en de oostelijke parkeerplaats gestationeerd. Hij had gezegd dat hij niet al te lang in de Rozentuin kon blijven omdat hij naar een belangrijke vergadering moest. Zij moesten hem snel en soepel weg krijgen zonder de Russische delegatie voor het hoofd te stoten. We denken dat hij hen wilde wegsturen zodra hij bij de auto was. Zodra ze uit het zicht waren, had hij Kelsey achter het stuur overeind gehesen, het moordwapen in zijn hand geplaatst en had hij zich uit de voeten gemaakt, richting Moskou.'

'Zoiets moet het geweest zijn, ja.' Beth schudde haar hoofd. 'Nu wordt alles duidelijk. Hij had geen Hoeders meer, dus hij had een andere Amerikaanse zondebok nodig. Ik zie de krantenkoppen al: ADJUNCT-DIRECTEUR FBI PLEEGT MOORD OP RUSSISCHE LEIDER IN HET WITTE HUIS.'

Jeff knikte. 'Dan was in Rusland de hel losgebroken. Berianov en zijn maten hadden het Kremlin overgenomen en de wereld was teruggeslingerd in de koude oorlog. Dan was die hele afschuwelijke toestand van nucleair evenwicht opnieuw begonnen.'

Geschokt stond het viertal zwijgend temidden van de ratelende verslaggevers, de woordvoerders en de laatste gasten. De wereld was bijna omvergegooid. Ze keken elkaar aan in het besef van wat ze bijna verloren hadden.

Jeff keek naar Beth. Hij glimlachte van opluchting. 'Kom, we gaan ervandoor.'

Beths gezicht klaarde op. 'Prima idee.' Ze pakte zijn hand, en samen liepen ze weg.

EPILOOG

Het was oktober, zes maanden na de bijna-catastrofe in de Rozentuin, en Beth en Jeff hadden het grootste deel van de afgelopen week doorgebracht in het huisje aan Chesapeake Bay dat ze samen hadden gekocht. Hier in het hart van dit rijke deltagebied woonde niemand meer dan een paar minuten van een beekje of riviertje af, werd gezegd. Hun eigen gepotdekselde huisje stond vlak boven het riet, waar ze hun nieuwe boot konden afmeren aan een oude, houten steiger die ze samen hersteld hadden. Vanuit de ramen en vanaf de veranda konden ze zich koesteren in het kostelijke uitzicht van glinsterend water, enorme rondvliegende reigers en springende vissen. Die vredige omgeving was belangrijk voor hen.

Wekenlang was de maar net verijdelde poging tot moord op Vladimir Poetin wereldnieuws geweest. In Rusland was de lijst met Han-Tech-namen aanleiding geweest voor een diepgaand onderzoek binnen de hoogste regeringskringen en de meest onderscheiden militaire rangen. En toen werd het stil. Het onderzoek 'ging verder'. Er zouden aanklachten komen 'zodra alle bewijzen waren vergaard'.

In diezelfde periode hadden Jeff en Beth wekenlang achter gesloten deuren zitten getuigen bij gezamenlijke zittingen van onderzoekscommissies van het Huis van Afgevaardigden en de Senaat. Beth raakte geprikkeld en uitgeput en werd doodmoe van de eindeloze publieke belangstelling. Ze hadden het huisje gekocht en, zoals dat gaat, hadden na verloop van tijd andere rampen de krantenkoppen in beslag genomen en begon het Rozentuin-incident aan zijn onvermijdelijke reis naar de vergetelheid.

Er werd een nieuwe FBI-directeur aangesteld. Een vrouw ditmaal, misschien in de hoop dat een vrouw niet het gevoel zou hebben dat ze J. Edgar moest zijn. Ze wilde Jeff zijn echte baan teruggeven, met een salarisverhoging, maar Jeff weigerde beleefd. Hij had gelijk gehad over Berianov, maar hij had een hoge prijs betaald. Toch had hij geen spijt meer over de gebrachte offers en had hij alleen nog verdriet om de verloren vrienden en familie. Tegelijkertijd had *The Washington Post* hem niet terug willen hebben, hoewel hij en Beth waren geroemd als helden. Dat kon hij begrijpen. Hij had de krant misleid en gebruikt als dekmantel. Dat was onethisch. De *Time* had de kans echter met beide handen aangegrepen. Nadat hij hun had verzekerd dat hij voorgoed uit de spionagewereld weg was, hadden ze hem een wekelijkse column gegeven waarin hij de explosieve veranderingen in Oost-Europa en Rusland kon blijven analyseren, maar nu voor een groter publiek. Daarbij kon hij nu eindelijk een oude wens verwezenlijken: na de jaarwisseling begon hij als part-time docent internationale betrekkingen aan de Hogeschool voor Diplomatie van Georgetown.

Zoals beloofd nam Beth afscheid van Edwards & Bonnett. Ze schreef een formele ontslagbrief die Zach Housley bijna een beroerte bezorgde. Michelle hield woord, en Beth begon haar eigen praktijk met de Philmalee Group als eerste cliënt. Algauw kreeg ze meer klanten, en toen vier prominente vennoten van Edwards & Bonnett, die meer dan genoeg hadden van hun firma, vroegen of ze bij haar konden komen, vormden ze een partnership en huurden ze een kantoor aan Thirteenth Street Northwest, in hetzelfde gebouw als White & Case, een internationale juristenfirma waarvoor Beth groot respect had. Eindelijk was ze nu partner, maar dan op haar eigen voorwaarden. Ze wilde echter ook iets voor de samenleving doen, dus de afgelopen week was ze begonnen met part-time pro-Deowerk voor vluchtelingen en emigranten die de standaardtarieven van vijfhonderd dollar per uur van een normale jurist nooit konden betalen. Ze vond haar zelfrespect terug – een onbetaalbare rijkdom.

De schemering begon te vallen bij het huisje, en de baai lag er glanzend, bijna paars bij. De toppen van de golven glinsterden zilver- en goudkleurig en weerspiegelden de lichten van steigers, huizen en voorbijvarende boten. De vochtige lucht was warm en zoet, een laatste geschenk van de zomer. Het was een heerlijke dag geweest. Ze hadden een paar vrienden uitgenodigd, krab en spareribs op de barbecue gelegd, en nu stonden ze hun gasten, die terugkeerden naar het drukke Washington, uit te zwaaien.

'Eli zag er goed uit,' vond Beth. 'Ik had geen idee dat hij zo'n gevoel voor humor had. Millicent doet hem goed, denk ik.'

Jeff knikte. 'Hij was zo'n stijve hark geworden dat het me verwondert dat Millicent eraan begon. Volgens mij heeft hij enorm geboft, net als ik.'

'Nee, ik bof, lieverd.' Ze kuste zijn wang. 'Hmm... heerlijk. Een vleugje barbecuesaus. Zo heb ik mijn mannen het liefst.' Ze streek zijn bruine haar weg van zijn voorhoofd. Voor het eerst in jaren voelde ze zich tevreden.

Hij grinnikte. 'Ik doe m'n best. Volgens mij heeft Amy zich vandaag ook prima geamuseerd, dacht je niet?' Amy was zijn zus. Zodra ze het nieuws over de bijna-geslaagde moordaanslag had gehoord, had ze een bezorgd bericht ingesproken op zijn antwoordapparaat thuis. Hij had haar teruggebeld, en na verloop van tijd had hij zijn excuses aangeboden voor zijn moeilijke gedrag van de afgelopen jaren. Ze waren weer vrienden geworden, de dood van hun ouders stond niet langer als een scheidsmuur tussen hen in. Zij, haar man Tony en hun twee kinderen hadden hier een week lang vakantie gevierd.

'Amy heeft zich kostelijk geamuseerd,' verzekerde ze hem. 'En Tony en de kinderen ook.'

'Ik vind dat we hen allemaal moeten uitnodigen voor ons trouwen. Amy, Tony, de meisjes, Eli, Millicent, Michelle... ja, zelfs Michelles laatste toyboy.' Hij zweeg even en keek haar aan. Toen ze niets zei, vervolgde hij: 'Ik meen het, Beth. Ik wil ontzettend graag met je trouwen.'

Met een droge mond van angst wendde Beth zich van hem af. Ze liep over de veranda en leunde over de reling om de rijke geur van het water diep in te ademen. 'Dat kan niet, Jeff. Dat weet je. Dat mag je niet van me vragen.'

Hij aarzelde en vermande zich. Hij wist dat hij het doen moest. Dat hij het risico moest nemen. 'Als je dat niet wilt, wat doen we hier dan nog? Dan kan ik net zo goed verhuizen. We zijn volwassenen, geen kinderen meer. Ik wil geen huisgenoot. Ik zal een hele tijd van je houden, maar als het moet, ga ik in mijn eentje verder.'

Ze verstarde. 'Ik hou van je, Jeff. Echt waar. Maar ik heb je al verteld dat ik niet met je trouwen kan. Ik kan met niemand trouwen.'

'Ik herinner me anders dat je ook ooit gezegd hebt dat het leven bepaald wordt door risico's. Oké, neem dan het risico dat jij en ik een heel ander soort huwelijk zullen hebben dan jouw ouders. Dat we veel tijd zullen doorbrengen met onze kinderen. Dat we geen alcoholproblemen krijgen en dat we altijd van elkaar blijven houden.' Hij zweeg even en sprak de woorden uit waarvan hij wist dat ze haar doodsangst aanjoegen: 'En dat we geen van tweeën morgen doodgaan of per ongeluk de ander de dood injagen.'

De emotie welde op in haar borst. 'Dus jij denkt dat ik niet met je wil trouwen vanwege wat er met mijn ouders gebeurd is.'

'Als je alles in aanmerking neemt... het feit dat jij evenveel mannen hebt versleten als ik vrouwen, om maar te voorkomen dat er getrouwd moest worden... en dat je die hartaanval kreeg en zelfs echt stierf... ja, dan vind ik dat logisch.'

Ze haalde bevend adem. 'Ja.' Hij had gedeeltelijk gelijk. Maar ze had ook geleerd om de dood in het gezicht te zien, ze had er wekenlang mee geleefd terwijl ze op een transplantatie lag te wachten, en daarna waren er die intense, angstaanjagende dagen geweest toen Jeff en zij op de vlucht waren, opgejaagd terwijl ze op zoek waren naar Berianov. Als ze daaraan dacht, leek een huwelijk een haalbare kaart. 'Hou je me even vast?'

Ze kwamen elkaar halverwege de veranda tegemoet en vielen in elkaars armen. Hij veegde de tranen uit haar ogen en hield haar stevig vast. Ze voelde zijn hart geruststellend tegen het hare slaan. Toen luisterde ze naar haar eigen hart. Er brak een glimlach op haar gezicht door, want zolang ze dat hart kon horen en voelen wist ze dat ze nog ademde, dat ze nog leefde.

'Waar denk je aan?' vroeg hij.

Ze aarzelde. 'Aan het leven in het algemeen, geloof ik. Ik denk dat we ons hebben laten hypnotiseren door de omstandigheden. Dat is mij overkomen. We zijn vast komen te zitten in de kieren van het leven, en dat komt door keuzes en voorvallen en dingen die we ons nooit hadden kunnen voorstellen. Zoals de manier waarop mijn ouders om het leven gekomen zijn, en mijn ambitie om partner te worden binnen mijn firma, en toen dat cellulaire geheugen. Na een tijdje zaten we zo klem dat we op een soort automatische piloot verder gingen, en dan kunnen we niet zien of zelfs ook maar verzinnen dat er een beter leven mogelijk is.'

'Dat is zo. Volgens mij geldt dat ook voor landen.' Hij wachtte, en ze leek zichzelf in hem te begraven. Hij glimlachte. 'Kom op. Zeg het maar.'

Ze perste hem even tegen zich aan en lachte. 'Ik wil met je trouwen, lieverd. Dank je dat je op me gewacht hebt.'

Zowat een uur voordat de zon opkwam werd Beth wakker. Ze zag Jeff naast het bed staan met zijn Beretta in zijn hand. Hij drukte zijn vingers tegen haar lippen. 'Sst.'

Ze knikte en stond onhoorbaar op.

Hij trok zijn short aan. Hij transpireerde. 'Er is iemand in de woonkamer,' fluisterde hij. 'Ik zie licht onder de deur.'

Ze knikte nogmaals en trok een badjas aan. Op zijn teken rukte ze de deur open.

Hij sprong naar binnen, de Beretta geheven. 'Perez!' barstte hij uit.

De Rus zat op de bank in de woonkamer, gekleed in zijn gebruikelijke zwarte coltrui, broek en basketbalschoenen, maar hij had zijn skimasker afgezet. Een tafellamp wierp een zwakke lichtkring naast hem; de rest van het grote vertrek was in schaduwen gehuld. 'Ik heb niet veel tijd,' zei hij op gedempte toon. 'Morgen vlieg ik terug naar Moskou.'

Jeff schudde vol afkeer zijn hoofd. 'Dus nu kwam je even afscheid nemen?'

Maar Beth keek hem onderzoekend aan. 'Wou je ons iets vertellen?'

Perez knikte. 'De positie van president Poetin is aan het verzwakken. De meeste leden van Berianovs complot zitten achter tralies, maar weet je nog van die man achter de staatsgreep van '91? Eén van die gekken pleegde zelfmoord, terwijl de rest korte tijd de gevangenis in ging. Heel korte tijd. Dat was alles.'

'In ons land gaat dat heel anders,' zei Beth, 'Stel dat een gewapende groep het Witte Huis of het Huis van Afgevaardigden had aangevallen – dan zaten die lieden nu nog steeds achter tralies.'

'Precies. Daar horen criminelen, en terroristen, thuis,' stemde Perez in. 'Maar deze terroristen waren politici, zakenlui en hoge militairen. En na een paar maanden rumoer kregen ze hun banen gewoon terug, alsof er niets gebeurd was.'

'Dus je wilt zeggen,' zei Jeff voorzichtig, 'dat Berianovs achterban ook geen zware straffen zal krijgen.'

'Inderdaad. Een tik op de vingers, meer niet.' Hij schudde bezorgd zijn hoofd. 'Ik heb wat graafwerk verricht, en ik heb een lijst met namen van een stel mannen en een paar vrouwen die naar ik weet, of vermoed, deel uitmaakten van Berianovs poging tot een staatsgreep. Een groot aantal van die namen stond ook op de HanTech-lijst, maar niet allemaal. Ik heb het aan mijn chefs gemeld, en die zeggen dat ze de informatie doorgestuurd hebben naar de mensen die het onderzoek leiden.'

'Maar jij vertrouwt ze niet,' zei Beth.

'Denk je dat Berianovs plan nog leeft?' vroeg Jeff.

Perez leunde met een gespannen blik voorover. 'Iemand buiten Rusland moet op de hoogte zijn.'

'Maar ben je dan zelf niet bang?' vroeg Beth. 'Voor je leven?'

Perez staarde uit de voorramen, die op het oosten uitkeken over de baai. De eerste bleke stralen van de dageraad begonnen aan de oostelijke horizon te verschijnen. Hij stond op. 'Ik moet ervandoor. Leuk jullie weer even gezien te hebben.' Er lag een spijtige uitdrukking op zijn gezicht. Hij haalde zijn schouders op en pakte uit

zijn binnenzak een blanco, witte envelop. 'Als Rusland iets overkomt...'
Jeff nam de envelop aan.

Nadat Perez vertrokken was, bleven ze in het koele huis naar de
geluiden van de ochtend zitten luisteren. Na een tijd stonden ze op
om in de keuken koffie te zetten en het ontbijt klaar te maken. Toen
ze de eettafel passeerden, zag Beth een stapel post liggen. 'Die moet
Perez binnengebracht hebben. Zijn we gisteren helemaal vergeten,
met dat feest en alle voorbereidingen.'
Jeff glimlachte en trok een aan Beth geadresseerde dikke, bruine
envelop uit de stapel. 'Wat is dit? Het komt uit Moskou.' De envelop was aan haar kantoor gericht, maar doorgestuurd.
Ze greep hem en staarde naar het adres van de afzender. Meteen
na het voorval in de Rozentuin had ze een briefje gestuurd aan de
coördinator van het transplantatiehospitaal, met het verzoek om
haar brief aan de familie van haar hartdonor door te sturen. Door
het via het ziekenhuis te spelen had Beth haar vertrouwelijkheids-
overeenkomst niet geschonden, en ze hoopte dat de coördinator
haar brief zou lezen, beschouwen als niets meer dan een blijk van
erkentelijkheid jegens de familie en hem zonder problemen zou
doorsturen naar de weduwe van Michaïl Ogust.
Jeff gaf een kneepje in haar schouder. 'Kom mee naar de keuken,
lieverd. Dan kun je hem daar lezen terwijl ik koffie zet.'
'Goed idee.' Hij zette de radio aan en er klonk muziek terwijl ze in
de ochtendzon aan tafel ging zitten en de dikke envelop open-
maakte. Er zat een briefje in, en een pakje in zijdepapier. Ze las de
brief en vertaalde al lezende:

Moskou

Geachte mevrouw Convey,

Mijn excuses dat ik niet eerder antwoord op uw brief, maar
ik kom net terug in Moskou. Ik heb een paar maanden met
mijn kinderen doorgebracht op onze datsja op de Krim. Het
was zeer ontspannen. Het leek wel of de vruchten en
groenten dit jaar groter en lekkerder waren dan anders. Elke
avond hebben we op de veranda gezeten om koude thee te
drinken en aan vroeger te denken. Het was heerlijk.
Ik begrijp niets van stemmen van de doden die praten tegen
de levenden, maar ik moet zeggen dat Michaïl een sterke

persoonlijkheid had. Hij vond het belangrijk om ergens in te geloven, om jezelf over te geven aan iets groters – een religie, een idee, liefde, of misschien een vaderland.

Hij beweerde altijd dat hij atheïst was, dus religie kon het niet zijn. En hij had zoveel ideeën dat hij zich nooit kon beperken tot één lijn. Zijn grote liefde was ons gezin, en hij zei altijd dat hij zoveel van ons hield dat hij ons een land wilde schenken waarin iedereen veilig kon opgroeien en gedijen. Toen we de Sovjet-Unie kwijtraakten, was hij... waren we allemaal... een tijdlang de weg kwijt.

Ergens tegen het einde kreeg hij ruzie met Aleksej Berianov. Michaïl was razend op hem, en hij probeerde hem over te halen om van gedachten te veranderen over een of ander soort zaken waar ze samen in zaten. Wat er verder tussen hen is voorgevallen, weet ik niet.

Mijn hart is nog steeds gebroken over het verlies van mijn Michaïl, en ik rouw dagelijks om hem. En toen kwam uw brief. De gedachte dat u zich door hem beïnvloed voelt, dat u meer over hem wilde weten en dat het u kon schelen wie hij was en wat hij dacht, heeft me diep geraakt. Dat helpt mij om verder te gaan in de wetenschap dat een deel van hem voortleeft in u.

Ik hoop dat u het cadeautje wilt aannemen dat ik bij deze meestuur. Het is maar een klein aandenken aan zijn jeugd, maar overal waar we woonden hing hij dat in de slaapkamer op. Hij zei dat het de volmaakte verklaring voor het Russische karakter was, zowel de donkere als de lichte zijde. Ik denk dat u het zult begrijpen. Ik hoop dat u er blij mee bent.

Met de allermeeste hoogachting,
Tatjana Ogust

Jeff was al bezig het pakketje uit te pakken. Even later kwam uit het dunne papier een gepolijste houten plaquette te voorschijn. Hij overhandigde het hout aan haar, en met trillende vingers hield ze het omhoog. Er stond een gedicht op, met de hand geschilderd in cyrillische lettertekens:

Als je liefhebt, bemin dan zonder reden,
Als je dreigt, dreig dan niet in spel,
Als je stormt, geef dan uiting aan volle razernij,

Als je straft, wees dan streng,
Als je eet, geniet er dan van.
– Aleksej Konstantinovitsj Tolstoj (1817-1875)

'Het antwoord op mijn vraag waar die mysterieuze regels vandaan
kwamen. Dat was het Tolstoj gevoel.' Ze lachte, terwijl ze samen
het gedicht bestudeerden. 'Dat is wel heel Russisch, vind je ook
niet? Hard werken, serieus spelen, en lekker eten.'
'Ik geloof er natuurlijk geen fluit van,' zei hij met een stalen gezicht, terwijl hij haar tegen zich aan trok. 'Dat hele cellulaire geheugen is pure waanzin. Alles wat jou is overkomen, is zuiver toeval. En dat is begonnen met dat impulsieve telefoontje van jou naar
Meteor Express.'
'Jazeker,' zei ze met een al even plechtig gezicht. Toen grijnsde ze
opgelucht. 'Ik ben blij dat ik weet waar die regels vandaan komen.
Dat was dus Tolstoj. Het lijkt wel of dat gedicht het laatste stukje is dat de puzzel compleet maakt.'
'Zeg eens eerlijk. Serieus.' Hij zweeg even. 'Geloof jij dat het allemaal echt waar is? Dat je echt berichten doorkreeg van Ogust?'
Beth draaide zich om in zijn armen, en hij liet haar los. Ze hield
de plaquette omhoog en las hem nogmaals, nu in het Russisch.
Daarna drukte ze hem tegen haar borst. Even leek het wel of ze de
vitale slag van een hart kon voelen. 'Ik geef het niet graag toe. Tenslotte ben en blijf ik jurist. Maar: ja, inderdaad. Dat geloof ik.'
'Mooi zo. Ik ook.' Hij glimlachte.

Het werd februari in Washington. Een koude, bittere storm veegde de voetgangers en het verkeer weg uit de drukke straten. Toen
het zaterdag werd, was iedereen blij thuis te kunnen blijven. Die
middag zaten Beth en Jeff samen in hun keuken koffie te drinken.
En toen hoorden ze het nieuws op de radio: '... in Rusland is de
limousine van premier Netsjajev van de weg gedrukt door een van
de zogeheten zigeunertaxi's, van een brug geraakt en beland in de
met ijs overdekte rivier de Moskva. Tegen de tijd dat de limousine op het droge was getakeld, waren alle inzittenden, onder wie de
premier, zijn vrouw en drie beveiligingsagenten van de MVD, overleden. Het ongeval vond midden in de nacht plaats, en er zijn geen
getuigen gevonden die de identiteit van de chauffeur of de taxi onomstotelijk konden vaststellen. President Vladimir Poetin heeft onmiddellijk een opvolger aangewezen voor de populaire, hervormingsgezinde premier. De nieuwe premier is Roman Tyrret, een
recentelijk gekozen lid van de Doema en tevens de populairste te-

levisiepersoonlijkheid in Rusland. Meteen na de aanstelling stroomden de gelukwensen het Kremlin binnen. Vooraanstaand oligarch Georgi Malko noemde Tyrret "een goede, oude vriend" en bood de steun van de zakengemeenschap aan. De bekende generaal Igor Kripinski stelde een persbericht op waarin werd gesuggereerd dat Tyrret een prima opvolger zou zijn voor Poetin...'

Jeff staarde Beth aan. 'Onder de Russische grondwet neemt de premier het presidentschap op zich zodra de president beslissingsonbekwaam wordt. De premier moet dan binnen drie maanden verkiezingen uitschrijven, maar omdat hij de positie al bekleedt, verkeert hij in het voordeel. Als er nu iets gebeurt met Vladimir Poetin...'

'Ja, dan neemt Roman Tyrret de macht over.' Bezorgd schudde ze haar hoofd. 'Zowel Georgi Malko als generaal Kripinski stonden op Perez' lijst met namen van complotgenoten van Berianov. En nu steunen ze die Tyrret dus. Die omgekomen beveiligingsmensen...?'

'Inderdaad. MVD, de nationale Russische politie. Perez is MVD.' Hij zweeg en grimaste. 'Perez kan wel dood zijn.'

Er leek een kille wind door de warme, gezellige keuken te waaien. Ze staarden elkaar aan.

Beth zei wat ze allebei dachten: 'Het is nog niet voorbij.'

VERANTWOORDING

De Griekse wijsgeer Aristoteles was van mening dat de oorsprong van de geest in het hart lag. Net als in de wetenschappelijke gemeenschap van vandaag hadden de experts ook tweeduizend jaar geleden al hun meningsverschillen. De Griekse arts Hippocrates had al eerder het tegenovergestelde standpunt ingenomen – dat alle gedachten en emoties begonnen in de geest.

Die gedachte sluit keurig aan op twee adagio's: hoe meer de dingen veranderen, hoe meer ze hetzelfde blijven; en controverse stimuleert kennis.

Ik ben opgegroeid in Council Bluffs, Iowa. Op een dag, toen ik nog klein was, kwam mijn moeder op een ochtend met een asgrauw gezicht de keuken in voor het ontbijt. Een van de buren was zojuist dood neergevallen terwijl hij sneeuw aan het ruimen was. We waren allemaal hevig geschrokken, want deze jonge vader van een gezin met kleine kinderen had altijd de indruk gewekt niet zomaar gezond te zijn, maar te blaken van gezondheid. Maar in die tijd gebeurden dergelijke dingen. Mensen vielen op mysterieuze wijze dood door hartaanvallen. Veel mensen.

Volgens de *Journal of the American Medical Association* is dat nog steeds zo. Hartziekten zijn de meest voorkomende doodsoorzaak in ontwikkelde landen. Gelukkig zijn zorg en mogelijkheden voor een vroege diagnose aanzienlijk verbeterd, en voor diegenen die het doodvonnis van een vergevorderde hartziekte tegen zich horen uitspreken, zoals het geval was met Beth Convey in dit boek, bestaat er hoop: een harttransplantatie. Wanneer je bedenkt hoeveel operaties uiteindelijk een overlevingskans van slechts vijftig procent bieden, is het verbijsterend dat artsen een hart uit de ene persoon kunnen halen en in iemand anders plaatsen in de wetenschap dat ze een overlevingspercentage van negentig procent kunnen verwachten.

Wat veertig jaar geleden nog science-fiction was, is nu de realiteit. Mensen lopen rond met het hart van iemand anders, en sommigen beweren karaktertrekken, voorkeuren en zelfs herinneringen van hun donor geërfd te hebben. Had Aristoteles dan gedeeltelijk gelijk? Is er een relatie tussen een hart en een brein die verder gaat dan een simpele bedrading?

Nog maar vijftig jaar geleden geloofden neurowetenschappers dat alle breinmaterie in wezen dezelfde functie had. Pas in 1995 werd ontdekt hoeveel verschillende hersensystemen nodig zijn om iets schijnbaar eenvoudigs als bijvoorbeeld een woord op te diepen. Zelfstandige naamwoorden en werkwoorden worden bijvoorbeeld in afzonderlijke delen van het brein opgeslagen, iets wat een paar jaar geleden nog volslagen onbekend was.

En nu is het dus het jaar 2001 en staat onze kennis van het geest-lichaamcomplex nog in de kinderschoenen. Intussen komen er honderden ontvangers van donorharten naar voren die hun zelfverkozen stilte verbreken om ervaringen te beschrijven die alleen te verklaren zijn in het licht van de identiteit van hun hartdonor. Deze anekdotische getuigenissen lijken een aanval te plegen op de fundamenten van onze huidige wetenschappelijke, pyschologische en spirituele gemeenschappen. Sommigen vinden deze verhalen beledigend. Ze vinden die verhalen zelfs ketters. Maar daar staat tegenover... wat een kans om op verkenning te gaan en nieuwe dingen te leren.

Voor wie meer wil lezen over cellulair geheugen, kan ik de volgende boeken aanraden:

Hart en ziel: een memoire, door Claire Sylvia en William Novak. Sylvia, ontvanger van een donorhart, beschrijft haar reis van hartfalen via haar nieuwe leven met het hart van een jongeman die bij een motorongeluk om het leven is gekomen.

The HeartMath Solution, door Doc Childre, Howard Martin en Donna Beech. Childre is de oprichter van het Instituut voor HeartMath, waarheen artsen en psychologen patiënten verwijzen voor behandeling van aandoeningen als hoge bloeddruk en hartritmestoornissen.

Het geheugen van het hart, door Paul Pearsall, Ph.D., psychoneuro-immunoloog en auteur. Hierin worden nieuwe ontdekkingen beschreven op het gebied van cellulair geheugen en de rol daarvan in de connectie tussen brein, lichaam en geest. Pearsall heeft samengewerkt met meerdere ontvangers van donorharten.

Molecules of Emotion: Why You Feel The Way You Feel, door Candace B. Pert, Ph. D., voormalig hoofd van de afdeling Neurochemie bij de National Institutes of Health, momenteel onderzoekshoogleraar aan het Georgetown Medical Center in Washington. In dit boek bespreekt zij haar theorie dat neuropeptiden en -receptoren de biochemicaliën van emoties zijn, en dat deze informatie vervoeren binnen een enorm netwerk dat de materiële wereld van moleculen verbindt met de niet-stoffelijke wereld van de geest.

The Touchstone of Life: Molecular Information, Cell Communication and the Foundations of Life, door Werner R. Loewenstein, voormalig hoogleraar fysiologie en directeur van het Cell Physics Laboratory aan Columbia University, momenteel tevens directeur van het Laboratory of Cell Communication van het Marine Biology Laboratory in Woods Hole, Massachusetts.

Vanwege de enorme behoefte aan orgaandonaties wil ik u verzoeken te overwegen om een donorcodicil in te vullen. Meer informatie over orgaandonaties is te verkrijgen bij de Stichting Donorvoorlichting in Hilversum, telefoonnummer 0900-beldonor (22 cent per minuut) of website www.donorvoorlichting.nl

WOORD VAN DANK

Ik ben vele mensen dank verschuldigd voor hun bijdrage aan de totstandkoming van *Het Tolstoj gevoel*.

Carolyn Campbell, Ph.D., J.D., directeur en hoogste adviseur van Emerging Markets Partnership in Washington, DC, is tevens wetenschappelijk hoofdmedewerker voor internationale onderhandelingen bij George Washington National Law Center. Zij heeft advies gegeven bij juridische aspecten en heeft haar aanzienlijke kennis van Washington zelf met mij willen delen. Cheryl Arvidson, redacteur bij het Freedom Forum, schrijft voor United Press International, de Cox-pers en de *Dallas Times Herald* over het Witte Huis. Haar hulp bij de scènes in het centrum van Washington en het Witte Huis zelf is van onschatbare waarde geweest. Philip Shelton, auteur en voormalig agent bij de inlichtingendienst, en Gene Riehl, auteur en voormalig *special agent* bij de FBI, hebben met voorbeeldig geduld gecontroleerd of bepaalde overheids- en actieaspecten van het boek binnen het domein van het haalbare lagen. Peter Caldwell, apotheker en eigenaar van Caldwell Pharmacy in Santa Barbara, Californië, is zo vriendelijk geweest om de eigenschappen van verschillende hartmedicaties uit te leggen.

Ik ben het nieuwe team van Pocket Books grote dank verschuldigd voor hun fantastische enthousiasme en hun grote professionaliteit. Van voorzitter Judith Curr tot assistent-uitgevers Karen Menders en Kara Welch, senior-redacteur Kate Collins, directeur Publiciteit Melinda Mullin en publicist Leigh Richter en art-director Paolo Pepe... allen hebben mij omringd met de beste zorgen die een auteur zich maar wensen kan. Zowel senior-redacteur Lauren McKenna als assistent-redacteur Christina Boys hebben herhaalde malen de helpende hand geboden. Daarbij ook mijn grote waardering voor Ian Jackman, wiens redactionele magie zo'n grote bijdrage is geweest bij het aanscherpen en versterken van dit boek.

Mijn man, auteur Dennis Lynds, heeft bij iedere fase van het boek een sleutelrol gespeeld. Hij is mijn eerste en laatste redacteur.

Aan mijn agent, Henry Morrison... mijn eeuwigdurende dank voor alle manieren waarop hij betrokken is geweest bij *Het Tolstoj gevoel*, van de eerste opzet tot aan het uiteindelijke boek. Buiten de muren van mijn eigen huis is er niemand die zoveel uren zorg heeft gegeven. En mijn internationale agent, Danny Baror, wiens invloed de hele wereld omspant: dank je.

Mijn dochter, Julia Stone, gaf me het eerste idee voor dit boek en mijn zoon, Paul Stone, zette de juridische argumenten voor de hoofdpersoon uiteen. Tot slot ben ik ook bijzonder dankbaar voor het advies en de steun van Joseph Allen, Vicki Allen, Patricia Barrett, Katrina Baum, Julia Cunningham, Julia Fasick, Roberta Foreman (M.F.C.C.), Gary Gulbransen, Susan Miles Gulbransen, Frances Halpern, Fred Klein, Lumina, Deirdre Lynds, Kate Lynds, Randi Kennedy, Wendell Klossner (M.D.), Connie Martinson, Monica McCoy (D.C.), Lucy Jo Palladino (Ph.D.), Elaine Russell, Theil Shelton, Jim Stevens en MaryEllen Strange.

Vanwege de enorme behoefte aan orgaandonaties en de levens die hiermee kunnen worden gered, wil ik u verzoeken te overwegen om een donorcodicil in te vullen. Meer informatie over orgaandonaties is te verkrijgen bij de Stichting Donorvoorlichting in Hilversum, telefoonnummer 0900-beldonor (22 cent per minuut) of website www.donorvoorlichting.nl. Hier is ook het donorformulier verkrijgbaar.